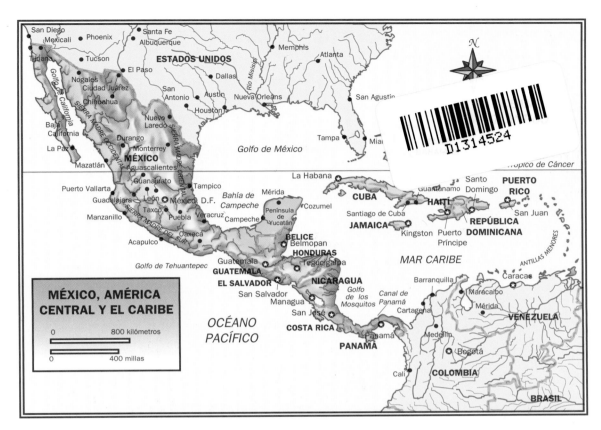

MÉXICO, AMÉRICA CENTRAL Y EL CARIBE

ESTADOS UNIDOS

San Diego • Phoenix • Santa Fe • Albuquerque • Memphis • Atlanta
Mexicali • Tucson • San Agustín
Tijuana
El Paso • Dallas
Nogales • San Antonio • Austin • Nueva Orleans
Ciudad Juárez • Houston • Tampa • Miami
Chihuahua
Baja California
Nuevo Laredo
La Paz • Durango • Monterrey • Golfo de México • Trópico de Cáncer
Mazatlán • MÉXICO • Aguascalientes
Puerto Vallarta • Guanajuato • Tampico • La Habana • Santo Domingo • PUERTO RICO
Guadalajara • León • Mérida • CUBA • Guantánamo
Taxco • México D.F. • Bahía de Campeche • Cozumel • HAITÍ • San Juan
Manzanillo • Puebla • Veracruz • Península de Yucatán • Santiago de Cuba • REPÚBLICA DOMINICANA
Oaxaca • Campeche • JAMAICA • Kingston • Puerto Príncipe
Acapulco • BELICE • Belmopan • ANTILLAS MENORES
Golfo de Tehuantepec • HONDURAS • MAR CARIBE
Guatemala • Tegucigalpa
GUATEMALA • Barranquilla • Caracas
EL SALVADOR • NICARAGUA • Maracaibo
San Salvador • Golfo de los Mosquitos • Mérida • VENEZUELA
Managua • Canal de Panamá • Cartagena
San José • Medellín
COSTA RICA • Panamá • Bogotá
PANAMÁ
Cali • COLOMBIA

OCÉANO PACÍFICO

0 — 800 kilómetros
0 — 400 millas

BRASIL

ESPAÑA

MAR CANTÁBRICO • Bahía de Vizcaya • FRANCIA
0 — 200 kilómetros
0 — 100 millas

La Coruña • Oviedo • CANTABRIA • Santander • San Sebastián
Santiago de Compostela • ASTURIAS • Bilbao • LOS PIRINEOS • ANDORRA
GALICIA • PAÍS VASCO • Pamplona • Golfo de León
Vigo • León • Burgos • Logroño • NAVARRA
CASTILLA-LEÓN • LA RIOJA • Zaragoza • CATALUÑA • Costa Brava
Valladolid • Río Ebro • Lérida
Zamora • ESPAÑA • Tarragona • Barcelona
Oporto • Río Duero • Segovia • SIERRA DE GUADARRAMA • ARAGÓN
Salamanca • Ávila • MADRID • Guadalajara • Castellón • Menorca
El Escorial • Madrid
PORTUGAL • Cáceres • Toledo • Valencia • Mallorca • Palma
Río Tajo • CASTILLA-LA-MANCHA • COMUNIDAD VALENCIANA • Ibiza • ISLAS BALEARES
EXTREMADURA • Ciudad Real • Albacete • Alicante • Formentera
Lisboa • Badajoz • Mérida • Almadén • Murcia • MAR MEDITERRÁNEO
Río Guadiana • SIERRA MORENA • Linares • MURCIA • Costa Blanca
Río Guadalquivir • Córdoba • Jaén • Lorca • Cartagena
Sevilla • ANDALUCÍA
Huelva • SIERRA NEVADA • Granada • Almería

ISLAS CANARIAS
Santa Cruz de Tenerife • Lanzarote
La Palma • Tenerife • Fuerteventura
Hierro • Gomera • Las Palmas • Las Palmas de Gran Canaria
0 — 200 kilómetros
0 — 100 millas

Golfo de Cádiz • Málaga • Costa del Sol
Jerez de la Frontera
Cádiz • Gibraltar (R.U.)
OCÉANO ATLÁNTICO • Tánger • Ceuta (Esp.) • Orán

See back of book for map of South America.

DEDICATION

This book is lovingly dedicated to Tracy D. Terrell (1943–1991). Tracy left us an enduring legacy: the Natural Approach, a methodology that has had a significant impact on second language teaching and on the evolution of textbook materials. He also envisioned this book and guided us, the co-authors, to its fruitful completion. Tracy was our inspirational mentor. His kind spirit and brilliant vision infuse every page. His ever-generous heart touched many of us—friends, colleagues, teachers, students—in an indelible way. We miss him. And we hope he is proud of our work in this new edition of *Dos mundos*.

IMPORTANT

HERE IS YOUR REGISTRATION CODE TO ACCESS MCGRAW-HILL
PREMIUM CONTENT AND MCGRAW-HILL ONLINE RESOURCES

For key premium online resources you need THIS CODE to
gain access. Once the code is entered, you will be able to
use the web resources for the length of your course.

Access is provided only if you have purchased a new book.

If the registration code is missing from this book, the registration screen on our
website, and within your WebCT or Blackboard course will tell you how to obtain
your new code. Your registration code can be used only once to establish
access. It is not transferable

To gain access to these online resources

1. USE your web browser to go to: **www.mhhe.com/dosmundos6**

2. CLICK on "First Time User"

3. ENTER the Registration Code printed on the tear-off bookmark on the right

4. After you have entered your registration code, click on "Register"

5. FOLLOW the instructions to setup your personal UserID and Password

6. WRITE your UserID and Password down for future reference. Keep it in a safe place.

If your course is using WebCT or Blackboard, you'll be able to use this code to
access the McGraw-Hill content within your instructor's online course.

To gain access to the McGraw-Hill content in your instructor's WebCT or
Blackboard course simply log into the course with the user ID and Password
provided by your instructor. Enter the registration code exactly as it appears to
the right when prompted by the system. You will only need to use this code the
first time you click on McGraw-Hill content.

These instructions are specifically for student access. Instructors are not required
to register via the above instructions.

The McGraw-Hill Companies

Thank you, and welcome to your
McGraw-Hill Online Resources.

ISBN 978-0-07-304046-2
MHID 0-07-304046-0 t/a
Terrell
Dos Mundos, 6/e

REGISTRATION CODE
REGISTRATION CODE

Registration codes no longer necessary

The McGraw-Hill Companies
Mc Graw Hill Higher Education

SIXTH EDITION

Dos mundos

Comunicación y comunidad

Tracy D. Terrell
Late, University of California, San Diego

Magdalena Andrade
Irvine Valley College

Jeanne Egasse
Irvine Valley College

Elías Miguel Muñoz

Boston   Burr Ridge, IL   Dubuque, IA   Madison, WI   New York
San Francisco   St. Louis   Bangkok   Bogotá   Caracas   Kuala Lumpur
Lisbon   London   Madrid   Mexico City   Milan   Montreal   New Delhi
Santiago   Seoul   Singapore   Sydney   Taipei   Toronto

The McGraw·Hill Companies

Higher Education

This is an ⌐B| book.

Published by McGraw-Hill, an imprint of The McGraw-Hill Companies, Inc., 1221 Avenue of the Americas, New York, NY 10020.

4 5 6 7 8 9 0 DOW DOW 0 9 8

ISBN: 978-0-07-295925-3 (Student's Edition)
MHID: 0-07-295925-8 (Student's Edition)
ISBN: 978-0-07-303093-7 (Instructor's Edition)
MHID: 0-07-303093-7 (Instructor's Edition)

Editor-in-chief: *Emily Barrosse*
Publisher: *William R. Glass*
Director of development: *Scott Tinetti*
Development editor: *Max Ehrsam*
Executive marketing manager: *Nick Agnew*
Production editor: *David M. Staloch*
Production supervisor: *Randy Hurst*
Design manager and cover designer: *Violeta Díaz*

Freelance interior designer: *Amanda Kavanagh*
Art manager: *Robin Mouat*
Photo research coordinator: *Nora Agbayani*
Photo researcher: *Susan Friedman*
Compositor: *The GTS Companies/York, PA Campus*
Typeface: *10/12 Melior*
Printer and binder: *RR Donnelley, Willard*

Library of Congress Cataloging-in-Publication Data

Dos mundos: comunicación y comunidad / Tracy D. Terrell . . . [et al.]—6th ed.
    p. cm
    English and Spanish
    ISBN 0-07-295925-8
    1. Spanish language—Textbooks for foreign speakers—English. I. Title: 2 mundos.
    II. Terrell, Tracy D.

PC4129.E5 D67 2005b
468.2'421—dc22   2005045298

www.mhhe.com

CONTENTS

TO THE INSTRUCTOR

Welcome to the Sixth Edition of *Dos mundos*! Those of you already familiar with our textbook know that this is a special kind of text. Through its communicative methodology *Dos mundos* offers an exciting alternative to the many Spanish-language textbooks available today. Our program allows instructors to do what they have always wanted to do as educators: help students enjoy the process of learning to communicate in a second language.

Our main objectives have not changed since the First Edition. The **Actividades de comunicación** continue to play a primary role, while grammar serves as an aid in the language acquisition process. The core of our program is communication. But over the years, we have made several changes to *Dos mundos*. With each new edition we bring in fresh, practical ideas from the field of second-language teaching. And we listen to you, the instructors who use *Dos mundos*.

You asked us for a strong focus on culture and literature in this Sixth Edition, so we have concentrated our efforts in this regard. Indeed, we are excited about the expanded cultural content and the new literature in *Dos mundos*. We will highlight these areas in the following pages. However, before going any further, we invite you to flip through the pages of our textbook. Note the variety of photos, authentic materials, and literary selections. Every chapter now opens with a work of fine art and a time line, both tied to one of the twenty-one Spanish-speaking countries. We are pleased with our renewed emphasis on the art, history and cultures

of the Hispanic world as the textbook we envisioned with Tracy Terrell continues to evolve. It is our hope that you continue to benefit from all that *Dos mundos* has to offer.

SIXTH EDITION: AN OVERVIEW

The new subtitle of our book—*Comunicación y comunidad*—reflects the main goals of the program: achieving communicative competence in Spanish and establishing community connections both inside the classroom and within the larger Spanish-speaking world.

The Sixth Edition of the main text and its accompanying *Cuaderno de actividades* both begin with three preliminary **Pasos** and have fifteen regular chapters. These chapters are divided into three main sections:

> **Actividades de comunicación y lecturas:** Communicative activities and readings
>
> **Vocabulario:** Vocabulary introduced in the communicative activities
>
> **Gramática y ejercicios:** Grammar explanations and verification exercises

We have kept the cultural magazine, **Vida y cultura,** which appears after **Capítulos 4, 9,** and **15,** and we have expanded cultural readings in the regular chapters with new **Ventanas culturales** and a reading segment entitled **Ventanas al pasado.** A significant change in the overall structure of *Dos mundos* is the inclusion of **Enlace literario,** a literary selection, in every chapter.

GUIDED TOUR

ENTRADA AL CAPÍTULO

Each regular chapter begins with two pages that orient you to the themes and activities of the chapter. On the left-hand page, a **Metas** feature provides a brief overview of the objectives, and fine art from the Spanish-speaking world illustrates the chapter theme. **Sobre el artista** introduces the artist and his or her place in the culture of the Spanish-speaking world. Below the fine art is a time line of the focus country with the corresponding flag.

On the right-hand page, three columns detail the communicative activities, readings, culture topics, and grammar exercises included in the chapter. In addition, icons on this page highlight the multimedia materials that accompany the chapter. A new review feature called **Para repasar: Los amigos animados,** is also referenced on this page.

ACTIVIDADES DE COMUNICACIÓN Y LECTURAS

These activities and readings are the core of *Dos mundos*. Each chapter is divided into three or four themes, each introduced with color art illustrating structures and vocabulary. At the top of each art display you will see the instructions **Lea Gramática...** directing students to read or review the grammar point that corresponds to a particular theme. Following the display are the communicative activities. Students participate in these activities with their instructor and/or their classmates in order to develop listening and speaking skills.

READING AND CULTURAL MATERIALS

Every chapter contains a variety of reading and cultural materials: **Ventanas culturales, Ventanas al pasado, Enlace literario,** and **Lectura.**

VENTANAS CULTURALES

These cultural readings focus on four aspects of life in the Spanish-speaking world: **Nuestra comunidad, Las costumbres, La vida diaria,** and **La lengua.** Students should review the new vocabulary in the **Vocabulario útil** box before they begin to read. The brief questions in **Ahora… ¡ustedes!** are intended for use as pair or group work and can also stimulate general class discussion.

VENTANAS AL PASADO

These new cultural readings focus on aspects of the social, cultural, or political history of the Spanish-speaking world. Again, the **Vocabulario útil** box acquaints students with unfamiliar vocabulary, and the **Ahora… ¡ustedes!** questions engage students in conversation about related topics.

The **Ventanas culturales** and **Ventanas al pasado** readings may be assigned for homework, but their cultural content makes them ideal for in-class reading and cultural discussion.

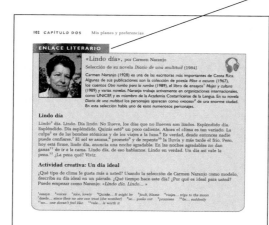

ENLACE LITERARIO

This segment is a link to the Hispanic literary tradition, thus the name **Enlace.** The material consists of poetry and fiction by well-known Spanish, Latin American, and US Latino writers. New or difficult vocabulary is glossed, and all **Enlaces** are followed by a creative writing activity. This **Actividad creativa** allows students to develop their writing skills in Spanish, as it encourages them to associate the reading of literature with active participation in the creative process. The **Enlace literario** are also available in audio format on a special audio CD that is part of the Audio Program.

LECTURA

The **Lecturas** present a variety of topics, such as sports, leisure activities, regional foods, or interesting cities or regions of the Spanish-speaking world. These materials may be read in class or may be given as homework. Students should review the reading hints in **Pistas para leer** and the new vocabulary words in the **Vocabulario útil** box before they begin to read. Follow-up questions include **Comprensión,** which assesses general understanding of the material, and either **Un paso más... ¡a escribir!,** a creative writing activity related to the topic of the reading, or **Un paso más... ¡a conversar!,** a whole-class discussion activity. Selected readings from the **Lectura** sections are also available in audio format on the Online Learning Center and also on a special audio CD that is part of the Audio Program.

EN RESUMEN

This section includes activities that summarize the chapter material. **De todo un poco** features one or more communicative activities for students to do in groups. **¡Dígalo por escrito!** is an individual writing activity that requires students to use chapter themes and grammar in a creative way. **¡Cuéntenos usted!** gives students a series of guided questions related to the chapter theme and then asks them to tell their own story.

VOCABULARIO

At the end of every chapter, before the blue grammar pages, is a one- or two-page list of all the new vocabulary words from the **Actividades de comunicación.** All vocabulary words are available in audio format on the Online Learning Center and on special audio CDs in the Audio Program.

GRAMÁTICA Y EJERCICIOS

The blue grammar pages include explanations of the basic grammar and follow-up exercises. **¿Recuerda?** sidebars call attention to previously relevant grammar points. Brief margin notes provide additional information about Spanish grammar. The explanations and the exercises are designed to be done as homework, using the Answer Key in Appendix 4 to make corrections.

VIDA Y CULTURA

Vida y cultura follows **Capítulos 4, 9,** and **15.** This cultural magazine section includes articles on various aspects of Hispanic culture from several countries. Footnotes are provided to clarify unfamiliar vocabulary.

FEATURES AND CHANGES IN THE TEXTBOOK

- **Chapter Themes: Capítulo 3** contains a new section called **Las tres comidas** to introduce students to basic foods. Some computer-related vocabulary has been added to **Capítulo 5,** while more in-depth computer vocabulary is retained in **Capítulo 15.** The topic of **Los viajes en automóvil** has been moved to **Capítulo 11** with other travel plans.

- **Chapter Openers:** The two-page opener features a piece of fine art from one of the twenty-one Spanish-speaking countries and a new accompanying time line that highlights the history of the focus country.

- **Actividades de comunicación:** The communicative activities have been updated to reflect current issues and student interests. Each of the **Actividades de comunicación** is categorized under one of eighteen different types (see page xxiii). All activities are sequenced from input to output in order to promote comprehension before production. The **Diálogo** and **Diálogo abierto** activities are included only in the **Pasos** and in **Capítulos 1–3.** Their purpose is to provide controlled practice in using formulaic conversational expressions.

- **En resumen:** These review sections support the chapter themes. The **¡Dígalo por escrito!** sections are individual writing activities suitable for assigning as homework or extra credit. The new **¡Cuéntenos usted!** activity is designed to develop oral narrative ability and may be used at the end of a chapter or later in the course as a review activity. **Capítulos 12, 13, 14,** and **15** also include a new service-learning activity called **Conexión a la comunidad,** which encourages students to use their Spanish in real-life volunteer settings.

- **Vocabulario:** The end-of-chapter vocabulary includes all the vocabulary from the **Actividades de comunicación.**

- **Reading Materials:** The Sixth Edition of *Dos mundos* continues to emphasize reading and literacy. It features a wide variety of cultural topics, exciting literature, and realia-based materials. The two main categories of readings are **Lecturas** and **Enlaces literarios.**

  - **Lecturas:** This reading segment focuses on many aspects of Hispanic culture such as sports, holiday celebrations, leisure activities, and regional foods. There are several new **Lecturas** in the Sixth Edition, including **Grandes fiestas,** on holiday celebrations; **Los platos andinos,** on Andean cuisine; and a reading about Mérida, the beautiful Venezuelan city. New to this edition is the **Pistas para leer** box, which provides pre-reading questions, clues, and useful strategies such as scanning and cognate recognition.

  - **Enlaces literarios:** This material consists of poetry and fiction selections by well-known Spanish, Latin American, and US Latino writers. Some of the writers featured are José Martí, Octavio Paz, Gioconda Belli, Tomás Rivera, Carmen Naranjo, Antonio Machado, and Augusto Monterroso. Each **Enlace** is preceded by an introduction to the author. Students will be encouraged by their enjoyment of these literary works, as we are confident that literature can be understood and appreciated early in the language acquisition process.

- **Culture:** In addition to the cultural content previously described in the section on reading materials, the Sixth Edition includes other cultural features.

- **Vida y cultura:** An attractive magazine section (after **Capítulos 4, 9, and 15**) that presents articles on high-interest topics such as music, history, language, and art.

- **Ventanas culturales:** As the title suggests, these are windows into the culture and society of the Hispanic world. There are four categories of **Ventanas culturales: Nuestra comunidad, La lengua, La vida diaria,** and **Las costumbres.** The Sixth Edition features several new **Ventanas culturales,** highlighting topics such as **flamenco** music, Peruvian **danza negra,** and the **Ballet Folklórico de México.**

- **Ventanas al pasado:** Focus on some historical aspect of Hispanic culture. Some of the topics include the art of Diego Rivera and Frida Kahlo, Arabic contributions to the field of medicine, and the work of Spanish architect Antoni Gaudí.

- **¡Ojo!:** Brief descriptions of customs in and points of interest about the Hispanic world.

- **Cronologías:** The chapter opener includes a time line that can serve as a starting point for discussion of the sociopolitical life of all Hispanic countries. The first three **cronologías** are presented in English; all subsequent ones are in Spanish.

- **Grammar:** Here are additional features and changes of note in the Sixth Edition.

  - **Explanations:** Clear and concise explanations and the Answer Key provided in Appendix 4 allow the grammar component to be used by students outside the classroom. The introduction of the alphabet has been moved to **Paso A,** and the grammar of **Pasos A** and **B** has been reorganized so that **Paso A** also has short verification exercises. A simple overview of basic grammar, **Some Useful Grammatical Terms** introduces the grammar of **Paso A.** A new section on Asking and Answering Questions has been added to **Capítulo 3.** The present progressive has been moved to **Capítulo 5.** We think these last two changes will give students more time to acquire the present tense before being introduced to the progressive forms.

  - **Margin notes:** These give students quick hints and brief overviews of grammar points for review purposes.

  - **Illustrations:** Many complex grammar concepts are illustrated with a drawing, called **Gramática ilustrada,** to help students visualize the grammatical structure.

  - **Review:** The **¿Recuerda?** feature reminds students to review previous relevant grammar sections.

  - **Helpful Hints: ¡Ojo!** boxes in the grammar section provide helpful hints for doing the grammar exercises.

  - **Verbs:** Simple presentations of **-ar** and **-er/-ir** verbs are in **Paso C** and **Capítulo 1.** The present tense is reexamined more completely in **Capítulos 3** and **4.**

FEATURES AND CHANGES IN THE *CUADERNO DE ACTIVIDADES* (WORKBOOK / LABORATORY MANUAL)

The *Cuaderno de actividades* is intended for use primarily outside the classroom. This combined workbook / laboratory manual features **Actividades escritas, Actividades auditivas, Resumen cultural, Pronunciación y ortografía, Videoteca,** and **Lecturas.** The Preface in the *Cuaderno de actividades* provides a detailed description of all sections and types of activities, as well as an outline of Sixth Edition changes.

- **Actividades escritas:** These writing activities echo the chapter themes and allow students to express themselves more freely than in the verification exercises of the **Gramática y ejercicios.**

- **Actividades auditivas:** These newly revised listening passages correspond to the chapter themes and give students the opportunity to hear Spanish speakers interacting using the vocabulary and structures featured in the chapter. Brief comprehension questions accompany these passages. The newly created **Los amigos animados,** also referenced on the chapter-opener pages of the main textbook, includes animated dialogues, advertisements, or announcements that review the previous chapter.

- **Resumen cultural:** These questions review the cultural content of the main text.

- **Pronunciación y ortografía:** Explanations of pronunciation and spelling are followed by audio exercises.

- **Videoteca:** Includes three segments: **Los amigos animados, Escenas culturales,** and **Escenas en contexto.** Each section contains corresponding comprehension questions.

- **Lecturas:** New readings have been added, including several **Notas culturales** and literary selections.

Although the **Actividades escritas** and the **Actividades auditivas** are in separate sections, they coordinate with the chapter themes. We suggest that instructors assign the **Actividades escritas** as they are working through the chapter and that they assign the **Actividades auditivas** toward the end of the chapter when students have had ample exposure to comprehensible input in class. Additional advanced grammar concepts, along with verification exercises, have been placed in a section of the *Cuaderno* called **Expansión gramatical.**

SUPPLEMENTS

As a full-service publisher of quality educational products, McGraw-Hill does much more than just sell textbooks to your students. We create and publish an extensive array of print, video, and digital supplements to support instruction on your campus. Orders of new (versus used) textbooks help us defray the cost of developing such supplements, which is substantial. Please consult your local McGraw-Hill representative to learn about the availability of the following supplements that accompany this edition of *Dos mundos: Comunicación y comunidad.*

For Instructors and for Students

- The *Cuaderno de actividades,* described earlier, offers additional practice with vocabulary, grammar, and skill development.

- Quia McGraw-Hill is proud to partner with Quia™ in the development of the online *Cuaderno de actividades.* This robust, digital alternate version of the printed *Cuaderno* is easy for students to use and ideal for instructors who want to manage students' coursework online. Identical in practice material to the print version, the online *Cuaderno* contains the full audio program as well as segments from the video. The online *Cuaderno* also provides students with automatic feedback and scoring of their work. The Instructor's Workstation contains an easy-to-use gradebook and class roster system that facilitate course management.

- The Audio Program, coordinated with the **Actividades auditivas** from the *Cuaderno de actividades,* is available in audio CD format and also on the Online Learning Center Website as Premium Content. Additionally, an audio recording of the **Enlace literario** passages and selected **Lecturas** from the textbook are included in special audio CDs as part of the Audio Program. The audio recordings for the **Lecturas** can also be found on the Online Learning Center. An audio icon identifies these readings in the textbook.

- Each chapter of the Video (in VHS or CD format) consists of two animated dialogues (**Los amigos animados**), the **Escenas culturales** (scenes from each of twenty-one Spanish-speaking countries), and the **Escenas en contexto** (a two- to three-minute functional vignette filmed on location in Costa Rica, Ecuador, Mexico, Peru, and Spain). The activity for **Los amigos animados** is found at the beginning of the **Actividades auditivas** of the *Cuaderno de actividades.* The activities for the **Escenas culturales** and **Escenas en contexto** are found in the **Videoteca** sections of the *Cuaderno de actividades.*

- The Interactive CD-ROM continues the emphasis on meaningful use of Spanish that characterizes the *Dos mundos* program. Activities review vocabulary and grammar in an interactive format. Additional cultural readings can also be found on the CD-ROM. The video component of the CD-ROM provides students with the opportunity to view functional language scenarios (**Situaciones**). In addition, students are able to recreate the interactions by participating in a recorded video interview with characters from the video scenarios, further developing listening and speaking skills.

- The Online Learning Center offers a variety of resources for students and instructors, including grammar and vocabulary practice exercises and links to the **Actividades de Internet** from the Instructor's Resource Kit. The Online Learning Center can be accessed at **www.mhhe.com/ dosmundos6**.

Premium Content on the Online Learning Center Website

Students who purchase a *new* copy of *Dos mundos* have access free of charge to premium content on the Online Learning Center Website at **www.mhhe.com/ dosmundos6**. This includes, among other items, the complete Audio Program that supports the accompanying *Cuaderno de actividades* as well as the new **Los amigos animados** Flash™ animations. The card bound inside the front cover of this book provides a registration code to access the Premium Content. *This code is unique to each individual user.* Other study resources may be added to the Premium Content during the life of the edition of the book.

If students purchase a *used* copy of *Dos mundos* but would like access to the Premium Content, they may purchase a registration code for a nominal fee. Please visit the Online Learning Center Website for more information.

If you are an instructor, you do not need a special registration code for Premium Content. Instructors have full access to all levels of content via the Instructor's Edition link on the homepage of the Online Learning Center Website. Please contact your local McGraw-Hill sales representative for your password.

For Instructors Only

- The annotated *Instructor's Edition* of *Dos mundos* provides notes that offer extensive pre-text activities, teaching hints, and suggestions for using and expanding materials, as well as references to the supplementary activities in the Instructor's Manual and the Instructor's Resource Kit.

■ The Instructor's Manual provides a general introduction to communicative language teaching and to the types of activities found in the program. It also offers step-by-step instructions for teaching the **Pasos** and **Capítulo 1.** There are suggestions for pre-text activities, TPR (Total Physical Response) sequences, and many additional activities for each chapter.

■ The Instructor's Resource Kit contains supplementary activities and games that correspond to chapter themes. The Sixth Edition also includes Internet activities (also available on the *Dos mundos* Online Learning Center) and a **Lotería cultural** for each chapter.

■ A set of 100 full-color Overhead Transparencies displays drawings, color maps, and other illustrations, mostly from the main text.

■ The Picture File contains fifty color photographs, designed to stimulate conversation in the classroom.

■ The Testing Program contains listening comprehension (with Testing Audio CD), reading, vocabulary, and grammar tests. it also includes suggestions for testing oral achievement and writing skills. The Sixth Edition provides nine sample exams (one for each two-chapter segment), as well as a variety of activities/exercises for all three **Pasos** and fifteen chapters that can be recombined to create different versions of the tests. The Word files of the Testing Program are available on CD in the form of the Electronic Testing Program. This convenient format allows instructors to edit and customize the exams to suit their course and philosophy of testing.

■ The Audioscript is a transcript of all recorded materials in the Audio Program.

Other Materials Available

■ The *¡A leer! Easy Reader Series* features two short readers, *Cocina y comidas hispanas,* on regional Hispanic cuisines, and *Mundos de fantasía,* which contains fairy tales and legends.

■ The *Storyteller's Series* offers high-interest fiction designed for advanced beginning or intermediate students. Three books are available: *Viajes fantásticos, Ladrón de la mente,* and *Isla de luz.*

■ The *El mundo hispano* reader features five major regions of the Hispanic world, as well as a section on Hispanics in the United States.

■ *Sin falta,* developed in partnership with UltraLingua, Inc., is a Spanish writing software program on CD-ROM that includes the following features: a word processor, a bilingual Spanish-English dictionary with more than 250,000 entries, an online Spanish grammar reference, and basic grammar and spell-checking functions.

SECOND-LANGUAGE ACQUISITION

Dos mundos is designed to work well with a variety of communicative approaches. The program is primarily based on Tracy D. Terrell's Natural Approach to language instruction, James Asher's Total Physical Response (TPR), and elements of Stephen D. Krashen's theoretical model of second-language acquisition.[1] Krashen posits that we have two ways of developing language ability: acquisition and learning. *Language*

---

[1]Portions of this section (and the next) are quoted by permission of Stephen D. Krashen, *Fundamentals of Language Acquisition*, Laredo Publications, 1992.

acquisition is a subconscious or automatic process; that is, we are not focused on form and we are usually not aware that it is happening. Research supports the view that adults can and do acquire language subconsciously, even if not as "naturally" as children do. *Language learning* is a conscious or controlled process: it occurs when we are focused on form and aware that we are learning. When you talk about grammar rules, you are usually talking about learning.

We normally produce language using our acquired or implicit linguistic competence, whereas we use our learned system—our knowledge of explicit rules—to monitor or edit our output. Current theories of language acquisition posit that we acquire language best when we understand messages or receive *comprehensible input,* either aural or written: reading is an excellent source of comprehensible input.

These theories also suggest that attitudes and feeling can influence language acquisition. If students are overly anxious or do not perceive the target culture in a positive light, they may understand the input but a psychological block (the Affective Filter) will prevent their acquisition of the new language.[2]

Dos mundos: From Theory to Action

Our goal is to make language acquisition theory work in the classroom. Here is how we do it.

Aiming for Meaning

The primary goal of the *Dos mundos* classroom is to provide aural and written input that is both interesting and comprehensible. This input helps students take in meaning and integrate it within their developing language system. *Dos mundos* helps students create meaning from the new language through both comprehensible input (listening) and guided output (speaking).

2 I'm Listening!

Comprehension precedes production in both first- and second-language acquisition. Thus, students' ability to use new vocabulary and structures is directly related to the opportunities they have had to interact aurally, orally, and visually in meaningful and relevant context with the new language. Students need many opportunities to interact in meaningful contexts before they can express their own meaning successfully.

3 Taking Our Time

Because speech emerges in stages, *Dos mundos* allows for three stages of language development: comprehension, early speech, and speech emergence.

The activities in **Paso A** are designed to give students the opportunity to develop initial comprehension ability while producing only minimal fixed expressions (see **Diálogos** in the section **Los saludos** in **Paso A**). The activities in **Paso B** encourage the transition from comprehension to the ability to respond naturally in single words. By the end of **Paso C** and through **Capítulo 1,** most students are making the first transitional steps from short answers to longer phrases and complete sentences. This is accomplished through guided output activities such as **Diálogos abiertos, Descripción de dibujos, Intercambios,** and **Entrevistas.** Students will continue to pass through these same

---

[2]For more detailed information, see the section on Second-Language Acquisition Theory in the Instructor's Manual.

three stages with the new material of each chapter. It is important to keep in mind that the vocabulary and structures presented in **Capítulo 1** may not be fully acquired until **Capítulo 5** or later.

The pre-text activities, the **Actividades de comunicación,** and the **Actividades auditivas** in the *Cuaderno de actividades* all provide opportunities for understanding Spanish before more developed production is expected. The Instructor's Manual includes additional activities for each chapter to provide further opportunities for comprehensible input and guided production. As students gradually become more fluent listeners and speakers, *Dos mundos* challenges their skills with higher level language and more open-ended output activities: **Entrevistas, Narración, ¡Cuéntenos usted!** This process helps students continue to acquire higher-level lexical and grammatical structures.

4 We All Make Mistakes

Errors in form are not corrected in classroom activities that are aimed at communication. We anticipate that students will make many errors as speech emerges. Given sufficient exposure to Spanish, these early errors do not usually affect students' future language development nor do they impede basic interpersonal communication with native speakers. While doing the **Actividades de comunicación** in class, we recommend correcting only factual errors and responding naturally to students' communication, expanding or restating when it feels normal and natural to do so and when the correction or expansion can be woven naturally into the conversational thread.

In contrast, students can and should correct their responses to the self-study **Gramática y ejercicios** using the Answer Key in Appendix 4 and to the **Actividades auditivas** and the **Actividades escritas** using the Answer Key at the back of the *Cuaderno de actividades.*

5 Relax and Let it Happen Naturally!

Students acquire language best in a low-anxiety environment and when they are truly engaged with the material. Such an atmosphere is created when the instructor: (1) provides students with truly interesting, comprehensible input; (2) does not focus excessively on form; and (3) lets students know that communicating in a new language is possible. Student motivation to acquire Spanish will be higher if he/she has enjoyable and meaningful experiences in the new language. The *Dos mundos* program creates a positive classroom atmosphere by sparking student interest and encouraging involvement in two sorts of activities: those that relate directly to students and their lives and those that relate to the Hispanic world. Hence, the **dos mundos** referred to in the title. Input and interaction in these two areas—along with the expectation from the instructor that students will be able to communicate their ideas—create a classroom environment wherein the instructor and the students feel comfortable listening and talking to one another.

6 It Takes a Community

People acquire both first and second languages as part of a larger language community. Group work in a *Dos mundos* classroom provides valuable oral interaction in Spanish and creates a classroom community that facilitates communication. Students are also encouraged to integrate themselves into the larger Hispanic community through cultural readings, Internet activities, and service opportunities.

7 Speak Your Mind!

Speaking helps language acquisition in several ways. It encourages comprehensible input via conversation, and it provides feedback on communicative accuracy (Was the listener able to understand the speaker?). Speaking also allows students to engage in real language use as the instructor and students share opinions and information about themselves. *Dos mundos* provides students with many opportunities for meaningful production in Spanish.

8 A Place for Grammar

Although *Dos mundos* focuses on acquiring communicative competence through oral, listening, and written activities, there are also practical reasons for grammar study. Formal knowledge of grammar helps students edit their written work; it also gives students confidence about their progress with the new language. Some

language students derive great satisfaction when they learn about what they are acquiring and when they are able to utilize grammatical knowledge to make the input they hear and read more comprehensible. In addition, a gentle focus on form may help some students to recognize gaps in their developing language and thereby achieve more accuracy in their output.

9 Language with a Purpose

The goal of a *Dos mundos* Spanish class is proficiency in basic communication skills: listening, reading, speaking, and writing. Proficiency is defined as the ability to understand and convey information and/or feelings in a particular situation for a particular purpose. Grammatical accuracy is one part of communicative proficiency, but it is not the primary goal. The activities in *Dos mundos* support different aspects of language acquisition.

COMPREHENSIBLE INPUT	OUTPUT	EXPLICIT KNOWLEDGE OF RULES
Pre-text activities **Actividades de comunicación**	**Actividades de comunicación**	**Gramática y ejercicios**
Ventanas culturales **Ventanas al pasado** **Enlaces literarios** **Lecturas**	**¡Dígalo por escrito!** **Cuéntenos usted** **Un paso más...** **¡a escribir!** **Un paso más...** **¡a conversar!** **Actividad creativa**	**Ejercicios de pronunciación y ortografía**
Actividades auditivas **Videoteca**	**Actividades escritas**	

Dos mundos materials fully support the National Standards for Foreign Language Education.[3]

STANDARD	*DOS MUNDOS* MATERIALS
Communication	**Actividades de comunicación, En resumen, ¡Cuéntenos usted!, Actividades auditivas**
Cultures	Opener page fine art, **Sobre el artista,** chapter time line, **¡Ojo!** side bars, **Ventanas culturales, Ventanas al pasado, Video (Escenas culturales, Escenas en contexto)**
Connections	**Ventanas culturales, Ventanas al pasado, Enlaces literarios, Lecturas, Video (Escenas culturales, Escenas en contexto)**
Comparisons	**Gramática y ejercicios, Pronunciación y ortografía, Ventanas culturales, Ventanas al pasado, Lecturas, Video (Escenas culturales, Escenas en contexto)**
Communities	**Ventanas culturales, Conexión a la comunidad, Video (Escenas culturales, Escenas en contexto),** Internet activities from the IRK

Dos mundos **Methodology: Specifics**

Each of the fifteen regular chapters of *Dos mundos* opens with the **Actividades de comunicación y lecturas,** which stimulate the acquisition of vocabulary and grammar. The following types of communicative activities appear in most chapters.

Student-centered input (pre-text oral activities in *Instructor's Edition*)
Photo-centered input (Pre-text oral activities in *Instructor's Edition*)
Definitions (**Definiciones**)
Association activities (**Asociaciones**)
Discussions (**Conversación, Un paso más... ¡a conversar!**)
Realia-based activities (**Del mundo hispano**)
Description of drawings (**Descripción de dibujos**)

Interactions (**Intercambios**)
Narration series (**Narración**)
Dialogues (**Dialogos, Diálogos abiertos**)
Identification activities (**Identificaciones**)
Situational dialogues (**Situaciones**)
Personal opinion activities (**Preferencias**)
Interviews (**Entrevistas**)
Polls (**Encuestas**)
Culminating activities (**En resumen**)
Storytelling activity (**¡Cuéntenos usted!**)
Creative writing activities (**Un paso más... ¡a escribir!, ¡Dígalo por escrito!, Actividad creativa**)

In addition, the Instructor's Manual contains TPR (Total Physical Response) and additional activities, both of which provide comprehensible input

The **Vocabulario** list that follows each **Actividades de comunicación y lecturas** section contains most of the new words that have been introduced in the vocabulary displays and activities. Students should recognize these words when they are used in a clear, communicative context. Many will also be actively used by students in later chapters and as the course progresses.

The readings in *Dos mundos* are by no means exhaustive; we recommend that instructors read aloud to students and when students are ready for independent reading, allow them to select material of interest to them. The *¡A leer! Series,* the *El mundo hispano* reader, or the *Storyteller's Series* are appropriate for second-, third-, or fourth-semester accompaniment to *Dos mundos.*

The **Gramática y ejercicios** sections (the blue pages) at the end of each chapter are designed for quick reference and ease of study. The purpose of the grammar exercises is for students to verify that they have understood the explanation: we do not believe that students acquire grammar by doing exercises. Students may self-check their work using the Answer Key found in Appendix 4 of the textbook.

Most new topics in the **Actividades de comunicación y lecturas** sections begin with references (marked **Lea Gramática...**) to the pertinent grammar section(s) of the chapter. All activities can be done without previous grammar study; it is desirable to do all **Actividades de comunicación** in a purely communicative way, with both instructor and students focusing on the meaning of what is being said.

ACKNOWLEDGMENTS

A special note of gratitude is due to Stephen D. Krashen for his research on second-language acquisition theory. Dr. Krashen has given us many valuable insights into creating more natural activities and providing comprehensible input for students. We also remain grateful to Dr. Joseph Goebel for his help in writing the section **¡Dígalo por escrito!** His creativity still shines through after two editions.

We would like to thank Dr. Karen Christian for her contributions to the first Instructor's Resource Kit (with the Third Edition). And our heartfelt thanks go to Beatrice Tseng (Irvine Valley College) for her creative work on the Fourth, Fifth, and Sixth Editions of the Instructor's Resource Kit and for her tireless quest to update the Internet activities.

The authors would like to express their gratitude to the many members of the language-teaching profession whose valuable suggestions through reviews and user diaries contributed to the preparation of the Sixth Edition. The appearance of their names here does not necessarily constitute an endorsement of the text or the Natural Approach methodology.

USER DIARISTS

Tania Garmy, University of Tulsa

Nancy Shearer, Cuesta College

REVIEWERS

Beatriz Gómez Acuña, Carthage College

Carolina Ávila, Mexican American Cultural Center

Luis Belaustegui, University of Missouri, Kansas City

Rosa Campos-Brito, Loyola College of Maryland

Lina Castellanos, Carthage College

Candace J. Chesebro, Chapman University

Concepcio Domenech, Front Range Community College

Christina Fox-Ballí, Eastfield College

Paola Galeano, Carthage College

Kathleen Gallivan, West Virginia University

Ana B. Fernández González, West Virginia University

Polly J. Hodge, Chapman University

Alex Idavoy, Brookdale Community College

Robert Jacques, Georgian Court College

Barbara Kruger, Finger Lakes Community College

Rebecca López, Mexican American Cultural Center

Teresita López, Camden County College

Elvia Macías de Pérez, Folsom Lake College

Richard McCallister, Delaware State University

Carlos Molina, Mexican American Cultural Center

Liliam Molina-Cesareo, Irvine Valley College

Gerry Monroy, Brookdale Community College

Thelma Montoya, Mexican American Cultural Center

Regina Morín, The College of New Jersey

Rebekah L. Morris, Wake Forest University

Nancy Nieman, Santa Monica College

Arturo Ortiz, Lenoir-Rhyne College

Teresa Pérez-Gamboa, University of Georgia

Jesús R. Pico-Argel, Wake Forest University

Ana Piffardi, Eastfield College

Callie Rabe, Finger Lakes Community College

Alister Ramírez, Hunter College, CUNY

Elsy Ramírez-Monroy, Brookdale Community College

Tony Rector-Cavagnaro, Cuesta College

Sofía Hurón Reyes, Mexican American Cultural Center

Pascal Rollet, Cathage College

Leticia Romo, Wake Forest University

Linda Ann Roy, Tarrant County College

Fernando Salcedo, Riverside Community College District

Annette Sánchez, Nashville State Community College

Elizabeth Buckley Sánchez, University of Tulsa

Arthur J. Sandford, Ventura College

Terry D. Sellars, Nashville State Technical Community College

Nancy Shearer, Cuesta College

James Smolen, Bucks County Community College

Silvia Teodorescu, Hartnell College

Beatrice Tseng, Irvine Valley College

María-Encarna Moreno Turner, Wake Forest University

Titiana Vargas, Carthage College

Ferdinand Vélez, Eastern Washington University

Clara Vélez-Graham, Phoenix College

Susan Walter, University of Denver

Susan Zárate, Santa Monica College

Many other people participated in the preparation of the Sixth Edition of *Dos mundos*. We feel indebted to Dr. Thalia Dorwick for the guidance and opportunities she has given to us throughout the years. We are also deeply grateful to Dr. William Glass, our publisher for this project, who brought a wealth of fresh ideas to *Dos mundos* and continues to advise us on aspects of second-language acquisition. Dr. Glass helped us envision the new design and encouraged us to strengthen the cultural and literary content of our textbook. Our Sixth Edition editor, Max Ehrsam, was immensely helpful. We thank him for his patience, care, and support. A gifted and skillful editor, Max fine-tuned our writing style. He also brought a rich contemporary cultural touch to our project.

We are grateful to the following McGraw-Hill staff for tireless work and assistance on this edition: Scott Tinetti (Director of Development & Media Technology), Letizia Rossi (Editorial Assistant), David Staloch (Lead Project Manager), Nora Agbayani (Photo Research Coordinator), Susan Friedman (Photo Researcher), Robin Mouat (Art Manager), Violeta Díaz (Design Manager), Randy Hurst (Lead Production Supervisor), and Allison Hawco (Senior Media Producer).

We would also like to acknowledge the sales and marketing support we have received from McGraw-Hill over the years, and specifically from Nick Agnew (Executive Marketing Manager) and Rachel Dornan (Marketing Coordinator).

Special thanks go to Sally Richardson, the gifted artist who made our Cast of Characters come to life in previous editions and to Daryl Slaton, the artist on the Sixth Edition who also created our new and exciting animation segments. In addition we would like to thank Laura Chastain (El Salvador) for her help with questions of language usage and cultural content.

Finally, we thank each other for many years of moving *Dos mundos* from idea to print. We hope our contributions continue to be worthwhile in the 21st century.

TO THE STUDENT

The course you are about to begin is designed to help you develop your ability to understand and speak everyday Spanish, and to help you learn to read and write in Spanish.

Researchers distinguish two ways of developing ability in another language: (1) through a subconscious process called language acquisition—like "picking up" Spanish while living in Mexico or Spain; and (2) through a conscious process called language learning, which has to do with memorizing and applying grammar rules. *Language acquisition* gives us our fluency, much of our accuracy in speaking, and our ability to understand language when we hear it. You know you've acquired a word when it "feels" and sounds right in a given context. *Language learning* is not as useful in oral communication, but it helps us edit our speech and writing. You know you've *learned* a rule when, for example, you can recall it in order to produce the right form of a verb.

The **Actividades de comunicación y lecturas** of *Dos mundos* will help you acquire Spanish through listening to your instructor and interacting with your classmates; the **Actividades auditivas** of the *Cuaderno de actividades* also provide opportunities to practice your listening comprehension skills. The **Gramática y ejercicios** section of the text and many sections of the *Cuaderno* will offer opportunities for learning Spanish and for applying the rules you have learned. Our goal in *Dos mundos* is to make it possible for you to *acquire* the language, not just *learn* it. Keep in mind that language acquisition takes place when we understand messages; that is, when we comprehend what we read or what we hear. The most effective ways for you to improve your Spanish are to listen to it, read it, and interact with native speakers of the language as much as possible!*

Classes that use *Dos mundos* provide you with a great deal of language you can understand. Your instructor will speak Spanish to you and will use gestures, photos, real objects, and sound effects to make himself or herself understood. You only need to focus on what your instructor is saying; that is, on *the message.* You do not have to think *consciously* about grammar or try to remember all the vocabulary that is being used.

You will also have plenty of opportunities for reading. The more you read, the better your Spanish will become. When you are reading, pay attention to the message. You don't have to know every word or figure out every grammatical structure in order to understand what you read!

You will be speaking a lot of Spanish in the classroom, both with your instructor and with your classmates. And when you speak, you will make mistakes. Don't be overly concerned about these mistakes; they are a natural part of the language acquisition process. The best way to eliminate your errors is not to worry or think hard about grammar when you talk but to continue to get more language input through listening, conversation, and reading. In time, your speech will become more accurate.

GETTING STARTED WITH THE PASOS

Understanding a new language is not difficult once you realize that you can comprehend what someone is saying without knowing every word. The key to communication is *understanding the ideas* and *the message* the speaker wants to convey.

---

*For a more in-depth understanding of the terms *acquisition* and *learning* you may wish to read the To the Instructor section of this text.

Several techniques can help you develop good listening comprehension skills. First and most important, *you must guess at meaning!* In order to improve your ability to guess accurately, pay close attention to the context. If someone greets you at 3:00 P.M. by saying **Buenas tardes,** chances are they have said *Good afternoon,* not *Good morning* or *Good evening.* You can make a logical guess about the message being conveyed by focusing on the greeting context and time of day.

In class, ask yourself what you think your instructor has said even if you haven't understood most—or any—of the words. What is the most likely thing to have been said in a particular situation? Be logical in your guesses and try to follow along by paying close attention to the flow of the conversation. *Context, gestures, and body language will all help you guess more accurately.*

Another strategy for good guessing is to *listen for key words.* These are the words that carry the basic meaning of the sentence. In the class activities, for example, if your instructor points to a picture and says in Spanish, **¿Tiene el pelo castaño este hombre?** (*Does this man have brown hair?*), you will know from the context and intonation that a question is being asked. By focusing on the key words **pelo** (*hair*), **castaño** (*brown*), and **hombre** (*man*), you will be able to answer the question correctly.

Remember: *You do not need to know grammar rules* to understand much of what your instructor says to you. For example, you wouldn't need to know the words **Tiene, el,** or **este** in order to get the gist of the previous question. Nor would you have needed to study verb conjugations. However, if you do not know the meaning of the key vocabulary words, **pelo, castaño,** and **hombre,** you will not be able to make good guesses about what is said.

Vocabulary

Because comprehension depends on your ability to *recognize the meaning of key words* used in the conversations you hear, the preliminary chapters of *Dos mundos* —the **Pasos**—will help you become familiar with many new words in Spanish, probably several hundred of them. *You should not be concerned about pronouncing these words perfectly;* saying them easily will come with more exposure to spoken Spanish.

Review key vocabulary frequently: Look at the Spanish and try to *visualize the person* (for words such as *man* or *child*), *the thing* (for words such as *chair* or *pencil*), *a person or thing with particular characteristics* (for words such as *young* or *long*), or *an activity or situation* (for phrases such as *stand up* or *is wearing*). You do not need to memorize these words; concentrate on recognizing their meaning when you see them and when your instructor uses them.

Classroom Activities

In the preliminary chapter, **Paso** (*Step*) **A,** you will be doing three types of class activities: (1) TPR; (2) descriptions of classmates; and (3) descriptions of pictures.

TPR (Total Physical Response): TPR is a technique developed by Professor James Asher at San Jose State University in Northern California. In TPR activities your instructor gives a command that you act out. This type of activity may seem somewhat childish at first, but if you relax and let your body and mind work together to absorb Spanish, you will be surprised at how quickly and how much you can understand. You do not have to understand every word your instructor says, only enough to perform the action called for. If you don't understand a command, sneak a look at your fellow classmates to see what they are doing.

Descriptions of students: On various occasions, your instructor will describe students in your class. You should try to remember the name of each of your classmates and identify who is being described.

Descriptions of pictures: Your instructor will bring pictures to class and describe the people in them. Your goal is to identify the picture being described.

In addition, *you will learn to say a few common phrases of greeting and leave-taking* in Spanish. You will practice these in short dialogues with your classmates. Don't try to memorize the dialogues; just have fun with them. Your pronunciation will not be perfect, but if you are able to communicate with native speakers, then your accent is good enough. Your accent will continue to improve as you listen and interact in Spanish.

Lecturas

Reading is a valuable activity that will help you acquire Spanish and learn about the Spanish-speaking world. When you read in Spanish, *focus on the meaning;* that is, "get into" the context of the story or reading selection. You do not need to know every word to understand a text. There may be a word or two that you will have to look up occasionally, to aid comprehension. But if you find yourself looking up many words and translating into English, *you are not reading.* As your ability to comprehend spoken Spanish improves, so will your reading ability, and as reading becomes easier you will, in turn, comprehend more spoken Spanish.

You may want to keep the following techniques in mind as you approach all of the reading materials in *Dos mundos:*

1. Look at the title, pictures, and any other clues outside the main text for an introduction to what the reading is about.

2. Scan the text for cognates and other familiar words.

3. Skim over the text to get the gist of it without looking up words.

4. Use context to make intelligent guesses about unfamiliar words.

5. Read in Spanish, picturing the story or information instead of trying to translate it in your mind as you go.

Gramática y ejercicios

The final section of each chapter is a grammar study and reference manual. The grammar exercises are meant to be completed at your own pace, at home, in order to allow you time to check the forms of which you are unsure. Your reference tools are the grammar explanations, the Verb Charts, appendices, and the Answer Key to grammar exercises in Appendix 4. We advise you to use your knowledge of grammar when it does not interfere with communication; for example, when you edit your writing. If you do so, your writing will have a more polished feel. Also, some students find that studying grammar helps them understand classroom activities better.

The beginning of most **Actividades de comunicación y lecturas** sections has a reference note (**Lea** [*Read*] **Gramática...**) that tells you which subsection of grammar in that chapter to read. Keep in mind that grammar explanations teach you *about* Spanish; they do not *teach* you Spanish. Only real comprehension and communicative experiences will do that. Grammar references are there to help you look up any information you may need or to help you clear any doubts you may have.

Remember that your instructor and the text materials can open the door to communicating in Spanish, but you must enter by yourself!

TIPS FOR SUCCESS

Here are some suggestions for a successful experience acquiring Spanish.

Getting Started

- Familiarize yourself with the *Dos mundos* text and the *Cuaderno de actividades*.
- Do not expect to be able to communicate as clearly in Spanish as you do in your native language.
- Remember that each individual will acquire Spanish at a different rate.
- Be patient, it is not possible to acquire fully a new language in one or two semesters of study.
- Celebrate your accomplishments; it is possible to communicate with native speakers even though your Spanish is not yet fluent.

Listening

- Focus on understanding the general meaning.
- Listen for key words.
- Use contextual clues and body language to help you understand native speakers.
- Listen to the **Actividades auditivas** four or five times each before checking the Answer Key.
- Listen to the feedback you get from your instructor and native speakers.

Reading

- Concentrate on the topic and the main ideas.
- Use context to make logical guesses at meaning.
- Read in Spanish as much as possible.

Speaking

- Go over the **Actividades de comunicación** before going to class.
- Don't rush through activities, use them to develop natural conversations in Spanish with your classmates.
- Use gestures and act out ideas and messages.
- Ask: **¿Cómo se dice _____ en español?**
- Speak Spanish to your instructor and classmates whenever possible.
- Don't be afraid to make mistakes; beginners are not expected to speak perfectly.
- Don't be overly concerned about your pronunciation.
- Use the Audio Program that accompanies the *Cuaderno* to listen for correct pronunciation of vocabulary and do the pronunciation exercises included in each chapter.

Writing

- Keep your sentences simple and direct.
- Refer back to the grammar points you have studied to edit and refine your writing.
- Use the reference tools in the appendices: Verb Charts; Grammar Summary Tables; Syllabication, Stress, and Spelling.

Spanish Outside the Classroom

- Watch Spanish-language movies, video, and television.
- Listen to Spanish-language radio.
- Read newspapers in Spanish (available on the Internet).
- Talk with native speakers.
- Use the *Dos mundos* website at **www.mhhe.com/dosmundos6** to review grammar and vocabulary, take practice quizzes, listen to audio components, and explore links to other Internet sites in Spanish.

THE CAST OF CHARACTERS AND *LOS AMIGOS ANIMADOS*

Many of the activities and exercises in *Dos mundos* are based on the lives of a Cast of Characters from different parts of the Spanish-speaking world. Additionally, these characters are brought to life in this edition through Flash™ animation technology in the **Los amigos animados** segments. The animations are found on the Video, on the Interactive CD-ROM, and on the Online Learning Center as Premium Content.

Los amigos norteamericanos (North American friends), a group of students at the University of Texas at San Antonio. Although they are all majoring in different subjects, they know each other through Professor Adela Martínez's 8:00 A.M. Spanish class.

la profesora Martínez →
Luis   Alberto
Mónica Carmen Esteban Nora Lan Pablo

Los amigos hispanos (Hispanic friends) live in various parts of the Spanish-speaking world. In **México** you will meet Silvia Bustamante and her boyfriend, Ignacio (Nacho) Padilla.

Silvia y Nacho

You will also get to know Raúl Saucedo and his family. Raúl lives with his parents in Mexico City but is currently studying at the University of Texas at San Antonio; he knows many of the students in Professor Martínez's class. You will meet Raúl's grandmother doña María Eulalia González de Saucedo, as well as other members of his extended family: his three older siblings, Ernesto, Andrea and Paula (who are twins), and their families.

doña María Eulalia y Raúl

Raúl's older brother Ernesto is married to Estela Ramírez. They have three children, Amanda, Guillermo, and Ernestito. Andrea is married to Pedro Ruiz, and they have two young daughters, Marisa and Clarisa. Paula is a single travel agent who lives and works in Mexico City.

la familia Saucedo
Ernesto
Estela
Ernestito   Amanda y Guillermo

la familia Ruiz
Pedro →
Clarisa   Paula
Marisa
Andrea

The Saucedo children have school friends. Amanda's best friend is Graciela Herrero, whose brother is Diego Herrero. Amanda has a boyfriend, Ramón Gómez, and Graciela's boyfriend is Rafael Quesada.

Graciela   Diego   Ramón   Rafael

There are also friends and neighbors of the Saucedo and Ruiz families: don Eduardo Alvar and don Anselmo Olivera; doña Lola Batini; and doña Rosita Silva and her husband, don Ramiro.

don Eduardo   don Anselmo   doña Lola   doña Rosita   don Ramiro

Carla   Rogelio   Marta

In **Puerto Rico** you will meet Carla Espinosa and her friend Rogelio Varela, students at the University of Puerto Rico in Río Piedras. You will also meet Marta Guerrero, a young Mexican woman living in Puerto Rico.

In **España** (Spain) you will accompany an American student, Clara Martin, on her travels. Her friends in Spain are Pilar Álvarez and Pilar's boyfriend, José Estrada.

Pilar   Clara   José

Ricardo

You will get to know Ricardo Sícora in Caracas, **Venezuela.** He is 19 years old and has recently graduated from high school.

In **Argentina** you will meet Adriana Bolini, a young woman who works for a computer company, and her friend, Víctor Ginarte.

Adriana y Víctor

On the radio you will listen to Mayín Durán, who is from **Panamá.** Mayín works as an interviewer and reporter for KSUN, Radio Sol de California, in Los Angeles.

Mayín

Susana

Armando y Andrés

You will meet the Yamasaki family in **Perú:** Susana Yamasaki González and her two sons, Armando and Andrés.

In **Miami** you will meet Professor Rubén Hernández Arenas and his wife, Doctora Virginia Béjar de Hernández.

Rubén y Virginia

La clase y los estudiantes

Panamá

METAS

In **Paso A** you will learn to understand a good deal of spoken Spanish and get to know your classmates. The listening skills you develop during these first days of class will enhance your ability to understand Spanish and will also make learning to speak Spanish easier.

Una mola, artesanía de los indígenas cuna de Panamá

Sobre los artistas: The Cunas live on the San Blas Islands, on the north coast of Panama. The women make the **mola** fabrics for their own dresses by cutting and sewing various layers of cloth together.

ACTIVIDADES DE COMUNICACIÓN

- Los nombres de los compañeros de clase
- ¿Quién es?
- Los colores y la ropa
- Los números (0–39)
- Los mandatos en la clase
- Los saludos

GRAMÁTICA Y EJERCICIOS

A.1 Naming and Describing: The Verbs **llamarse** and **llevar**

A.2 Spelling: The Spanish Alphabet

A.3 Identifying People and Things: Subject Pronouns and the Verb **ser**

A.4 Identifying People and Things: Gender

A.5 Responding to Instructions: Commands

Actividades de comunicación

✳ Los nombres de los compañeros de clase

Lea Gramática A.1–A.2.

ACTIVIDAD 1   Diálogos: Los amigos

—¿Cómo se llama el amigo de _____?
—Se llama _____.

—¿Cómo se llama la amiga de _____?
—Se llama _____.

ACTIVIDAD 2   Diálogos: ¿Cómo se escribe?

RECEPCIONISTA: Su nombre y apellido, por favor. *(your name + surname, please)* *(lastname)*

SEÑOR: Me llamo Juan Cruise. *(My name is Juan Cruize)*

RECEPCIONISTA: ¿Cómo se escribe su apellido? ¿Ce-ere-u-zeta? *(How do you spell your surname)*
(Cruz)

SEÑOR: No, mi apellido se escribe ce-ere-u-i-ese-e. *(No my surname is spelled ...)*
(Cruise)

Ahora usted.

RECEPCIONISTA: Su nombre y apellido, por favor.

SEÑOR (SEÑORA): Me llamo _____. (Mi nombre es _____.)

RECEPCIONISTA: ¿Cómo se escribe su apellido?

SEÑOR (SEÑORA): Mi apellido se escribe __ - __ - __ - __ - __ - __ - __ ...

✳ ¿Quién es?

como es ...?

Lea Gramática A.3.

ser *tener* *llevar*

Pedro Ruiz — don Eduardo Alvar — doña Rosita Silva — Graciela Herrero — Rafael Quesada — Paula Saucedo Muñoz

Verbs
Ser: to be
tener: to have
llevar: to wear

ACTIVIDAD 3   Asociaciones: Las descripciones de las personas famosas

¿Quién es _____?

1. rubio/a ~ moreno/a
2. alto/a ~ bajo/a
3. guapo/bonita ~ feo/a
4. joven ~ viejo/a
5. delgado/a (flaco/a) ~ gordo/a

Salma Hayek	Antonio Banderas	Brad Pitt	Jack Nicholson
Sammy Sosa	Matt Damon	Barbra Streisand	Danny DeVito
Liza Minelli	Oprah Winfrey	Angelina Jolie	Tiger Woods

✳ Los colores y la ropa

Lea Gramática A.3–A.4.

un sombrero gris
una camisa amarilla
una corbata anaranjada
un saco gris
una chaqueta verde
un traje gris
pantalones azules
zapatos color café

una blusa blanca
un suéter rojo
una falda roja
botas negras

un abrigo morado
una camiseta blanca
pantalones cortos azules
zapatos de tenis
un vestido rosado

Ernesto   Guillermo Amanda   Ernestito   Estela

ACTIVIDAD 4   Asociaciones: Los colores

¿De qué color es _____?

a. el automóvil

b. la casa

c. el lápiz

d. la planta

e. el gato

f. la rosa

g. el libro de español

h. el perro

i. el arco iris

j. la naranja

k. la puerta

1. rojo/a	**4.** color café	**6.** azul	**8.** anaranjado/a
2. amarillo/a	**5.** blanco/a	**7.** morado/a	**9.** ¿ ?
3. verde			

ACTIVIDAD 5   Identificaciones: Mis compañeros de clase

Mire a cuatro compañeros de clase. Diga el nombre de cada estudiante, la ropa y el color de la ropa que lleva.

	NOMBRE		ROPA	COLOR
1.	*Carmen*	lleva	*una blusa*	*amarilla.*
2.	_____	lleva	_____	_____
3.	_____	lleva	_____	_____
4.	_____	lleva	_____	_____
5.	_____	lleva	_____	_____

✳ Los números (0–39)

0 cero	10 diez	20 veinte
1 uno	11 once	21 veintiuno
2 dos	12 doce	22 veintidós
3 tres	13 trece	23 veintitrés
4 cuatro	14 catorce	24 veinticuatro…
5 cinco	✈ 15 quince	30 treinta
6 seis	16 dieciséis	31 treinta y uno
7 siete	17 diecisiete	32 treinta y dos
8 ocho	18 dieciocho	33 treinta y tres…
9 nueve	19 diecinueve	39 treinta y nueve

ACTIVIDAD 6   Identificaciones: ¿Cuántos hay?

Cuente los estudiantes en la clase que…

LLEVAN		TIENEN	
_____	pantalones	_____	barba
_____	lentes	_____	bigote
_____	reloj	_____	el pelo largo
_____	blusa	_____	el pelo castaño
_____	falda	_____	el pelo rubio
_____	botas	_____	los ojos azules
_____	aretes	_____	los ojos castaños

✳ Los mandatos en la clase

Lea Gramática A. 5.

ACTIVIDAD 7   Identificaciones: Los mandatos

a. Dé una vuelta.
b. Abra el libro.
c. Cierre el libro.
d. Camine.
e. Saque un bolígrafo.

f. Salte.
g. Corra.
h. Mire hacia arriba.
i. Muéstreme el reloj.

✳ Los saludos

ACTIVIDAD 8   Diálogos: Los saludos

1. Nacho Padilla saluda a Ernesto Saucedo.
> NACHO: Buenos días. ¿Cómo está usted?
> SR. SAUCEDO: Muy bien, gracias. ¿Y usted?
> NACHO: Muy bien.

2. La señora Silva habla por teléfono con el señor Alvar.
> SRA. SILVA: Señor Alvar, ¿cómo está usted?
> SR. ALVAR: Estoy un poco cansado. ¿Y usted?
> SRA. SILVA: Regular.

3. Amanda habla con doña Lola Batini.
> DOÑA LOLA: Buenas tardes, Amanda.
> AMANDA: Buenas tardes, doña Lola.
> ¿Cómo está la familia?
> DOÑA LOLA: Bien, gracias.

4. Rogelio Varela presenta a Carla.
> ROGELIO: Marta, ésta es mi amiga Carla.
> CARLA: Mucho gusto.
> MARTA: Igualmente.

5. Un nuevo amigo / Una nueva amiga en la clase de español.
> USTED: _____, éste/ésta es mi amigo/a _____.
> AMIGO/A 1: _____.
> AMIGO/A 2: _____.

Estudiantes en la Universidad Nacional de San Marcos en Lima, Perú

ocabulario

- **Las preguntas y las respuestas**

Questions and Answers

¿Cómo está usted?
  (Muy) Bien, gracias.
  Estoy bien (regular).
  **Estoy un poco
    cansado/a.**

How are you?
  (Very) Well, thanks.
  I am fine/OK.
  I am a little tired.

**¿Cómo se escribe su
  apellido?**
  **Se escribe
    eme-o-o-ere-e.**

How do you spell (write)
  your last name?
  It is spelled m-o-o-r-e.

¿Cómo se llama(n)?

What is his/her (their)
  name?

  Se llama(n)…
¿Cómo se llama usted?
  Me llamo…
¿Cuál es su nombre?
  Mi nombre es…
¿Cuántos/as… (hay)?
¿De qué color es… ?
**¿Quién (es)? / ¿Quiénes
(son)?**

  His/Her (Their) name is …
What is your name?
  My name is …
What is your name?
  My name is …
How many … (are there)?
What color is (it) … ?
Who (is it) / Who (are they)?

- **La descripción
física**

Physical Description

Es…
  alto/a
  bajo/a
  bonito/a
  de estatura mediana
  delgado/a
  famoso/a
  feo/a
  gordo/a
  guapo/a
  joven
  moreno/a
  nuevo/a
  rico/a
  rubio/a
  viejo/a
Tiene…
  barba
  bigote
Tiene el pelo (cabello)…

  castaño

He/She/It is …
  tall; high
  short
  pretty
  of medium height
  thin
  famous
  ugly
  fat
  handsome
  young
  brown(dark)-skinned
  new
  rich
  light-skinned
  old
He/She has …
  (a) beard
  (a) moustache
His/Her hair is … (He/She
  has … hair.)
  brown

corto
lacio
largo
mediano
negro
rizado
rubio
Tiene los ojos…

  azules
  castaños
  negros
  verdes

short
straight
long
medium (length)
black
curly
blond
His/Her eyes are … (He/She
  has … eyes.)
  blue
  brown
  black (dark brown)
  green

- **Los colores**

Colors

amarillo/a
anaranjado/a
azul
blanco/a
color café
gris
morado/a
negro/a
rojo/a
rosado/a
verde

yellow
orange
blue
white
brown
gray
purple
black
red
pink
green

- **La ropa**

Clothes

¿Quién lleva… ?
  un abrigo
  una blusa
  botas
  una camisa
  una camiseta
  una chaqueta
  una corbata
  una falda
  los pantalones
  los pantalones cortos
  un saco
  un sombrero
  un suéter
  un traje
  un vestido
  los zapatos (de tenis)

Who is wearing … ?
  a coat
  a blouse
  boots
  a shirt
  a T-shirt
  a jacket
  a tie
  a skirt
  pants
  shorts
  a sports coat
  a hat
  a sweater
  a suit
  a dress
  (tennis) shoes

• Las personas — People

el amigo / la amiga	friend
el compañero / la compañera de clase	classmate
don	*title of respect used with a man's first name*
doña	*title of respect used with a woman's first name*
el / la estudiante	student
la familia	family
el hombre	man
el muchacho / la muchacha	boy, young man / girl, young woman
la mujer	woman
el niño / la niña	boy / girl
el profesor / la profesora	professor
el/la recepcionista	receptionist
el señor / la señora	man; Mr. / woman; Mrs.
la señorita	young lady; Miss
yo, usted, él/ella	I, you (*pol.*), he/she
nosotros/as, ustedes, ellos/ellas	we, you (*pl.*), they

• Los verbos — Verbs

es	is
habla (por teléfono)	speaks (on the telephone)
hay	there is / there are
llevo	I am wearing
lleva(n)	is (are) wearing
presenta	introduces
saluda	greets
somos	we are
son	are
soy	I am
tiene	he/she has / you have
tienen	they have

• Las cosas — Things

el arco iris	rainbow
la casa	house
el gato	cat
el lápiz	pencil
los lentes	glasses
el libro (de español)	(Spanish) book
la naranja	orange
el perro	dog
la puerta	door
el reloj	watch, clock

PALABRAS SEMEJANTES (*Cognates*)**: el automóvil, la planta, la rosa, la foto(grafía)**

• Los saludos y las despedidas — Greetings and Good-byes

Buenos días.	Good morning.
Buenas tardes.	Good afternoon.
Buenas noches.	Good evening. / Good night.
Hasta luego.	See you later.
Hola.	Hi.
Adiós.	Good-bye.

• Las presentaciones — Introductions

Ésta es mi amiga… / Éste es mi amigo…	This is my friend . . .
Mucho gusto.	Pleased to meet you.
Igualmente.	Same here.

• Los mandatos — Commands

abra(n) (el libro)	open (the book)
baile(n)	dance
camine(n)	walk
cante(n)	sing
cierre(n)	close
corra(n)	run
cuente(n)	count
dé/den una vuelta	turn around
diga(n)	say
escriba(n)	write
escuche(n)	listen
estudie(n)	study
hable(n)	talk
lea(n)	read
levánte(n)se	stand (get) up
mire(n) (hacia arriba/abajo)	look (up/down)
muéstre(n)me	show me
pónga(n)se de pie	stand up
salte(n)	jump
saque(n) (un bolígrafo)	take out (a pen)
siénte(n)se	sit down

• Palabras del texto — Words from the Text

¿Comprende(n)?	Do you (all) understand?
el español	Spanish
la gramática	grammar
no	no, not
¡Ojo!	Attention!
la página	page
el paso	step
por favor	please

¿Qué?	What?	**veintiuno**	21
¿Quién(es)?	Who?	**veintidós**	22
sí	yes	**veintitrés**	23

PALABRAS SEMEJANTES: la actividad, las asociaciones, la comunicación, la descripción, el diálogo, la identificación

		veinticuatro	24
		veinticinco	25
		veintiséis	26
		veintisiete	27
		veintiocho	28
• **Los números**	Numbers	**veintinueve**	29
		treinta	30
cero	0	**treinta y uno**	31
uno	1	**treinta y dos**	32
dos	2	**treinta y nueve**	39
tres	3		
cuatro	4	• **Palabras útiles**	Useful Words
cinco	5		
seis	6	**ahora**	now
siete	7	**cada**	each, every
ocho	8	**con**	with
nueve	9	**de**	of, from
diez	10	**el, la, los, las**	the
once	11	**en**	in, on
doce	12	**este/esta**	this
trece	13	**grande**	big
catorce	14	**mi(s)**	my
quince	15	**pequeño/a**	small
dieciséis	16	**su(s)**	your
diecisiete	17	**un (una)**	a
dieciocho	18	**¿Verdad?**	(Is that) true? Really?
diecinueve	19	**y**	and
veinte	20		

Gramática y ejercicios

Introduction

The **Gramática y ejercicios** sections of this book are written for your use outside of class. They contain grammar explanations and exercises that are presented in nontechnical language, so it should not be necessary to go over all of them in class.

The **Lea Gramática...** notes that begin most new topics in the **Actividades de comunicación y lecturas** sections give the grammar point(s) you should read at that time. Study them carefully, then do the exercises in writing and check your answers in the back of the book. If you have little or no trouble with the exercises, you have probably understood the explanation. Remember: It is not necessary to memorize these grammar rules.

Keep in mind that successful completion of a grammar exercise means only that you have understood the explanation. It does not mean that you have *acquired* the rule. True acquisition comes not from study of grammar but from hearing and reading a great deal of meaningful Spanish. Learning the rules of grammar through study will allow you to use those rules when you have time to stop and think about correctness, as during careful writing.

If you have trouble with an exercise or do not understand the explanation, ask your instructor for assistance. In difficult cases, your instructor will go over the material in class to be sure everyone has understood but probably won't spend too much time on the explanations, in order to save class time for real communication experiences.

The grammar explanations in **Paso A** contain basic information about Spanish grammar.

Some Useful Grammatical Terms

You may recall from your study of grammar in your native language that sentences can be broken down into parts. All sentences have at least a subject (a noun or pronoun) and a verb.

Mónica   runs.
noun, subject   *verb*

In addition, sentences may have objects (nouns and pronouns), modifiers (adjectives and adverbs), prepositions, conjunctions, and/or articles.

Mónica is tall.
adjective

Mónica runs quickly.
adverb

Mónica sees a   beautiful   bird.
                         | | |
        indefinite article   adjective   noun, object

Mónica runs at   the   gym.
                         | | |
        preposition   definite article   noun, object

She runs.
|
subject, pronoun

Mónica and Nora run.
                |
          conjunction

Singular commands (to one person) end in **-a** or **-e.** Plural commands (to more than one person) end in **-an** or **-en.**

A.1   Naming and Describing: The Verbs *llamarse* and *llevar*

A. The most common way to ask someone's name is to use the verb **llamarse.**

—¿Cómo **se llama** usted?*   —*What is your name?*
—Nora.   —*Nora.*

You may answer the question either briefly, by saying your name (as in the preceding example), or in a complete sentence with the pronoun **me** (*myself*) and the verb **llamo** (*I call*).

Me llamo Nora.   —*My name is Nora.*

To ask what someone else's name is, use the following question-and-answer pattern.

—¿**Cómo se llama** el amigo   —*What's Nora's friend's name?*
de Nora?
—**Se llama** Luis.   —*His name is Luis.*

Here is another way to ask someone's name.

—¿**Cuál es su nombre?**   —*What is your name?*
—**Mi nombre es** Esteban.   —*My name is Esteban.*

To ask someone's name:
  ¿Cuál es su nombre?
  or
  ¿Cómo se llama usted?
To tell someone your name:
  Mi nombre es...
  or
  Me llamo...

B. The Spanish verb **llevar** corresponds to the English verb *to wear.*

Mónica **lleva** un suéter azul.   *Mónica is wearing a blue sweater.*

Spanish verbs change endings. These endings tell you who is performing the action.

Notice that Spanish verbs change their endings according to the subject of the sentence.

Yo **llevo** pantalones grises. Mis   *I'm wearing gray pants. My*
amigos **llevan** pantalones   *friends are wearing black*
negros.   *pants.*

---

*Literally this means *How do you call yourself?* You will learn about **tú,** another way of addressing people, in **Gramática B.1.**

Here are some of the common endings for Spanish verbs.*

llevar (to wear)		
(yo)	llev**o**	I wear
(usted, él/ella)	llev**a**	you (sing.) wear; he/she wears
(nosotros/as)	llev**amos**	we wear
(ustedes, ellos/as)	llev**an**	you (pl.) wear; they wear

llevar = to wear

The subject pronouns (**yo, usted, nosotros, ellas,** etc.) are in parenthesis because it is not always necessary to use them. The verb itself or the context usually tells you who the subject is.

—¿Qué ropa llev**a** (usted) hoy?
—Llev**o** una falda verde y una blusa blanca.
—¿Y ellos?
—Llev**an** traje y corbata.

—*What are you wearing today?*
—*I am wearing a green skirt and a white blouse.*
—*And what about them?*
—*They are wearing a suit and tie.*

These endings are used on most Spanish verbs, and you will soon become accustomed to hearing and using them.

In **Paso C** you will see the forms of the verb **tener** (*to have*), which you have also heard in class.

La profesora Martínez **tiene** el pelo negro.
Yo **tengo** los ojos azules.

Professor Martínez has black hair.
I have blue eyes.

tengo = I have
tiene = he/she has

EJERCICIO I

Complete los diálogos con estos verbos: **me llamo, se llama, llevo, lleva, llevan.**

—¿Cómo _____¹ usted?
—_____² Esteban Brown.
—Esteban, ¿cómo _____³ la amiga de Mónica?
—_____⁴ Carmen.
—Y, ¿cómo se llama la profesora?
—¿La profesora de español? _____⁵ Adela Martínez.

—¿Qué ropa _____⁶ la profesora Martínez hoy?
—_____⁷ un vestido rojo muy bonito.
—Y Luis y Alberto, ¿qué ropa _____⁸ ellos?
—_____⁹ camiseta y pantalones vaqueros.
—Y yo _____¹⁰ pantalones vaqueros y un suéter.

*You will learn more about verb endings in **Gramática C.5, 1.2,** and **3.2.**

A.2 Spelling: The Spanish Alphabet

LETTER	NAME	EXAMPLE	LETTER	NAME	EXAMPLE
a	a	Ana	ñ	eñe	Íñigo
b	be, be grande	Bárbara	o	o	Olga
c	ce	Celia	p	pe	Pedro
d	de	David	q	cu	Quintín
e	e	Ernesto	r	ere	Mario
f	efe	Franco	s	ese	Sara
g	ge	Gerardo	t	te	Tomás
h	hache	Hortensia	u	u	Úrsula
i	i	Isabel	v	uve, ve chica	Vicente
j	jota	Juan	w	doble ve, uve doble	Walter
k	ca	Kati	x	equis	Ximena
l	ele	Laura	y	i griega	Yolanda
m	eme	Miguel	z	zeta	Zulema
n	ene	Nora			

Learn how to spell your first and last names in Spanish; that is what you will be expected to spell most frequently.

A. Letters are feminine: **la «ele», la «i», la «equis».** The letter combinations **ll** (often referred to as **elle** or **doble ele**) is pronounced like a *y.* The letter combinations **ch, ll,** and **rr** cannot be divided when splitting a word into syllables. Until recently, the letter combinations **ch** and **ll** were considered single units, had separate names (**che** and **elle** or **doble ele**), and affected alphabetization (for example, **chico** after **cumpleaños, llamar** after **luna**). You will still see this pattern of alphabetization in many dictionaries and textbooks. The grouping **rr** is not considered a separate letter by the **Real Academia.**

B. **B** and **v** are pronounced identically, so speakers use different devices to differentiate them; the most common is to call one **la be grande** and the other **la ve chica** (or **la be larga** and **la ve corta**). Many people say **la be de burro, la ve de vaca** (**b** as in **burro, v** as in **vaca**). The letters **k** and **w** are used mostly in words of foreign origin: **kilo, whisky.**

C. Spanish speakers do not normally spell out entire words but rather tend to refer only to the letters that might cause confusion. For example, if the name is **Rodríguez,** one might ask: **¿Se escribe con *zeta* o con *ese*?** (*Is it written with a z or with an s?*) Common spelling questions asked by most Latin Americans are the following.

s, z	¿Con **ese** o con **zeta**?		y, ll	¿Con **i griega** o con **doble ele**?
c, s	¿Con **ce** o con **ese**?		g, j	¿Con **ge** o con **jota**?
c, z	¿Con **ce** o con **zeta**?		v, b	¿Con **ve chica** o con **be grande**?

Because the letter **h** is never pronounced in Spanish, a common question is: **¿Con o sin *hache*?** (*With or without h?*)

Only with foreign words (or perhaps very unfamiliar Spanish words) do Spanish speakers spell out the entire word.

—¿Cómo se escribe *Dorwick,* por favor?
—Se escribe: **de, o, ere, doble ve, i, ce, ca.**
—Gracias.

EJERCICIO 2

Escoja la respuesta correcta.

MODELO: ¿Cómo se escribe _____apato?
       a. con zeta
       b. con ese

1. ¿Cómo se escribe tre_____e?
   a. con ce
   b. con zeta

2. ¿Cómo se escribe mu_____er?
   a. con ge
   b. con jota

3. ¿Cómo se escribe nue_____o?
   a. con ve chica
   b. con be grande

4. ¿Cómo se escribe a_____ul?
   a. con zeta
   b. con ese

5. ¿Cómo se escribe pá_____ina?
   a. con ge
   b. con jota

6. ¿Cómo se escribe _____abla?
   a. con hache
   b. sin hache

7. ¿Cómo se escribe amari_____o?
   a. con doble ele
   b. con i griega

8. ¿Cómo se escribe _____ombre?
   a. con hache
   b. sin hache

9. ¿Cómo se escribe cie_____e?
   a. con ere
   b. con erre

10. ¿Cómo se escribe lle_____an?
   a. con ve chica
   b. con be grande

A.3 Identifying People and Things: Subject Pronouns and the Verb *ser*

A. Spanish uses the verb **ser** (*to be*) to identify things or people.

—¿Qué **es** eso?   —*What is that?*
—**Es** un bolígrafo.   —*It's a pen.*

—¿Quién **es**?   —*Who is it?*
—**Es** Luis.   —*It's Luis.*

> **ser** = *to be* (identification)
> **Soy estudiante.** (*I am a student.*)

B. Personal pronouns are used to refer to a person without mentioning the person's name. Here are some of the most common personal pronouns that can serve as the subject of a sentence, with the corresponding present-tense forms of **ser**. It is not necessary to memorize these pronouns. You will see and hear them again and again.

ser (to be)			
(yo)	soy	I	am
(tú)	eres*	you (inf. sing.)	are
(usted)	es	you (pol. sing.)	are
(él†/ella)	es	he/she	is
(nosotros/nosotras)	somos	we	are
(vosotros/vosotras)‡	sois	you (inf. pl.)	are
(ustedes)	son	you (pol. pl.)	are
(ellos/ellas)	son	they	are

Remember that most subject pronouns are optional in Spanish:
(Yo) Soy estudiante. (*I'm a student.*)
(Nosotros) Somos amigos. (*We're friends.*)

yo = *I*
tú = *you* (informal singular)
usted = *you* (polite singular)
él = *he*
ella = *she*

nosotros = *we* (masculine)
nosotras = *we* (feminine)
vosotros = *you* (masculine informal plural)
vosotras = *you* (feminine informal plural)
ustedes = *you* (plural)
ellos = *they* (masculine)
ellas = *they* (feminine)

—¿Usted es profesor?
—Sí, soy profesor de historia.

—*Are you a professor?*
—*Yes, I'm a history professor.*

C. Spanish does not have a subject pronoun for *it* or for *they*, referring to things. When subject pronouns *are* used in Spanish, they often express emphasis.

¿Mi automóvil? Es pequeño.
¿Las faldas? Son caras.
Yo soy de Atlanta.

My car? It's small.
The skirts? They're expensive.
***I** am from Atlanta.*

D. Subject pronouns may be used by themselves without verbs, either for emphasis or to point someone out.

¿Quién, **yo**? Yo no soy de Texas; soy de Nueva York.

Who, me? I'm not from Texas; I'm from New York.

—¿Cómo está usted?
—Estoy bien. ¿Y **usted**?

—*How are you?*
—*I'm fine. And you?*

E. The pronouns **ellos** (*they*), **nosotros** (*we*), and **vosotros** (*you, inf. pl.*) can refer to groups of people that consist of males only or of males and females. On the other hand, **ellas** (*they, fem.*), **nosotras** (*we, fem.*), and **vosotras** (*you, inf. pl. fem.*) can refer only to two or more females.

—¿Y **ellos**? ¿Quiénes son?

—*And those guys* (*they*)? *Who are they?*

---

*Tú is an informal singular form of *you*, whereas **usted** is a polite singular form of *you*. See **Gramática B.1** for more information.
†The pronoun **él** (*he*) has an accent to distinguish it in writing from the definite article **el** (*the*).
‡The pronouns **vosotros/vosotras** are used only in Spain. Latin America uses **ustedes** for both polite and informal plural *you*.

—¿Esteban y Raúl? Son amigos.

—¿Y **ellas**? ¿Son amigas?

—Sí, Nora y Carmen son
compañeras de mi clase
de español.

—¿Y Esteban y Alicia?
¿Son amigos?

—Sí, son muy buenos amigos.

—*Esteban and Raúl?*
They're friends.

—*What about them?*
Are they friends?

—*Yes, Nora and Carmen are*
classmates from my Spanish
class.

—*And what about Esteban*
and Alicia?

—*Yes, they are very good*
friends.

EJERCICIO 3

Escoja el pronombre lógico.

MODELO:　—Y *ella*, ¿lleva pantalones? →
　　　　　　—¿Quién, Mónica? Lleva una falda azul.

1. —¿_____ es profesor aquí?
   —¿Quién, Raúl? No, es estudiante.
2. —¿_____ son mexicanos?
   —Sí, Silvia y Nacho son mexicanos.
3. —¡Viejos, _____! No, doña María Eulalia
   y yo somos muy jóvenes.
4. —Señor Ruiz, _____ tiene bigote, ¿verdad?
5. —¿Y _____? ¿Son estudiantes aquí?
   —No, Pilar y Clara son estudiantes en Madrid.

a. ellos
b. usted
c. ellas
d. él
e. nosotros

EJERCICIO 4

Complete los diálogos con la forma correcta del verbo **ser: soy, es, somos, son.**

—¿Cómo se llama usted?
—_____[1] Raúl Saucedo.

—¿Quién _____[2] ella?
—¿La chica de la blusa roja? Se llama Mónica. Ella y Carmen (ellas)
_____[3] amigas.

—¿_____[4] estudiantes ustedes?
—¡No! El profesor López y yo (nosotros) _____[5] profesores de la
universidad.

A.4 Identifying People and Things: Gender

A. Nouns (words that represent people or things) in Spanish are classified as either masculine or feminine. Masculine nouns often end in **-o**
(**sombrero**); feminine nouns often end in **-a** (**falda**). In addition, words
ending in **-ción, -sión,** or **-dad** are also feminine.

> Masculine nouns usually
> end in **-o.**
> Feminine nouns usually
> end in **-a.**

> You will acquire these endings later. For now, don't worry about them as you speak. You can refer to your text if you have any doubts when you are editing your writing.

> **El** and **la** both mean *the*. **El** is used with masculine nouns, and **la** is used with feminine nouns.

> **Un** and **una** both mean *a/an*. **Un** is used with masculine nouns, and **una** is used with feminine nouns.

> Spanish nouns are classified grammatically as either masculine or feminine. The articles change according to grammatical gender and agree with the nouns they modify.
> **un abrigo** = *a coat*
> **una blusa** = *a blouse*
> **una universidad** = *a university*
> **el libro** = *the book*
> **la casa** = *the house*

Madrid es una ciu**dad** bonit**a**.	*Madrid is a pretty city.*
La civiliza**ción** maya fue muy avanzad**a**.	*The Mayan civilization was very advanced.*

But the terms *masculine* and *feminine* are grammatical classifications only; Spanish speakers do not perceive things such as notebooks or doors as being "male" or "female." On the other hand, words that refer to males are usually masculine (**amigo**), and words that refer to females are usually feminine (**amiga**).

Esteban es mi **amigo** y Carmen es una **amiga** de él.	*Esteban is my friend, and Carmen is a friend of his.*

B. Because Spanish nouns have gender, adjectives (words that describe nouns) *agree* with nouns: They change their endings from **-o** to **-a** according to the gender of the nouns they modify. Notice the two words for *black* in the following examples.

Lan tiene el pelo **negro**.	*Lan has black hair.*
Luis lleva una chaqueta **negra**.	*Luis is wearing a black jacket.*

C. Like English, Spanish has definite articles (*the*) and indefinite articles (*a, an*). Articles in Spanish also change form according to the gender of the nouns they accompany.

	DEFINITE (*the*)	INDEFINITE (*a, an*)
Masculine	**el** suéter	**un** sombrero
Feminine	**la** blusa	**una** chaqueta

Hoy Mónica lleva **un** vestido nuevo.	*Today Mónica is wearing a new dress.*
La chaqueta de Alberto es azul.	*Alberto's jacket is blue.*

D. How can you determine the gender of a noun? The gender of the article and/or adjective that modifies the noun will tell you whether it is masculine or feminine. In addition, the following two simple rules will help you determine the gender of a noun most of the time.

Rule 1: A noun that refers to a male is masculine; a noun that refers to a female is feminine. Sometimes they are a pair distinguished by the endings **-o/-a**; other times they are completely different words.

un muchacho	una muchacha	*boy/girl*
un niño	una niña	*(male) child / (female) child*
un amigo	una amiga	*(male) friend / (female) friend*
un hombre	una mujer	*man/woman*

For some nouns referring to people, the masculine form ends in a consonant and the feminine form adds **-a** to the masculine noun.*

| un profesor | una profesora | (*male*) *professor* / (*female*) *professor* |
| un señor | una señora | *a man* (*Mr.*) / *a woman* (*Mrs.*) |

Other nouns do not change at all; only the accompanying article changes.

un elefante	(*male*) *elephant*
una elefante	(*female*) *elephant*
un estudiante	(*male*) *student*
una estudiante	(*female*) *student*
un joven	*young man*
una joven	*young woman*
un recepcionista	(*male*) *receptionist*
una recepcionista	(*female*) *receptionist*

Rule 2: For most nouns that refer to things (rather than to people or animals), the gender is reflected in the last letter of the word. Nouns that end in **-o** are usually grammatically masculine (**un/el vestido**), and nouns that end in **-a** are usually grammatically feminine (**una/la puerta**).[†]

Words that end in **-d** (**una/la universidad**) or in the letter combinations **-ción** or **-sión** (**una/la nación; una/la diversión**) are also usually feminine.

> Nouns that end in **-o** are usually masculine; nouns that end in **-a** are usually feminine.

MASCULINE: -o	FEMININE: -a
un/el bolígraf**o**	una/la descrip**ción**
un/el sombrer**o**	una/la cas**a**
un/el libr**o**	una/la puer**ta**
un/el vestid**o**	una/la universi**dad**

Words that refer to things may also end in **-e** or in consonants other than **-d** and **-ión.** Most of these words that you have heard so far are masculine, but some are feminine.

un/el borrador	*eraser*	una/la clase	*class*
un/el automóvil	*automobile*	una/la luz	*light*
un/el lápiz	*pencil*	una/la mujer	*woman*
un/el traje	*suit*		
un/el reloj	*clock*		

> Don't worry if you can't remember all these rules! Note where they are in this book so you can refer to them when you are editing your writing and when you are unsure of what gender a noun is.

---

*This rule includes a few common animals. Some pairs end in **-o/-a;** others end in consonant / consonant + **-a.**

un gato	una gata	(*male*) *cat* / (*female*) *cat*
un perro	una perra	(*male*) *dog* / (*female*) *dog*
un león	una leona	*lion/lioness*

[†]Three common exceptions are **la mano** (*hand*), **el día** (*day*), and **el mapa** (*map*).

La clase y los estudiantes

EJERCICIO 5

Conteste según el modelo.

MODELO: ¿Es un bolígrafo? (lápiz) →
No, no es un bolígrafo. Es *un* lápiz.

1. ¿Es una chaqueta? (camisa)
2. ¿Es una mujer? (hombre)
3. ¿Es una falda? (vestido)

4. ¿Es un sombrero? (blusa)
5. ¿Es una naranja? (reloj)

EJERCICIO 6

Complete las oraciones con **el** o **la**.

1. _____ estudiante es rubia.
2. _____ profesor de matemáticas es guapo.
3. _____ clase es buena.
4. _____ reloj es negro.
5. _____ lápiz es amarillo.
6. _____ puerta es blanca.

7. _____ motocicleta es negra.
8. _____ automóvil es nuevo.
9. _____ casa es grande.
10. _____ sombrero es rojo.

A.5 Responding to Instructions: Commands*

In English the same form of the verb is used for giving commands, whether to one person (singular) or to more than one person (plural).

Steve, please stand up.
Mr. and Mrs. Martínez, please stand up.

In Spanish, however, singular commands end in **-a** or **-e**, and plural commands add an **-n**.

Alberto, **saque** el libro por favor.

Alberto, please take out your book.

Alberto y Nora, **saquen** el libro, por favor.

Alberto and Nora, please take out your books.

Mónica, **abra** la puerta.

Mónica, open the door.

Mónica y Luis, **abran** la puerta.

Mónica y Luis, open the door.

---

*Your instructor will give you commands during the Total Physical Response activities. Other classroom instructions will also use command forms. You will learn more about how to give commands in **Gramática 11.1** and **14.3**.

EJERCICIO 7

Escriba la forma correcta del mandato con verbos de la lista.

abra(n)	corra(n)	escuche(n)	saque(n)
camine(n)	cuente(n)	estudie(n)	siénte(n)se
cante(n)	diga(n)	lea(n)	
cierre(n)	escriba(n)	salte(n)	

1. —Lan y Mónica, _____ «Buenas tardes».

2. —Alberto, _____ su nombre con lápiz.

3. —Nora y Luis, _____ de cero a quince por favor.

4. —Pablo y Esteban, _____ el libro.

5. —Carmen, _____ la Actividad 2 en la página 6.

6. —Nora, _____ un bolígrafo.

7. —Lan y Esteban, _____ el diálogo.

8. —Luis, _____ la puerta, por favor.

Las descripciones

1500 · 1800 · 1900 · 2000

Nicaragua

M E T A S

In **Paso B** you will continue to develop your listening and speaking abilities in Spanish. You will learn more vocabulary with which to describe your immediate environment. You will also get to know your classmates better as you converse with them.

Vendedora de ayotes, por Sergio Velásquez (Nicaragua)

Sobre el artista: Sergio Velásquez (Managua, 1955) studied drawing and printing at the National School of Plastic Arts and the Workshop for Graphic and Monumental Art in Nicaragua. His work, characterized by monumental, voluptuous women with an earthy yet mysterious glow, clearly aims to represent poor working women of Nicaragua, with **mestizo** (European and Indian) features. His paintings have been shown in the Americas as well as in Europe and Africa.

ACTIVIDADES DE COMUNICACIÓN

- Hablando con otros
- Las cosas en el salón de clase y los números (40–69)
- El cuerpo humano
- La descripción de las personas

EN RESUMEN

GRAMÁTICA Y EJERCICIOS

B.1 Addressing Others: Informal and Polite *you* (**tú/usted**)

B.2 Expressing Existence: **hay**

B.3 Describing People and Things: Negation

B.4 Describing People and Things: Plural Forms

B.5 Describing People and Things: Adjective-Noun Agreement and Placement of Adjectives

Actividades de comunicación

✳ Hablando con otros

Lea Gramática B.1.

ACTIVIDAD I   Identificaciones: ¿*Tú* o *usted*?

Usted habla con estas personas. ¿Usa **tú** o **usted**?

1. un amigo de la universidad
2. el profesor de matemáticas
3. una niña de diez años
4. un amigo de su papá
5. una señora de treinta y nueve años
6. una recepcionista
7. su doctor
8. su hermano/a

ACTIVIDAD 2   Diálogos: ¿Cómo está usted? ¿Cómo estás tú?

El señor Olivera saluda a su joven vecina Amanda.

DON ANSELMO: Hola, Amanda.
AMANDA: Buenos días, señor Olivera. ¿Cómo está usted?
DON ANSELMO: Muy bien, gracias. ¿Cómo está tu mamá?
AMANDA: Ella está bien, gracias.

Amanda saluda a su amiga Graciela.

AMANDA: ¿Qué tal, Graciela? ¿Cómo estás?
GRACIELA: Regular. ¿Y tú?
AMANDA: Un poco cansada.

ACTIVIDAD 3   Diálogos abiertos: Más saludos

▶ **PALABRAS ÚTILES**

el chico, el señor, la señora
la recepcionista, la estudiante, el profesor, la profesora
regular, muy bien, un poco cansado/a
rubio, lacio

LA NUEVA ESTUDIANTE

> E1: Hola, *Mónica.* ¿Cómo estás?
> E2: *Bien.* ¿Y tú?
> E1: *Regular.*
> E2: ¿Quién es *la chica* de pelo *negro rizado*?
> E1: Es la nueva *estudiante.* Se llama _____.

EN LA OFICINA

> E1: Buenos días, profesora Martínez. ¿Cómo está usted?
> E2: Estoy *muy bien.* ¿Y usted?
> E1: *Un poco cansado.* ¿Cómo está la familia?
> E2: *Bien,* gracias. Profesora, ¿quién es *el señor* de *traje gris*?
> E1: Es _____. Se llama _____.

✳ Las cosas en el salón de clase y los números (40–69)

Lea Gramática B.2–B.4.

ACTIVIDAD 4   Identificaciones: ¿Qué hay en el salón de clase?

MODELOS: En mi clase hay... → *un lápiz amarillo.*
En mi clase hay... → *una pizarra grande.*

1. una computadora	**a.** azul ~ color café
2. una ventana	**b.** moderno/a ~ antiguo/a
3. una pizarra	**c.** interesante ~ aburrido/a
4. un reloj	**d.** fácil ~ difícil
5. un bolígrafo	**e.** blanco/a ~ negro/a ~ gris
6. una mesa	**f.** largo/a
7. un libro	**g.** viejo/a ~ nuevo/a
8. una puerta	**h.** pequeño/a ~ grande
9. un mapa	**i.** ¿ ?
10. un cartel	

ACTIVIDAD 5   Intercambios: El salón de clase

MODELO: E1: ¿Cuántos/as _____ hay en el salón de clase?
E2: Hay _____.

1. estudiantes	**5.** ventanas
2. mesas	**6.** paredes
3. borradores	**7.** puertas
4. pizarras	**8.** luces

ACTIVIDAD 6   Intercambios: ¿Cuánto cuesta?

MODELO: E1: ¿Cuánto cuesta *la mochila?*
E2: Cuesta *$39.50 (treinta y nueve dólares y cincuenta centavos).*

40 cuarenta	50 cincuenta	60 sesenta
41 cuarenta y uno	52 cincuenta y dos	63 sesenta y tres
45 cuarenta y cinco	58 cincuenta y ocho	69 sesenta y nueve

la mochila

el cuaderno

la calculadora

el diccionario

la silla

el reloj

la mesa

el cartel

la patineta

✳ El cuerpo humano

Lea Gramática B.5.

ACTIVIDAD 7   Descripción de dibujos: ¿Quién es?

Mire a estas personas. Escuche la descripción que da su profesor(a) y diga cómo se llama la persona.

1. Rosa   2. el robot   3. Lupe   4. Reinaldo   5. Víctor   6. María

✳ La descripción de las personas

Lea Gramática B.5.

pelo rubio
ojos azules

joven y
talentosa

Mónica

bonita
pelo negro
ojos negros

inteligente
y callada

Lan

de estatura
mediana
pelo castaño corto
ojos castaños

divertido
y generoso

lentes

Esteban

alto
delgado
fuerte

idealista
y tímido

barba

Alberto

bajo
guapo
pelo negro rizado
ojos negros

simpático y
entusiasta

bigote

Luis

ACTIVIDAD 8   Diálogo: La nueva amiga

ESTEBAN: ¿Cómo es tu nueva amiga, Luis?
LUIS: Es alta, delgada y de pelo castaño. ¡Y muy talentosa!
ESTEBAN: ¿Cómo se llama?
LUIS: Cecilia Teresa.
ESTEBAN: Es un nombre muy bonito.
LUIS: ¡Es una chica muy bonita también!

ACTIVIDAD 9   Diálogo abierto: Los nuevos amigos

E1: ¿Tienes nuevos amigos?
E2: Sí, tengo dos.
E1: ¿Cómo se llaman?
E2: Se llaman _____ y _____ y son muy _____.
E1: ¿Y son _____ también?
E2: ¡Claro que sí! (¡Claro que no!)

ACTIVIDAD 10 Intercambios: Mis compañeros y yo

Diga cómo es usted. Dé tres descripciones afirmativas y dos negativas.

MODELO: E1: Soy *talentoso/a, idealista* y *trabajador*(a). No soy *agresivo/a* ni *tonto/a.* ¿Y tú?

E2: Yo soy *cómico/a, atlético/a* y *generoso/a.* No soy *tímido/a* ni *tacaño/a.*

agresivo/a	entusiasta	mentiroso/a	sincero/a
antipático/a	estudioso/a	nervioso/a	tacaño/a
atlético/a	filosófico/a	optimista	talentoso/a
callado/a	generoso/a	perezoso/a	temperamental
cómico/a	idealista	pesimista	tímido/a
conservador(a)	impulsivo	práctico/a	tonto/a
considerado/a	inteligente	simpático/a	trabajador(a)
egoísta	materialista		

ACTIVIDAD 11 Entrevista: Mi mejor amigo/a

ESTUDIANTE 1	ESTUDIANTE 2
1. ¿Cómo se llama tu mejor amigo/a?	Se llama _____.
2. ¿De qué color tiene los ojos?	Tiene los ojos _____.
3. ¿Es alto/a, bajo/a o de estatura mediana?	Es _____.
4. ¿De qué color tiene el pelo?	Tiene el pelo _____.
5. ¿Tiene bigote/barba?	(No) Tiene _____.
6. ¿Cómo es? ¿Es simpático/a? ¿tímido/a? ¿trabajador(a)? ¿Es _____?	Es _____.

¡OJO!

Para expresar la palabra «tacaño/a», uno se puede tocar el codo con la mano.

En resumen

De todo un poco

A. Un mundo ideal

Use su imaginación y complete estas descripciones.

1. El salón de clase ideal es _____ y _____. En el salón de clase hay _____. No hay _____.

2. El amigo / La amiga ideal es _____ y _____. No es _____.

3. El/La estudiante ideal es _____ y _____. No es _____.

4. El profesor / La profesora ideal es _____ y _____. No es _____.

5. El novio (El esposo) / La novia (La esposa) ideal es _____ y _____. No es _____.

B. Su opinión

Exprese su opinión con su compañero/a.

MODELO: E1: La clase de español *es interesante.*

E2: Estoy de acuerdo. La clase de español *es muy interesante* (*no es aburrida*).

▶ **EXPRESIONES ÚTILES**

(No) Estoy de acuerdo.

1. La clase de español es (interesante ~ aburrida).
2. Hay muchos estudiantes (inteligentes ~ tontos) en esta clase.
3. El profesor / La profesora de español es (reservado/a ~ entusiasta).
4. El salón de clase es (bonito ~ feo).
5. Yo soy (tacaño/a ~ generoso/a).

Vocabulario

• **Las cosas en el salón de clase**	Things in the Classroom
el borrador	eraser
el cartel	poster
el cuaderno	workbook; notebook
el diccionario	dictionary
el escritorio	desk
la luz / las luces	light / lights
la mesa	table
el papel	paper
la pared	wall
el piso	floor
la pizarra	board
la pluma	pen (*Mex.*)
el pupitre	desk (student)
la silla	chair
el techo	roof; ceiling
la tiza	chalk
la ventana	window

REPASO (*Review*): **el bolígrafo, el lápiz, el libro, la puerta, el reloj, el texto**

• **El cuerpo humano**	The Human Body
la barriga	tummy; belly
la boca	mouth
el brazo	arm
la cabeza	head
la cara	face
el cuello	neck
la espalda	back
el estómago	stomach
el hombro	shoulder
la mano	hand
la nariz	nose
el ojo	eye
la oreja	ear
el pie / los pies	foot
la pierna	leg

• **Las personas**	People
el chico / la chica	young man / young woman
el esposo / la esposa	husband / wife

el hermano / la hermana	brother / sister
el novio / la novia	boyfriend / girlfriend
tú	you (*inf.*)
el vecino / la vecina	neighbor

PALABRAS SEMEJANTES: el doctor / la doctora, la mamá, el papá, el robot

• Las descripciones — Descriptions

¿Cómo es él/ella?	What is he/she like?
¿Cómo es usted? / ¿Cómo eres tú?	What are you like?
abierto/a	open
aburrido/a	boring; bored
antiguo/a	antique; ancient
antipático/a	unpleasant
callado/a	quiet
de... años	. . . years old
derecho/a	right
difícil	difficult
divertido/a	fun
egoísta	selfish, self-centered
entusiasta	enthusiastic
fácil	easy
fuerte	strong
izquierdo/a	left
mejor	best; better
mentiroso/a	dishonest, liar
perezoso/a	lazy
simpático/a	nice, pleasant
tacaño/a	stingy
tímido/a	shy
tonto/a	silly, dumb
trabajador(a)	hard-working

PALABRAS SEMEJANTES: afirmativo/a, agresivo/a, atlético/a, cómico/a, conservador(a), considerado/a, estudioso/a, filosófico/a, generoso/a, ideal, idealista, impulsivo/a, inteligente, interesante, materialista, moderno/a, negativo/a, nervioso/a, optimista, pesimista, práctico/a, reservado/a, sincero/a, talentoso/a

• Los verbos — Verbs

busque	look for
complete	complete
conteste(n)	answer
de(le)	give (to him/her)
eres	you (*inf. sing.*) are
exprese	express
mueva	move
señale	point to
¿Tienes... ?	Do you have . . . ?

Tengo...	I have . . .
usa	uses

• Expresiones útiles — Useful Expressions

Claro que sí/no	Of course (not)
¿Cómo estás tú?	How are you?
¿Cuánto cuesta(n)?	How much is (are) . . . ?
Cuesta(n)...	It costs (They cost) . . .
de nada	You are welcome.
(No) Estoy de acuerdo	I (do not) agree.
¿Qué tal?	How's it going?

• Palabras del texto — Words from the Text

de todo un poco	a bit of everything
el dibujo	drawing
en resumen	to sum up
la entrevista	interview
hablando	talking
intercambios	interactions
el modelo	model

• Palabras útiles — Useful Words

la calculadora	calculator
el centavo	cent
la computadora	computer
esto	this (thing)
la mochila	backpack
mucho/a(s)	a lot, many
el mundo	world
muy	very
o	or
otro/a	other, another
la patineta	skateboard
también	also
tu(s)	your (*inf.*)

PALABRAS SEMEJANTES: el dólar / los dólares, la imaginación, el mapa, las matemáticas, la oficina, la opinión, la universidad

• Los números — Numbers

cuarenta	forty
cuarenta y uno	forty-one
cuarenta y cinco	forty-five
cincuenta	fifty
cincuenta y uno	fifty-one
cincuenta y dos	fifty-two
cincuenta y ocho	fifty-eight
sesenta	sixty
sesenta y nueve	sixty-nine

Gramática y ejercicios

B.1   Addressing Others: Informal and Polite *you* (*tú/usted*)

A. English speakers use the pronoun *you* to address a person directly, whether or not they know that person well. In older forms of English, speakers used an informal pronoun—*thou*—among friends, but today *you* is used with everyone.

Spanish has two pronouns that mean *you,* singular: **usted** and **tú.** The polite (*pol.*) pronoun **usted** is appropriate for people you do not know well, such as salespeople, receptionists, other professionals, and especially for people older than you. The informal (*inf.*) pronoun **tú** is reserved for friends, peers, children, and other people you know well. In some places in Latin America, including Argentina and Central America, speakers use **vos** instead of **tú** as the informal pronoun for *you.* Everyone who uses **vos,** however, also understands **tú.**

In the activities and exercises, *Dos mundos* addresses you with **usted.** You should use **tú** when speaking to your classmates. Some instructors address their students with **tú;** others use **usted.**

> Soy puertorriqueño. ¿Y **tú?** ¿De dónde eres?
> *I'm Puerto Rican. And you? Where are you from?*
>
> Soy profesora de español. ¿Y **usted?** ¿Es **usted** estudiante?
> *I'm a professor of Spanish. And you? Are you a student?*

> Both **tú** and **usted** mean *you* (singular). **Tú** is used when speaking to family, friends, and children. **Usted** is used to speak to people you don't know well and people older than you.

B. Although both **tú** and **usted** correspond to *you,* the verb forms used with each are different. Present-tense verb forms for **tú** always end with the letter **-s.** Present-tense verb forms for **usted** end in **-a** or **-e** and are always the same as the forms for **él/ella.**

> ¿Tiene**s** (**tú**) una blusa gris?
> *Do you have a gray blouse?*
>
> ¿Tien**e usted** un vestido blanco?
> *Do you have a white dress?*

> Use **tú** when speaking to your classmates. Use **usted** when addressing your instructor (unless he/she asks you to use **tú**).

We introduced the forms of the verb **ser** (*to be*) in **Gramática A.3.** The **tú** form of **ser** is **eres;** the **usted** form of **ser** is **es** (the same as the form for **él/ella**).

> (**Tú**) **Eres** un buen amigo.
> *You are a good friend.*
>
> **Usted es** muy amable, señora Saucedo.
> *You are very nice, Mrs. Saucedo.*

> Present-tense verb forms for **tú** always end in **-s.**

C. Spanish distinguishes between singular *you* (**tú** or **usted**) and plural *you* (**ustedes**). Many American speakers of English make this distinction by saying "you guys" or "you all." The verb forms used with **ustedes** end in the letter **-n** and are the same as those used with the pronoun **ellos/as.**

> —¿Cómo **están ustedes?**
> *—How are you (all)?*
>
> —Bien, gracias.
> *—Fine, thanks.*

Most speakers of Spanish do not distinguish between informal and polite address in the plural. **Ustedes** is used with everyone. In Spain, however,

The plural of both **tú** and **usted** in Latin America is **ustedes**. In Spain, the plural of **tú** is **vosotros/as** and the plural of **usted** is **ustedes**.

most speakers prefer to use **vosotros/as** for the informal plural *you* and reserve **ustedes** for the polite plural *you*.

The regional pronouns **vos** and **vosotros/as** do not appear in the exercises and activities of *Dos mundos.* You will learn them quickly if you travel to areas where they are frequently used. The verb forms corresponding to **vosotros/as** are listed with other verb forms and are given in Appendix 1. The verb forms corresponding to **vos** are footnoted in the grammar explanations. In the listening activities of the *Cuaderno de actividades,* the characters from countries where **vos** and **vosotros/as** are prevalent use those pronouns. This will give you an opportunity to hear **vos** and **vosotros/as** and their accompanying verb forms, even though you will not need to use them yourself.

EJERCICIO I

Usted habla con estas personas: ¿usa **tú** o **usted**?

1. una amiga de su clase de español
    a. ¿Tiene usted dos clases hoy?
    b. ¿Tienes dos clases hoy?
2. la recepcionista
    a. ¿Cómo estás?
    b. ¿Cómo está usted?
3. un niño
    a. Tú tienes una bicicleta nueva.
    b. Usted tiene una bicicleta nueva.
4. una persona de cuarenta y nueve años
    a. ¿Cómo se llama usted?
    b. ¿Cómo te llamas?
5. un vecino de setenta años
    a. Estoy bien. ¿Y tú?
    b. Estoy bien. ¿Y usted?

B.2   Expressing Existence: *hay*

hay = *there is / there are*
Hay is used with singular or plural nouns.

The verb form **hay** expresses the idea of existence. When used with singular nouns it means *there is;* with plural nouns it means *there are.*

—¿Qué **hay** en el salón de clase?   —*What is there in the classroom?*
—**Hay** dos puertas y una ventana.   —*There are two doors and a window.*

Whereas the verb **ser** (*to be*) identifies nouns (see **Gramática A.3**), **hay** simply states their existence.

—¿Qué **es**?   —*What is that?*
—**Es** un bolígrafo.   —*It's a pen.*

—¿Cuántos **hay**?   —*How many are there?*
—**Hay** tres.   —*There are three.*

EJERCICIO 2

To make a sentence negative, place **no** before the verb.
   Hay perros en el salón de clase.
   No hay perros en el salón de clase.

Imagínese qué cosas o personas hay o no hay en el salón de clase de la profesora Martínez.

MODELOS: lápices → *Hay* lápices en el salón de clase.
          perros → *No hay* perros en el salón de clase.

1. libros en la mesa	**6.** papeles en los pupitres
2. un reloj en la pared	**7.** un bolígrafo en el pupitre de Alberto
3. una profesora	**8.** muchos cuadernos
4. un automóvil	**9.** una bicicleta
5. un profesor	**10.** una ventana

B.3 Describing People and Things: Negation

In a negative sentence, the word **no** precedes the verb.

Amanda es una chica muy simpática. (Amanda) **No es** tímida.	*Amanda is a very nice girl. She is not shy.*
Ramón **no es** mi novio. Es el novio de Amanda.	*Ramón isn't my boyfriend. He's Amanda's boyfriend.*

There are no additional words in Spanish that correspond to the English negatives *don't* and *doesn't*.

Guillermo **no tiene** el pelo largo ahora.	*Guillermo doesn't have long hair now.*
Yo soy hombre; **no llevo** vestidos.	*I am a man; I don't wear dresses.*

Spanish, like many other languages in the world, often uses more than one negative in a sentence.*

No hay **nada** en este salón de clase.	*There is nothing in this classroom.*

EJERCICIO 3

Cambie estas oraciones afirmativas a oraciones negativas.

MODELOS: Luis es un chico alto. → Luis **no** es un chico alto.
En el salón de clase hay 68 tizas. → En el salón de clase **no** hay 68 tizas.

1. En el salón de clase hay diez pizarras.
2. Mónica tiene el pelo negro.
3. Carmen lleva una blusa muy fea.
4. Mi carro es morado.
5. La profesora Martínez tiene barba.

B.4 Describing People and Things: Plural Forms

Spanish and English nouns may be singular (**camisa**, *shirt*) or plural (**camisas**, *shirts*). Almost all plural words in Spanish end in **-s** or **-es**: **blusas** (*blouses*), **pantalones** (*pants*), **suéteres** (*sweaters*), **zapatos** (*shoes*), and so on. In Spanish, unlike English, articles before plural nouns and adjectives that describe plural nouns must also be plural. Here are the basic rules for forming plurals in Spanish.

---

*You will learn more about negative words and their placement in **Gramática 8.3**. In **Gramática 3.4** you will learn how to answer questions in the negative.

> To form plurals:
> Words ending in vowels add **s**; words ending in consonants add **-es**; words ending in **-z** change to **-c** and add **-es**. In time, you will acquire a feel for the plural formations.

A. Words that end in a vowel (**a, e, i, o, u**) form their plural by adding **-s**.

SINGULAR	PLURAL
el braz**o**	los brazo**s**
el oj**o**	los ojo**s**
el pi**e**	los pie**s**
la piern**a**	las pierna**s**

Words that end in a consonant add **-es**.

SINGULAR	PLURAL
el borrado**r**	los borrador**es**
la pare**d**	las pared**es**
el profeso**r**	los profesor**es**

If the consonant at the end of a word is **-z**, it changes to **-c** and adds **-es**.

SINGULAR	PLURAL
el lápi**z**	los lápi**ces**
la lu**z**	las lu**ces**

B. Adjectives that describe plural words must also be plural.

ojo**s** azul**es**	*blue eyes*	oreja**s** grande**s**	*big ears*
brazo**s** largo**s**	*long arms*	pie**s** pequeño**s**	*small feet*

En mi salón de clase hay dos **ventanas grandes, varias sillas viejas,** cinco **pizarras verdes** y diez **luces.**

In my classroom there are two large windows, several old chairs, five green chalkboards, and ten lights.

EJERCICIO 4

> **tienen** = *have*
> **tiene** = *has*

Marisa y Clarisa tienen muchas cosas. ¡Pero Marisa siempre tiene una y Clarisa dos!

MODELO: Marisa tiene un suéter azul, pero Clarisa tiene dos... → *suéteres azules.*

1. Marisa tiene un par de zapatos, pero Clarisa tiene dos...
2. Marisa tiene un perro nuevo, pero Clarisa tiene dos...
3. Marisa tiene una chaqueta roja, pero Clarisa tiene dos...
4. Marisa tiene un lápiz amarillo, pero Clarisa tiene dos...
5. Marisa tiene una amiga norteamericana, pero Clarisa tiene dos...

EJERCICIO 5

¡Ahora Clarisa tiene una y Marisa tiene dos!

MODELO: Clarisa tiene un sombrero grande, pero Marisa tiene dos... → *sombreros grandes.*

1. Clarisa tiene un cuaderno pequeño, pero Marisa tiene dos...
2. Clarisa tiene un gato negro, pero Marisa tiene dos...
3. Clarisa tiene una fotografía bonita, pero Marisa tiene dos...
4. Clarisa tiene un reloj bonito, pero Marisa tiene dos...
5. Clarisa tiene un libro difícil, pero Marisa tiene dos...
6. Clarisa tiene una amiga divertida, pero Marisa tiene dos...

B. 5 Describing People and Things: Adjective-Noun Agreement and Placement of Adjectives

A. Adjectives must agree in gender and number with the nouns they describe; that is, if the noun is singular and masculine, the adjective must also be singular and masculine. Adjectives that end in **-o** in the masculine form and **-a** in the feminine form will appear in the vocabulary lists in *Dos mundos* like this: **bonito/a.** Such adjectives have four possible forms.

> A singular adjective is used to describe a singular noun. A plural adjective is used to describe a plural noun.

	SINGULAR	PLURAL
Masculine	viej**o**	viej**os**
Feminine	viej**a**	viej**as**

Carmen lleva un suéter **bonito** y una falda **nueva.**   *Carmen is wearing a pretty sweater and a new skirt.*
Mis zapatos de tenis son **viejos.**   *My tennis shoes are old.*

B. Adjectives that end in a consonant,* the vowel **-e,** or the ending **-ista** have only two forms because the masculine and feminine forms are the same.

	SINGULAR	PLURAL
Masculine/Feminine	jov**en**	jóv**enes**
	interesant**e**	interesant**es**
	pesim**ista**	pesim**istas**
	azu**l**	azu**les**

---

*Adjectives of nationality that end in a consonant are an exception, since they (like adjectives that end in **-o/-a**) have four forms: **inglés, inglesa, ingleses, inglesas.** See **Gramática C.4** for more information.

Luis lleva una camisa **azul** y un sombrero **azul**.	*Luis is wearing a blue shirt and a blue hat.*
Mi amigo Nacho es **pesimista**, pero mi amiga Silvia es **optimista**.	*My friend Nacho is pessimistic, but my friend Silvia is optimistic.*

C. In Spanish adjectives generally follow the noun they modify: **zapatos nuevos, camisas blancas, faldas bonitas, sombreros negros.** Adjectives that express inherent characteristics may precede the noun: **la blanca nieve.*** You should not worry too much about placement. For now, you may place descriptive adjectives after the noun.

D. If an adjective modifies two nouns, one masculine and one feminine, the adjective will take the masculine form.

Mónica es simpátic**a** y considerad**a**.
Alberto y Mónica son simpátic**os** y considerad**os**.
Mi blusa y mi falda son blanc**as**.
Mi blusa y mi vestido son roj**os**.

EJERCICIO 6

Seleccione todas las descripciones posibles.

MODELO: Alberto → *chico, guapo, estudiante*

Nora   Alberto   Esteban   Carmen   la profesora Martínez   Luis   Pablo   Mónica

1. Nora	**a.** mujer	**i.** estudiante
2. Alberto	**b.** chico	**j.** profesor
3. Esteban y Carmen	**c.** secretaria	**k.** mexicana
4. la profesora Martínez	**d.** chica	**l.** altas
5. Luis	**e.** guapo	**m.** bajo
6. Mónica y Carmen	**f.** niñas	**n.** morena
7. Pablo	**g.** amigos	**o.** rubio
	h. estudiantes	

---

*Limiting adjectives (numerals, possessives, demonstratives, and indefinite adjectives) also precede the noun: **dos amigos, mis zapatos, esta mesa, otro ejemplo.**

EJERCICIO 7

Escriba frases completas con la información. Use las formas femeninas para las mujeres.

MODELOS: Arnold Schwarzenegger: alto, fuerte → Arnold Schwarzenegger es alto y fuerte.
Oprah Winfrey: simpático, rico → Oprah Winfrey es simpática y rica.

1. Ashley y Mary Kate Olsen: rico, bonito
2. Will Smith: delgado, elegante
3. Hillary Clinton: inteligente, rubio
4. Jennifer López: materialista, talentoso
5. George Clooney: guapo, tímido

EJERCICIO 8

Escriba frases completas con la información. Use la forma correcta: masculina o femenina, singular o plural.

MODELOS: casa: nuevo, pequeño → La casa es nueva y pequeña. / La casa nueva es pequeña.
lápices: amarillo, viejo → Los lápices son amarillos y viejos. / Los lápices amarillos son viejos.

1. libros: difícil, divertido
2. chica: bajo, tímido
3. mujeres: tacaño, trabajador
4. amigo: inteligente, perezoso
5. robots: fuerte, aburrido

Colombia

Mi familia y mis amigos

Paso C

M E T A S

In **Paso C** you will discuss your family, things you own, and people's ages. You will also talk about languages and nationalities.

Familia, por Fernando Botero (Colombia)

Sobre el artista: Fernando Botero (1932–) was born in Medellín, Colombia. His work, characterized by the plump figures of his subjects, is shown in museums and galleries around the world.

ACTIVIDADES DE COMUNICACIÓN

- La familia
- ¿Qué tenemos?
- Los números (10–100) y la edad
- Los idiomas y las nacionalidades

EN RESUMEN

GRAMÁTICA Y EJERCICIOS

C.1 Expressing Possession: The Verbs **tener** and **ser de(l)**

C.2 Expressing Possession: Possessive Adjectives

C.3 Expressing Age: The Verb **tener**

C.4 Describing People: Adjectives of Nationality

C.5 Talking about Habitual Actions: Present Tense of Regular **-ar** Verbs

Actividades de comunicación

Árbol Geneológico

✳ **La familia**

Lea Gramática C.1.

La familia

los abuelos
la abuela
el abuelo

la esposa wife   los esposos   el esposo husband

parents
los padres
el padre
la madre

Dora Lucía Muñoz de Saucedo   Javier Saucedo González

TWIN las gemelas   la tía Aunt   los tíos   el tío uncle

Estela Ramírez de Saucedo   Ernesto Saucedo Muñoz   Paula Saucedo Muñoz   Andrea Saucedo de Ruiz   Pedro Ruiz Galván   Raúl Saucedo Muñoz

children
los hijos
la hija
el hijo

los nietos
grkids la nieta
el nieto

los primos cousins
la prima
el primo

los hermanos
la hermana
el hermano

Amanda Saucedo Ramírez   Guillermo Saucedo Ramírez   Ernestito Saucedo Ramírez   Clarisa Ruiz Saucedo   Marisa Ruiz Saucedo

la sobrina niece   el sobrino nephew

los sobrinos

ACTIVIDAD 1   **Identificaciones: La familia Saucedo (Parte 1)**

¿Cierto o falso? Conteste según el dibujo.

1. La esposa de Pedro se llama Paula.
2. Dora y Javier tienen cuatro hijos: tres hijas y un hijo.
3. Estela es soltera.
4. Raúl es casado.
5. Estela, Paula, Andrea y Raúl son hermanos.
6. Paula y Raúl tienen cinco sobrinos.
7. Amanda no tiene primos.
8. Dora tiene cinco nietos: tres nietas y dos nietos.
9. Pedro y Raúl son hermanos.
10. Andrea es la tía de Clarisa y Marisa.

¡**O J O**!

Las personas solteras llevan el apellido de su padre y el apellido de su madre. Vea la diferencia entre los nombres de Paula Saucedo Muñoz y Andrea Saucedo de Ruiz. En el caso de Andrea, Saucedo es el apellido de su padre y Ruiz el de su esposo.

ACTIVIDAD 2   Intercambios: La familia Saucedo (Parte 2)

Conteste según el dibujo de la familia Saucedo.

MODELOS: E1: ¿Cómo se llama *el hermano* de *Ernesto, Paula y Andrea*?
            E2: Se llama *Raúl.*

                  E1: ¿Cuántos *hermanos* tiene *Amanda*?
            E2: Tiene *dos.*

ACTIVIDAD 3   Diálogo: ¿Quién es?

Don Eduardo Alvar habla con Paula Saucedo.

DON EDUARDO: Perdone, señorita Saucedo. ¿Quién es ese joven (muchacho)?
PAULA SAUCEDO: Su nombre es Jorge Saucedo.
DON EDUARDO: ¿Saucedo? ¿Es su hermano?
PAULA SAUCEDO: No. Su apellido es Saucedo también, pero no es mi hermano. Mis hermanos se llaman Raúl y Ernesto.

ACTIVIDAD 4   Diálogo abierto: Mis hijos

E1: ¿Cómo se llama usted, *señor (señora, señorita)*?
E2: Me llamo _____.
E1: ¿Es usted *casado/a (soltero/a, viudo/a, divorciado/a)*?
E2: Soy _____.
E1: ¿Tiene usted hijos? (hermanos)
E2: Sí, tengo _____ hijo(s) y _____ hija(s). (No, no tengo hijos.)

> **¡OJO!**
>
> En las familias hispanas, los niños reciben mucha atención de sus padres y abuelos. Frecuentemente, los abuelos viven con la familia.

ACTIVIDAD 5   Entrevista: Mi familia

1. ¿Cómo se llama tu *padre (madre, hermano/a, abuelo/a)*?
   Mi *padre* se llama _____.
2. ¿Cuántos *hermanos (primos, abuelos, hijos, nietos)* tienes?
   Tengo *dos hermanos.* (Tengo *un primo.* Tengo *una nieta.* No tengo *hijos.*)

✳ ¿Qué tenemos?

Lea Gramática C.1–C.2.

Doña Lola tiene un coche nuevo.

Los discos compactos son de Amanda.

Ernestito y su perro Lobo son amigos.

ACTIVIDAD 6   Diálogo: El coche de don Eduardo

ERNESTITO: ¿Cómo es su coche, señor Alvar?
DON EDUARDO: Mi coche es azul; es un poco viejo.
ERNESTITO: Yo no tengo coche, pero tengo una bicicleta nueva.
DON EDUARDO: Sí, y tu bicicleta también es muy bonita.

ACTIVIDAD 7   Descripción de dibujos: ¿De quién... ?

1. ¿Quién tiene dos camisas nuevas?
2. ¿Quién tiene dos perros?
3. ¿De quién es el vestido nuevo?
4. ¿Quién tiene una computadora?
5. ¿De quién es el carro nuevo?
6. ¿Quiénes tienen helados?

ACTIVIDAD 8   Entrevista: **Mi perro y mi carro**

1. —¿Tienes *perro* (*gato*)?
   —Sí, tengo _____. / No, no tengo *perro* (*gato*).
2. —¿Cómo es tu *perro* (*gato*)?
   —Mi *perro* (*gato*) es _____.
3. —¿Tienes *carro* (*motocicleta, bicicleta*)?
   —Sí, tengo _____. / No, no tengo *carro*. Tengo *motocicleta* (*bicicleta*).
4. —¿Cómo es tu *carro* (*motocicleta, bicicleta*)?
   —Mi *carro* (*motocicleta, bicicleta*) es _____.

✳ Los números (10–100) y la edad

Lea Gramática C.3.

10	diez	76	setenta y seis
20	veinte	80	ochenta
30	treinta	82	ochenta y dos
40	cuarenta	90	noventa
50	cincuenta	94	noventa y cuatro
60	sesenta	100	cien
70	setenta	110	ciento diez

ACTIVIDAD 9   Diálogos: **¿Cuántos años tienen?**

GRACIELA: Amanda, ¿quién es esa niña?
AMANDA: Es mi prima, Clarisa.
GRACIELA: ¿Cuántos años tiene?
AMANDA: Tiene sólo seis años y es muy inteligente.

DON EDUARDO: Señor Ruiz, ¿cuántos hijos tiene usted?
PEDRO RUIZ: Tengo dos hijas.
DON EDUARDO: ¿Y cuántos años tienen?
PEDRO RUIZ: Bueno, Clarisa tiene seis años y Marisa tiene cuatro.
DON EDUARDO: ¡Sólo dos hijas! ¡Cómo cambia el mundo!

ACTIVIDAD 10   Diálogo abierto: **¿Cuántos años tienes?**

E1: ¿Cuántos años tienes?
E2: Tengo _____ años.
E1: ¿Tienes hermanos?
E2: Sí, tengo _____ hermanos y _____ hermanas. (No, no tengo hermanos, pero tengo _____.)
E1: ¿Cuántos años tiene tu hermano/a?
E2: Mi hermano/a tiene _____ años.
E1: ¿Es mayor o menor que tú?
E2: Es _____.

✳ Los idiomas y las nacionalidades

Lea Gramática C.4–C.5.

Hans Schumann es alemán y habla alemán.

Gina Sfreddo es italiana y habla italiano.

Iara Gomes y Zidia Oliveira son brasileñas y hablan portugués.

Masato Hamazaki y Goro Nishimura son japoneses y hablan japonés.

Rehana Hezar y Neda Nikraz son iraníes y hablan persa.

Nationalities   languages

PAÍS	NACIONALIDAD	IDIOMA(S)
Afganistán	afgano/a	dari, pashto
Alemania	alemán, alemana	alemán
Argentina	argentino/a	español
Brasil	brasileño/a	portugués
Canadá	canadiense	inglés, francés
China	chino/a	chino
Corea (del Norte / del Sur)	coreano/a	coreano
Cuba	cubano/a	español
Egipto	egipcio/a	árabe
España	español(a)	español
Estados Unidos	estadounidense	inglés
Francia	francés, francesa	francés
Inglaterra	inglés, inglesa	inglés
Irán	iraní	persa
Irak	iraquí	árabe
Israel	israelí	hebreo
Italia	italiano/a	italiano

PAÍS	NACIONALIDAD	IDIOMA(S)
Japón	japonés, japonesa	japonés
México	mexicano/a	español
República de Sudáfrica	sudafricano/a	inglés, afrikaans, lenguas africanas
Rusia	ruso/a	ruso
Siria	sirio/a	árabe
Vietnam	vietnamita	vietnamita

ACTIVIDAD 11   Asociaciones: ¿Qué nacionalidad? ¿Qué idioma?

Diga cuál es la nacionalidad de estas personas y qué idioma(s) hablan.

MODELO: Salma Hayek… México →
Salma Hayek es mexicana y habla español.

PERSONA	PAÍS
1. Fidel Castro	Cuba
2. Ignacio Lula da Silva	Brasil
3. el príncipe Guillermo	Inglaterra
4. Vladimir Putin	Rusia
5. Jacques Chirac	Francia
6. Hosni Mubarak	Egipto
7. Celine Dion	Canadá
8. el rey Juan Carlos de Borbón	España
9. Luciano Pavarotti	Italia

Salma Hayek, actriz mexicana

Juan Carlos de Borbón, rey de España

ACTIVIDAD 12   Diálogo abierto: Amigos internacionales

E1: ¿Tienes un amigo *japonés* (una amiga *japonesa*)?
E2: Sí, se llama _____.
E1: ¿Hablas *japonés* o *inglés* con él (ella)?
E2: Hablo *inglés*. (Normalmente hablo *inglés,* pero a veces hablo *japonés* con él/ella.)

ACTIVIDAD 13   Intercambios: Las vacaciones

MODELO: E1: Quiero viajar *a París* durante las vacaciones.
          E2: ¿Hablas *francés*?
          E1: Sí, hablo *un poco de francés.* (No, no hablo *nada de francés.* / Sí, hablo *francés muy bien.*)

CIUDADES

Roma	Madrid	Río de Janeiro
Londres	Buenos Aires	Montreal
Toronto	Moscú	Berlín
Los Ángeles	Pekín	Tokio

IDIOMAS

italiano	ruso	francés
inglés	chino	alemán
español	portugués	japonés

▶ FRASES ÚTILES

un poco de	nada de	muy bien

En resumen

De todo un poco

Entrevista: Su familia y sus amigos

Entreviste a su compañero/a.

—¿Son estadounidenses tus padres?
—Sí/No, mis padres son _____.
—¿Cuántos años tienen ellos?
—Mi padre tiene _____ años y mi madre tiene _____ años.
—¿Qué idiomas hablan?
—Mis padres hablan _____. (Mi padre habla _____ y mi madre habla _____.)
—¿Tienes muchos hermanos?
—Sí, tengo _____. (No, tengo sólo _____. / No, soy hijo único / hija única.)
—¿Cómo se llaman tus hermanos?

—Mis hermanos se llaman _____ y _____. (Mi hermano/a se
llama _____.)
—¿Tienes un amigo / una amiga de *España*? (*México, Irán, Rusia,
Italia, Francia,* etcétera)
—Sí, tengo un amigo / una amiga de _____.
—¿Cómo se llama tu amigo/a?
—Él/Ella se llama _____.
—¿Qué idiomas habla él/ella?
—Habla _____ y _____. (Habla sólo _____.)

Vocabulario

• **La familia**	The Family
el abuelo / la abuela	grandfather/grandmother
los abuelos	grandparents
el gemelo / la gemela	twin
el hijo / la hija	son / daughter
el hijo único / la hija única	only child (only son / only daughter)
los hijos	sons (sons and daughters; children)
la madre	mother
el nieto / la nieta	grandson / granddaughter
el padre	father
los padres	parents
el primo / la prima	cousin
el sobrino / la sobrina	nephew / niece
el tío / la tía	uncle / aunt

REPASO: el esposo, la esposa, el hermano, la hermana

• **Los países**	Countries
Alemania	Germany
Corea del Norte / del Sur	North / South Korea
España	Spain
(los) Estados Unidos	United States
Inglaterra	England
(la) República de Sudáfrica	South Africa

PALABRAS SEMEJANTES: Afganistán, Argentina, Brasil, Canadá, China, Cuba, Egipto, Francia, Irak, Irán, Israel, Italia, Japón, México, Rusia, Siria, Vietnam

• **Las nacionalidades**	Nationalities
alemán/alemana	German
brasileño/a	Brazilian
chino/a	Chinese
egipcio/a	Egyptian
español(a)	Spanish
estadounidense	American (United States citizen)
francés/francesa	French
inglés/inglesa	English
ruso/a	Russian
sudafricano/a	South African

PALABRAS SEMEJANTES: afgano/a, americano/a, árabe, argentino/a, canadiense, coreano/a, cubano/a, iraní, iraquí, israelí, italiano/a, japonés/japonesa, mexicano/a, portugués/portuguesa, sirio/a, vietnamita

• **Los idiomas**	Languages
el alemán	German
el chino	Chinese
el español	Spanish
el francés	French
el hebreo	Hebrew
el inglés	English
las lenguas africanas	African languages
el ruso	Russian

PALABRAS SEMEJANTES: el afrikaans, el árabe, el coreano, el italiano, el japonés, el pashto, el portugués, el vietnamita

• Las ciudades — Cities

Londres	London
Moscú	Moscow
Pekín	Beijing

PALABRAS SEMEJANTES: Berlín, Buenos Aires, Los Ángeles, Madrid, Montreal, Río de Janeiro, Roma, Tokio, Toronto

• Los adjetivos — Adjectives

casado/a	married
divorciado/a	divorced
mayor (que)	older (than)
menor (que)	younger (than)
soltero/a	single, unmarried
viudo/a	widowed

• Los verbos — Verbs

hablar	to speak
¿Hablas... ?	Do you speak . . . ?
Hablo…	I speak
quiero	I want
tener	to have
viajar	to travel

• Expresiones útiles — Useful Expressions

¡Cómo cambia el mundo!	How the world changes!
¿Cuántos años tiene(s)?	How old are you?
Tengo… años.	I am . . . years old.
¿Cuántos… tiene(s)?	How many . . . do you have?
¿De quién es/son... ?	Whose is/are . . . ?
nada de	nothing, any (at all)
perdone	pardon me; excuse me

un poco de	a little
¿Qué tiene(n)... ?	What do/does . . . have?
¿Quién(es) tiene(n)... ?	Who has . . . ?

REPASO: mi(s), tu(s), su(s)

• Palabras útiles — Useful Words

a veces	sometimes
la bicicleta	bicycle
bueno…	well . . .
el carro / el coche	car
de la	of the
del (de + el)	of the (required contraction)
durante	during
la edad	age
el helado	ice cream
el (la) joven	young person
pero	but
según	according to
sólo	only
la videoteca	video library

PALABRAS SEMEJANTES: el disco compacto, la frase, internacional, la motocicleta, la parte, normalmente, vacaciones

• Los números — Numbers

setenta	seventy
ochenta	eighty
ochenta y cuatro	eighty-four
noventa	ninety
noventa y siete	ninety-seven
cien	one hundred
ciento uno	one-hundred one
ciento diez	one-hundred ten

Gramática y ejercicios

C.1 Expressing Possession: The Verbs *tener* and *ser de(l)*

Just like English, Spanish has several ways of expressing possession. Unlike English, however, Spanish does not use an apostrophe and *s*.

A. Perhaps the simplest way of expressing possession is to use the verb **tener*** (*to have*). Like the verb **ser, tener** is classified as an irregular verb because of changes in its stem.[†] The endings that attach to the stem, however, are regular.

tener = *to have*

¿**RECUERDA?**

In **Gramática A.3** you learned some of the forms of **ser.**

El libro **es del** profesor.

Los cuadernos **son de** mis compañeros.

tener (*to have*)		
(yo)	tengo	*I have*
(tú)	tienes	*you (inf. sing.) have*
(usted, él/ella)	tiene	*you (pol. sing.) have; he/she has*
(nosotros/as)	tenemos	*we have*
(vosotros/as)	tenéis	*you (inf. pl., Spain) have*
(ustedes, ellos/as)	tienen	*you (pl.) have; they have*

—Profesora Martínez, ¿**tiene** usted un automóvil nuevo?
—Sí, **tengo** un Toyota verde.

—*Professor Martínez, do you have a new automobile?*
—*Yes, I have a green Toyota.*

English: *'s*
Mike**'s** new car
Sarah**'s** friends
Spanish: **de** + person
el carro nuevo **de Miguel**
los amigos **de Sara**

B. The verb **ser** (*to be*) followed by the preposition **de** (*of*) can also be used to express possession. The equivalent of the English word *whose* is ¿**de quién?** (literally, *of whom?* or *to whom?*).

—¿**De quién es** el cuaderno?

—**Es de** Carmen.

—*To whom does the notebook belong?*
—*It's Carmen's.*

de + **el** = **del**
de + **la** remains **de la**

C. The preposition **de** (*of*) followed by the masculine article **el** (*the*) contracts to **del** (*of the*).

—¿**De quién es** el bolígrafo?
—**Es del** profesor.

—*Whose pen is this?*
—*It's the professor's.*

The other combinations of **de** + article do not contract: **de la, de los, de las.**

Los zapatos **de la** niña son nuevos.

The girl's shoes are new.

---

*Recognition: **vos tenés**
[†]See **Gramática C.5** for more information on verb stems.

EJERCICIO 1

Diga qué tienen estas personas. Use las formas del verbo **tener.**

MODELO: Luis *tiene* una bicicleta negra.

1. Pablo _____ una chaqueta negra.
2. Esteban y yo _____ un coche viejo.
3. Mónica, tú no _____ el libro de español, ¿verdad?
4. (Yo) _____ dos lápices y un cuaderno sobre mi pupitre.
5. Nora y Alberto no _____ hijos, ¿verdad?

EJERCICIO 2

Diga de quién son estas cosas.

MODELO: Mónica / bolígrafo → El bolígrafo *es de* Mónica.

1. la profesora Martínez / carro

2. Luis / camisa

3. Nora / perro

4. Esteban / lentes

5. Alberto / saco

6. Carmen / bicicleta

C.2 Expressing Possession: Possessive Adjectives

Possession can be indicated by the following possessive adjectives. The particular adjective you choose depends on the owner, but the adjective itself, like other Spanish adjectives, agrees in number and gender with the word it describes: that is, with the *object owned,* not with the owner.

su = *his, her, your, their* (one item)
sus = *his, her, your, their* (multiple items)

Remember that you will acquire much of this material in time as you listen to and read Spanish.

SINGULAR OWNER		PLURAL OWNER	
mi	*my*	nuestro/a	*our*
tu*	*your (inf. sing.)*	vuestro/a	*your (inf. pl., Spain)*
su	*your (pol. sing.), his/her*	su	*your (pl.); their*

¿Mi hermano? Tiene el pelo negro.	*My brother? He has black hair.*
Nuestro carro nuevo es rojo.	*Our new car is red.*
Nuestra profesora es Adela Martínez.	*Our professor is Adela Martínez.*

SINGULAR POSSESSION (PLURAL POSSESSIONS)		SINGULAR POSSESSION (PLURAL POSSESSIONS)	
mi(s)	*my*	nuestro(s)/a(s)	*our*
tu(s)	*your (inf. sing.)*	vuestro(s)/a(s)	*your (inf. pl., Spain)*
su(s)	*your (pol. sing.), his/her*	su(s)	*your (pl.); their*

Mi falda es vieja, pero **mis** zapatos son nuevos.	*My skirt is old, but my shoes are new.*
Clarisa y Marisa tienen una casa grande. **Su** casa es grande.	*Clarisa and Marisa have a big house. Their house is big.*
Raúl, ¿**tus** hermanas son gemelas?	*Raúl, are your sisters twins?*
Clarisa y Marisa tienen dos tías y un tío. **Su** tío se llama Raúl.	*Clarisa and Marisa have two aunts and one uncle. Their uncle's name is Raúl.*

Keep in mind that the pronoun **su(s)** can have various meanings: *your, his, her,* or *their.* The context normally clarifies to whom **su(s)** refers.

Luis no tiene **sus** libros.	*Luis doesn't have his books.*
El señor y la señora Ruiz tienen **su** coche aquí.	*Mr. and Mrs. Ruiz have their car here.*

Generally speaking, use **usted** and **su(s)** when addressing a person by his or her last name.

Señor Saucedo, ¿es **usted** mexicano? ¿Y **sus** padres?	*Mr. Saucedo, are you Mexican? And your parents?*

When using a first name to address someone, use **tú** and **tu(s).**

Raúl, **tu** amiga es inglesa, pero **tú** y **tus** padres son mexicanos, ¿no?	*Raúl, your friend is English, but you and your parents are Mexican, aren't you?*

---

*__Tú__ (with an accent mark) corresponds to *you;* **tu** (without an accent mark) corresponds to *your.*

EJERCICIO 3

Complete estas oraciones con la forma apropiada del adjetivo posesivo: **mi(s), tu(s), su(s)** o **nuestro(s)/a(s).**

MODELO: Estela, ¿dónde están *tus* hijos?

1. Mi novia no tiene _____ libro de matemáticas.
2. El profesor no tiene _____ botas.
3. No tienes _____ reloj, ¿verdad?
4. No tengo _____ zapatos de tenis.
5. No tenemos _____ cuadernos.
6. —Señores Ruiz, ¿dónde están _____ hijas?
    — _____ hijas, Clarisa y Marisa, están en casa.
7. Guillermo no tiene _____ chaqueta.
8. Estela y Ernesto no tienen _____ automóvil todavía.
9. Graciela, _____ ojos son muy bonitos.
10. No tengo _____ bicicleta aquí.

> **los señores Ruiz** = Mr. and Mrs. Ruiz

EJERCICIO 4

Complete los diálogos con la forma apropiada del adjetivo posesivo.

MODELO: RAÚL: ¡Qué inteligente es *tu* amiga!
          ALBERTO: Sí, y ella es idealista, también.

1. RAÚL: Silvia, _____ perro, Sultán, es muy inteligente.
    SILVIA: Gracias, Raúl, pero no es _____ perro. Es de Nacho.

2. CLARA: Pilar, ¿tienen carro _____ padres?
    PILAR: Sí, _____ padres tienen un Seat rojo.

3. JOSÉ: ¿Cómo se llama la novia de Andrés?
    PILAR: _____ novia se llama Ana.

4. ABUELA: Marisa y Clarisa, ¡qué bonitas son _____ faldas! ¿Son nuevas?
    MARISA: Sí, abuelita. Y _____ zapatos son nuevos también.

Possession may also be indicated by the use of possessive pronouns. These pronouns agree in gender and number with the noun they describe; that is, with the item possessed.

¿Es ésta tu blusa?	*Is this one your blouse?*
No, no es **mía**; es **tuya.**	*No, it's not mine; it's yours.*
¿Son de Alfredo estos zapatos?	*Are these shoes Alfredo's?*
Sí, son **suyos.**	*Yes, they are his.*
¿Es de Carmen este libro?	*Is this book Carmen's?*
No, no es **suyo**; es mío.	*No, it's not hers; it's mine.*
¿Son de ustedes estos cuadernos?	*Do these notebooks belong to you (all)?*
Sí, son **nuestros.**	*Yes, they are ours.*

For more practice with these pronouns see the **Expansión gramatical 1** in the *Cuaderno de actividades.*

SINGULAR OWNER (SINGULAR AND PLURAL POSSESSIONS)		PLURAL OWNER (SINGULAR AND PLURAL POSSESSIONS)	
mío(s)/mía(s)	*mine*	nuestro(s)/nuestra(s)	*ours*
tuyo(s)/tuya(s)	*yours (inf. sing.)*	vuestro(s)/vuestra(s)	*yours (inf. pl., Spain)*
suyo(s)/suya(s)	*his/hers/yours (pol. sing.)*	suyo(s)/suya(s)	*theirs/yours (pol. pl.)*

C.3 Expressing Age: The Verb *tener*

> English: **I am** 24 (years old).
> Spanish: **Tengo** 24 (años).

In English, the verb *to be* is used for telling age (*I am 21 years old*), but in Spanish the verb **tener** expresses age. To ask about age, use the question **¿Cuántos años... ?** (*How many years . . . ?*)

—Señora Saucedo, **¿cuántos años tiene** usted?   —*Mrs. Saucedo, how old are you?*

—**Tengo** treinta y cinco (años).   —*I'm 35 (years old).*

EJERCICIO 5

Escriba la edad de estos amigos.

MODELO: Rogelio Varela / 21 → Rogelio Varela *tiene 21 años.*

1. Adriana Bolini / 35
2. Carla Espinosa / 22
3. Rubén Hernández Arenas / 38
4. Susana Yamasaki González / 33
5. doña María Eulalia González de Saucedo / 79

EJERCICIO 6

Escriba la edad de estas personas.

don Eduardo Alvar (n. 1926)   Estela Saucedo (n. 1971)   Ernestito Saucedo (n. 1998)   Amanda Saucedo (n. 1992)   doña Lola Batini (n. 1964)

C.4 Describing People: Adjectives of Nationality

A. Adjectives of nationality that end in **-o/-a**, just like other adjectives that end in **-o/-a**, have four forms.

¿RECUERDA?

In **Gramática C.1** you learned the present-tense forms of the verb **tener**. Review them now, if necessary.

¿RECUERDA?

In **Gramática B.5** you learned that adjectives that end in **-o/-a** have four forms:

roj**o** (*masc. sing.*)
roj**a** (*fem. sing.*)
roj**os** (*masc. pl.*)
roj**as** (*fem. pl.*)

	SINGULAR	PLURAL
Masculine	chino	chinos
Feminine	china	chinas

Victoria no es **china,** pero habla chino muy bien.

Victoria is not Chinese, but she speaks Chinese very well.

B. Adjectives of nationality that end in a consonant have four forms also.

	SINGULAR	PLURAL
Masculine	inglés*	ingleses
Feminine	inglesa	inglesas

John es **inglés,** pero su madre es **española.**

John is English, but his mother is Spanish.

C. Adjectives of nationality that end in **-e** have only two forms.

	SINGULAR	PLURAL
Masculine/Feminine	canadiense	canadienses

D. Adjectives of nationality and the names of languages are not capitalized in Spanish. Names of countries, however, are capitalized.

> Do capitalize names of countries in Spanish:
> **Colombia**
> **Panamá**
> **Inglaterra**
> Do not capitalize nationalities or languages in Spanish:
> **colombiano**
> **panameñas**
> **español**
> **inglés**

EJERCICIO 7

¿De qué nacionalidad son estas personas?

MODELO: el señor Shaoyi He → *Es chino.*

I. _____ la señorita Fernández		**a.**	iraní
2. _____ los señores Watanabe		**b.**	chino/china
3. _____ el señor Hartenstein		**c.**	español/española
4. _____ las hermanas Lemieux		**d.**	sirio/siria
5. _____ la señorita Cardinale y la señorita Lomeli		**e.**	inglés/inglesa
		f.	italiano/italiana
6. _____ la señorita Tang		**g.**	japonés/japonesa
7. _____ el señor Thatcher		**h.**	alemán/alemana
8. _____ la señorita Nikraz		**i.**	francés/francesa
9. _____ los señores Hassan			

*See the *Cuaderno de actividades*—**Capítulos 2, 3, 5, 8,** and Appendix 3 of this text—for details on written accent marks.

infinitive = verb form ending in **-ar, -er,** or **-ir**

You will not find the conjugated forms of a verb—**hablo, hablas, habla,** and so forth—as main entries in a dictionary. You must know the infinitive in order to look up a verb.

¿RECUERDA?

In Spanish the forms of a verb change to show who is performing the action. You have already seen the forms of **llevar (Gramática A.1), ser (Gramática A.3),** and **tener (Gramática C.1).** Now look at the drawings on this page and notice the forms of the verb **hablar** (*to speak*).

C.5 Talking about Habitual Actions: Present Tense of Regular *-ar* Verbs

A. The verb form listed in the dictionary and in most vocabulary lists is the *infinitive*. In Spanish many infinitives end in **-ar (llamar, llevar),** but some end in **-er (tener)** or in **-ir (vivir).** The forms of the verb are called its *conjugation.* Here is the present-tense conjugation of the regular **-ar** verb **hablar.*** Regular verbs are classified as such because their *stem* (the infinitive minus the ending) remains the same in all forms; the only change is in the endings, which are added to the stem.

hablar (*to speak*)		
(yo)	habl**o**	*I speak*
(tú)	habl**as**	*you (inf. sing.) speak*
(usted, él/ella)	habl**a**	*you (pol. sing.) speak; he/she speaks*
(nosotros/as)	habl**amos**	*we speak*
(vosotros/as)	habl**áis**	*you (inf. pl., Spain) speak*
(ustedes, ellos/as)	habl**an**	*you (pl.) speak; they speak*

B. Remember that Spanish verb endings indicate, in many cases, who or what the subject is, so it is not always necessary to mention the subject explicitly. That is why the pronouns are in parentheses in the preceding table.

—¿**Hablas** español?　　　　—*Do you speak Spanish?*
—Sí, y **hablo** inglés también.　—*Yes, and I speak English too.*

These endings take time to acquire. You can understand and communicate with an incomplete knowledge of them, but they are important; make sure you include them when you write.

---

*Recognition: **vos hablás**

EJERCICIO 8

Estamos en una fiesta en casa de Esteban. Complete estas oraciones con la forma correcta del verbo **hablar.**

1. Esteban, las dos chicas rubias _____ alemán, ¿verdad?
2. Mónica, ¿_____ francés tu padre?
3. Alberto y Luis no _____ francés.
4. Nora, ¿_____ tú chino?
5. No, yo no _____ chino, pero _____ un poco de japonés.

EJERCICIO 9

¿Qué idiomas hablan estas personas? Complete cada oración con la forma correcta del verbo **hablar** y el idioma apropiado.

1. Adriana Bolini es argentina y _____ italiano y _____.
2. Los señores Saucedo son mexicanos y _____ _____.
3. Li Yuan Tseng y Mei Chang son chinos y _____ _____.
4. Kevin Browne y Stephen Craig son ingleses. _____ _____.
5. Talia Meir y Behira Sefamí son israelíes. _____ _____.
6. ¿Eres rusa? Entonces, tú _____ _____.

Capítulo 1

Los datos personales y las actividades

METAS

In **Capítulo 1** you will learn to tell time and give personal information: your address, your phone number, and your birthday. You and your classmates will talk about sports and other leisure-time activities you enjoy.

Sobre el artista: Casimiro González nació en La Habana, Cuba. Estudió arte en la Escuela Nacional de Bellas Artes y ahora vive en los Estados Unidos. Sus pinturas, de vivos colores, se exhiben en Francia, Italia, España, México, Colombia, Argentina, Puerto Rico, Alemania y Canadá.

CHA, CHA, CHA, por Casimiro González (Cuba)

Cuba

8000 a.C.
La presencia humana en Cuba se inicia con la primera de varias corrientes migratorias de grupos provenientes de otras partes de las Américas.

1821
Movimiento independentista; sus instigadores son apresados y castigados.

1895
29 de enero: Levantamiento revolucionario

1886
Abolición de la esclavitud

1500

1800

1492 a.C.
Comienza la erradicación de la población indígena.

1511
Llegan los primeros esclavos a Cuba.

1868
10 de octubre, primera Guerra de Independencia (1868–1878), encabezada por Carlos Manuel de Céspedes.

Los amigos animados: Para repasar

Antes de comenzar este capítulo, mire los segmentos animados para repasar los tres pasos.

A. La música en KSUN, Radio Sol. Mayín Durán habla de la música en KSUN, Radio Sol de California.

B. En el parque. Doña Lola y don Anselmo Olivera hablan de las personas en el parque.

En este capítulo...

ACTIVIDADES DE COMUNICACIÓN

• Las fechas y los cumpleaños
• Datos personales: El teléfono y la dirección
• La hora
• Las actividades favoritas y los deportes

EN RESUMEN

LECTURAS Y CULTURA

• **Ventanas culturales**
Nuestra comunidad: La misión personal de Rigoberta Menchú
• **Enlace literario**
«El interrogatorio», por Virgilio Piñera
• **Ventanas al pasado**
Frida y Diego
• **Lectura**
La pasión por los deportes

GRAMÁTICA Y EJERCICIOS

1.1 Counting: Numbers 100–1000 and Dates
1.2 Talking about Habitual Actions: Present Tense of Regular **-er** and **-ir** Verbs
1.3 Asking Questions: Question Formation
1.4 Telling Time: Hours and Minutes
1.5 Expressing Likes and Dislikes: **gustar** + Infinitive

1898 25 de abril: Los Estados Unidos (EU) le declaran la guerra a España.
1899 1 de enero (hasta el 20 de mayo 1902): Ocupación estadounidense de Cuba

1952 Golpe militar encabezado por Fulgencio Batista

1989 Desintegración de la Unión Soviética; años difíciles para Cuba
2003 La ONU condena el embargo estadounidense contra Cuba.

1900

2000

1902 EU establece una base naval en Guantánamo.

1959 Cae el régimen de Batista y triunfa la revolución; Fidel Castro controla la isla.

1961 EU rompe relaciones con Cuba y fracasa en su intento de invadir la Bahía de Cochinos.

1992 y 1996 Las leyes Torricelli y Helms Burton causan crisis económica.

Actividades de comunicación y lecturas

✳ Las fechas y los cumpleaños

Lea Gramática 1.1.

ACTIVIDAD 1   Intercambios: El cumpleaños

Hágale preguntas a su compañero/a sobre los dibujos de la página anterior.

MODELOS: E1: ¿Cuándo nació *José Estrada*?
          E2: Nació el *15 de abril*.
          E1: ¿Quién nació el *15 de octubre*?
          E2: *Raúl Saucedo.*

ACTIVIDAD 2   Intercambios: Los estudiantes de la profesora Martínez

MODELO: E1: ¿Quién nació el 19 de agosto de 1988?
         E2: Mónica Clark
         E1: ¿Dónde nació?
         E2: Nació en Ann Arbor, Michigan

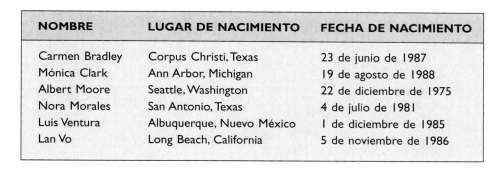

NOMBRE	LUGAR DE NACIMIENTO	FECHA DE NACIMIENTO
Carmen Bradley	Corpus Christi, Texas	23 de junio de 1987
Mónica Clark	Ann Arbor, Michigan	19 de agosto de 1988
Albert Moore	Seattle, Washington	22 de diciembre de 1975
Nora Morales	San Antonio, Texas	4 de julio de 1981
Luis Ventura	Albuquerque, Nuevo México	1 de diciembre de 1985
Lan Vo	Long Beach, California	5 de noviembre de 1986

ACTIVIDAD 3   Intercambios: ¿Qué quieres para tu cumpleaños?

MODELO: E1: ¿Quieres *un reloj* para tu cumpleaños?
         E2: Sí, quiero *un reloj.* (No, no quiero *un reloj,* quiero *una mochila.*)

1. un reloj

2. una computadora

3. una bicicleta

4. un reproductor para discos compactos

5. una patineta

6. un suéter

7. unos esquíes

8. entradas para un concierto

9. un coche

10. una mochila

11. una cámara digital

12. un televisor

13. discos compactos

14. un equipo de música

Datos personales: El teléfono y la dirección

Lea Gramática 1.2–1.3.

UNIVERSIDAD NACIONAL AUTÓNOMA DE MÉXICO

Nombre: Ignacio Padilla León
Dirección: Calle Juárez 528, México, D.F.
Teléfono: 5-66-57-42
Fecha de Nacimiento: 26-II-85
Sexo: M   Edo. Civil: soltero
Ojos: negros   Pelo: castaño
Ciudadanía: mexicana
N°. de Estudiante: 156-87-40-94

UNIVERSIDAD COMPLUTENSE DE MADRID

Nombre: Pilar Álvarez Cárdenas
Dirección: Calle Almendras 481, Madrid
Teléfono: 4-71-94-55
Fecha de Nacimiento: 4-IV-84
Sexo: F   Edo. Civil: soltera
Ojos: castaños   Pelo: castaño
Ciudadanía: española
N°. de Estudiante: 115-38-95-42

ACTIVIDAD 4   **Del mundo hispano: El pasaporte**

1. ¿Cómo se llama la señora?   **2.** ¿Dónde vive?   **3.** ¿En qué mes nació?   **4.** ¿Cuál es su estado civil?   **5.** ¿De qué color tiene los ojos?

VENTANAS CULTURALES   Nuestra comunidad

La misión personal de Rigoberta Menchú

Rigoberta Menchú es de Guatemala, está casada y tiene un hijo. Rigoberta es una mujer maya quiché muy fuerte. Su misión personal es ayudar a la gente indígena de su país y de todo el mundo. Rigoberta viaja mucho. Visita escuelas y universidades para hablar de sus experiencias y para describir la mala situación de los indígenas guatemaltecos.

Esta mujer excepcional recibe el Premio Nóbel de la Paz en 1992. En su libro autobiográfico *Yo, Rigoberta Menchú* (1984), Rigoberta narra una historia muy humana que protesta la violencia militar. La famosa indígena Menchú tiene una meta importante: justicia social para Guatemala y toda la América Latina.

VOCABULARIO ÚTIL

maya	*indigenous*
quiché	*people*
	from
	western
	Guatemala
ayudar	*help*
la gente	*indigenous*
indígena	*people*
el Premio	*the Nobel*
Nóbel	*Peace*
de la Paz	*Prize*
la meta	*goal*

Ahora... ¡ustedes!

¿Qué sabes de tu mejor amigo o amiga? ¿Te gusta su personalidad? ¿Cuáles son sus pasatiempos? ¿Tiene él o ella una misión personal?

ACTIVIDAD 5   Diálogo abierto: Datos personales

E1: ¿Cómo te llamas?

E2: Me llamo _____. ¿Y tú?

E1: _____. ¿Dónde vives?

E2: Vivo en la calle _____, número _____. ¿Y tú?

E1: Vivo en la calle _____, número _____.

E2: ¿Cuál es tu número de teléfono?

E1: Es el _____. ¿Y tú número de teléfono?

E2: Es el _____. ¿Cuál es tu dirección electrónica?

E1: Es _____ @ _____. (No tengo.) ¿Y tu dirección?

E2: Es _____ @ _____. (No tengo.) ¿Tienes (teléfono) celular?

E1: Sí, mi número es el _____. (No, no tengo.) ¿Y tú?

E2: Sí, mi número es el _____. (No, no tengo.)

ENLACE LITERARIO[1]

«El interrogatorio», por Virgilio Piñera

Selección de su libro *Un fogonazo* (1987)

Virgilio Piñera (1912–1979) es uno de los escritores más estimados de Cuba. Autor de drama, poesía, cuentos[2] y novelas, Piñera es conocido especialmente por su teatro. Entre sus dramas más populares están *Aire frío* (1959) y *Dos viejos pánicos* (1968). En casi toda la obra[3] de Piñera se nota una preocupación por los aspectos «absurdos» de la vida. El libro *Un fogonazo* incluye once cuentos de varias décadas de la carrera de Piñera (1940–1970). «El interrogatorio» tiene la forma de un diálogo entre dos personajes[4] interesantes: un juez[5] y un hombre acusado de un crimen.

El interrogatorio

¿Cómo se llama?

—Porfirio.

¿Quiénes son sus padres?

—Antonio y Margarita.

¿Dónde nació?

—En América.

¿Qué edad tiene?

—Treinta y tres años.

¿Soltero o casado?

—Soltero.

¿Oficio?[6]

—Albañil.[7]

¿Sabe que se le acusa de haber dado muerte[8] a la hija de su patrona[9]?

—Sí, lo sé.

¿Tiene algo más que declarar?

—Que soy inocente.

El juez mira entonces vagamente al acusado y le dice:

—Usted no se llama Porfirio; usted no tiene padres que se llamen Antonio y Margarita; usted no nació en América; usted no tiene treinta y tres años; usted no es soltero; usted no es albañil; usted no ha dado muerte a la hija de su patrona; usted no es inocente.

—¿Qué soy entonces? —exclama el acusado.

Y el juez, que lo sigue mirando vagamente, le responde:

—Un hombre que cree llamarse[10] Porfirio...

Actividad creativa: Otro interrogatorio

Virgilio Piñera escribe sobre situaciones absurdas y personajes poco comunes. Imagínese esta situación absurda: ¡Usted es el personaje que el juez interroga en el cuento! Si prefiere, puede tener una identidad misteriosa. Use el diálogo de Piñera como modelo y escriba un interrogatorio basado en estas preguntas: ¿Cómo se llama? ¿Quiénes son sus padres? ¿Dónde nació? ¿Qué edad tiene? ¿Es soltero/a o casado/a? ¿Tiene algo que declarar?

[1]*Literary connection or link* [2]*short stories* [3]*work* [4]*characters* [5]*judge* [6]*job, profession* [7]*bricklayer, construction worker* [8]haber... *having killed* [9]*boss, employer* [10]que... *who thinks his name is*

✳ La hora

Lea Gramática 1.4.

¿Qué hora es?

Es la una.

Son las tres.

Son las nueve menos diez.

Es la una y media.

Son las diez
menos veinte.

Son las once
y cuarto.

Es mediodía.

Es medianoche.

Son las siete y seis.

Son las tres menos veinticinco.

¡OJO!

En muchas partes del mundo hispano se usa el reloj de 24 horas. Después del mediodía, 1:00 = 13:00, 2:00 = 14:00, 3:00 = 15:00, etcétera. La medianoche (12:00) = 00:00.

ACTIVIDAD 6   Diálogo: ¿Qué hora es?

SRA. SILVA: Perdón, don Anselmo, ¿qué hora tiene?
DON ANSELMO: *Son las siete y cuarto.*
SRA. SILVA: Muchas gracias.

PAULA SAUCEDO: Oye, Ernesto, ¿qué hora tienes?
ERNESTO SAUCEDO: *Es casi medianoche.*
PAULA SAUCEDO: *¡Ya es tarde!*

▶ EXPRESIONES ÚTILES

Es mediodía	Es hora de comer
Son las 5:00 de la mañana	¡Es (muy) temprano!

ACTIVIDAD 7   Intercambios: ¿Qué hora es?

Escuche a su profesor(a). Diga el número del reloj que corresponde a la hora que él/ella dice. Luego, hágale preguntas a su compañero/a según el modelo.

MODELO: E1: ¿Qué hora es en _____?
           E2: Es la _____. / Son las _____.

San Juan	Chicago	San Francisco	Nueva York	París

Berlín	La Habana	Madrid	Moscú	Caracas

Washington, D.C.	México, D.F.	Buenos Aires	Bogotá	El Paso

ACTIVIDAD 8   Del mundo hispano: Programas de televisión

Hágale preguntas sobre la siguiente teleguía a un compañero / una compañera.

1. ¿A qué hora es el programa *El hombre invisible*? ¿En qué canal se presenta?
2. ¿A qué hora es el programa *Corazón de verano*? ¿En qué canal se presenta?
3. ¿A qué hora es el programa *Dawson crece*? ¿En qué canal se presenta?
4. ¿En qué canal se presenta el programa *Las chicas Gilmore*? ¿A qué hora es?
5. ¿En qué canal se presenta la película *Pánico nuclear*? ¿A qué hora es?
6. ¿En qué canal se presenta el debate *Ésta es mi historia*? ¿A qué hora es?

▶ EXPRESIONES ÚTILES

¿A qué hora es _____?	Es a la(s) _____.	Se presenta en el canal _____.

Jueves, 22 de julio

MAÑANA

06:00 Canal 24 horas Informativo
07:30 Telediario matinal Informativo
10:15 La verdad de Laura Serie
11:00 Por la mañana Magazine.
　　　Con Inés Ballester y Manuel Giménez

07:30 Los Lunnis Infantil. Las aventuras de Emily
　　　y Alexander, Ed, Edd y Eddy, Arthur y Tweenies
09:30 El joven Hércules Serie
10:00 Dawson crece Serie
11:00 Popular Serie
11:00 Ciclismo Tour de Francia
12:00 Los vigilantes de la playa Serie
13:00 Los Lunnis Infantil. Caillou, El patito feo, Los
minimonstruos, Aventuras en pañales y Godzilla

TARDE

13:30 La cocina de Karlos Arguiñano
　　　Gastronomía
14:00 Informativos territoriales
Informativo
14:30 Corazón de verano Magazine.
　　　Con Anne Igartiburu
15:00 Telediario I Informativo
15:55 El tiempo Meteorología
16:00 Rebeca Novela
17:15 Ana y los 7 Serie
18:45 Smallville Serie
20:00 Gente Magazine. Con Pepa Bueno

14:15 El rival más débil Concurso
17:30 Los Lunnis Infantil. Las tres mellizas y
　　　Digimon Frontier
19:15 Padres en apuros Divulgativo
19:30 Decogarden Divulgativo
20:00 Informativo territorial Informativo

NOCHE

21:00 Telediario 2 Informativo
21:55 El tiempo Meteorología
22:00 Cuéntame cómo pasó Serie
23:30 Ésta es mi historia Debate.
　　　Con Ana García Lozano
01:30 Telediario 3 Informativo
01:45 Deportes Deportivo
02:00 La economía Informativo
02:15 El hombre invisible Serie
03:00 Canal 24 horas Informativo

20:30 Los Beltrán Serie
21:00 Todo va sobre ruedas Serie
21:30 Academia Eurojunior Concurso
22:00 La 33 Noticias Informativo
22:30 El tiempo Meteorología
22:35 Los campeones de Olimpia Deportivo
23:15 Las chicas Gilmore Serie
00:45 El ala oeste de la Casa Blanca Serie
01:30 Cine Pánico nuclear, con: Morgan Freeman,
　　　Ben Affleck, James Cromwell, Liev Schreiber
　　　(Acción, EU, 2002). Director: Phil Alden
　　　Robinson. Duración: 118 minutos. Tras la muerte
　　　repentina del presidente de Rusia, un hombre
　　　de tendencias políticas prácticamente
　　　desconocidas toma el cargo. El cambio desata
　　　la paranoia entre los oficiales de la CIA y el
　　　director de la CIA recluta a un joven analista.
　　　Entonces sucede lo impensable: un artefacto
　　　nuclear estalla en una ciudad de EU éstos
　　　culpan a los rusos.
03:00 Cultura con Ñ Cultural
03:30 Teledeporte Deportivo
04:30 Euronews Informativo

✳ Las actividades favoritas y los deportes

Lea Gramática 1.5.

Un fin de semana típico de los Saucedo

A Guillermo y a sus amigos les gusta jugar al fútbol.

A Estela le gusta ir de compras.

A Amanda y a Graciela les gusta jugar al tenis.

A Ernesto le gusta leer.

A Ernesto y a Guillermo les gusta ver un partido de béisbol en el estadio.

A Ernestito le gusta andar en bicicleta.

A Amanda le gusta ver su telenovela favorita.

A los Saucedo les gusta cenar en un restaurante italiano.

REFRÁN

No puedes andar y quieres correr.

(*You're biting off more than you can chew.* Literally, *You can't walk and you want to run.*)

ACTIVIDAD 9   Intercambios: El fin de semana

MODELOS: E1: ¿A quién le gusta *jugar al basquetbol*?
          E2: A *Ricardo Sícora*.

          E1: ¿Qué le gusta hacer a *Ricardo los sábados*?
          E2: Le gusta *ir al cine*.

NOMBRE	LOS SÁBADOS LE GUSTA	LOS DOMINGOS LE GUSTA...
Ricardo Sícora, 18 años Caracas, Venezuela	ir al cine	jugar al basquetbol
Adriana Bolini, 35 años Buenos Aires, Argentina	explorar el Internet	jugar al tenis
Raúl Saucedo, 19 años México, D.F., México	salir a bailar	ver un partido de fútbol
Nacho Padilla, 21 años México, D.F., México	ver la televisión	andar en patineta
Carla Espinosa, 22 años San Juan, Puerto Rico	ir de compras	ir a la playa

ACTIVIDAD 10   Preferencias: Los gustos

Exprese su opinión.

1. Durante las vacaciones (no) me gusta…
   - **a.** viajar.
   - **b.** bailar por la noche.
   - **c.** andar en bicicleta.
   - **d.** dormir todo el día.

2. (No) Me gusta…
   - **a.** nadar en una piscina.
   - **b.** acampar.
   - **c.** jugar en la nieve.
   - **d.** patinar en el hielo.

3. Por la noche, a mis padres (no) les gusta…
   - **a.** ver la televisión.
   - **b.** cenar en restaurantes elegantes.
   - **c.** ir a fiestas.
   - **d.** leer el periódico.

4. A mi profesor(a) de español (no) le gusta…
   - **a.** ir a fiestas.
   - **b.** hacer ejercicio.
   - **c.** cocinar.
   - **d.** correr/trotar.

▶ **Y TÚ, ¿QUÉ DICES?**

¡Qué interesante!	¡No lo creo!
¡Qué divertido!	A mí también.
¡Qué aburrido!	A mí tampoco.

E1: (A mí) No me gusta acampar.
E2: A mí tampoco.

ACTIVIDAD 11   Entrevista: ¿Qué te gusta hacer?

MODELO: E1: ¿Te gusta *viajar*?
E2: Sí, *me gusta mucho* viajar. (No, *no me gusta viajar.*)

1. ver la televisión
2. cenar en restaurantes
3. pescar
4. bailar en discotecas
5. cocinar
6. viajar en carro
7. escuchar música
8. escribir mensajes electrónicos
9. sacar fotos
10. trabajar en el jardín

VENTANAS AL PASADO

Frida y Diego

Diego Rivera (1886–1957) es fundador del muralismo mexicano junto con David Alfaro Siqueiros y José Clemente Orozco. Estudia pintura en México y París, donde vive doce años. Muchos de sus murales celebran la victoria sobre los conquistadores españoles y también la Revolución Mexicana. Otros temas frecuentes son las costumbres mexicanas, el obrero, la educación y la historia. Influye en Rivera la escultura de los mayas y los aztecas, pero Rivera combina también el estilo y los colores brillantes del arte popular en sus murales.

Frida Kahlo (1907–1954), esposa de Diego Rivera, es una artista extraordinaria por su persistencia en situaciones difíciles. A la edad de seis años sufre de poliomielitis; a los 18 años sufre un serio accidente en un autobús. Mientras se recupera del accidente, aprende a pintar. En su obra predominan los autorretratos, por razones obvias: las consecuencias de su accidente afectan su movilidad. Los símbolos de Frida son sencillos y revelan sus sufrimientos y su relación con Diego.

VOCABULARIO ÚTIL	
los temas	themes
las cos-	customs,
tumbres	habits,
	practices
el obrero	worker
aprende	learns
la obra	work or art
los auto-	self-portraits
rretratos	
sencillos	simple

Ahora... ¡ustedes!

¿Te gustan las pinturas de Diego Rivera y Frida Kahlo? ¿Qué estilo de arte prefieres? (el primitivista/clásico/neoclásico/realista/surrealista/cubista) ¿Te gusta pintar?

ACTIVIDAD 12   Intercambios: Los Juegos Panamericanos

MODELOS: E1: ¿Qué días hay competición de *baloncesto* (*basquetbol*)?
           E2: Del *2 al 6 de agosto y el 8 y el 9 de agosto.*

           E1: ¿A qué hora del día son las competiciones de *gimnasia el 2 de agosto?*
           E2: *Por la mañana, por la tarde y por la noche.*

(continúa)

XIII Juegos Deportivos Panamericanos
Agosto 2003
Calendario de competencia
Santo Domingo, República Dominicana

Evento	V	S	D	L	M	M	J	V	S	D	L	M	M	J	V	S	D
	1	2	3	4	5	6	7	8	9	10	11	12	13	14	15	16	17
Acto de inauguración	●																
Acuáticos																	
Clavados					●	●	●	●	●								
Natación											●	●	●	●	●	●	●
Polo acuático			●	●	●	●	●	●	●								
Arquería			●	●	●	●	●	●	●								
Atletismo																	
Campo y pista					●	●	●	●	●								
Maratón					●			●									
Baloncesto			●	●	●	●	●	●	●	●							
Béisbol			●	●	●	●	●	●	●	●	●						
Boxeo								●	●	●	●	●		●	●		
Ciclismo											●	●	●	●	●		
Fútbol			●	●	●		●	●	●		●		●		●	●	●
Gimnasia			●	●	●												
Halterofilia												●	●	●	●	●	
Judo								●	●	●	●						
Lucha			●	●	●												
Patinaje											●	●	●	●			
Pelota vasca			●	●	●	●	●	●	●	●	●	●			●	●	
Tenis					●	●	●	●	●	●							
Tenis de mesa						●	●	●	●		●	●		●			
Triatlón								●	●								
Voleibol			●	●	●	●	●	●	●	●	●	●	●	●	●	●	
Clausura																	●

Leyenda:　● **Mañana**　● **Tarde**　● **Noche**

ACTIVIDAD 13　　Del mundo hispano: Escríbanos

Lea la página de la revista *Eres* que aparece en la siguiente página. Hay un grupo de muchachos de México que quieren entablar (tener) correspondencia con otros muchachos. Hágale preguntas a su compañero/a acerca de la información que hay sobre ellos.

MODELOS:

E1: ¿Cuántos años tiene _____?

E2: Tiene _____.

E1: ¿Cuál es el deporte favorito de _____?

E2: Su deporte favorito es el/la _____.

E1: ¿Cuál es el correo electrónico de _____?

E2: Es _____.

E1: ¿Cuál es la dirección de _____?

E2: Su dirección es _____.

E1: ¿Qué le gusta hacer a _____?

E2: Le gusta _____.

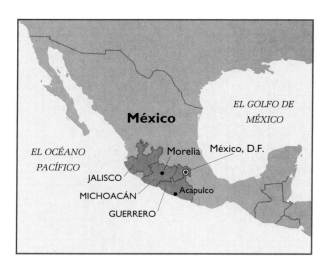

Y TÚ ¿QUIÉN ERES?

☙ **MIGUEL ÁNGEL OJEDA CEGUEDA** (21 años)
Apdo. Postal 552,
Col. Centro, C.P. 39300, Acapulco, Gro.
correo e.: migan@uol.com.mx
Pasatiempos: ir a la playa, andar en patineta, jugar al fútbol norteamericano y jugar con la computadora.

☙ **JOSÉ GUADALUPE AYALA RAMÍREZ** (18 años)
Julio V. Plata 74, Héroe de Nacozari, C.P. 07780, México, D.F.
Pasatiempos: jugar al fútbol, navegar por Internet y tener amigos por correspondencia.

☙ **EFRAÍN MANUEL GALVÁN O.** (20 años)
Motolinía 2317, Centro, Morelia, C.P. 58000, Mich.
correo e.: emgalvan@correoweb.com.mx
Pasatiempos: ir a los antros, escuchar la música de Maná, ir al cine, jugar al basquetbol y leer *Eres*.

☙ **MARÍA CRUZ RODRÍGUEZ P.** (17 años)
Ardilla 341, Col. Benito Juárez, Cd. Neza, C.P. 5700, Edo. De México
Pasatiempos: andar en bici, escuchar la música de Carlos Vives, ir al cine y leer novelas.

☙ **GEMA LETICIA VILLANUEVA R.** (24 años)
Calle Carretera a Tesistán 1051, Col. Arcos de Zapopán, Zapopán, C.P. 45130, Jal.
correo e.: gemavilla@micorreo.com.mx
Pasatiempos: ir a la piscina, escuchar música, ver la tele y tener correspondencia con amigos en inglés o en español.

☙ **ANA JAZMÍN PRECIADO MENDOZA** (17 años)
Oriente 176, Col. Moctezuma C.P. 15500, México, D.F.
correo e.: ajazpreciado@informamex.com.mx
Pasatiempos: escuchar música, en especial Shakira, bailar en los antros, pasear y tener amigos.

Abreviaturas:

Apdo. – apartado	C.P. – código postal	Edo. – Estado
Cd. – ciudad	D.F. – Distrito Federal	Gro. – Guerrero
Col. – colonia	e. – electrónico	Jal. – Jalisco
		Mich. – Michoacán

En resumen

De todo un poco

La curiosidad

Trabaje con otros estudiantes. Escriban dos o tres preguntas para estas personas famosas o interesantes.

1. el presidente de los Estados Unidos
2. un actor de cine muy guapo
3. una actriz famosa y bonita
4. una mujer muy bonita en una fiesta
5. un hombre muy joven en la clase de español
6. su profesor(a) de español

▶ **PALABRAS ÚTILES**

¿Cuál... ?
¿Cuándo... ?
¿Cuántos... ?
¿Cómo... ?
¿Dónde... ?
¿Por qué... ?
¿Qué... ?
¿Quién... ?

¡Dígalo por escrito!

Descripción de personas

De su revista favorita, seleccione una foto de una o más personas y tráigala a clase. Descríbales la foto a sus compañeros. ¡Use su imaginación!

- ¿Cómo se llama?
- ¿Dónde nació?
- ¿Dónde vive ahora? ¿Con quién(es) vive?
- ¿Cuántos años tiene?
- ¿Cuál es su fecha de nacimiento? ¿su signo del zodíaco?
- ¿Qué idioma(s) habla?
- ¿Cómo es?
- ¿Qué ropa lleva?
- ¿Qué le gusta hacer?
- ¿ ?

Ahora, escriba una descripción de la foto. Incluya la información básica (vea las preguntas de arriba) y otros detalles interesantes/descriptivos.

¡Cuéntenos usted!

Cuéntenos sobre su pariente favorito. ¿Qué relación tiene con usted? (¿es su tío/a, primo/a, abuelo/a... ?) ¿Cómo se llama? ¿Dónde vive? ¿Cuántos años tiene? ¿Cómo es? ¿Qué le gusta hacer en su tiempo libre? ¿Qué les gusta hacer a ustedes juntos?

MODELO: Mi prima es mi pariente favorito. Se llama Isabel y vive en Chicago. Isabel tiene 24 años y es estudiante en la universidad. Es muy inteligente, generosa y optimista. Le gusta mucho montar en bici. Nos gusta ir a museos de arte juntas.

PISTAS* PARA LEER

1. Scan title and vocabulary box. What is the main idea of this reading?
2. Now scan text for names of famous Hispanics in sports.
3. Skim the **Lectura** to get the gist of it.
4. As you read, keep these questions in mind: What are the most popular sports in the Hispanic world? Are those sports popular in the United States?

VOCABULARIO ÚTIL

la natación	*swimming*
el montañismo	*mountain climbing*
la cancha	*court*
A propósito	*By the way*
¡haga el intento!	*try!*
los extranjeros	*foreign*
la Serie Mundial	*World Series (baseball)*
ayuda	*helps*
el ciclismo	*cycling*
el torneo	*tournament*

LECTURA La pasión por los deportes

Los hispanos sienten gran pasión por los deportes, ya sea el béisbol, el fútbol o deportes individuales como la natación, el esquí y el montañismo. Esta pasión es una característica esencial de su cultura. Los deportes profesionales son la forma de entretenimiento más popular en España y América Latina y los deportistas famosos tienen muchos admiradores.

El fútbol es el deporte favorito de los argentinos, los uruguayos, los chilenos y los centroamericanos. En muchas ciudades de América Latina es fácil encontrar partidos de fútbol. De hecho, hay lugares públicos que sirven de cancha, como los parques urbanos. Por ejemplo, en el parque La Carolina de Quito, Ecuador, hay partidos de fútbol frecuentemente. A propósito, si usted quiere jugar al fútbol durante sus viajes por América Latina y España, ¡haga el intento! Muchos equipos reciben con entusiasmo a los buenos jugadores extranjeros.

El béisbol también es un deporte muy popular y se juega en los países del Caribe, que son Puerto Rico, Cuba, Venezuela y la República Dominicana. Muchos caribeños miran la Serie Mundial en la televisión o la escuchan en la radio. Es un público muy entusiasta. Hay beisbolistas hispanos de fama internacional, como el dominicano Sammy Sosa y el mexicano Fernando Valenzuela. Sosa es estimado por su talento atlético y su generosidad, pues ayuda mucho a los deportistas jóvenes de su país.

Todas las ciudades grandes de España y América Latina tienen gimnasios donde es posible nadar, levantar pesas y hacer ejercicios aeróbicos. Algunos hispanos prefieren esquiar. En Chile y Argentina hay sitios formidables para practicar el esquí, y los españoles esquían en la Sierra Nevada. Hay además otros deportes que apasionan a los hispanos, como el ciclismo, el baloncesto, el tenis y hasta el rugby. El ciclismo es popular en Colombia, México y España; el baloncesto se asocia con los Estados Unidos, pero también se juega con entusiasmo en México. En Oaxaca, por ejemplo, hay un torneo anual de baloncesto.

Como puede ver, la pasión por las actividades deportivas es un aspecto esencial del carácter hispano y de su cultura.

Pistas means both "clues" and "tracks."

Comprensión

¿Cierto o falso?

1. El fútbol se practica mucho en Chile y Argentina.
2. Es posible esquiar en los gimnasios.
3. Hay un beisbolista muy famoso en el Caribe.
4. Normalmente, los hispanos no practican deportes individuales.
5. Los mexicanos no tienen interés en el béisbol.
6. El baloncesto es muy popular en Oaxaca, México.
7. Todos los futbolistas hispanos juegan en canchas profesionales.
8. Muchos hispanos esquían en México.

Un paso más... ¡a escribir!

Imagínese que usted es un deportista famoso / una deportista famosa. ¿Cuál es su deporte? ¡Descríbase! Puede incluir una descripción física y también de su personalidad.

MODELO: Me llamo _____ y juego al _____. Soy muy famoso/a. Tengo muchos admiradores. Practico este deporte _____ (frecuencia). Soy _____ (descripción física). ¿Mi personalidad? Soy _____ y _____.

Vocabulario

• **Los meses del año**	Months of the Year
enero	January

PALABRAS SEMEJANTES: febrero, marzo, abril, mayo, junio, julio, agosto, septiembre, octubre, noviembre, diciembre

• **Las estaciones**	Seasons
la primavera	spring
el verano	summer
el otoño	fall, autumn
el invierno	winter

• **Los días de la semana**	Days of the Week
(el) lunes	Monday
(el) martes	Tuesday
(el) miércoles	Wednesday
(el) jueves	Thursday
(el) viernes	Friday
(el) sábado	Saturday
(el) domingo	Sunday

• **¿Cuándo?**	When?
(ante)ayer	(day before) yesterday
hoy	today

luego	then, later
(pasado) mañana	(day after) tomorrow
por la mañana/ tarde/noche	in the morning/afternoon (evening)/at night
temprano	early
todo el día	all day (long)

• Los datos personales — Personal Data

la calle	street
la ciudadanía	citizenship
¿Cómo te llamas (tú)?	What is your name?
el correo electrónico	e-mail
¿Cuál es su / tu dirección electrónica?	What is your e-mail (address)?
Es mgomez arroba micorreo puntocom.	It's mgomez@micorreo.com.
¿Cuándo es el día de su / tu cumpleaños?	When is your birthday?
¿Cuándo (Dónde) nació / naciste?	When (Where) were you (was he / she) born?
Nací el (en)…	I was born on (in) . . .
la dirección	address
¿Dónde vive usted (vives tú)?	Where do you live?
Vivo en…	I live in/at . . .
el estado civil	marital status
la fecha (de nacimiento)	date (of birth)
el lugar (de nacimiento)	place (of birth)
el peso	weight

PALABRAS SEMEJANTES: el pasaporte, el sexo
REPASO: el apellido, casado/a, divorciado/a, soltero/a, viudo/a

• La hora — Time; Hour

la medianoche	midnight
el mediodía	noon
¿Qué hora es?	What time is it?
Es la una y media.	It is one-thirty.
Son las nueve menos diez (minutos).	It is ten (minutes) to nine.
¿A qué hora es la película?	What time is the movie?
Es a las 8:30.	It's at 8:30.
Oye, ¿qué hora tienes?	Hey, what time do you have?
Perdón, ¿qué hora tiene?	Excuse me, what time do you have?
y cuarto / menos cuarto	quarter after / quarter till
y media	half past

• Los deportes y los juegos — Sports and Games

el basquetbol (baloncesto)	basketball
el equipo	team
el estadio	stadium
el fútbol (americano)	soccer (football)
jugar (al tenis)	to play (tennis)
nadar (en una piscina)	to swim (in a pool)
el partido	game (in sports), match
patinar (en el hielo)	to skate (on ice)
pescar	to fish
practicar un deporte	to play a sport

PALABRAS SEMEJANTES: el bate, el béisbol, la competición

• Las actividades del tiempo libre — Leisure Time Activities

acampar	to camp (go camping)
andar en bicicleta/ patineta	to ride a bicycle / to skateboard
bailar	to dance
cenar	to dine, have dinner
cocinar	to cook
comer	to eat
correr	to run
dormir	to sleep
escribir mensajes electrónicos	to write e-mail
escuchar (música)	to listen (to music)
explorar el Internet	to surf the Internet
hacer	to do, to make
hacer ejercicio	to exercise
ir	to go
a fiestas	to parties
a la playa	to the beach
al cine	to the movies
de compras	shopping
jugar (en la nieve)	to play (in the snow)
leer el periódico (revistas)	to read the newspaper (magazines)
sacar fotos	to take photos
salir (a bailar)	to go out (dancing)
trabajar en el jardín	to work (in the garden)
ver	to see, to watch
la televisión	television
un partido de…	a game of . . .
una telenovela	a soap opera

• Palabras y expresiones del texto

Words and Expressions from the Text

Cuéntenos	Tell us (*command*)
describa(n)	describe (*command*)
¡Dígalo por escrito!	Say it in writing!
la firma	signature
los gustos	likes
Hágale preguntas a...	Ask . . . questions.
la lectura	reading (*n.*)
según	according to
seleccione(n)	choose (*command*)
se presenta	is shown
el refrán	saying
siguiente(s)	next; following
sobre	about
trabaje(n)	work (*command*)
traiga(n)	bring (*command*)
vea(n)	see (*command*)

PALABRAS SEMEJANTES: corresponde, en detalle, incluya(n), la preferencia, use

• Palabras útiles

Useful Words

a, al / a la	to, to the
acerca de	about
aquí	here
casi	almost
las entradas (para un concierto)	tickets (for a concert)
el equipo de música	stereo
los esquíes	skis
el fin de semana	weekend
el/la guía de turistas	tourist guide
navegar (por) el Internet	to surf the Internet
para	for
pero	but

querer	to want
quiero	I want
quieres	you want
el reproductor para discos compactos	CD player
el (teléfono) celular/móvil	cell phone
la teleguía	television guide
el televisor	television set

PALABRAS SEMEJANTES: el actor / la actriz, anterior, asociado/a, básico/a, la cámara digital, el canal, correcto/a, la correspondencia, la curiosidad, el debate, descriptivo/a, la discoteca, elegante, favorito/a, el grupo, hispano/a, la información, panamericano/a, el presidente / la presidenta, la profesión, el programa, la relación, el restaurante, el secretario / la secretaria, típico/a

• Expresiones útiles

Useful Expressions

¿A quién le gusta... ?	Who likes to . . . ?
¡Felicidades!	Congratulations!
¡Feliz cumpleaños!	Happy birthday!
más o menos	more or less
No lo creo.	I don't believe it.
¡Qué aburrido/divertido!	How boring/fun!
¿Qué le/te/les gusta hacer?	What do you (*pol. sing.* / *inf.* / *pl.*) like to do?
Le gusta...	He/She likes (You [*pol. sing.*] like) (to) . . .
Les gusta...	They / You (*pl.*) like (to) . . .
Nos gusta...	We like (to) . . .
Te gusta...	You (*inf.*) like (to) . . .
(No) Me gusta...	I (don't) like (to) . . .
A mí también/tampoco.	I do too . . . / I don't either.
¿Por qué?	Why?
Ya es tarde.	It's late already.
Y tú, ¿qué dices?	And you? What do you say?

Gramática y ejercicios

1.1 Counting: Numbers 100–1000 and Dates

A. Here are the hundreds, from 100 to 1000. Note particularly the pronunciation and spelling of 500, 700, and 900. The word for *one hundred* is **cien,** but when combined with other numbers it is usually **ciento(s).** From 200 to 900, there is also a feminine form.

---

100 = cien
101 = ciento uno
161 = ciento sesenta y uno
doscientos (200) hombres
doscientas (200) mujeres
quinientos (500) edificios
quinientas (500) sillas

154	ciento cincuenta y cuatro	600	seiscientos/as
200	doscientos/as	700	setecientos/as
300	trescientos/as	800	ochocientos/as
400	cuatrocientos/as	900	novecientos/as
500	quinientos/as	1000	mil

—¿Cuántos estudiantes de España hay en el grupo? ¿Hay **cien?**
—No, hay **ciento cincuenta y cuatro.**

—¿Cuántas sillas hay?
—Hay **doscientas diez.**

—*How many students from Spain are in the group? Are there a hundred?*
—*No, there are one hundred and fifty-four.*

—*How many chairs are there?*
—*There are two hundred and ten.*

B. To state a year in Spanish, use **mil** (1000) followed by hundreds in the masculine form (if necessary).

1832	mil ochocientos treinta y dos
1993	mil novecientos noventa y tres
2002	dos mil dos

---

5 = cinco
15 = quince
50 = cincuenta
500 = quinientos

7 = siete
70 = setenta
700 = setecientos

9 = nueve
90 = noventa
900 = novecientos

EJERCICIO 1

Escriba las siguientes fechas.

MODELO: 2005 → Dos mil cinco

1. 1876
2. 1588
3. 1775
4. 1991
5. 2006
6. 1945
7. 1011
8. 1929
9. 1615
10. 2025

1.2 Talking about Habitual Actions: Present Tense of Regular -er and -ir Verbs

Following are the present-tense conjugations of the regular **-er** and **-ir** verbs **leer** and **vivir.***

¿RECUERDA?

In **Gramática A.1.** you learned that Spanish verbs change endings, letting you know who is performing the action. You saw these endings for regular **-ar** verbs, like **hablar,** in **Gramática C.5.** The verb form that appears in the dictionary and in most vocabulary lists, however, is the *infinitive*; Spanish infinitives always end in **-ar, -er,** or **-ir.** The endings are added to the *stem* (the infinitive minus **-ar, -er,** or **-ir**).

leer (to read)		
(yo)	le**o**	I read
(tú)	le**es**	you (inf. sing.) read
(usted, él/ella)	le**e**	you (pol. sing.) read; he/she reads
(nosotros/as)	le**emos**	we read
(vosotros/as)	le**éis**	you (inf. pl., Spain) read
(ustedes, ellos/as)	le**en**	you (pl.) read; they read

vivir (to live)		
(yo)	viv**o**	I live
(tú)	viv**es**	you (inf. sing.) live
(usted, él/ella)	viv**e**	you (pol. sing.) live; he/she lives
(nosotros/as)	viv**imos**	we live
(vosotros/as)	viv**ís**	you (inf. pl., Spain) live
(ustedes, ellos/as)	viv**en**	you (pl.) live; they live

Remember that, because Spanish verb endings indicate in many cases who or what the subject is, it is not necessary to use subject pronouns in every sentence.

It takes time to acquire these endings. As you read, listen, and interact more in Spanish, you will be able to use them with greater accuracy.

—¿Dónde vives?   —*Where do you live?*
—Vivo en San Juan.   —*I live in San Juan.*

EJERCICIO 2

Complete estas oraciones con la forma correcta del verbo **leer.**

leer = *to read*

1. Muchos españoles _____ el periódico *El País.*
2. ¿_____ (tú) muchas novelas?
3. Mi amigo _____ la Biblia todos los días.
4. (Yo) _____ libros en español.
5. Profesora, ¿_____ (usted) muchas composiciones?

*For recognition: **vos leés, vivís**

vivir = to live

EJERCICIO 3

Complete estas oraciones con la forma correcta del verbo **vivir**.

1. Pablo _____ en Texas.
2. (Nosotros) No _____ en México.
3. Susana y sus hijos _____ en Perú.
4. ¿_____ (vosotros) en España?
5. (Yo) _____ en los Estados Unidos.
6. ¿_____ (ustedes) en Panamá?

¿RECUERDA?

As you saw in **Gramática C.5** and **1.2**, Spanish verb endings usually indicate who the subject is, so it is generally not necessary to use subject pronouns (**tú, usted, él/ella, nosotros/as, vosotros/as, ustedes, ellos/as**) in questions.

¿Tienes (tú) teléfono?

¿Dónde vive (ella)?

¿Cómo se llaman (ustedes)?

1.3 Asking Questions: Question Formation

You have already seen and heard many questions in Spanish.

¿Cómo se llama usted?   ¿Es alto Guillermo?
¿Qué hora es?   ¿Habla usted español?
¿Cuándo nació José?   ¿Tienen (ustedes) hijos?
¿Qué tiene Amanda?   ¿Eres (tú) sincera?

A. Statements in Spanish are normally formed by using a subject, then the verb, and then an object and/or description.

Ernestito tiene un perro grande.
  | | | |
subject verb   object adjective

Amanda es   delgada.
  | | |
subject verb adjective

Negative statements are formed by using a negative immediately before the verb.

Ernestito no tiene un perro grande.
Amanda no es delgada.

¡OJO!

Note that in Spanish no additional words, such as *does* or *do*, are needed to turn a statement into a question.

B. Questions are usually formed by placing the subject after the verb, with the object or any description either following or preceding the subject.*

¿Es joven Esteban?   *Is Esteban young?*
¿Eres trabajadora, Nora?   *Are you (Nora) (a) hard-working (person)?*

¿Tiene hermanos Amanda?   *Does Amanda have brothers and sisters?*

¿Quieres un reloj para el día   *Do you want a watch for your de tu cumpleaños?*   *birthday?*
¿Nació en abril Pilar?   *Was Pilar born in April?*

---

*Questions with the verb **gustar** are slightly different. The question starts with the verb **gustar** and places the **a** phrase at the end: **¿Le gusta cantar a la profesora Martínez? ¿Les gusta hablar español a los estudiantes? ¿Te gusta bailar a ti?** See **Gramática 8.2** for more information on using these phrases.

To answer a question negatively use **No, no** + verb.

¿Hay gatos en el salón de clase?
No, no hay gatos en el salón de clase.
¿Viven tus padres en Guadalajara?
No, no viven en Guadalajara; viven en Morelia.

C. Another way to ask questions is using interrogative words: **¿Qué?,
¿Cuándo?, ¿(De) Quién?, ¿Dónde?, ¿Cuántos?, ¿Cómo?, ¿Cuál?,** or **¿Por
qué?** These words are placed before the verb to create questions.

¿Cuántos hermanos tienes, Guillermo?	*How many brothers (and sisters) do you have, Guillermo?*
¿Dónde vive Susana?	*Where does Susana live?*
¿Cómo está usted hoy?	*How are you today?*
¿Quién es el joven alto?	*Who is the tall young man?*
¿Cuándo nació usted?	*When were you born?*
¿Por qué no hablamos inglés en clase?	*Why don't we speak English in class?*
¿Qué te gusta hacer en tu tiempo libre?	*What do you like to do in your free time?*
¿Cuál es más bonito?	*Which one is prettier?*
¿De quién es este libro?	*Whose book is this?*

> Question words always
> have a written accent:
> **¿Qué?** = What?
> **¿Cuándo?** = When?
> **¿Quién(es)?** = Who?
> **¿De quién?** = Whose?
> **¿Dónde?** = Where?
> **¿Cuánto/a/os/as?** =
>   How much? / How
>   many?
> **¿Cómo?** = How?;
>   What?
> **¿Cuál(es)?** = Which?;
>   What?
> **¿Por qué?** = Why?

EJERCICIO 4

Cambie las siguientes oraciones por preguntas. Use **¿Cómo?, ¿Dónde?, ¿Qué?,
¿Cuándo?, ¿Cuantos/as?**

MODELO: Amanda tiene 14 años. →
¿Cuántos años tiene Amanda?

I. Rubén Hernández vive en Florida.
2. Susana habla japonés.
3. La clase de español es los lunes y los miércoles.
4. Ernesto y Estela tienen tres hijos.
5. El primer ministro de España se llama José Luis Rodríguez Zapatero.

EJERCICIO 5

Complete las preguntas según los dibujos.

MODELO: → ¿Cómo *estás*?

1. ¿Cuál ?   **2.** ¿Cómo ____?   **3.** ¿Cuándo ____?

4. ¿Cuántos ____?   **5.** ¿Dónde ____?

1.4   Telling Time: Hours and Minutes

The phrase **¿Qué hora es?** is often used in Spanish to ask what time it is. Another common question is **¿Qué hora tiene usted?** (*What time do you have?*) In both cases, the answer usually begins with **son.**

—¿Qué hora es?   —*What time is it?*
—**Son** las tres.   —*It's three o'clock.*

Es (not **son**) is used to tell the time with one o'clock and between one o'clock and two o'clock.

—¿**Es** la una?   —*Is it one o'clock?*
—No, **es** la una y veinte.   —*No, it's one twenty.*

Use **y** (*and*) to express minutes after the hour.

—¿Son las seis **y** diez?   —*Is it ten after six?*
—No, son las seis **y** veinte.   —*No, it's twenty after six.*

Use **menos** (*less*) or **para** (*to, till*) to express minutes before the hour.

Son las siete **menos** veinte.   *It's twenty to seven. (Literally: It's seven less twenty.)*

Son veinte **para** las siete.   *It's twenty to (till) seven.*

Use **cuarto** (*quarter*) and **media** (*half*) for fifteen and thirty minutes, respectively.

—¿Qué hora tiene usted?   —*What time do you have?*
—Son las tres y **cuarto** (**media**).   —*It's a quarter after (half past) three.*

Use **a** to express *when* (*at what time*) an event occurs.

a la una	*at one o'clock*
a las cuatro y media	*at four thirty*
Tengo clase **a** las nueve.	*I have class at nine.*
El concierto es **a** las ocho.	*The concert is at eight.*

> **a la una** = **at** *one o'clock*
> **a las siete menos cuarto** = **at** *six forty-five / quarter to seven*

EJERCICIO 6

¿Qué hora es?

MODELOS: 2:20 → *Son las dos y veinte.*
               2:40 → *Son las tres menos veinte.*

1. 4:20	**5.** 7:07	**9.** 12:30
2. 6:15	**6.** 5:30	**10.** 5:15
3. 8:13	**7.** 3:00	
4. 1:10	**8.** 1:49	

EJERCICIO 7

¿A qué hora es... ?

MODELO: ¿A qué hora es el concierto? (8:30) → El concierto es a las ocho y media.

1. ¿A qué hora es la clase de español? (11:00)
2. ¿A qué hora es el baile? (9:30)
3. ¿A qué hora es la conferencia? (10:00)
4. ¿A qué hora es la clase de álgebra? (1:00)
5. ¿A qué hora es la fiesta del Club Internacional? (7:30)

Gustar is used to express likes and dislikes.

Me gusta bailar. (*I like to dance.*)

¿*Te* gusta patinar? (*Do you like to skate?*)
A Ernestito *le* gusta jugar al fútbol.
(*Ernestito likes to play soccer.*)
A Estela y a Ernesto *les* gusta ir al cine.
(*Estela and Ernesto like to go to the movies.*)
***Nos* gusta cocinar.**
(*We like to cook.*)

1.5   Expressing Likes and Dislikes: *gustar* + Infinitive

A. The Spanish verb **gustar** expresses the meaning of English *to like.* From a grammatical point of view, however, it is similar to the English expression *to be pleasing to someone.**

Me gusta leer.	*I like to read.* (*Reading is pleasing to me.*)

Gustar is usually used with pronouns that tell *to whom* something is pleasing. Here are the pronoun forms.†

SINGULAR		PLURAL	
me	*to me*	nos	*to us*
te	*to you (inf. sing.)*	os	*to you (inf. pl., Spain)*
le	*to you (pol. sing.); to him/her*	les	*to you (pl.); to them*

—¿Qué **te** gusta hacer?	—*What do you like to do?*
—**Me** gusta aprender cosas nuevas.	—*I like to learn new things.*
—¿Qué **les** gusta hacer?	—*What do you like to do?*
—**Nos** gusta cocinar.	—*We like to cook.*

B. Since **le gusta** can refer to *you* (*pol. sing.*), *him,* or *her,* and **les gusta** can refer to *you* (*pl.*) or *them,* Spanish speakers often expand the sentence to be more specific. They use phrases with **a** (*to*), such as **a mi papá** (*to my father*), **a Juan** (*to Juan*), or **a los estudiantes** (*to the students*), in addition to using the pronoun **le** or **les.**‡

A Carmen le gusta cantar.	*Carmen likes to sing.*
—¿**A usted le** gusta lavar su carro?	—*Do you like to wash your car?*
—No, no **me** gusta.	—*No, I don't like to.*
—¿**Les** gusta acampar **a Guillermo y a Ernestito**?	—*Do Guillermo and Ernestito like to go camping?*
—Sí, **les** gusta mucho.	—*Yes, they like to very much.*

---

*You will learn more about the verb **gustar** and similar verbs in **Gramática 8.2.**
†Recognition: (**A vos**) **Te gusta**
‡You will learn more about phrases with **a, le,** and **les** in **Gramática 7.4, 8.2, 10.5, 13.4,** and **13.5.**

C. The verb form that follows **gustar** is an infinitive, such as **hablar** (*to speak*), **leer** (*to read*), or **vivir** (*to live*).

PRONOUN	+	*gusta*	+	INFINITIVE
me				estudiar (*to study*)
te				jugar (*to play*)
le				comer (*to eat*)
nos	+	gusta	+	correr (*to run*)
os				competir (*to compete*)
les				escribir (*to write*)

EJERCICIO 8

¿Qué les gusta hacer a Ernestito y a Guillermo? Complete los diálogos con **me, te, les** o **nos.**

MODELO: AMANDA: Graciela, ¿*te* gusta bailar?
GRACIELA: Sí, *me* gusta mucho bailar.

1. MAESTRA: Ernestito, ¿_____ gusta andar en bicicleta?
ERNESTITO: Sí, _____ gusta mucho. Tengo una bici nueva.

2. ERNESTITO: Guillermo, ¿_____ gusta jugar al béisbol?
GUILLERMO: No, pero _____ gusta jugar al fútbol.

3. PEDRO: Ernestito y Guillermo, ¿_____ gusta escuchar la música rock?
LOS CHICOS: ¡Claro que sí! _____ gusta mucho.

EJERCICIO 9

¿Qué le(s) gusta hacer a las siguientes personas?

1. A Ernestito _____ gusta _____.
2. A Estela (la madre de Ernestito) no _____ gusta _____.
3. A Clarisa y a Marisa (las primas de Ernestito) _____ gusta
_____.
4. A Ernestito _____ gusta _____.
5. Al perro _____ gusta _____.

Capítulo 2

Mis planes y preferencias

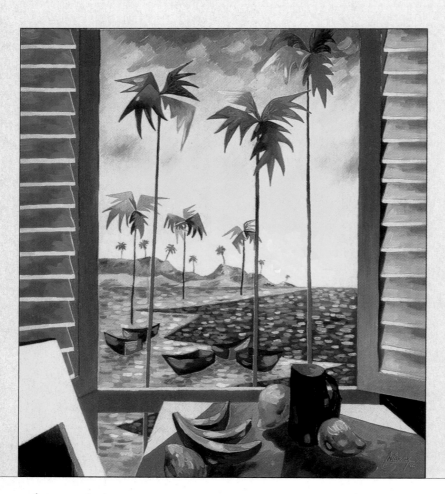

Green Bananas, por Miguel Suárez-Pierra (Ecuador)

METAS

In **Capítulo 2** you will discuss your plans for the future and your preferences. You will also talk about your classes and the weather.

Sobre el artista: Miguel Suárez-Pierra nació en Ecuador. Este premiado artista se graduó de arquitecto en la Universidad Católica de Guayaquil. También tiene experiencia como profesor de arte para jóvenes. Su arte se expone en muchas galerías en Ecuador y los Estados Unidos.

Época precolombina
300.000 indígenas habitan el territorio que hoy es Ecuador.

Ecuador

1480
Ecuador forma parte del Imperio Inca.

1740
Ecuador forma parte del Virreinato de Nueva Granada.

1809
Movimiento criollo autonomista en Quito

1500

1800

1531
Llegan los españoles.

1542
Ecuador forma parte del Virreinato de Perú.

1822
24 de mayo, Sucre gana la batalla de Pichincha, que sella la independencia.

Los amigos animados: Para repasar

Antes de comenzar este capítulo, mire los segmentos animados para repasar el capítulo anterior.

A. La familia de Esteban. Esteban Brown hace una presentación sobre los miembros de su familia en la clase de español.

B. ¡Un momentito, por favor! Pilar Álavarez está en su trabajo, en la Compañía Telefónica de Madrid.

En este capítulo...

ACTIVIDADES DE COMUNICACIÓN
- Los planes
- Las clases
- Las preferencias y los deseos
- El tiempo

EN RESUMEN

LECTURAS Y CULTURA
- **Ventanas al pasado**
  La primera universidad
- **Ventanas culturales**
  Nuestra comunidad: Frank Guajardo, un maestro que abre puertas
- **Enlace literario**
  «Lindo día», por Carmen Naranjo
- **Lectura**
  De paseo

GRAMÁTICA Y EJERCICIOS
2.1 Expressing Future Plans: **ir** + **a** + Infinitive
2.2 Sequencing: Ordinal Adjectives
2.3 Stating Preferences and Desires: **preferir** and **querer** + Infinitive
2.4 Describing the Weather: Common Expressions
2.5 Pointing Out People and Objects: Demonstrative Adjectives

---

1830
Nueva constitución;
República Independiente del Ecuador

1941
Guerra con Perú

1982
EU pide una base militar en Galápagos; gobierno de Ecuador no da permiso.

1981–2000
Huelgas en muchos sectores de la economía

1900

2000

1981
Conflicto fronterizo con Perú;
El presidente Mahuad sustituye el dólar estadounidense por el sucre; golpe de estado por indígenas y líderes militares.

2000

2001
Manifestaciones indígenas

Actividades de comunicación y lecturas

✳ **Los planes**

Lea Gramática 2.1.

Andrea Ruiz habla de los planes de su familia para el fin de semana

El sábado Pedro y las niñas van a lavar el carro.

También vamos a bailar en una discoteca.

El sábado por la tarde, Pedro y yo vamos a dar una fiesta.

El domingo por la mañana, vamos a ir a misa con las niñas.

El viernes por la noche Pedro y yo vamos a ver una película.

El domingo por la tarde Pedro va a escribir una carta.

Luego vamos a almorzar en un restaurante.

ACTIVIDAD 1   Preferencias: Los planes

Hable de sus planes. Mencione también otra actividad en cada caso.

1. Mañana por la mañana voy a...
    a. reparar mi carro.   **c.** dormir.
    b. pasear por el centro.   **d.** ¿ ?

2. El viernes por la noche mis amigos van a...
    a. salir a cenar.   **c.** dar una fiesta.
    b. bailar en un club.   **d.** ¿ ?

3. El domingo por la tarde voy a...
    a. limpiar mi cuarto.   **c.** ir al cine.
    b. practicar algún deporte. **d.** ¿ ?

4. Durante las vacaciones mis amigos y yo vamos a...
    a. viajar.   **c.** jugar al tenis.
    b. descansar.   **d.** ¿ ?

5. Este invierno voy a...
    a. esquiar.   **c.** patinar en el hielo.
    b. estudiar mucho.   **d.** ¿ ?

MODELO: E1: El domingo por la tarde voy a *limpiar mi cuarto.*
          E2: *¡Qué aburrido!*

ACTIVIDAD 2   Narración: ¿Qué va a hacer Carmen el sábado?

▶ **Y TÚ, ¿QUÉ DICES?**

¡Qué aburrido!
¡Qué divertido!
¡Qué buena idea!
¿Dónde?
¿Con quién?
¿Cuándo? / ¿A qué hora?
Yo también.
Yo no.

▶ **PALABRAS ÚTILES**

primero	por la
luego	mañana
después	por la tarde
más tarde	por la noche
	por último

ACTIVIDAD 3   Intercambios: Tus planes

Pregúntele a su compañero/a qué va a hacer en las siguientes ocasiones.

MODELO: E1: ¿Qué vas a hacer *en tu próximo cumpleaños*?
           E2: Voy a *salir a cenar con mi familia.* ¿Y tú?
           E1: ¿Yo? Voy a...

OCASIONES

durante las próximas
  vacaciones
el próximo fin de semana
el próximo verano
el viernes por la noche
en tu próximo cumpleaños
esta noche
hoy, después de clases

ACTIVIDADES

acampar
descansar
estudiar
ir a la playa
ir a muchas
  fiestas
ir al cine

ir de compras
leer un buen libro
nadar en un lago/río
salir a cenar
trabajar
ver la televisión
viajar

ACTIVIDAD 4   Del mundo hispano: Madrid en el verano

Imagínese que usted está en Madrid en el mes de julio. Mire la lista de actividades de verano y decida qué va a hacer.

MODELO: E1: Voy a *nadar en la piscina.*
           E2: ¿Dónde?
           E1: En *el Polideportivo de San Blas.*

Actividades posibles: jugar al boliche, levantar pesas, nadar, pasear en barca, salir a bailar, salir a cenar, tomar el sol, ver los animales, viajar a Ávila/ Toledo en tren

▶ PREGUNTAS Y RESPUESTAS ÚTILES

¿Cuánto cuesta la entrada?	Cuesta 6.5 euros.
¿Dónde está?	Está en *la calle Alcalá.*
¿A qué hora abren/cierran?	Abren/Cierran a *las 9:00.*
¿A qué hora sale/llega el tren?	Sale/Llega a *las 10:30.*
¿En qué restaurante (piscina,...)?	En *el Café de Oriente.*

Madrid en el verano

Barcas

En los lagos del Retiro y la casa de Campo y en el río Manzanares. Desde las 10 de la mañana hasta la puesta del sol. Paseos de una hora. Precios: 3 euros por dos personas o 2 euros por persona.

Trenes turísticos

Ciudad de Toledo (viernes y domingos). Salida de la estación de Chamartín a las 9,05 h.; regreso de Toledo a las 19,45 h. Precios: adultos, 12 euros; niños de cuatro a doce años, 9 euros.

Murallas de Ávila (sábados). Salida de la estación de Chamartín a las 9,15 h.; regreso de Ávila a las 19,40 h. Precios: adultos, 10 euros; niños de cuatro a doce años, 9 euros.

Parques acuáticos

Acuópolis. Toboganes, rompeolas, Lago de Aventura, restaurantes, terrazas, parking gratuito. Abierto todos los días de la 1 a las 20 h. Precios: adultos, 14 euros; menores de catorce años, 10 euros.

Lagosur. Km 9 carretera de Toledo a Leganés. Abierto de las 11 a las 19 h. Precios: adultos, 12 euros; menores de 10 años, 9 euros.

Viernes y sábados abierto también desde las 23 h. hasta las 3 h. Precios: hombres, 10 euros; mujeres, 8 euros. No se admite a menores de 18 años.

Gimnasios

Gimnasio Ángel López. Squash (nueva instalación), karate, gimnasia, pesas, aerobic, ballet infantil y adulto, baile español y rítmica. Amparo Usera, 14, Tel. 91 457 83 98.

Gimnasio Argüelles. Karate, squash, aerobic, gimnasia, jazz, musculación, piscina. Andrés Mellado, 21, Tel. 91 267 56 71 22.

Piscinas

Los precios de estas piscinas son de 4 euros para los adultos y 2 euros para los niños. El horario de las piscinas es de las 10 a las 20 h.

Centro. Polideportivo de la Latina. Plaza de la Cebada 1, una piscina climatizada.

San Blas. Polideportivo de San Blas. Avenida de Hellín, 79; una piscina climatizada, una olímpica, una para nadadores no expertos, una infantil.

Boleras

Bolera Club Stella. Arlabán, 7. Tel. 91 231 01 92.

Bowling Chamartín. Estación de Chamartín. Tel. 91 315 71 19.

Discotecas al aire libre

La Fiesta. Paseo Virgen del Puerto (puente Segovia) abierto de las 22 hasta las 4 h.

El Jardín del Sur. Disco-piscina. Carretera Toledo, km. 8. Tel. 91 688 13 35.

Restaurantes con terraza

Café Oriente. Plaza de Oriente, 2. Abierto 20 a 2 h. Tel. 91 241 39 24.

Casa Domingo. Alcalá, 39. Abierto 18 a 1 h. Tel. 91 276 01 37.

Casa Rafa. Narváez, 68. Especialidad: pescado. Tel. 91 358 47 39.

Zoo

Casa de Campo. Tel. 91 711 98 54. Metro Batán. Abre a las 10 h., cierra a las 21,30 h. Delfinario abierto todas las tardes. Menores de ocho años, 5 euros; mayores, 7 euros.

✳ Las clases

Lea Gramática 2.2.

UNIVERSIDAD·DE·PUERTO·RICO
Nombre *Rogelio Varela*

hora/día	lunes	martes	miércoles	jueves	viernes
8:00	informática	:	informática		informática
8:30		geografía		geografía	
9:00	psicología		psicología		psicología
11:00		mercadotecnia		mercadotecnia	
12:00		física		física	
2:00	ingeniería		ingeniería		ingeniería

ACTIVIDAD 5 Entrevista: Las clases

1. E1: ¿Qué clases tienes este semestre/trimestre?
   E2: Tengo _____, _____ y _____.
2. E1: ¿Cuál es tu clase *favorita / más difícil / más interesante?*
   E2: Mi clase *favorita / más difícil / más interesante* es _____.
3. E1: ¿A qué hora es esa clase?
   E2: Es a las (*hora*) los (*días de la semana*).
4. E1: ¿Quién es el profesor / la profesora de esa clase?
   E2: Se llama _____ y es *cómico.*
5. E1: ¿Cuál es tu especialidad en la universidad?
   E2: Mi especialidad es *la economía.* (No sé todavía.)

ACTIVIDAD 6 Intercambios: Las clases

Ramón tiene muchas clases en su primer año de preparatoria. Mire la tabla de la siguiente página y pregúntele a su compañero/a cuál es la primera (segunda, tercera, cuarta, etcétera) clase de Ramón, a qué hora es y quién es el profesor / la profesora.

MODELO: E1: ¿Cuál es la *primera* clase de Ramón?
E2: Su primera clase es la clase de *inglés.*
E1: ¿A qué hora es?
E2: Es a *las 7:45.*
E1: ¿Quién es el profesor o la profesora?
E2: Es *el señor García.*

SAGRADO CORAZÓN

Nombre: _Ramón Gómez_   Año: _Primero de preparatoria_

hora	materia	salón de clase	profesor(a)
7:45→8:30	inglés	403	Manuel García
8:40→9:25	matemáticas	207	Eugenia Ibarra
9:35→10:20	geografía	201	Daniel Contino
10:30→11:05	alemán	402	Alma Morales de Braun
11:05→11:20	descanso		
11:30→12:15	literatura española	405	Consuelo Acuña de Ramos
12:25→1:10	historia de México	408	Héctor Magaña M.
1:20→3:20	almuerzo		
3:30→4:15	biología	214	Isabel Santizo de Barragán
4:25→5:10	música	311	Víctor Álvarez

ACTIVIDAD 7   Del mundo hispano: La Universidad del Valle de México

Las especialidades en la siguiente página son las más importantes en el México de hoy. Trabaje con un compañero / una compañera para contestar las preguntas.

1. ¿Qué campus ofrece todas las especialidades? ¿Cuál ofrece menos especialidades?
2. ¿Cuántos campus ofrecen la especialidad en ingeniería mecánica? ¿en mercadotecnia? ¿en diseño de la moda?
3. Nombren las especialidades más atractivas (en su opinión).
4. ¿Se ofrecen esas especialidades en su universidad? ¿Estudian ustedes alguna de esas especialidades?
5. ¿Cuáles son las especialidades en el área de ciencias sociales?
6. En su opinión, ¿cuáles son las especialidades más importantes hoy en día? ¿Por qué?

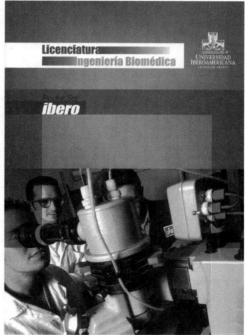

Folleto (*brochure*) para la licenciatura (*degree*) en ingeniería biomédica de la Universidad Iberoamericana en México, D.F.

UNIVERSIDAD DEL VALLE DE MÉXICO

ESPECIALIDADES - LICENCIATURA

| | CAMPUS | | | | | |
| ESPECIALIDADES - LICENCIATURA | CENTRO | | SUR | | EDO. MEX. | QRO. |
	SAN RAFAEL	INSURGENTES NORTE	SAN ÁNGEL	TLALPAN	LOMAS VERDES	QUERÉTARO
AREA ECONÓMICA - ADMINISTRATIVA						
ADMINISTRACIÓN	●	●	●	●	●	●
ADMINISTRACIÓN DE EMPRESAS TURÍSTICAS	●	●			●	●
ADMINISTRACIÓN DEL DEPORTE Y RECREACIÓN					●	●
COMERCIO INTERNACIONAL	●	●	●	●	●	●
CONTADURÍA PÚBLICA	●	●	●	●	●	●
ECONOMÍA	●			●	●	●
MERCADOTECNIA	●	●		●	●	●
RELACIONES INTERNACIONALES	●			●	●	●
RELACIONES PÚBLICAS					●	●
AREA DE CIENCIAS Y TECNOLOGÍA						
INGENIERÍA CIVIL				●	●	●
INGENIERÍA EN SISTEMAS	●		●		●	
INGENIERÍA EN TELECOMUNICACIONES				●	●	
INGENIERÍA INDUSTRIAL ELECTRÓNICA				●	●	
INGENIERÍA MECÁNICA	●			●	●	
INGENIERÍA EN COMPUTACIÓN				●	●	
INGENIERÍA EN PRODUCCIÓN				●	●	●
SISTEMAS DE COMPUTACIÓN ADMINISTRATIVA	●	●	●	●	●	●
AREA DE CIENCIAS SOCIALES						
CIENCIAS DE LA COMUNICACIÓN	●			●	●	●
CIENCIAS DE LA EDUCACIÓN					●	
DERECHO	●	●		●	●	●
PSICOLOGÍA	●			●	●	●
AREA DE ARTES Y HUMANIDADES						
ARQUITECTURA	●			●	●	●
DISEÑO GRÁFICO	●			●	●	●
DISEÑO DE LA MODA					●	●

VENTANAS AL PASADO

La primera universidad

Tanto España como América Latina cuentan con universidades antiguas muy respetadas. La más antigua de España, la Universidad de Salamanca, se funda en 1218 por orden del rey Alfonso IX de León. El campus de esta universidad es considerado Patrimonio de la Humanidad por la ONU. A pesar de sus edificios antiguos, actualmente ofrece una educación amplia y moderna a más de 40.000 estudiantes universitarios.

Universidad de Salamanca

En la República Dominicana está la primera universidad de América Latina: la Universidad de Santo Domingo, establecida por orden del Papa Paulo III en 1538. Esta universidad ofrece acceso a la educación universitaria a muchos ciudadanos, pues tiene 11 campus en distintas regiones del país. La Universidad de Santo Domingo tiene una población de 143.000 estudiantes, entre los cuales hay un 65% (por ciento) de mujeres.

Hoy en día hay universidades importantes en todas las ciudades de España y América Latina: la Universidad Autónoma de Barcelona, la Universidad Nacional Autónoma de México y la Universidad de Santiago de Chile, entre otras. Sin embargo, las Universidades de Salamanca y de Santo Domingo tienen el honor de ser las primeras.

VOCABULARIO ÚTIL	
antiguas/antiguos	*old*
el Patrimonio de la Humanidad	*World Heritage Site*
la ONU (Organización de Naciones Unidas)	*UN (United Nations)*
A pesar de	*in spite of*
actualmente	*currently*
Sin embargo	*however*

Ahora... ¡ustedes!

¿Tienes una universidad favorita? ¿En qué ciudad está? ¿Es una universidad moderna o antigua?

✳ Las preferencias y los deseos

Lea Gramática 2.3.

Los planes para el sábado

Pedro y Andrea quieren quedarse en casa hoy.

Las niñas prefieren merendar en el parque.

Doña Lola quiere coser.

Guillermo y sus amigos
prefieren andar en patineta.

Don Anselmo y don
Eduardo quieren pescar.

Doña Rosita prefiere
ir al parque.

Ramón prefiere andar
en motocicleta.

El señor Saucedo
prefiere nadar.

ACTIVIDAD 8   Intercambios: ¿Cuáles son sus actividades favoritas?

Converse con su compañero/a sobre sus preferencias.

MODELO: E1: ¿Qué prefieres hacer *los lunes a las cuatro de la tarde*?
E2: Prefiero *escribir cartas*.

HORA Y DÍA

1. ¿... los sábados, a las siete de la mañana?
2. ¿... los viernes, a las ocho de la noche?
3. ¿... los lunes, a las cuatro de la tarde?
4. ¿... los domingos, a las diez de la mañana?
5. ¿... los sábados, a las tres de la tarde?

ACTIVIDADES

a. jugar al tenis.
b. cocinar.
c. descansar.
d. correr.
e. escribir cartas.
f. montar a caballo.
g. bailar.
h. ver la televisión.
i. dormir.
j. leer el periódico.
k. ¿ ?

ACTIVIDAD 9   Diálogo abierto: Una invitación

E1: ¿Te gusta *jugar al tenis?*
E2: Sí, me gusta mucho.
E1: ¿Quieres *jugar al tenis* en *el parque* el *domingo?*
E2: ¿A qué hora?
E1: A *las once.*
E2: Perfecto. Nos vemos el *domingo* a *las once.*

▶ PALABRAS ÚTILES

Actividades	¿Dónde?	¿Cuándo?
acampar	la casa de un	el domingo a las 9:00 de
correr	amigo	la mañana
ir a conciertos (ir	el centro	el jueves a las 7:30 de la
a un concierto)	el cine Buñuel	tarde
ir a fiestas (ir a	el parque Marín	el miércoles a las 8:30 de
una fiesta)	el restaurante El	la noche
ir al cine (ver una	Criollo	el sábado a las 2:00 de la
película)	el teatro Lorca	tarde
ir de compras	la discoteca	el sábado a las 8:00 de la
nadar	¡Latino!	noche
salir a bailar	la montaña	el sábado a las 10:00 de la
salir a cenar	la piscina de San	mañana
	Blas	el viernes a las 4:00 de la
		tarde
		el viernes a las 8:00 de la
		noche
		el viernes a las 10:00 de
		la noche

ACTIVIDAD 10   Entrevista: Mis actividades favoritas

MODELO: E1: ¿Prefieres *nadar en la piscina o en el mar?* →
           E2: Prefiero *nadar en el mar.* /
               Me gustan *las dos actividades.* /
               No me gusta *ninguna de las dos.*

1. ¿... cenar en casa o en un restaurante?
2. ¿... andar en patineta o en bicicleta?
3. ¿... hablar por teléfono o usar el correo electrónico?
4. ¿... leer el periódico o ver la televisión?
5. ¿... merendar en un parque o comer en casa?
6. ¿... leer una novela o explorar el Internet?

ACTIVIDAD 11   Intercambios: ¿Qué quieres hacer?

Mire los dibujos y complete las oraciones.

MODELO: RAÚL: ¿Quieres comer algo?

LUIS: No, prefiero estudiar un poco más.

1.

E1:   ¿Quieres tomar un chocolate caliente?

E2:   No, prefiero _____

4.

E1:   ¿Quieren estudiar una hora más?

E2:   No, preferimos _____

2.

E1:   ¿Quieres ir de compras?

E2:   No, prefiero _____

5.

E1:   ¿Quieres dar un paseo?

E2:   No, prefiero _____

3.

E1:   ¿Quieres ver una película en la televisión?

E2:   No, prefiero _____

ACTIVIDAD 12   Del mundo hispano: ¿Qué prefieren hacer los españoles en su tiempo libre?

Converse con un compañero / una compañera sobre los pasatiempos de los españoles y los europeos.

MODELOS: E1: ¿Cuál es la *primera* preferencia de los *españoles*?
                      E2: *Pasar tiempo con la familia y los niños.*

                      E1: ¿Qué prefieren hacer los *europeos: recibir visitas* o *escuchar la radio?*
                      E2: Prefieren *recibir visitas.*

LOS PLACERES COTIDIANOS DE LOS ESPAÑOLES
Por orden de preferencia

1º La familia y los niños
2º Libros y revistas
3º Las vacaciones
4º La radio
5º Recibir visitas
6º La televisión FIN
7º Ir de visitas
8º El sexo
9º Ver deporte
10º Salir de copas

LOS PLACERES COTIDIANOS DE LOS EUROPEOS
Por orden de preferencia

La familia y los niños
Libros y revistas
Las vacaciones
Recibir visitas
Tomar té o café
Ir de visitas
La radio
La televisión FIN
Ver deporte
Salir de copas

ACTIVIDAD 13   Conversación: El hombre perfecto

Trabajando en grupos, organicen estas descripciones en dos columnas: (1) el macho y (2) el hombre liberado.

- Le gusta ver películas violentas.
- Prefiere jugar al fútbol americano.
- Sale a bailar con frecuencia.
- Le gusta jugar al tenis.
- Prefiere montar en motocicleta.
- Le gusta escuchar la música rock.
- Prefiere la música romántica.

- Prefiere manejar un jeep.
- Prefiere salir con los amigos.
- Prefiere llevar ropa deportiva.
- Le gusta mucho salir por la noche.
- Prefiere cenar en familia.
- Siempre quiere llevar vaqueros, botas y chaqueta negra.

Ahora, escriban una lista para describir uno de los siguientes estereotipos de la mujer.

1. la mujer tradicional
2. la mujer liberada
3. la mujer perfecta
4. la supermujer

REFRÁN

Querer es poder.

(*Where there's a will, there's a way.* Literally, *To want is to be able to.*)

VENTANAS CULTURALES　　Nuestra comunidad

Frank Guajardo, un maestro que abre puertas

Las puertas que abre Frank Guajardo son puertas académicas. Este maestro de inglés trabaja en la escuela secundaria Edcouch-Elsa, que está en Elsa, Texas. Guajardo es un modelo de inspiración para sus alumnos. Los estimula a tener éxito en sus clases y los ayuda a estudiar en universidades de prestigio. Guajardo es fundador de un centro académico donde sus estudiantes hacen una variedad de actividades estimulantes; entre otras, coleccionar historias orales de Texas.

Para Frank Guajardo es muy importante inspirar a los jóvenes. Él también tiene un modelo de inspiración en su familia: su padre, José Guajardo. José dejó la escuela después del cuarto grado para trabajar, pero entiende muy bien la importancia del estudio. Gracias en parte al apoyo de su padre, Frank tiene hoy una maestría de la Universidad de Texas en Austin y es un maestro dedicado que abre puertas para muchos jóvenes.

VOCABULARIO ÚTIL

el éxito	*success*
el prestigio	*prestige*
el fundador	*founder*
dejó	*left*
el apoyo	*support*
la maestría	*Master's degree*

Ahora... ¡ustedes!

¿Hay un maestro o una maestra de secundaria que aprecies mucho? Descríbelo/a. ¿Cómo se llama esta persona? ¿En qué escuela trabaja? ¿Qué clases enseña?

✳ El tiempo

Lea Gramática 2.4–2.5.

¿Qué tiempo hace?

Hace buen tiempo.

Hace sol.

41°C 106°F
Hace mucho calor.

1°C 33°F
Hace mucho frío.

Nieva.

Llueve.

Hace viento.

15°C 60°F
Hace fresco.

Está nublado.

Hoy es un día de primavera y hace buen tiempo.

Aquellos jóvenes prefieren andar en motocicleta.

Esos chicos prefieren jugar al fútbol.

Esa chica prefiere jugar al tenis.

Estos niños prefieren andar en bici.

Esta señora prefiere leer una novela en el parque.

Este señor prefiere tomar una siesta.

Estas mujeres prefieren pasear.

ACTIVIDAD 14   Intercambios: El clima

Mire el gráfico y hágale preguntas a su compañero/a sobre la temperatura en estas ciudades del mundo hispano.

Ciudad	enero	julio
Guanajuato, México		
temperatura mínima	7°C	14°C
temperatura máxima	22°C	26°C
Tegucigalpa, Honduras		
temperatura mínima	15°C	18°C
temperatura máxima	25°C	27°C
Bogotá, Colombia		
temperatura mínima	5°C	7°C
temperatura máxima	19°C	18°C
Quito, Ecuador		
temperatura mínima	10°C	9°C
temperatura máxima	19°C	19°C
Lima, Perú		
temperatura mínima	20°C	16°C
temperatura máxima	26°C	19°C
Santiago, Chile		
temperatura mínima	12°C	3°C
temperatura máxima	29°C	14°C
Bariloche, Argentina		
temperatura mínima	6°C	-2°C
temperatura máxima	21°C	6°C
La Habana, Cuba		
temperatura mínima	18°C	23°C
temperatura máxima	26°C	31°C
Santander, España		
temperatura mínima	4°C	16°C
temperatura máxima	16°C	24°C
Sevilla, España		
temperatura mínima	6°C	19°C
temperatura máxima	16°C	35°C

E1: ¿Cuál es la temperatura *máxima* en *Sevilla* en *julio*?
E2: La temperatura *máxima* en *Sevilla* en *julio* es de *35* grados centígrados.

E1: Entonces, ¿qué tiempo hace en *Sevilla* en *julio*?
E2: Hace *mucho calor*.

ACTIVIDAD 15   Definiciones: Las estaciones y el clima

Lea estas descripciones y diga qué estación representa cada una: la primavera, el verano, el otoño o el invierno.

1. Hace mucho frío y a veces nieva.
2. Llueve mucho, a veces hace viento, nacen muchos animales y hay muchas flores y plantas nuevas.
3. Las clases empiezan y hay árboles de hojas amarillas, anaranjadas y de color café. Es la temporada del fútbol norteamericano.
4. Es la estación de las vacaciones. Hace mucho calor y muchas personas van a nadar al lago o a la piscina.

Ahora, diga qué estación tiene cada país en estos meses.

1. España: diciembre, enero, febrero. Es _____.
2. Chile: diciembre, enero, febrero. Es _____.
3. México: septiembre, octubre, noviembre. Es _____.
4. Perú: septiembre, octubre, noviembre. Es _____.
5. Uruguay: marzo, abril, mayo. Es _____.
6. Argentina: junio, julio, agosto. Es _____.

ACTIVIDAD 16   Descripción de dibujos: ¿Qué tiempo hace?

Hable de los deseos y las preferencias de las personas en los dibujos. No olvide usar este/ese, esta/esa, estos/esos, o estas/esas.

1.

2.

3.

4.

5.

MODELO: E1: ¿Qué tiempo hace en el *primer* dibujo?
  E2: *Nieva.*
  E1: ¿Qué quiere hacer *este señor*?
  E2: Quiere *esquiar.*
  E1: Y, ¿qué prefiere hacer *ese señor*?
  E2: Prefiere *tomar chocolate caliente.*

ENLACE LITERARIO

«Lindo día», por Carmen Naranjo

Selección de su novela *Diario de una multitud* (1984)

Carmen Naranjo (1928) es una de las escritoras más importantes de Costa Rica. Algunas de sus publicaciones son la colección de poesía *Misa a oscuras* (1967), los cuentos *Otro rumbo para la rumba* (1989), el libro de ensayos[1] *Mujer y cultura* (1989) y varias novelas. Naranjo trabaja activamente en organizaciones internacionales, como UNICEF, y es miembro de la Academia Costarricense de la Lengua. En su novela *Diario de una multitud* los personajes aparecen como «voces»[2] de una enorme ciudad. En esta selección habla uno de esos numerosos personajes.

Lindo día

Lindo[3] día. Lindo. Día lindo. No llueve, los días que no llueven son lindos. Espléndido día. Espléndido. Día espléndido. Quizás esté[4] un poco caliente. Ahora el clima es tan variado. La culpa[5] es de las bombas atómicas y de los viajes a la luna.[6] Es verdad, desde entonces nadie puede confiarse.[7] El sol se asoma,[8] promete[9] y de repente[10] la lluvia y más tarde el frío. Pero, hoy está firme, lindo día, anuncia una noche agradable. En las noches agradables no dan ganas[11] de ir a la cama. Lindo día, de eso hablamos. Lindo en verdad. Un día así vale la pena.[12] ¿La pena qué? Vivir.

Actividad creativa: Un día ideal

¿Qué tipo de clima le gusta más a usted? Usando la selección de Carmen Naranjo como modelo, describa su día ideal en un párrafo. ¿Qué tiempo hace este día? ¿Por qué es ideal para usted? Puede empezar como Naranjo: «*Lindo día. Lindo...* »

[1]*essays*   [2]*voices*   [3]*nice, lovely*   [4]Quizás... *It might be*   [5]*fault, blame*   [6]*viajes... trips to the moon*
[7]desde... *since then no one can trust* (*the weather*)   [8]se... *peeks out*   [9]*promises*   [10]de... *suddenly*
[11]no... *one doesn't feel like*   [12]vale... *is worth it*

E n resumen

De todo un poco

A. La ropa y el clima

MODELO: E1: ¿Qué ropa llevas cuando *hace frío*?
   E2: Cuando *hace frío llevo abrigo y botas.*

¿Qué ropa llevas...

1. cuando hace fresco?
2. cuando hace mucho calor?
3. cuando hace viento?

4. cuando nieva?
5. cuando llueve?
6. cuando hace mucho sol?

B. ¿Qué actividades asocia usted con el tiempo?

MODELO: E1: ¿Qué te gusta hacer cuando *hace viento*?
           E2: Cuando *hace viento* me gusta *volar una cometa en la playa.*

¿Qué te gusta hacer...

1. cuando hace fresco?
2. cuando hace mucho calor?
3. cuando hace mucho frío?
4. cuando nieva?
5. cuando llueve?
6. cuando hace mucho sol?

C. ¡De vacaciones!

Imagínese que usted está de vacaciones. Lea estos pronósticos del tiempo y diga cuáles son sus planes.

1. Barcelona, 2 de agosto: Va a hacer mucho calor. La temperatura máxima va a ser de 33°C. Actividades posibles: merendar en el Parque Güell, caminar por las Ramblas, ver los peces en el acuario, pasar el día en la playa.
2. México, D.F:, 22 de julio: Va a hacer fresco y va a estar nublado por la mañana. Va a llover una o dos horas por la tarde. Actividades posibles: ir al Museo Nacional de Antropología, caminar por el Parque de Chapultepec, visitar la Basílica de Guadalupe, ir en autobús para ver las pirámides de Teotihuacán.
3. Monteverde, Costa Rica, 28 de diciembre: Por la mañana va a llover, pero por la tarde va a hacer sol. La temperatura máxima será de 27°C. Actividades posibles: montar a caballo, caminar por la reserva biológica, sacar muchas fotos, visitar el laboratorio de mariposas.

¡Dígalo por escrito!

Las preferencias

Mire la Actividad 12 en la página 97 y haga una lista de las preferencias de los estadounidenses o de la gente de su país. Compare su lista con la lista de las preferencias de los españoles. Si quiere, ilustre su lista con dibujos, como en la actividad.

¡Cuéntenos usted!

Cuéntenos sobre un fin de semana perfecto. ¿Qué va a hacer el viernes por la noche? ¿Con quién va a hacerlo? El sábado por la mañana, ¿qué prefiere hacer? ¿Qué va a hacer el sábado por la noche? ¿Qué prefiere hacer el domingo por la mañana? El domingo por la tarde, ¿qué prefiere hacer?

MODELO: Durante mi fin de semana perfecto, voy a hacer muchas cosas. El viernes por la noche voy a salir con mis amigos a una discoteca. Vamos a bailar y hablar con muchos chicos. Voy a regresar a casa a las 2:00 de la mañana. El sábado voy a dormir hasta muy tarde y...

LECTURA **De paseo**

En general, a los hispanos no les gusta planear demasiado su tiempo libre. Muchos prefieren disfrutar del momento presente y hacer las cosas de un modo espontáneo. La gente sale con el pretexto de visitar a los amigos, comprar algo o pasear por las calles y la plaza.

En las calles siempre hay mucha actividad de todo tipo, especialmente en las calles del centro, como la Gran Vía en Madrid, y en las zonas comerciales, como la Calle Florida en Buenos Aires. Pero la plaza es el lugar que muchos hispanos prefieren para ir de paseo. En casi todas las plazas hay bancos y árboles, y algunas tienen una fuente. La gente va a la plaza para sentarse, conversar o simplemente para mirar a las personas que pasan. En algunos pueblos, la gente juega allí a diferentes juegos como el dominó o las cartas.

El lugar que hoy llamamos *plaza* se origina en España. Cuando los españoles fundan sus ciudades, construyen la plaza como centro urbano. En Madrid, capital española, hay numerosas plazas; dos de las más populares son la Plaza Mayor y la Plaza de España. La Plaza Mayor es muy grande y tiene cafés y restaurantes. Pero también hay plazas pequeñas en los barrios de Madrid y otras ciudades hispanas, como en Sevilla, ciudad pintoresca al sur de España.

Las plazas son lugares ideales para descubrir y explorar la cultura de la gente. ¡Visite una ciudad hispana! Allí, en alguna plaza, le esperan experiencias divertidas... una conversación interesante, un paseo agradable y, posiblemente, la alegría de tener nuevos amigos.

PISTAS PARA LEER

1. Scan title, photo, and vocabulary box. Can you tell what places are described in this reading?
2. Scan text for cognates (words that are similar in English and Spanish).
3. Now skim the reading with these questions in mind: What leisure activities are described? Where do these activities take place?

VOCABULARIO ÚTIL

planear	*to plan*
disfrutar	*enjoy*
de paseo	*for a stroll*
el banco	*benches*
la fuente	*fountain*
las cartas	*cards*
fundan	*found*
construyen	*build*
le esperan	*await you*

Comprensión

Complete las oraciones lógicamente, según la lectura. Puede haber más de una respuesta correcta.

1. Generalmente, los hispanos prefieren...
   a. planear actividades.
   b. ser espontáneos durante su tiempo libre.
   c. pensar en el presente.
2. A los hispanos les gusta pasear por...
   a. las calles.
   b. la plaza.
   c. el patio de su casa.
3. Normalmente, en la plaza, las personas...
   a. juegan y conversan.
   b. hacen su tarea o trabajan.
   c. miran a otras personas.
4. Los españoles crean las plazas...
   a. en el siglo XX.
   b. como centro de la ciudad.
   c. para descansar.

Un paso más... ¡a conversar!

Describa su lugar favorito. ¿Dónde está? ¿Por qué le gusta pasar tiempo allí? ¿Prefiere estar solo/a en ese lugar o con otras personas? ¿Con quiénes?

ocabulario

• Las actividades — Activities

almorzar	to have lunch
andar en motocicleta	to ride a motorcycle
andar en velero	to go sailing
caminar	to walk
charlar	to chat
coser	to sew
dar una fiesta	to give a party
dar un paseo	to go for a walk
desayunar	to have breakfast
descansar	to rest
escribir (cartas)	to write (letters)
esquiar	to ski
estudiar	to study
ir a (+ *infin.*)	to be going to (plan)
voy a...	I am going to . . .
va a	He/She is going to . . .
jugar al boliche	to bowl
lavar (el carro)	to wash (the car)
levantar pesas	to lift weights
limpiar	to clean
merendar	to have a picnic
montar a caballo	to ride a horse
pasar tiempo	to spend time
pasear (por el parque)	to go for a walk (in the park)
pasear en barca	to go for a boat ride
preferir	to prefer
prefiero	I prefer
prefiere	you prefer; he/she prefers
recibir (visitas)	to receive; to have company
reparar	to fix
tomar (una siesta)	to take (a nap)
tomar el sol	to sunbathe
tomar café/té	to drink coffee/tea
volar una cometa	to fly a kite

PALABRAS SEMEJANTES: invitar, surfear, visitar

• Las materias — School Subjects

el diseño de la moda	fashion design
la especialidad	major
la informática	data processing
la ingeniería (mecánica)	(mechanical) engineering
el mercadotecnia	marketing
la química	chemistry

PALABRAS SEMEJANTES: la antropología, el arte, la biología, las ciencias sociales, la economía, la física, la geografía, la historia, la literatura, la psicología, la sociología.

• El tiempo — The Weather

el clima	weather; climate
Está nublado.	It is overcast (cloudy).
los grados (centígrados)	degrees (centigrade)
Hace (muy) buen/mal tiempo.	The weather is (very) fine/bad.
Hace fresco.	It's cool.
Hace (mucho) calor/frío.	It's (very) hot/cold.
Hace sol.	It's sunny.
Hace (mucho) viento.	It's (very) windy.
llover	to rain
Llueve (mucho).	It rains (a lot).
la lluvia	rain
nevar	to snow
Nieva (mucho).	It snows (a lot).
la nieve	snow
el pronóstico del tiempo	weather forecast
¿Qué tiempo hace?	What is the weather like?

PALABRAS SEMEJANTES: la temperatura máxima/mínima

• ¿Cuándo? — When?

con frecuencia	frequently
después	after
esta noche	tonight
hasta	until
más tarde	later
por último	lastly
tarde	late
todavía	still, yet

REPASO: ahora, a veces, ayer, anteayer, hoy, mañana, pasado mañana, por la mañana/tarde/noche, temprano

• Los lugares — Places

el centro	downtown
la ciudad	city
el lago	lake
el mar	sea

la montaña	mountain
la preparatoria	prep school; high school
el río	river

PALABRAS SEMEJANTES: el campus, el laboratorio, el parque, el teatro

• Los números ordinales — Ordinal Numbers

primer, primero/a	first
segundo/a	second
tercer, tercero/a	third
cuarto/a	fourth
quinto/a	fifth
sexto/a	sixth
séptimo/a	seventh
octavo/a	eighth
noveno/a	ninth
décimo/a	tenth

• Las descripciones — Descriptions

algún / alguna	some
buen(o) / buena	good
deportivo/a	sport related
ese, esa / esos, esas	that / those
este, esta / estos, estas	this / these
europeo/a	European
ningún / ninguna	none; not any
próximo/a	next
todo/a	all
último/a	last

PALABRAS SEMEJANTES: atractivo/a, importante, liberado/a, macho/a, norteamericano/a, romántico/a, tradicional, violento/a

• Otros verbos útiles — Other Useful Verbs

abrir	to open
cerrar (ie)	to close
cierra	he/she/it closes
contestar	to answer
empezar (ie)	to start, begin
empieza	he/she/it starts
llegar	to arrive
manejar	to drive
nacer	to be born
ofrecer	to offer

PALABRAS SEMEJANTES: comparar, usar

• Los sustantivos — Nouns

el almuerzo	lunch
el árbol	tree
el chocolate caliente	hot chocolate
el descanso	break; rest
el deseo	want, desire
la entrada	entrance
la(s) flor(es)	flower(s)
la gente	people
la misa	Mass
el pasatiempo	hobby
la respuesta	answer
la temporada	season (of practice)

PALABRAS SEMEJANTES: el animal, el área, el cereal, el estereotipo, el gráfico, la invitación, la lista, la novela, el plan, el presente, la radio, el semestre, el trimestre

• Palabras del texto — Words from the Text

converse	converse (command)
decidir	to decide
imagínese	imagine
la oración	sentence
Pregúntele...	Ask him/her . . .

PALABRAS SEMEJANTES: asociar, la columna, la conversación, la definición, describir, mencionar, la narración, la ocasión, organizar, representar

• Palabras y expresiones útiles — Useful Words and Expressions

algo	something
como	like, as
en general	in general
entonces	so, then
los dos / las dos	both
Nos vemos.	See you.
si	if

PALABRAS SEMEJANTES: el club, la idea, posible, el tren

Gramática y ejercicios

2.1 Expressing Future Plans: *ir* + *a* + Infinitive

The most common way of expressing future plans is to use the verb **ir** (*to go*) plus the preposition **a** (*to*) followed by an infinitive. This construction is commonly referred to as the *informal future,* because Spanish has another future tense, generally reserved for talking about more long-term future plans.*

> **ir** = *to go*
> **¿Qué vas a hacer esta noche?** (*What are you going to do tonight?*)
> **Voy a estudiar.** (*I'm going to study.*)

—¿Qué **vas a hacer** mañana?	—*What are you going to do tomorrow?*
—**Voy a esquiar.**	—*I am going to ski.*
—¿Qué **van a hacer** ustedes este fin de semana?	—*What are you going to do this weekend?*
—**Vamos a ir** al cine.	—*We're going to go to the movies.*
—¿Qué **van a hacer** Esteban y Alberto después de la clase?	—*What are Esteban and Alberto going to do after class?*
—**Van a jugar** al basquetbol.	—*They're going to play basketball.*

Here are the forms of the irregular verb **ir.**[†]

ir (to go)		
(yo)	voy	*I am going; go*
(tú)	vas	*you (inf. sing.) are going; go*
(usted, él/ella)	va	*you (pol. sing.) are going; he/she is going; go; goes*
(nosotros/as)	vamos	*we are going; go*
(vosotros/as)	vais	*you (inf. pl., Spain) are going; go*
(ustedes, ellos/as)	van	*you (pl.) are going; they are going; go*

> **¡Vamos a salir a cenar!** (*Let's go out to eat!*) The expression **Vamos a** + infinitive is frequently used to express *Let's . . .*

EJERCICIO 1

Lea esta conversación sobre los planes de algunos compañeros de clase. Complete las oraciones con las formas correctas del verbo **ir.**

MODELO: Luis *va* a hacer ejercicio en el parque.

1. —¿Qué _____ a hacer tú después de la clase?
   —(Yo) _____ a ir de compras con una amiga.

---
*You will learn how to form the future tense in **Gramática 15.1.**
[†]Recognition: **vos vas**

2. —¿Y qué _____ a hacer Esteban y Carmen?
   —*Esteban _____ a estudiar y Carmen _____ a trabajar.*
3. —¿Y la profesora Martínez? ¿Qué _____ a hacer ella?
   —*Creo que _____ a leer la tarea de sus estudiantes, pero
   nosotros _____ a ir al cine.*
4. —Pablo, ¿cuándo _____ a estudiar tú?
   —*(Yo) _____ a estudiar más tarde, probablemente esta noche.*
5. —¿Y tú, Alberto? ¿Cuándo _____ a hacer la tarea para la clase
   de español?
   —*(Yo) _____ a hacer mi tarea mañana por la mañana.*

2.2 Sequencing: Ordinal Adjectives

Ordinal adjectives are used to put things and people into a sequence or order. The ordinals in English are *first, second, third, fourth,* and so on. Here
are the ordinals from *first* to *tenth* in Spanish.

primero/a	sexto/a
segundo/a	séptimo/a
tercero/a	octavo/a
cuarto/a	noveno/a
quinto/a	décimo/a

Mi **segunda** clase es difícil.   *My second class is difficult.*

As with **uno** (*one*), the words **primero** and **tercero** drop the final **-o** when
used before a masculine singular noun.

Estoy en el **primer** (**tercer**) **año.**   *I am in the first (third) grade.*

> **primer, primero/a** = *first*
> **segundo/a** = *second*
> **tercer, tercero/a** = *third*
> **cuarto/a** = *fourth*
> **quinto/a** = *fifth*
> **sexto/a** = *sixth*
> **séptimo/a** = *seventh*
> **octavo/a** = *eighth*
> **noveno/a** = *ninth*
> **décimo/a** = *tenth*

> ### ¡OJO!
> The feminine form of the
> ordinal is used if the refer-
> ent is *la persona: Guillermo
> es el cuarto,* but *Es la
> cuarta persona.*

EJERCICIO 2

Conteste las preguntas según el dibujo.

Ernesto   Estela   doña Lola   Guillermo   Amanda   Ramón   don Anselmo

1. ¿Quién es la primera
   persona*?
2. ¿Quién es la segunda
   persona?
3. ¿Es Guillermo la quinta?
4. ¿Es Amanda la primera?
5. ¿Es doña Lola la tercera?
6. ¿Quién es la sexta persona?
7. Don Anselmo es la quinta
   persona, ¿verdad?
8. ¿Quién es el primer
   hombre?
9. ¿Quién es la segunda
   mujer?
10. ¿Es don Anselmo el tercer
    hombre?

*__Persona__ is a feminine word, even when it refers to a man.

2.3 Stating Preferences and Desires: *preferir* and *querer* + Infinitive

The verbs **preferir*** (*to prefer, would rather*) and **querer*** (*to want*) are used to express preferences and desires. They are often followed by an infinitive. (Remember that infinitives are the nonconjugated verb forms that end in **-ar**, **-er**, or **-ir**.)

—¿Qué **quieres** hacer este invierno?
—**Quiero** esquiar.
—¿Qué **prefiere** hacer Pablo?
—**Prefiere** viajar.

—*What do you want to do this winter?*
—*I want to ski.*
—*What does Pablo prefer to do?*
—*He would rather travel.*

Note that the **e** of the stem of these verbs changes to **ie**, except in the **nosotros/as** and **vosotros/as** forms.[†]

	querer (to want)	preferir (to prefer)	
(yo)	quiero	prefiero	*I want/prefer*
(tú)	quieres	prefieres	*you (inf. sing.) want/prefer*
(usted, él/ella)	quiere	prefiere	*you (pol. sing.) want/prefer; he/she wants/prefers*
(nosotros/as)	queremos	preferimos	*we want/prefer*
(vosotros/as)	queréis	preferís	*you (inf. pl., Spain) want/prefer*
(ustedes, ellos/as)	quieren	prefieren	*you (pl.) want/prefer; they want/prefer*

> **preferir** = *to prefer, would rather*
> **querer** = *to want*
> **¿Qué quieres hacer ahora?** (*What do you want to do now?*)
> **Quiero descansar.** (*I want to rest.*)
> **¿Qué prefieres hacer?** (*What do you prefer to do? [What would you rather do?]*)
> **Prefiero comer ahora.** (*I prefer to eat now.*)

EJERCICIO 3

Complete estas oraciones según el modelo.

MODELO: Nora *quiere* patinar, pero Luis *prefiere* jugar al tenis.

1. Yo _____ ir al cine, pero Esteban _____ salir a bailar.
2. Nora _____ ver la televisión, pero Alberto _____ ir de compras.
3. Lan _____ pasear por el parque, pero yo _____ dormir todo el día.
4. Nora _____ comer comida china, pero Carmen y Pablo _____ cocinar en casa.
5. Mónica _____ dar una fiesta, pero Alberto _____ bailar en la discoteca.
6. El padre de Esteban _____ acampar, pero yo _____ ir a la playa.
7. Carmen _____ sacar fotos, pero Lan _____ escribir una carta.
8. Luis _____ dibujar, pero yo _____ tocar la guitarra.
9. Mónica y Pablo _____ ir a pasear por el centro, pero yo _____ dormir toda la tarde.
10. Luis y Alberto _____ descansar, pero Esteban _____ leer el periódico.

---

*Recognition: **vos preferís, querés**
[†]Verbs like **preferir** and **querer** that use more than one stem in their conjugation are known as *irregular verbs.* You will learn more about this type of verb beginning in **Gramática 3.3.**

EJERCICIO 4

¿Qué quieren hacer estas personas? Conteste según el modelo.

MODELO: ¿Qué quiere hacer Guillermo? → *Quiere jugar al basquetbol.*

1. ¿Qué quiere hacer Ernestito?

2. ¿Qué prefiere hacer usted, señor Saucedo?

3. ¿Qué quieren hacer Estela y Andrea?

4. Luis y Nora, ¿qué prefieren hacer ustedes?

5. ¿Qué prefieren hacer Diego y Rafael?

6. ¿Qué quiere hacer Amanda?

EJERCICIO 5

Escriba los planes y las preferencias de estas personas.

	PLANES		PREFERENCIAS/DESEOS
MODELO: Nora	*va a leer*	pero	*prefiere (quiere) dormir.*

1. Lan

2. Carmen

3. Esteban

4. Alberto

5. Pablo

6. Mi compañera

7. Yo

2.4 Describing the Weather: Common Expressions

Spanish speakers use several verbs to describe weather conditions.

A. If a weather expression refers to a phenomenon that can be felt (good weather, heat, cold, wind), use **hacer.**

—¿Qué tiempo **hace** hoy?　　—*What's the weather like today?*
—**Hace frío.**　　　　　　　　—*It's cold.*

Other weather expressions with **hacer** are **hace calor** (*it's hot*), **hace buen/mal tiempo** (*the weather is good/bad*), **hace viento** (*it's windy*), **hace sol** (*it's sunny*), and **hace fresco** (*it's cool*).

B. If a weather expression refers to a phenomenon that can be seen, use **haber.**

—**Hay neblina** por la costa.　　—*It's foggy* (*There is fog*) *along the coast.*

—**Hay nubes** hoy.　　　　　　　—*It's cloudy* (*There are clouds*) *today.*

Most Spanish weather expressions use either **hacer** or **haber:**
　　Hace frío. (*It's cold.*)
　　Hace calor. (*It's hot.*)
　　Hace buen/mal tiempo. (*The weather is good/bad.*)
　　Hay neblina. (*It's foggy.*)

But to talk about resultant states, use **estar** + adjective:
　　Está nublado. (*It's cloudy.*)

Nevar and **llover** use just the verb:
　　Nieva. (*It's snowing.* [*It snows.*])
　　Llueve. (*It's raining.* [*It rains.*])

C. For resultant states (that is, conditions that result from a specific phenomenon, such as **Hay nubes** or **Hace sol**), use **estar** with the appropriate adjective.

—**Está nublado** hoy.   —*It's cloudy today.*
—**Está soleado** en las montañas.   —*It's sunny in the mountains.*

D. To talk about rain and snow, use only the corresponding verb (**llover** or **nevar**).

—Siempre **llueve** aquí por la   —*It always rains here in the*
tarde.   *afternoon.*
—**Nieva** mucho en Montana.   —*It snows a lot in Montana.*

Note in all of these weather expressions that Spanish does not use a pronoun corresponding to English *it*.

EJERCICIO 6

Diga qué tiempo hace.

1.   2.   3.   4.   5.   6.

EJERCICIO 7

Diga si son posibles o imposibles estas combinaciones.

1. —¿Hace sol?
—Sí, y también hace calor.
2. —¿Hace mal tiempo?
—Sí, y llueve mucho.
3. —¿Hace buen tiempo?
—Sí, y hace mucho frío.

4. —¿Hace calor?
—Sí, y también nieva.
5. —¿Hace frío?
—Sí, y también hace mucho calor.

2.5   Pointing Out People and Objects: Demonstrative Adjectives

A. Demonstrative adjectives are normally used to point out nouns.

Quiero terminar **esta lección**   *I want to finish this lesson first.*
primero.
Esos tres **muchachos** quieren   *Those three boys want to ride*
andar en moto.   *motorcycles.*

Demonstrative adjectives are placed before the noun that they modify and must agree in gender and number with that noun.

aquí/acá (here) (close to the person speaking)			
SINGULAR		**PLURAL**	
este libro	this book	estos pantalones	these pants
esta señora	this lady	estas casas	these houses

allí/allá (there) (at some distance from the person speaking)			
ese libro	that book	esos pantalones	those pants
esa señora	that lady	esas casas	those houses

> este/esta = *this*
> este libro = *this book*
> esta fotografía = *this photo*

—Amanda, ¿no te gusta **esta blusa**?

—No, prefiero **esa blusa** roja

—**Estos pantalones** son nuevos. ¿Te gustan?

—Amanda, don't you like this blouse?

—No, I prefer that red blouse.

—These pants are new. Do you like them?

> estos/estas = *these*
> estos cuadernos = *these notebooks*
> estas tareas = *these homework assignments*

Use the demonstrative pronouns **esto** or **eso** when the object has not been identified.

—Estela, ¿sabes qué es **esto**?

—No, no sé.

—Estela, do you know what this is?

—No, I don't know.

> ese/esa = *that*
> ese cartel = *that poster*
> esa silla = *that chair*

The demonstratives **aquel, aquellos, aquella,** and **aquellas** indicate that the person or thing pointed out is more distant (generally far away in space or in time from both speakers).

—¿Ves **aquella casa**?

—¿**Aquella casa** de los árboles grandes?

Estudio biología en **este edificio** y estudio química en **aquel edificio.**

—Do you see that house (over there)?

—That house with the big trees?

I study biology in this building, and I study chemistry in that building (over there).

> esos/esas = *those*
> esos papeles = *those papers*
> esas chicas = *those girls*

> esto/eso = *this/that* (unidentified object)

> aquel/aquella = *that*
> aquel edificio = *that building*
> aquella plaza = *that plaza*

B. Although most adjectives in Spanish are placed after the noun they modify (**una casa moderna, unos zapatos negros**), the ordinal adjectives (**Gramática 2.2**) and the demonstrative adjectives are both placed before the adjective: **La *tercera* casa es la de mi prima. *Esos jóvenes* son mis amigos.** A few adjectives may be placed before or after the noun, with differences in meaning.

> aquellos/aquellas = *those*
> aquellos árboles = *those trees*
> aquellas puertas = *those doors*

Es un gran* hombre.	He is a great man.
Es un hombre grande.	He is a big man.
La señora Rivera es una vieja amiga de la familia.	Mrs. Rivera is an old (long time) family friend.
Es una señora vieja.	She is an old woman.

---

*The words **bueno, malo, primero,** and **tercero** shorten to **buen, mal, primer,** and **tercer** when placed before a masculine singular noun. **Es un buen chico. Es una buena profesora.** The word **grande** shortens to **gran** before any singular noun. **Isabel Allende es una gran escritora. Camilo José Cela y Gabriel García Márquez son grandes escritores.**

Ahora tengo un nuevo coche.	*Now I have a new (different) car.*
Mi vecino tiene un coche nuevo.	*My neighbor has a new (new model) car.*
¡El pobre niño no comprende la tarea!	*The poor child doesn't understand the assignment.*
Ese niño es de una familia muy pobre.	*That boy comes from a very poor family.*

EJERCICIO 8

Amanda está hablando con Graciela de su ropa. Complete las oraciones con **este, esta, estos** o **estas**.

MODELO: Me gusta *esta* blusa azul.

1. _____ blusa es mi favorita.
2. _____ zapatos son muy viejos.
3. _____ pantalones son nuevos.
4. _____ faldas son bonitas, pero un poco viejas.
5. _____ suéter es de mi mamá.

EJERCICIO 9

Doña Lola y doña Rosita están en la plaza hablando de sus vecinos. Complete las oraciones con **ese, esa, esos** o **esas**.

MODELO: *Esa* señora es una cocinera magnífica.

1. _____ señoritas trabajan en la oficina con Paula Saucedo.
2. _____ chico es Guillermo, el hijo de Ernesto y Estela Saucedo.
3. _____ muchacha se llama Amanda. Tiene 14 años.
4. _____ señores juegan a las cartas con don Anselmo.
5. _____ muchachos son compañeros de escuela de Ernestito.

EJERCICIO 10

Imagínese que usted está en una fiesta con Esteban. Él no conoce a muchas personas y por eso le hace a usted las siguientes preguntas. Complete las preguntas de Esteban con las formas correctas de **este** o **ese**.

1. ¿Cómo se llama _____ señora que está hablando con Nora allí cerca de la puerta?
2. Creo que _____ señor que está aquí a la derecha es amigo de tu padre, ¿verdad?
3. ¿Son actores _____ dos jóvenes que están allí en la cocina?
4. ¿Se llama Jesús _____ muchacho que está aquí detrás de nosotros?
5. ¿Cómo se llaman _____ muchachas que están sentadas aquí justamente enfrente de nosotros?

este/estos; esta/estas
ese/esos; esa/esas

EJERCICIO 11

Usted vende zapatos. ¿Cuáles recomienda? Use formas de **este, ese** y **aquel,** según la distancia entre usted y los dibujos.

Usted está aquí.

1. _____ zapatos son mejores para jugar al tenis.
2. _____ zapatos son para un señor que trabaja en una oficina.
3. _____ zapatos son bonitos pero no muy elegantes.
4. _____ zapatos son para una mujer que trabaja en una oficina.
5. _____ botas son para un obrero.
6. _____ sandalias me gustan mucho.

EL CLUB DE TITO

Restaurante y salón de baile
Avenida Jalapa 1475, México, D.F.
Teléfono: 2-46-98-71

SÁBADOS: B a i l e

Desde las 8:00 de la noche hasta las 5:00 de la mañana
Especialidad de la casa: *PIÑA COLADA*
¡ORQUESTA DE BETO RODRÍGUEZ!

el domingo, 5 de octubre
Escuche la música de JORGE MANRICO
¡directamente de Guadalajara!
¡Baile hasta las dos de la mañana!

VIERNES: B a i l e

Desde las 6:00 de la tarde
con la música de PEPE FUENTES

Capítulo 3

Los lugares y las actividades

«Cuando era niña y vivía en Harlem, siempre supe que Harlem era un tipo de exilio; lo que no sabía era por qué tenía que estar yo allí. Hubo tiempos felices así como tiempos tristes pero, para escapar, yo siempre soñaba despierta. Soñaba con un patio, con crecer e ir a la escuela de arte, con alejarme de allí.»

METAS

In **Capítulo 3** you will discuss daily activities and talk about places in the city and on your campus as well as about where you and others are from. You will also learn useful vocabulary related to the three daily meals: breakfast, lunch, and dinner.

Little Girl from Harlem, por Soraida Martínez (Estados Unidos)

Sobre la artista: Soraida Martínez —artista, diseñadora y autora de herencia puertorriqueña— nació en Harlem, Nueva York. Desde 1992, Soraida es la creadora del reconocido «Verdadismo»: estilo de arte abstracto y contemporáneo que contiene un comentario social sobre el racismo, el sexismo y los estereotipos. Soraida se graduó de la universidad con concentración en bellas artes y especialización en el diseño.

---

los Estados Unidos

1527
Álvar Núñez Cabeza de Vaca, conquistador español, explora el sur y suroeste de EU.

1500   1600   1700

Época precolombina
En el territorio de los EU habitan muchas tribus indígenas.

1600–1800
Colonización de Nuevo México por españoles; construcción de misiones católicas en Texas y California

Los amigos animados: Para repasar

Antes de comenzar este capítulo, mire los segmentos animados para repasar el capítulo anterior.

A. El Club Pacífico. Un anuncio del Club Pacífico en KSUN, Radio Sol de California.

B. El tiempo en México y en Buenos Aires. Adriana Bolini es argentina y viaja mucho por su trabajo. Ahora está en la Ciudad de México y conversa con un amigo.

En este capítulo...

ACTIVIDADES DE COMUNICACIÓN

- Los lugares
- Las actividades diarias
- Las tres comidas
- ¿De dónde es usted?

EN RESUMEN

LECTURAS Y CULTURA

- **Ventanas al pasado**
  Antoni Gaudí, gran arquitecto
- **Enlace literario**
  «Cuadrados y ángulos», por Alfonsina Storni
- **Lectura**
  La presencia vital de los hispanos

GRAMÁTICA Y EJERCICIOS

3.1 Talking about Location: **estar + en** and **ir + al / a la**

3.2 Talking about Habitual Actions: Present Tense of Regular Verbs

3.3 Using Irregular Verbs: **hacer, salir, jugar**

3.4 Asking and Answering Questions

3.5 Describing Origin and Location: **ser de / estar en**

1848 México cede varios territorios (California, Arizona, Nuevo México y otros) a EU.

1898 España pierde la guerra contra EU y le cede Cuba y Puerto Rico.

1952 Puerto Rico es designado Estado Libre Asociado (*Commonwealth*).

1959 Revolución cubana; comienza el primer gran éxodo cubano a EU.

1994 El gobierno de California les niega educación y cuidado médico a los hispanos indocumentados.

1800 | **1900** | **2000**

Puerto Rico se incorpora a EU (*Foraker Act*). **1900**

Revolución mexicana; aumenta el número de inmigrantes a EU. **1910**

Los puertorriqueños reciben ciudadanía estadounidense (*Jones Act*). **1917**

1965 César Chávez funda la organización United Farm Workers en California.

1979 Gran inmigración de América Central y América del Sur.

2000 Los hispanos son el grupo minoritario más grande del país.

Actividades de comunicación y lecturas

✳ Los lugares

Lea Gramática 3.1.

ACTIVIDAD I   Intercambios: La Universidad Estatal del Oriente

Mire el plano de la página siguiente. Escuche mientras su profesor(a) describe dónde están algunos edificios. Escriba el nombre del edificio en el espacio en blanco.

Edificios: la biblioteca, la cafetería, la Facultad de Ciencias Sociales, la Facultad de Medicina, el gimnasio, el teatro

Ahora, pregúntele a su compañero/a dónde están los edificios en el plano.

MODELOS: E1: ¿Dónde está *el teatro*?
             E2: Está *enfrente de la Facultad de Bellas Artes.*

             E1: ¿En qué calle está *la cafetería*?
             E2: Está en la *avenida de las Rosas,* al lado de la librería.

LA·UNIVERSIDAD·ESTATAL·DEL·ORIENTE

el estacionamiento

CALLE SEXTA (6ta/)

la facultad de ¿? Ciencias Sociales

la parada del autobús

la Facultad de Bellas Artes

teatro ¿?

AVENIDA DE LAS GARZAS

la Facultad de Filosofía y Letras

AVENIDA DEL ORIENTE

la Facultad de Ciencias Naturales

los laboratorios

biblioteca ¿?

cafetería ¿?

la librería

CALLE QUINTA (5ta/)

AVENIDA DE LAS ROSAS

la rectoría

el centro estudiantil

Facultad de ¿? Medicina

el hospital

CALLE CUARTA (4ta/)

la Facultad de Derecho

la parada del autobús

gimnacio ¿?

la piscina

● Usted está aquí.

ACTIVIDAD 2   Intercambios: En nuestra universidad

Pregúntele a su compañero/a dónde están los siguientes lugares en su universidad.

MODELO: E1: ¿Dónde está *la cafetería*?
          E2: Está *detrás de...*

1. la biblioteca
2. el gimnasio
3. la librería   *Cafetería*

4. el teatro
5. la Facultad de Ciencias Sociales
6. ¿? Facultad de Medicina esta entre

ACTIVIDAD 3 Descripción de dibujos: ¿Dónde está?

Escuche a su profesor(a) y escriba el numero que corresponde a estos lugares.

5 Videocentro
6 Hotel Los Cabos
7 Bar El Gato Verde
4 Farmacia Cruz Blanca

1 Café Cibernético
3 Biblioteca Municipal
8 Gimnasio Cabo Verde
2 Museo Nacional

CABO VERDE

X usted está aquí

ACTIVIDAD 4 Asociaciones: ¿Para qué vamos a estos lugares?

Empareje estas actividades con los lugares.

MODELOS: el parque →
Vamos al parque *para merendar con nuestros amigos.*

la papelería →
Vamos a la papelería *para comprar papel, lápices y cuadernos.*

LUGAR

1. el cine E.
2. la playa
3. el mercado
4. una panadería
5. un museo
6. la iglesia
7. el correo
8. un hospital
9. una zapatería
10. la biblioteca

ACTIVIDAD

a. para comprar zapatos
b. para ver las exhibiciones
c. para comprar estampillas y para mandar cartas
d. para rezar
e. para ver una película
f. para comprar pan o pasteles
g. para tomar el sol y nadar
h. para comprar comida
i. para leer y estudiar
j. para visitar a un enfermo

VENTANAS AL PASADO

Read

Antoni Gaudí, gran arquitecto

Antoni Gaudí i Cornet es uno de los arquitectos más famosos de Europa. Nace en 1852 en la provincia de Tarragona, en la costa mediterránea de España. A los 26 años recibe en Barcelona su título de arquitecto y conoce a Eusebi Güell, político y miembro de una prestigiosa familia catalana. Con el apoyo económico de Güell, el joven arquitecto Gaudí puede realizar varias obras impresionantes, entre ellas el Parque

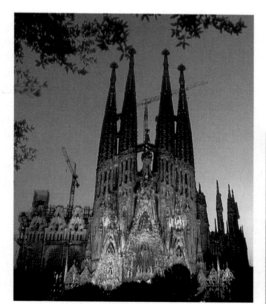
Iglesia de La Sagrada Familia

Güell. Este lugar, originalmente una urbanización de lujo, es hoy en día un parque público en la ciudad de Barcelona.

Gaudí crea una arquitectura impresionante basada en líneas curvas y formas geometrizadas, en líneas modernas y también medievales, que al mismo tiempo se incorpora a la naturaleza. También se ven en sus obras elementos árabes, sobre todo en su uso de torres, ladrillos, piedras y mosaicos. Entre sus muchas obras arquitectónicas están la villa *El*

VOCABULARIO ÚTIL

conoce	*meets*
catalán (catalana)	*from the region of Cataluña in Spain*
el apoyo	*support*
realizar	*to accomplish*
la urbanización de lujo	*upscale neighborhood*
al mismo tiempo	*at the same time*
la naturaleza	*nature*
la torre	*tower*
el ladrillo	*brick*
la piedra	*stone*
atropellado	*run over*
el tranvía	*street car*

Capricho en Cantabria, el Palacio Güell, el Parque Güell y el Colegio Teresiano en Barcelona. En esta ciudad también está la Iglesia de la Sagrada Familia, obra que Gaudí nunca termina.

Antoni Gaudí muere trágicamente en 1926 a la edad de 74 años, atropellado por un tranvía en Barcelona. La construcción continúa en la Iglesia de la Sagrada Familia y se estima que va a finalizarse para el año 2052: ¡200 años después del nacimiento de este creativo y prodigioso arquitecto!

Ahora... ¡ustedes!

¿Te gusta la arquitectura moderna o prefieres la tradicional? En tu propia (*own*) casa, ¿te gustan los elementos naturales o prefieres los materiales ultramodernos?

ACTIVIDAD 5   Preferencias: ¿Cuándo?

Exprese los planes. Complete cada oración con una de las frases.

1. Voy a estudiar en la biblioteca...
   - **a.** este fin de semana.
   - **b.** esta noche.
   - **c.** después de clase.
   - **d.** ¿ ?
2. Mis amigos van a ir a una discoteca...
   - **a.** mañana por la noche.
   - **b.** esta noche.
   - **c.** el próximo sábado.
   - **d.** ¿ ?
3. Mi profesor(a) de español va a explorar el Internet...
   - **a.** hoy.
   - **b.** pasado mañana.
   - **c.** mañana por la noche.
   - **d.** ¿ ?
4. Mi novio/a va a ir conmigo al cine...
   - **a.** el próximo sábado.
   - **b.** este viernes.
   - **c.** el lunes por la tarde.
   - **d.** ¿ ?
5. Voy a salir de vacaciones...
   - **a.** el próximo mes.
   - **b.** mañana por la mañana.
   - **c.** el próximo fin de semana.
   - **d.** ¿ ?

▶ **Y TÚ, ¿QUÉ DICES?**

¿De veras?	Buena idea.	¡Qué aburrido!
¿De verdad?	Yo también.	¡Qué interesante!
¡No lo creo!	¡Qué divertido!	

MODELO: E1: Voy a estudiar en la biblioteca a las 5:00 de la mañana.
E2: *¡No lo creo!*

ACTIVIDAD 6   Intercambios: El cine en Sevilla

Lea esta guía del cine en Sevilla. Luego, hágale preguntas sobre la guía a su compañero/a.

MODELO: E1: ¿Quieres ir al cine?
E2: Hummm… Tal vez. ¿Qué película quieres ver?
E1: En *los cines Nervión Plaza* exhiben *Miel para Oshún*.
E2: ¿A qué hora?
E1: A *las 18:00, 20:00, 22:00 y 00:10 horas.*
E2: ¿Cuánto cuesta?
E1: *Los sábados, domingos y días feriados* cuesta *4,9 euros; los días laborables* cuesta sólo *4,5 euros.*
E2: Perfecto, ¿por qué no vamos *el viernes*?

Guía del ocio – el cine en Sevilla

ALAMEDA 4 SALAS
TEL. 954.91.57.62
ALAMEDA DE HÉRCULES 9–10

Héctor. España, de Gracia Qerejeta. Drama con Nilo Mur. Un adolescente acomodado se enfrenta a una decisión difícil. 18:00, 20:00, 22:00 y 00:00. Por calificar. Todos los días €4,9. Día de pareja (jueves) €6.

Yo, Robot. EU De Alex Proyas. Ciencia-Ficción con Will Smith. ¿Rompe un robot las leyes de los robots de Isaac Asimov? 16:10, 18:20, 20:25, 22:10 y 00:10. No recomendada para menores de 14 años. Todos los días €4,9. Día de pareja (jueves) €6.

Balseros. Documental español de Carles Bosch y Josep Mª Domenech sobre los cubanos que salen de Cuba hacia los EU. Los presenta y luego documenta su evolución después de siete años. 15:10, 17:20, 21:25, 23:10 y 01:10. Por calificar. Todos los días €4,9.

Harry Potter y el prisionero de Azkaban. EU De Alfonso Cuarón. Con Emma Watson, Rupert Grint y Daniel Radcliffe. Las aventuras de Harry con Cornelius Fudge, ministro de Magia. Por calificar. 14:00, 16:10, 18:00, 20:10 y 22:00. Todos los días €4,9.

WARNER LUSOMUNDO 5 SALAS
AVE. WARNER LUSOMUNDO,
PLAZA DE ARMAS

El final de la noche. España, de Patxi Barco. Un heroinómano asalta el hostal de una pequeña ciudad. No apta para menores de 18 años. 18:00, 20:00, 22:00, 00:10. Sáb.-Dom. €5,15; laborables €4,75.

Frida. EU De Julie Taymor, con Salma Hayek y Alfred Molina. Biografía de Frida Kahlo, quien canalizó sus sufrimentos físicos y los problemas de su tempestuoso matrimonio con Diego Rivera hacia sus pinturas. 18:15, 20:15, 22:15, 00:15. Sáb.Dom. €5,15; laborables €4,75.

Troya. EU de Wolfgang Petersen, con Brad Pitt. En la antigua Grecia no sólo el poder, el honor o la gloria llevan a los hombres a la guerra…¡el amor también! Por calificar. 18:00, 20:00, 22:00, 00:10. Sáb.-Dom. €5,15; laborables €4,75.

Señorita extraviada. México, documental de Lourdes Portillo, sobre la violencia hacia las mujeres en Ciudad Juárez, México. Violencia, no apta para menores de 18 años. 18:00, 20:00, 22:00, 00:10. Sáb.-Dom. €5,15; laborables €4,75.

CINES NERVIÓN PLAZA 20 SALAS
TEL. 954.42.61.93
AVE. LUIS DE MORALES S/N

La Corporación. Documental de Jennifer Abbot. Sigue la trayectoria espectacular de las corporaciones como una presencia penetrante y dramática en nuestra vida. Todos los públicos. 18:10, 20:10, 22:10, 00:10. Sáb.-Dom. €5,15; laborables €4,75.

María, llena eres de gracia. Independiente, acción, de Joshua Martson. Sobre el narcotráfico en Colombia. Una joven colombiana acepta una oferta peligrosa para entrar a los EU Sólo adultos. 18:00, 20:00, 22:00, 00:10. Sáb., dom. y feriados €4,9; laborables €4,5.

Atún y chocolate. España, de Pablo Carbonell. Un pueblo pequeño de pescadores se une para ayudar a una familia con un problema muy original. Sin calificar. 18:00, 20:00, 22:00, 00:10. Sáb., dom. y feriados €4,9; laborables €4,5.

Miel para Oshún. Drama, comedia de Humberto Sols. La historia de Roberto, un taxista algo excéntrico, quien persigue la aventura por los caminos de Cuba. R. sólo adultos. 18:00, 20:00, 22:00, 00:10. Sáb., dom. y feriados €4,9; laborables €4,5.

ENLACE LITERARIO

«Cuadrados y ángulos», por Alfonsina Storni

Selección de su libro *El dulce daño* (1918)

Alfonsina Storni (1892–1938), argentina, es una de las poetas más estimadas de América Latina. En su corta vida, Storni trabaja de maestra y periodista[1] y publica varios libros de poesía. Entre todos sus libros, *El dulce daño* (1918) es uno de los más íntimos y personales. Sus últimas publicaciones son *Mundo de siete pozos* (1936) y *Mascarilla y trébol* (1938). Muchos de los poemas de Storni describen la gran ciudad: sus edificios, el tráfico, los parques. En «Cuadrados y ángulos» la poeta critica un lugar donde todo —las casas, la gente— tiene la misma forma.

Cuadrados y ángulos[2]

Casas enfiladas,[3] casas enfiladas,
casas enfiladas.
Cuadrados, cuadrados, cuadrados.
Casas enfiladas.
Las gentes ya tienen el alma cuadrada,[4]
Ideas en fila[5]
y ángulos en la espalda.
Yo misma he vertido ayer una lágrima,[6]
Dios mío, cuadrada.[7]

Actividad creativa: Las casas de su barrio

¿Le gusta su barrio? ¿Cómo son sus casas? Use «Cuadrados y ángulos» como modelo para escribir un breve poema sobre las casas de su barrio. Por ejemplo, puede describir casas grandes, pequeñas, feas, bonitas, nuevas, viejas. Puede también escribir sobre el color de las casas o mencionar otros lugares en su barrio.

[1]*journalist* [2]Cuadrados… *Squares and angles* [3]*in a row* [4]el… *square souls* [5]en… *in a row, in line* [6]Yo… *Just yesterday I shed a tear myself* [7]Dios… *Oh, God, it (my tear) was square*

✳ Las actividades diarias ✗

Lea Gramática 3.2–3.3.

Un día típico en la vida de la familia Saucedo

Ernesto lee el periódico todas las mañanas.

Los Saucedo y sus hijos desayunan juntos.

Ernesto sale de la casa a las 8:30.

Ernesto espera el autobús.

Amanda y sus hermanos caminan al parque.

Guillermo juega al fútbol con sus amigos.

Berta limpia la casa.

Estela prepara la cena.

La familia Saucedo cena a las 8:00.

> **REFRÁN**
>
> **Al que madruga, Dios lo ayuda.**
> (*The early bird gets the worm.* Literally, *God helps those who get up early.*)

ACTIVIDAD 7 Intercambios: Las actividades diarias

MODELOS: E1: ¿Quién *va a misa*?
E2: *Silvia.*

E1: ¿Cuándo *hace ejercicio Mayín*?
E2: *Los jueves por la noche.*

	SILVIA BUSTAMANTE MÉXICO, D.F.	ADRIANA BOLINI BUENOS AIRES	MAYÍN DURÁN LOS ÁNGELES
los lunes, por la mañana	va en metro al trabajo	maneja y habla por celular	va en coche a la estación de radio
los miércoles, por la tarde	trabaja en la estación de autobuses	diseña sitios Web	escribe un reportaje
los jueves, por la noche	estudia	asiste a una reunión	hace ejercicio en el gimnasio
los sábados, por la tarde	lleva su ropa a la lavandería	pasea por el parque	lee el periódico
los domingos, por la mañana	va a misa	juega al tenis	ve la televisión

ACTIVIDAD 8 Asociaciones: Las actividades típicas

¿Cuáles son las actividades típicas de estas personas?

1. un profesor / una profesora
2. un ama de casa
3. un hombre / una mujer de negocios
4. un(a) estudiante
5. un(a) recepcionista

Actividades posibles: almuerza en un restaurante, charla con un amigo en la cafetería, cocina, habla por teléfono, hace la compra, lee las tareas de los estudiantes, lee una revista, limpia la casa, prepara las lecciones, trabaja en su oficina, va a la biblioteca, va al correo

ACTIVIDAD 9 Narración: Un día en la vida de Carla Espinosa

▶ **PALABRAS ÚTILES**

primero	después	finalmente
luego	más tarde	por último
¿A qué hora?	A la(s)…	

[handwritten note:]
- tell time
- pick verb to describe
- 3rd person Sing.

ACTIVIDAD 10 Preferencias: ¿Con qué frecuencia?

Diga con qué frecuencia usted hace estas actividades durante la semana. Use **siempre, con frecuencia, a veces, de vez en cuando** y **casi nunca.**

MODELO: De vez en cuando hago la tarea en la biblioteca.

1. Veo la televisión por la noche.
2. Salgo a cenar con amigos.
3. Juego al basquetbol.
4. Voy al cine.
5. Lavo el carro.
6. Hago ejercicio aeróbico.
7. Preparo la cena.
8. Como en el carro.
9. Escucho un disco compacto mientras estudio.
10. Visito sitios en el Internet.

ACTIVIDAD 11 Asociaciones: Las actividades de mi familia

En su familia, ¿quién hace las siguientes actividades?

MODELOS: estudia(n) en la universidad →
Mis hermanos estudian en la universidad.

trabaja(n) los sábados →
Nadie en mi familia trabaja los sábados.

Mi esposo/a	Mi(s) hermano(s)/a(s)	Mi(s) hijo(s)/a(s)
Mis padres	Mi(s) primo(s)/a(s)	Nadie

1. sale(n) mucho con sus amigos
2. esquía(n) en el invierno
3. ve(n) la televisión
4. va(n) al cine los fines de semana
5. lee(n) el periódico por la mañana
6. escucha(n) música clásica
7. trabaja(n) los sábados
8. nada(n) en el verano

ACTIVIDAD 12 Entrevista: El fin de semana

GENERALMENTE LOS VIERNES POR LA NOCHE...

1. ¿Sales con tus amigos? ¿Vas al cine? ¿Vas a una discoteca o a un club?
2. ¿Trabajas? ¿Hasta qué hora?
3. ¿Cenas en algún restaurante?
4. ¿Lees un libro? ¿Exploras el Internet? ¿Juegas a las cartas?
5. ¿Vas a (Das) una fiesta? ¿Dónde? ¿Con quién(es)?

GENERALMENTE LOS SÁBADOS...

1. ¿Practicas algún deporte? ¿Cuál prefieres?
2. ¿Ves la televisión? ¿Qué programas te gustan?
3. ¿Vas de compras? ¿Adónde?
4. ¿Trabajas? ¿Dónde? ¿Cuántas horas?
5. ¿Estudias? ¿Dónde? ¿Con quién(es)?

✳ Las tres comidas

Lea Gramática 3.4.

El desayuno

los huevos

el cereal

el yogur

el jugo de naranja

la leche

el pan tostado con mantequilla

la fruta

el café

el té

El almuerzo

la sopa

las galletas

los tacos

el sándwich de jamón y queso

la hamburguesa

los refrescos

las papas fritas

las galletitas

La cena

el bistec

la papa al horno

la cerveza

las legumbres

el pan

la ensalada de lechuga y tomate

el pollo frito

el helado

el pastel

el postre

ACTIVIDAD 13   Conversación

Diga si le gustan o no estas comidas y bebidas.

MODELO: ¿Te gustan los huevos revueltos para el desayuno?
No, no me gustan; prefiero el cereal.

EL DESAYUNO	EL ALMUERZO	LA CENA
los huevos revueltos	la sopa	las legumbres
la fruta	la hamburguesa	el pollo frito
el pan tostado	un sándwich de	el arroz
la leche	jamón y queso	el bistec
el café / el té	los tacos	el pescado
el yogur	las papas fritas	el pastel de chocolate
el cereal	la ensalada	el helado
	un burrito	

ACTIVIDAD 14   Conversación

Vea las tres listas de la **Actividad 13** y diga si las comidas y bebidas son saludables o no.

MODELO: ¿Las papas fritas? No, no son saludables.
¿El pescado? Sí, es muy saludable.

ACTIVIDAD 15   Entrevista: ¿Qué comes... ?

1. ¿Qué desayunas todos los días? ¿Desayunas algo diferente los sábados? ¿Y los domingos?
2. ¿Dónde almuerzas de lunes a viernes? ¿A qué hora almuerzas? ¿Qué te gusta almorzar?
3. ¿Qué prefieres para la cena: bistec o pescado? ¿Cuál es el más saludable? ¿Y sales a cenar los fines de semana?
4. ¿Prefieres desayunar pan tostado o cereal? ¿Prefieres almorzar en casa o en la cafetería de la universidad?
5. ¿Te gusta cocinar o prefieres salir a cenar? ¿Cuál es tu restaurante favorito?
6. ¿A qué hora desayunas/almuerzas/cenas? ¿Sabes que en España y algunos países latinoamericanos el almuerzo es a las 2:00 ó 3:00 de la tarde y la cena a las 9:00 ó 10:00 de la noche? ¿Te gusta ese horario? ¿Por qué?

✳ ¿De dónde es usted?

Lea Gramática 3.5.

ESPAÑA
español
española

PORTUGAL
portugués
portuguesa

Pilar Álvarez
Madrid, España

MÉXICO, AMÉRICA CENTRAL y EL CARIBE

Rubén Hernández
Miami, Florida
La Habana, Cuba

Silvia Bustamante
México, D.F.

CUBA
cubano/a

PUERTO RICO
puertorriqueño/a

Carla Espinosa
San Juan, P.R.

MÉXICO
mexicano/a

GUATEMALA
guatemalteco/a

EL SALVADOR
salvadoreño/a

NICARAGUA
nicaragüense

HONDURAS
hondureño/a

LA REPÚBLICA DOMINICANA
dominicano/a

PANAMÁ
panameño/a

COSTA RICA
costarricense

Mayín Durán
Los Ángeles, California
Panamá, Panamá

COLOMBIA
colombiano/a

Ricardo Sícora
Caracas, Venezuela

VENEZUELA
venezolano/a

Susana Yamasaki
Lima, Perú

ECUADOR
ecuatoriano/a

BRASIL
brasileño/a

PARAGUAY
paraguayo/a

PERÚ
peruano/a

BOLIVIA
boliviano/a

URUGUAY
uruguayo/a

CHILE
chileno/a

ARGENTINA
argentino/a

SUDAMÉRICA

Adriana Bolini
Buenos Aires, Argentina

ACTIVIDAD 16   Identificaciones: Las capitales

Consulte el mapa de arriba o el mapa que aparece al principio del texto para completar las siguientes oraciones.

1. La capital de Venezuela es _____.
   a. Bogotá   **b.** Tegucigalpa   **c.** Caracas   **d.** La Paz
2. _____ es la capital de Ecuador.
   a. Quito   **b.** La Habana   **c.** Montevideo   **d.** Lima

La presencia hispana en los Estados Unidos es fuerte y se expresa de muchas formas. En la foto, un mural en el distrito de La Misión (*Mission District*) de la ciudad de San Francisco, California.

3. La capital de Nicaragua es _____.

    a. Asunción   **b.** Bogotá   **c.** San José   **d.** Managua

4. _____ es la capital de Argentina.

    a. San Juan   **b.** Buenos   **c.** Santiago   **d.** Madrid
                        Aires

5. La capital de Guatemala es _____.

    a. San   **b.** Santo   **c.** Guatemala   **d.** Panamá
       Salvador   Domingo

ACTIVIDAD 17   Entrevista: ¿De dónde... ?

1. E1: ¿De dónde eres?

    E2: Soy de _____.

2. E1: ¿De dónde es tu padre?

    E2: Es de _____.

3. E1: ¿De dónde es tu madre?

    E2: Es de _____.

4. E1: ¿Tienes un amigo de algún país hispano?

    E2: Sí, tengo un amigo / una amiga de _____.

5. E1: ¿Cómo se llama tu amigo/a?

    E2: Se llama _____.

En resumen

De todo un poco

A. Entrevista: Las actividades favoritas y los lugares

Charle con un compañero / una compañera.

1. ¿Qué te gusta hacer cuando vas a la playa? ¿Te gusta nadar o prefieres tomar el sol? ¿Te gusta andar en velero o prefieres jugar al voleibol?

2. ¿Qué haces cuando estás en una biblioteca? ¿Lees periódicos? ¿Estudias? ¿Usas una computadora?

3. ¿Cómo se llama tu parque favorito? ¿Qué haces allí? ¿Practicas un deporte? ¿Cuál? ¿Caminas? ¿Corres? ¿Cuándo vas al parque?

4. ¿Vas mucho al cine? ¿Con quiénes? ¿Qué tipo de películas te gusta? (*románticas, cómicas, musicales, de acción, de misterio, de horror, de ciencia ficción*)

5. ¿Escuchas mucho la radio? ¿Cuándo y dónde? ¿Por la mañana/tarde/noche? ¿Los fines de semana? ¿Qué emisora escuchas, generalmente?

6. ¿Qué tipo de música prefieres? ¿Cuáles son tus artistas favoritos? ¿Prefieres escuchar la radio o poner discos compactos?

B. El mapa de Sudamérica: ¿Dónde están estos países?

Trabajen en grupos de cuatro. Una persona debe leer las siguientes instrucciones; las otras tres personas deben seguir las instrucciones y escribir los nombres de los países en el mapa que el profesor / la profesora va a darles.

INSTRUCCIONES

1. Brasil es el país más grande de Sudamérica. Está *al lado derecho* del mapa. Venezuela está al norte de Brasil, *al lado izquierdo* de Guyana. Escriba Venezuela en el lugar apropiado.
2. Ahora vamos a Colombia. Está *al lado izquierdo* de Venezuela.
3. Ahora escriban «Ecuador» en el país pequeño que está al sur, *debajo de* Colombia y *al lado del* Océano Pacífico.
4. *Al lado izquierdo de* Brasil, *en medio del* mapa, está Bolivia. Está *lejos del* mar.
5. *Al lado izquierdo de* Brasil y *debajo de* Ecuador y Colombia, escriban «Perú.» Este país está *entre* Brasil, Bolivia y el Océano Pacífico.
6. *Debajo de* Perú, al sur, está Chile. Éste es un país largo y angosto (delgado). Está *al lado del* Océano Pacífico.
7. *Al lado derecho de* Chile está otro país muy grande, Argentina.
8. *Al lado derecho de* Argentina, y *al lado izquierdo del* Océano Atlántico, está Uruguay. Éste es un país muy pequeño.
9. *Arriba de* Argentina, al norte, y *debajo de* Bolivia y Brasil está otro país pequeño, Paraguay. No está *cerca del* mar.

Ahora, comparen su trabajo con el mapa que está en la página 131.

¡Dígalo por escrito!

Los pasatiempos y las actividades

Imagínese que usted recibe una carta de su amiga Silvia Bustamante, una estudiante de México. Ella le pregunta: «¿Cómo pasas el tiempo libre?» ¿Qué le va a contestar usted? Escríbale una carta, contestando su pregunta y también incluyendo algunas preguntas para ella. Empiece su carta así: Querida Silvia:… Termine su carta con: Un abrazo de… [el nombre de usted].

¡Cuéntenos usted!

Cuéntenos sobre su lugar favorito en su ciudad o estado. ¿Es una playa, un museo, un restaurante, una librería u otro lugar? ¿Dónde está? ¿Cuánto tiempo tarda para ir a ese lugar? ¿Hay mucha gente allí o es un lugar muy tranquilo? ¿Qué hace allí? ¿Prefiere ir solo/a o acompañado/a?

PISTAS PARA LEER
1. Skim the **Lectura.** Can you tell what its topic is?
2. Scan the last paragraph: What words of nationality are used to describe Hispanics in the United States? Which words do you find useful?
3. When you read, use context to figure out words you don't know and try to guess their meaning. But remember: guessing the exact meaning is not crucial to overall comprehension!

VOCABULARIO ÚTIL

la comunidad	community
los ciudadanos	citizens
Estado Libre Asociado	Commonwealth
los neoyorriqueños	Nuyoricans (New York Puerto Ricans)
ganador	winner
se destaca	stands out
se encuentran	are found
rebasa	surpasses
sea cual sea	whatever might be

LECTURA # La presencia vital de los hispanos

La palabra *Hispanic* se usa en los Estados Unidos con frecuencia para describir a todos los latinos. Pero en la comunidad hispana hay personas de varios países que forman grupos diferentes; cada uno de estos grupos tiene una historia interesante y muy particular. Hay hispanos en casi todas las ciudades estadounidenses. Algunos son emigrantes de España, otros de la América Latina. En su totalidad, los hispanos contribuyen de manera importante a la vida cultural y económica de los Estados Unidos.

El primer grupo grande es el de los mexicoamericanos o chicanos, que viven principalmente en el oeste y suroeste: en los estados de California, Nuevo México, Arizona, Texas y Colorado. Entre los hispanos de este grupo hay muchos escritores, actores, músicos, artistas y políticos. Usted seguramente reconoce el nombre de Edward James Olmos, actor de cine y televisión, y el del famoso guitarrista Carlos Santana. Una de las escritoras más estimadas de los Estados Unidos es Sandra Cisneros, autora de la novela *The House on Mango Street*. ¡Le recomendamos este libro! Entre los políticos y activistas también hay gente de gran impacto, como César Chávez y Dolores Huerta.

El segundo grupo lo forman los puertorriqueños, muchos de los cuales viven en Nueva York. Oficialmente, los puertorriqueños son ciudadanos estadounidenses, pues desde 1952 Puerto Rico es un Estado Libre Asociado de los Estados Unidos. De Puerto Rico son el primer congresista hispano de Illinois, Luis V. Gutiérrez, y los cantantes Ricky Martin y Marc Anthony. Entre los neoyorriqueños hay artistas reconocidos, como Soraida Martínez, y escritores estimados, como el poeta Tato Laviera.

Los cubanos forman el tercer grupo, que reside especialmente en Florida, Nueva Jersey y California. Los cubanoamerianos cuentan con novelistas de mucho éxito, como Óscar Hijuelos, autor de *The Mambo Kings Play Songs of Love* y ganador del Premio Pulitzer en 1990, y Cristina García, autora de *Dreaming in Cuban*. En la televisión se destaca Daisy Fuentes, en el cine Andy García y Cameron Díaz. ¿Le gusta a usted la música de Gloria Estefan? Gloria es la cubanoamericana más famosa en este país y el mundo entero.

Tenemos un cuarto grupo, el de los centroamericanos que se encuentran en California y los estados del este. Las comunidades más grandes de salvadoreños están en el área de Washington, D.C. y en Los Ángeles. Además de estos cuatro grupos, hay españoles, peruanos, dominicanos, bolivianos, venezolanos, paraguayos y colombianos. ¿Conoce usted la música de Shakira o de Soraya? ¿Le gustan las películas de John Leguizamo? Los tres son colombianos.

La población hispana en los Estados Unidos rebasa los 30 millones e incluye una enorme variedad de culturas e historias nacionales. Algunas personas de esta comunidad prefieren llamarse *Hispanic* o *Hispanic American;* otras usan las palabras *Latino* y *U.S. Latino;* también hay quienes son más específicos y mencionan su nacionalidad: peruano, cubano, salvadoreño. Pero sea cual sea la palabra preferida o el término oficial, la presencia hispana es cada día más visible y vital en los Estados Unidos.

Comprensión

A. Diga qué grupo(s) de hispanos predomina(n) en cada ciudad.

CIUDAD	GRUPO(S)
Houston	_____
Miami	_____
Nueva York	_____
Albuquerque	_____
Los Ángeles	_____

B. ¿Quién habla en cada caso? Indique si es una persona mexicoamericana (**M**), puertorriqueña (**P**), cubanoamericana (**C**) o de otro grupo de hispanos (**O**).

1. _____ Vivo en Los Ángeles; una de mis escritoras favoritas es Sandra Cisneros.
2. _____ Soy de una isla que es un Estado Libre Asociado. Me consideran ciudadano de los Estados Unidos.
3. _____ Soy bilingüe y vivo en Texas. Mis padres nacieron en Guadalajara.
4. _____ Vivo en Washington, D.C.; me gusta vivir aquí porque hay mucha gente de mi país.
5. _____ Nací en una isla del Caribe. Ahora vivo con muchos de mis compatriotas en Miami.

Un paso más... ¡a conversar!

1. ¿Cuántos hispanos famosos puede mencionar? ¿De qué países son?
2. ¿Conoce a alguna persona hispana? ¿Tiene amigos españoles o latinoamericanos? Describa a una de estas personas y diga si pertenece a alguno de los grupos mencionados en la **Lectura**.

ocabulario

• ¿Dónde está... ?   Where is . . . ?

abajo de	below
adentro de	inside
a la derecha/izquierda de	to the right/left of
afuera de	outside
al lado de	to the side of
al norte/sur	to the north/south
allí	there
alrededor de	around
aquí	here
arriba de	above
cerca de	close to
debajo de	under
detrás de	behind
encima de	on top of
enfrente de	in front of
en medio de	in the middle of
entre	between
lejos de	far from
sobre	above, on top of

• Los lugares de la universidad   Places in the University

la biblioteca	library
el edificio	building
el estacionamiento	parking lot
la Facultad de Bellas Artes	School of Fine Arts
la Facultad de Ciencias Naturales	School of Natural Science
la Facultad de Ciencias Sociales	School of Social Science
la Facultad de Derecho	School of Law
la Facultad de Filosofía y Letras	School of Humanities
la Facultad de Medicina	School of Medicine
la librería	bookstore
la parada del autobús	bus stop
la rectoría	office of the president

PALABRAS SEMEJANTES: la cafetería, el centro estudiantil, el gimnasio, el laboratorio, la oficina

• Los lugares de la ciudad   Places in the City

el almacén	department store
la avenida	avenue
el colegio	private school
el correo	post office
la escuela	school
la fuente	fountain
la gasolinera	gas station
la iglesia	church
la lavandería	laundromat
el (super)mercado	(super)market
el metro	subway
la panadería	bakery
la papelería	stationery store
la tienda	store
de regalos	gift shop
la zapatería	shoe store

PALABRAS SEMEJANTES: el aeropuerto, el bar, el café, el condominio, la farmacia, el hospital, el hotel, el museo, el videocentro
REPASO: el cine, la discoteca, el restaurante, el teatro

• Otros lugares   Other Places

Vea la página 131 para una lista de países hispanos y nacionalidades

el Caribe	Caribbean
Sudamérica	South America

PALABRAS SEMEJANTES: América Central, el Océano Atlántico, el Océano Pacífico

• El origen   Origins

¿De dónde es usted (eres tú)?	Where are you from?
Soy de...	I am from . . .
¿De dónde es... ?	Where is . . . from?
Es de...	He/She is from . . .

• Las actividades diarias   Daily Activities

almorzar (ue)	to eat lunch
asistir (a)	to attend
beber	to drink
comprar	to buy
diseñar	to design
esperar el autobús	to wait for (the bus)
hacer la compra	to do the (grocery) shopping
ir al trabajo	to go to work
jugar a las cartas	to play cards
llevar	to take, carry
mandar	to send

mirar	to look
poner	to put
discos compactos	to play CDs
una película	to show a movie
recoger	to pick up, gather
regresar	to return
rezar	to pray

PALABRAS SEMEJANTES: completar, conversar, corresponder, exhibir, preparar

• Las comidas y las bebidas   Foods and Beverages

el agua (f.)	water
el arroz	rice
la cena	dinner
la cerveza	beer
el desayuno	breakfast
las galletitas	cookies
las galletas	crackers, cookies
los huevos (revueltos)	(scrambled) eggs
el jamón	ham
el jugo (de naranja)	(orange) juice
la leche	milk
la lechuga	lettuce
las legumbres	vegetables
la mantequilla	butter
el pan	bread
el pan tostado	toast
la papa (al horno)	(baked) potato
las papas fritas	French fries
el pastel	pastry, cake
el pescado	fish
el pollo (frito)	(fried) chicken
el postre	dessert
el queso	cheese
el refresco	(soft) drink

PALABRAS SEMEJANTES: el burrito, el taco, la ensalada, el tomate, la fruta, el bistec, el sándwich, la sopa, el yogur, la hamburguesa
REPASO: el almuerzo, el café, el cereal, el chocolate, el helado, el té

• Los sustantivos   Nouns

el abrazo	hug
el ama de casa	housewife
la emisora (de radio)	radio station
la estampilla	(postage) stamp
el euro	euro, *monetary unit of European Union*
el hombre / la mujer de negocios	businessman/ businesswoman
el horario	schedule

nadie	no one / nobody
el reportaje	newspaper report, article
la reunión	meeting
la tarea	homework
la vida	life

PALABRAS SEMEJANTES: la acción, el/la artista, la capital, la ciencia ficción, la estación, la exhibición, la gasolina, el horror, el misterio, el programa, el sitio Web, el tipo, el voleibol

• ¿Cuándo?   When?

¿Con qué frecuencia?	How often?
de las... a las...	from (time) . . . to (time)
de vez en cuando	from time to time
finalmente	finally
generalmente	usually, generally
mañana por la mañana (la tarde) (la noche)	tomorrow morning (afternoon) (evening)
mientras	meanwhile
(casi) nunca	(almost) never
siempre	always
todos los días	every day

REPASO: con frecuencia, próximo

• Los adjetivos   Adjectives

enfermo/a	sick
juntos/as	together
saludable	healthy

PALABRAS SEMEJANTES: central, cibernético/a, clásico/a, diferente, latinoamericano/a, municipal, musical, varios/as

• Palabras del texto   Words from the Text

el cuadro	graph
Empareje(n)...	Pair up, Match . . . (*command*)
Empiece(n)...	Begin . . . (*command*)
seguir las instrucciones	to follow directions
Termine(n)...	Finish . . . (*command*)

PALABRAS SEMEJANTES: el espacio en blanco, la lección

• Palabras y expresiones útiles   Useful Words and Expressions

¿Adónde... ?	To where . . . ?
al principio	at the beginning
conmigo	with me
¿De veras? / ¿De verdad?	Really?
el plano	map (of a room or city)
Querido/a...	Dear . . .

Gramática y ejercicios

3.1 Talking about Location: *estar + en, ir + al / a la*

A. Estar + en

> **Estar** is used for location:
> **¿Dónde está Susana?**
> (*Where is Susan?*)
> **Está en la escuela.**
> (*She's at school.*)

Use the verb **estar*** (*to be*) to locate people and objects.

—¿Dónde **está** la profesora Martínez?
—**Está** en clase.

—*Where is Professor Martínez?*
—*She's in class.*

—Esteban, ¿dónde **está** su libro?
—**Está** en casa.

—*Esteban, where is your book?*
—*It's at home.*

> **estar** = *to be*

Here are the present-tense forms of the irregular verb **estar.**

estar (*to be*)		
(yo)	est**oy**	*I am*
(tú)	est**ás**	*you (inf. sing.) are*
(usted, él/ella)	est**á**	*you (pol. sing.) are; he/she is*[†]
(nosotros/as)	est**amos**	*we are*
(vosotros/as)	est**áis**	*you (inf. pl., Spain) are*
(ustedes, ellos/as)	est**án**	*you (pl.) are; they are*

B. *Ir + al / a la*

GRAMÁTICA ILUSTRADA

> **¿RECUERDA?**
>
> Remember from **Gramática 2.1** that the present-tense forms of **ir** are **voy, vas, va, vamos, vais,** and **van.**[‡] These verb forms can mean *going* or simply *go(es)*.

Raúl y Mónica **van al** cine.

Raúl y Mónica **están en** el cine.

---

*Recognition: **vos estás**

[†]Remember that there is no Spanish equivalent for the English subject pronoun *it*. The third-person verb form conveys the meaning of *it* as well as of *he* or *she*.

[‡]Recognition: **vos vas**

¿**Adónde?** ([*To*] *Where?*) is used to ask where someone is going. The verb **ir** (*to go*) followed by the preposition **a** (*to*) is used to express the idea of movement toward a location. Note that **a** + **el** contracts to **al** (*to the*).

—¿**Adónde vas?**	—*Where are you going?*
—**Voy al** parque.	—*I'm going to the park.*
—¿**Adónde van** ustedes los sábados?	—*Where do you go on Saturdays?*
—**Vamos al** trabajo y luego **vamos a la** biblioteca para estudiar.	—*We go to work and then we go to the library to study.*
—¿**Adónde va** la profesora Martínez?	—*Where's Professor Martínez going?*
—**Va a la** universidad.	—*She's going to the university.*

The expression **ir** + **a** + *location,* used with the following expressions of time, indicates when you are going.

este viernes	*this Friday*	el próximo sábado	*next Saturday*
este fin de semana	*this weekend*	la próxima semana	*next week*
esta primavera	*this spring*	el próximo mes	*next month*

Vamos a ir al restaurante El Tecolote **la próxima semana.**

We're going to go to the El Tecolote restaurant next week.

EJERCICIO 1

Diga dónde están estas personas.

MODELO: Mi hijo *está en* la escuela.

1. Yo _____ la biblioteca.
2. Luis y Nora _____ su clase de biología.
3. Tú _____ la rectoría.
4. Esteban y yo _____ el edificio de Ciencias Naturales.
5. La profesora Martínez _____ su oficina.
6. Nora y yo _____ enfrente del hospital.
7. Esteban, ¿_____ detrás del teatro?
8. Profesora Martínez, ¿_____ usted en la librería ahora?
9. Alberto y Pablo _____ la universidad.
10. Nosotros _____ aquí en la Facultad de Derecho.

EJERCICIO 2

¿Adónde van estas personas? Complete las oraciones con la forma apropiada del verbo **ir** y **al** o **a la.**

MODELO: Usted *va al* parque los domingos.

1. Mis compañeros y yo _____ tienda nueva enfrente de la universidad.
2. Mis hermanos siempre _____ cine los sábados.

---

adónde = *where* (*to*)
ir a = *to go to*
    Voy al cine. (*I'm going to the movies.*)

Ir a + infinitive is used to express the future:
    Mañana voy a trabajar. (*Tomorrow I'm going to work.*)
este viernes = *this Friday*
el próximo viernes = *next Friday*
    El próximo mes vamos a empezar las clases. (*Next month we're going to start classes.*)

¡OJO!

Remember to use the word **en** when necessary. Do not use **a. Estoy en mi casa.**

---

a + **el** = **al** (obligatory contraction)
    Voy al mercado.
a + **la** (no contraction)
    Voy a la escuela.

3. (Nosotros) _____ supermercado a comprar fruta.
4. La profesora Martínez _____ oficina a trabajar.
5. (Yo) _____ playa a tomar el sol y nadar.
6. (Yo) Siempre _____ biblioteca a leer y estudiar.
7. Esteban y Carmen _____ restaurante chino que está cerca de aquí para cenar.
8. Luis _____ plaza a pasear con una amiga.
9. (Nosotros) _____ librería a comprar el libro de español.
10. (Tú) _____ trabajo después de las clases.

> As you have seen in **Gramática A.1, C.5,** and **1.2,** Spanish verb endings tell us who is performing the action. The subject pronouns (**yo, tú, usted, ella, nosotros,** etc.) are often omitted.

> **llegar** = to arrive

3.2 Talking about Habitual Actions: Present Tense of Regular Verbs

A. You already know that the endings of Spanish verbs must correspond to the subject of the sentence: that is, to the person or thing that does the action.

—Nora, ¿cuándo estudi**as**?   —*Nora, when do you study?*
—Estudi**o** por la mañana.   —*I study in the morning.*

—¿Qué hac**en** ustedes los domingos?   —*What do you do on Sundays?*
—Visit**amos** a nuestros abuelos.   —*We visit our grandparents.*

B. Most Spanish verbs end in **-ar.** Here are the endings for **-ar** verbs.*

llegar (to arrive)		
(yo)	lleg**o**	*I arrive*
(tú)	lleg**as**	*you (inf. sing.) arrive*
(usted, él/ella)	lleg**a**	*you (pol. sing.) arrive; he/she arrives*
(nosotros/as)	lleg**amos**	*we arrive*
(vosotros/as)	lleg**áis**	*you (inf. pl., Spain) arrive*
(ustedes, ellos/as)	lleg**an**	*you (pl.) arrive; they arrive*

—¿A qué hora lleg**as** a la escuela?   —*What time do you arrive at school?*
—Generalmente lleg**o** a las 9:00.   —*Generally I arrive at 9:00.*

C. Verbs that end in **-er** and **-ir** use identical endings, except for the **nosotros/as** and **vosotros/as** forms.†

---

*Recognition: **vos llegás**
†Recognition: **vos comés, escribís**

comer (to eat)		
(yo)	com**o**	*I eat*
(tú)	com**es**	*you (inf. sing.) eat*
(usted, él/ella)	com**e**	*you (pol. sing.) eat; he/she eats*
(nosotros/as)	com**emos**	*we eat*
(vosotros/as)	com**éis**	*you (inf. pl., Spain) eat*
(ustedes, ellos/as)	com**en**	*you (pl.) eat; they eat*

comer = *to eat*

escribir (to write)		
(yo)	escrib**o**	*I write*
(tú)	escrib**es**	*you (inf. sing.) write*
(usted, él/ella)	escrib**e**	*you (pol. sing.) write; he/she writes*
(nosotros/as)	escrib**imos**	*we write*
(vosotros/as)	escrib**ís**	*you (inf. pl., Spain) write*
(ustedes, ellos/as)	escrib**en**	*you (pl.) write; they write*

escribir = *to write*

—¿Dónde com**en** al mediodía?　　—*Where do you eat at noon?*
—Com**emos** en casa.　　　　　　　—*We eat at home.*

—¿Escrib**es** la tarea a máquina?　—*Do you type the homework?*
—No, escrib**o** los ejercicios a mano.　—*No, I write the exercises by hand.*

D. The verb form must agree with the subject even when the subject is not explicitly stated. When the subject is expressed, it may be a pronoun, as in the preceding table, or a noun.

> **La profesora Martínez** no **habla** francés. 　　*Professor Martínez does not speak French.*

The subject may also consist of a noun + pronoun. A subject combining a noun or pronoun with **yo** takes the **nosotros/as** form.

> **Nora y yo** no **hablamos** italiano. 　　*Nora and I don't speak Italian.*

A subject combining a noun or pronoun with **tú** or **usted** takes the plural form.

> **Alberto y tú hablan** español con Raúl. 　　*Alberto and you speak Spanish with Raúl.*

These agreement rules take some time to acquire. Think about them when you are editing your writing; don't be overly concerned about them in speech.

Note that the principal differences between **-ar,** **-er,** and **-ir** verbs are the vowels **a** and **e.**

In Central America, Argentina, and Uruguay, **vos = tú.**

E. Central America, Argentina, and Uruguay use a different subject pronoun—**vos**—and verb form for informal singular address.*

—¿Qué hora ten**és vos**?   —*What time do you have?*
—Tengo las 6:30.   —*I have 6:30.*

—¿Cuándo lleg**ás vos**?   —*When do you arrive?*
—Llego a las 9:00 de la noche.   —*I arrive at 9:00 P.M.*

EJERCICIO 3

Combine las personas de la lista A con las actividades de la lista B.

MODELO: Mi hermano y yo jugamos al tenis.

LISTA A	LISTA B
1. la profesora Martínez	**a.** hacen la tarea para mañana
2. yo	**b.** maneja un carro nuevo
3. tú	**c.** jugamos al tenis
4. mi hermano y yo	**d.** como demasiado
5. mis compañeros de clase	**e.** habláis español
6. vosotros	**f.** lees el periódico

EJERCICIO 4

Éstas son las actividades de Amanda, su familia y sus amigos. Escriba la forma correcta del verbo entre paréntesis.

MODELO: Amanda *llama* a Graciela muy temprano en la mañana. (llamar)

1. Graciela y yo _____ las composiciones juntas. (escribir)
2. Mi novio Ramón _____ ropa muy elegante. (llevar)
3. Mi mamá y yo _____ la casa los sábados. (limpiar)
4. Mis padres _____ juntos por la mañana. (desayunar).
5. Mi hermano Guillermo _____ las tiras cómicas los domingos. (leer)
6. Andrea y Pedro Ruiz _____ juntos al mediodía. (comer)
7. Ernestito _____ mucho en su bicicleta. (andar)
8. (Yo) _____ por teléfono con mi amiga Graciela. (hablar)
9. Amanda, Guillermo y Ernestito _____ a la escuela de lunes a viernes. (asistir)
10. Ramón, Graciela y yo siempre _____ música rock en la radio. (escuchar)

3.3 Using Irregular Verbs: *hacer, salir, jugar*

A verb that uses more than one stem in its conjugation is considered irregular. Here are the forms of three common irregular verbs.

¿RECUERDA?

In **Gramática C.5** and **1.2** you learned that verbs that use only one stem in their conjugations—such as **hablar, comer, vivir**—are regular verbs. Irregular verbs, on the other hand, use more than one stem in their conjugations. You saw the forms of two such irregular verbs, **preferir** and **querer,** in **Gramática 2.3.** Review those forms now, if necessary.

*You may learn more about **vos** forms in the **Expansión gramatical** section of the *Cuaderno de actividades.*

A. The present tense of **hacer*** (*to do; to make*) uses two stems: **hag-** for the **yo** form and **hac-** for all others.

hacer (to do; to make)		
(yo)	hag**o**	*I do*
(tú)	hac**es**	*you (inf. sing.) do*
(usted, él/ella)	hac**e**	*you (pol. sing.) do; he/she does*
(nosotros/as)	hac**emos**	*we do*
(vosotros/as)	hac**éis**	*you (inf. pl., Spain) do*
(ustedes, ellos/as)	hac**en**	*you (pl.) do; they do*

hacer = *to do; to make*
(Yo) Hago. = *I do; I make.*
(Tú) Haces. = *You (inf. sing.) do; you make.*
(Nosotros) Hacemos. = *We do; we make.*

—¿Qué **haces** después de clases? —*What do you do after school?*
—**Hago** mi tarea. —*I do my homework.*

B. The present tense of **salir⁺** (*to leave; to go out*) uses the stems **salg-** for the **yo** form and **sal-** for all others.

salir (to leave; to go out)		
(yo)	salg**o**	*I leave*
(tú)	sal**es**	*you (inf. sing.) leave*
(usted, él/ella)	sal**e**	*you (pol. sing.) leave; he/she leaves*
(nosotros/as)	sal**imos**	*we leave*
(vosotros/as)	sal**ís**	*you (inf. pl., Spain) leave*
(ustedes, ellos/as)	sal**en**	*you (pl.) leave; they leave*

salir = *to leave; to go out.*
(Yo) Salgo. = *I leave; I go out.*
(Tú) Sales. = *You (inf. sing.) leave; you go out.*
(Nosotros) Salimos. = *We leave; we go out.*

To express a point of departure with **salir,** use the preposition **de,** even if the preposition *from* is not used in English.

—¿A qué hora **sales de** tu casa por la mañana? —*What time do you leave home in the morning?*
—**Salgo** a las 7:30. —*I leave at 7:30.*

---

*Recognition: **vos hacés**
⁺Recognition: **vos salís**

C. The present tense of the verb **jugar*** (*to play*) uses the stem **jug-** from the infinitive for the **nosotros/as** and **vosotros/as** forms and **jueg-** for all other forms. This verb follows the same pattern as **preferir** and **querer** in **Gramática 2.3.**[†]

<table>
<tr><th colspan="3">jugar (to play)</th></tr>
<tr><td>(yo)</td><td>**juego**</td><td>I play</td></tr>
<tr><td>(tú)</td><td>**juegas**</td><td>you (inf. sing.) play</td></tr>
<tr><td>(usted, él/ella)</td><td>**juega**</td><td>you (pol. sing.) play; he/she plays</td></tr>
<tr><td>(nosotros/as)</td><td>jug**amos**</td><td>we play</td></tr>
<tr><td>(vosotros/as)</td><td>jug**áis**</td><td>you (inf. pl., Spain) play</td></tr>
<tr><td>(ustedes, ellos/as)</td><td>**juegan**</td><td>you (pl.) play; they play</td></tr>
</table>

> **jugar** = *to play*
> **(Yo) Juego.** = *I play.*
> **(Tú) Juegas.** = *You (inf. sing.) play.*
> **(Nosotros) Jugamos.** = *We play.*

Remember that there are two words spelled **juego: el juego** (*the game*) and **(yo) juego** (*I play*).

Los sábados **juego** al fútbol con mis amigos.	*Saturdays I play soccer with my friends.*
¡Me gusta mucho ese **juego**!	*I like that game a lot!*

EJERCICIO 5

Complete las conversaciones con la forma correcta de **hacer, salir** o **jugar.**

MODELO: —Luis, ¿cuándo *haces* las tareas?
—*Hago* las tareas por la tarde.

1. —Señor Saucedo, ¿a qué hora _____ usted de casa para su trabajo?
   —_____ a las 8:30.
2. —Guillermo, ¿_____ al fútbol por la tarde?
   —Sí, _____ después de clases.
3. —Señor Padilla, ¿_____ usted ejercicio todos los días?
   —No, _____ ejercicio en el gimnasio solamente los lunes y los miércoles.
4. —Ernesto y Estela, ¿_____ ustedes al tenis?
   —Sí, _____ al tenis los sábados.

3.4 Asking and Answering Questions

A. As your learned in **Capítulo 1,** questions in Spanish are formed by placing the verb before the subject, with any object or description following or preceding the verb. Answers are regular statements preceded by the word **sí** or the word **no.** A negative answer can have one or two negative words, depending on whether you are simply answering the question or offering the correct information as well. Here are some examples.

> **¿RECUERDA?**
>
> In **Gramática 1.3** you learned that statements in Spanish are formed by using the subject, then the verb, and then the object and/or description. You also learned that negative statements are made by using a negative immediately before the verb. You also read that questions are generally formed by placing the subject after the verb:
>
> **¿Vive Susana en Perú?**
> **¿Es gordo Ramón?**
> **¿Lees (tú) muchas novelas?**

*Recognition: **vos jugás**
[†]The verb **almorzar** (to eat lunch) follows the same pattern: **almuerzo, almuerzas, almuerza, almorzamos, almorzáis, almuerzau.**

QUESTION:	¿Vive Pilar en España?	*Does Pilar live in Spain?*
ANSWER:	Sí, Pilar vive en España.	*Yes, Pilar lives in Spain. / Yes, she does.*
QUESTION:	¿Tiene un perro pequeño Ernestito?	*Does Ernestito have a small dog?*
ANSWER:	No, (Ernestito) no tiene un perro pequeño. No, tiene un perro grande.	*No, he doesn't have a small dog.* *No, he has a large dog.*
QUESTION:	¿Es delgada Andrea?	*Is Andrea slim?*
ANSWER:	Sí, Andrea es delgada.	*Yes, Andrea is slim. / Yes, she is.*
QUESTION:	¿Hablan español ellos?	*Do they speak Spanish?*
ANSWER:	No, (ellos) no hablan español. No, hablan alemán.	*No, they do not speak Spanish.* *No, they speak German.*

> Remember that additional words, such as *does* or *do*, are unnecessary to turn a statement into a question in Spanish.

B. Interrogative (question) words like **¿Qué?, ¿Cuándo?, ¿(De) Quién(es)?,** ~~(pg 79) reference~~
¿Dónde?, ¿Cómo?, ¿Cuánto(s)?, ¿Cuánta(s)?, ¿Cuál?, or **¿Por qué?** are
placed before the verb to create questions.

~~¿ADÓNDE?: to where?~~

¿Cuánto cuesta el libro?	*How much is the book?*
¿Dónde está la biblioteca?	*Where is the library?*
¿Cuál es tu número de teléfono?	*What is your phone number?*
¿Quién tiene A en el examen?	*Who has an A in the exam?*
¿Cuándo quieres desayunar?	*When do you want to have breakfast?*
¿Por qué no comemos enchiladas hoy?	*Why don't we have (eat) enchiladas today?*
¿Qué vas a hacer esta noche?	*What are you going to do tonight?*

EJERCICIO 6

Imagínese que usted es Amanda. Escriba preguntas según los modelos. Use
la forma correcta de **tú, usted** o **ustedes.**

MODELOS: Pregúntele a doña Lola si va en metro al trabajo. →
Doña Lola, ¿va usted en metro al trabajo?

Pregúntele a Rafael si lee el periódico por la mañana. →
Rafael, ¿lees el periódico por la mañana?

1. Pregúntele a su papá si toma mucho café en el trabajo.
2. Pregúntele a Diego si él y sus amigos juegan al béisbol.
3. Pregúnteles a Graciela y a Diego si tienen una computadora.
4. Pregúntele a Raúl si hace ejercicio en un gimnasio.
5. Pregúntele a Pedro Ruiz si trabaja por la noche.
6. Pregúntele a don Eduardo si prepara café por la mañana.
7. Pregúntele a su mamá si cocina por la mañana o por la tarde.
8. Pregúntele a Clarisa si ve la televisión por la noche.
9. Pregúntele a doña Rosita Silva si asiste a misa los domingos.
10. Pregúntele a doña Lola si lava su ropa en casa o en una lavandería.

> **¡OJO!**
>
> Note that the items require **tú, usted,** and **ustedes.** Keep in mind that the person asking the questions is Amanda, a teenager. Remember that the pronoun **tú** is usually dropped but that the pronoun **usted** is normally included.

EJERCICIO 7

Conteste las preguntas correctamente.

1. ¿Es usted mujer?
2. ¿Vive usted en los Estados Unidos?
3. ¿Maneja usted un Ferrari?
4. ¿Tiene usted más de ochenta años?
5. ¿Estudia usted español o francés?

EJERCICIO 8

Haga preguntas con estas oraciones. Use palabras interrogativas como: **cuál, cuándo, cuánto, dónde, quién, qué, por qué.**

MODELO: La profesora está en la biblioteca. → ¿Dónde está la profesora?

1. Mi esposo está en la casa.
2. Mi cumpleaños es el 22 de julio.
3. Tengo una novela muy buena en mi mochila.
4. La dirección de mis hermanos es Calle Bolívar número 513.
5. No voy a jugar al tenis hoy porque estoy cansado/a.
6. El libro de química cuesta $120.00.

¿RECUERDA?

In **Gramática A.3** you saw how the verb **ser** is used to identify people and things, whereas the verb **estar** is used to locate people and objects (**Gramática 3.1**). Review those verbs and their conjugations now, if necessary.

The distinction between **ser** and **estar** takes a while to acquire. Keep listening to and reading Spanish and you will develop a feel for it.

ser = origin; **estar** = location
  ¿De dónde es usted?
  (*Where are you from?*)
  Soy de Perú. (*I'm from Peru.*)
  ¿Dónde está usted?
  (*Where are you?*)
  Estoy aquí, en el patio. (*I'm here, on the patio.*)

3.5 Describing Origin and Location: *ser de / estar en*

A. A form of the verb **ser** (*to be*) followed by **de** (*from, of*) can specify origin. The following questions show you how to ask where someone is from.

—**¿De dónde es** Adriana Bolini?   —*Where is Adriana Bolini from?*
—**Es de** Buenos Aires.   —*She's from Buenos Aires.*

—Raúl, **¿de dónde eres?**   —*Raúl, where are you from?*
—**Soy de** México.   —*I'm from Mexico.*

As you know, **ser** can be followed directly by an adjective of nationality (see **Gramática C.4**).

—Sr. Saucedo, **¿es** usted argentino?   —*Mr. Saucedo, are you Argentinean?*
—No, **soy** mexicano.   —*No, I'm Mexican.*

B. Remember that two verbs in Spanish correspond to the English verb *to be.* **Ser** is used to tell where someone is from; **estar** is used to express location (see **Gramática 3.1**).

Clara **es de** los Estados Unidos, pero este año **está en** España.   *Clara is from the United States, but this year she's in Spain.*
Ernesto y Estela **son de** México, pero ahora **están** en Italia.   *Ernesto and Estela are from Mexico, but now they're in Italy.*

EJERCICIO 9

Diga de dónde son las siguientes personas y dónde están ahora.

MODELO: Adriana es de Argentina, pero ahora está en Washington, D.C.

is from   but now they are in ——

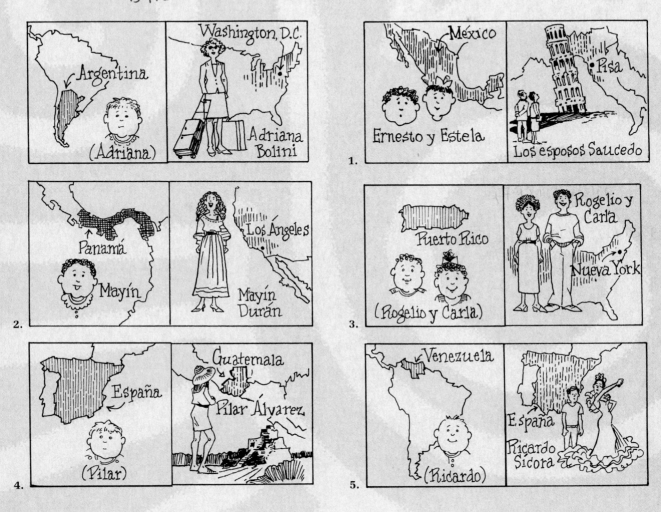

Capítulo 4
La vida diaria y los días feriados

Mercadito, por Rafael González y González (Guatemala)

METAS

In **Capítulo 4** you will discuss daily activities and how you feel. You will share your family's holiday customs with your classmates, and you will also learn about holidays and celebrations in the Hispanic world.

Sobre el artista: Rafael González y González (1908–1996) nació en Guatemala. Es el padre de la pintura maya Tz'utujil en ese país. Pinta las costumbres y tradiciones de su pueblo maya, principalmente la gente en la vida diaria y en sus celebraciones.

Guatemala

Época precolombina
Civilización maya; los indígenas quiché, cakchiquel, mam y tz'utujil todavía forman gran parte de la población.

1773
Capital (Guatemala) destruida por un terremoto.

1847
El presidente Carrera proclama formalmente la independencia de Guatemala.

1500

1800

1523
Primera expedición española; fuerte resistencia de los mayas

15 de septiembre: Guatemala declara su independencia de España.

1821

1824
Guatemala forma parte de las Provincias Unidas de Centroamérica

MULTIMEDIA RESOURCES

Check out the following media resources to complement this chapter of *Dos mundos:*

Online Learning Center
www.mhhe.com/dosmundos6

Interactive CD-ROM

Video on CD
• Los amigos animados
• Escenas culturales: Guatemala
• Escenas en contexto

Los amigos animados: Para repasar

Antes de comenzar este capítulo, mire los segmentos animados para repasar el capítulo anterior.

A. Carla llama a dos profesores. Carla Espinosa necesita hablar de los exámenes finales con dos de sus profesores. Hoy, martes, los está llamando por teléfono.

B. Silvia habla con un cliente. Silvia Bustamente está trabajando en la terminal de autobuses.

En este capítulo...

ACTIVIDADES DE COMUNICACIÓN

• Los días feriados y las celebraciones
• La rutina diaria
• Los estados físicos y anímicos

EN RESUMEN

LECTURAS Y CULTURA

• **Ventanas culturales**
  Las costumbres: El carnaval de Barranquilla
• **Ventanas al pasado**
  Las calaveras de Posada
• **Enlace literario**
  «Versos sencillos», por José Martí
• **Lectura**
  ¡Grandes fiestas!

GRAMÁTICA Y EJERCICIOS

4.1 Discussing Habitual Actions: Verbs with Stem-Vowel Changes (**ie, ue**) in the Present Tense
4.2 Discussing Habitual Actions: Irregular Verbs
4.3 Describing Daily Routine: Reflexives
4.4 Ordering Events: Infinitives after Prepositions
4.5 Describing States

1871 La revolución dirigida por García Granados y Rufino Barrios derriba al gobierno conservador.

1901 La United Fruit Company controla más del 40% de la tierra.

1953 El presidente Jacobo Arbenz intenta nacionalizar la United Fruit Company.

1954 Coronel Carlos Castillo invade Guatemala con ayuda de la CIA y la United Fruit Company; Castillo se proclama presidente.

1992 Rigoberta Menchú recibe el premio Nóbel por su trabajo con los indígenas mayas.

1900

2000

1898–1920 Dictadura del presidente Manuel Estrada Cabrera

1931–1944 Dictadura de Jorge Ubico

1944–1954 Diez Años de Primavera: período de reforma agraria y organización política.

1954–1990 Guerra civil; mueren más de 100.000 indígenas.

2003 Gana las elecciones el partido conservador Gran Alianza Nacional.

Actividades de comunicación y lecturas

✳ Los días feriados y las celebraciones

Lea Gramática 4.1–4.2.

ACTIVIDAD I   Definiciones: ¿Qué día es?

Trabaje con un compañero / una compañera. Lean la descripción y escojan
el día feriado que se describe.

DESCRIPCIÓN	DÍAS FERIADOS		
1. Una persona celebra el día en que nació con globos, un pastel y regalos.	**a.** el cumpleaños	**b.** el Año Nuevo	**c.** el Día de los Enamorados
2. Tres personas en camellos les traen regalos a los niños el 6 de enero.	**a.** la Navidad	**b.** el Día de Reyes (los Reyes Magos)	**c.** Jánuca

3. La gente celebra el fin de un año y el principio de otro.	a. la Nochevieja	b. la Independencia	c. el Día de los Muertos
4. Los niños se visten de Drácula, de Frankenstein, etcétera y piden dulces.	a. el Día de la Madre	b. el día de su santo	c. el Día de las Brujas
5. Se celebra durante ocho días en diciembre. Cada día se enciende una vela más y a veces los niños reciben pequeños regalos.	a. el Día (de Acción) de Gracias	b. Jánuca	c. la Semana Santa

ACTIVIDAD 2   Preferencias: Las fiestas

¿Qué prefieres hacer para celebrar...

MODELO: E1: ¿Qué prefieres hacer para *celebrar tu cumpleaños*?
         E2: Durante el día, prefiero *quedarme en casa y ver la televisión*. Por la noche, me gusta *salir a cenar* con mis amigos.

1. tu cumpleaños?
2. el Día de la Independencia?
3. la Navidad u otro día feriado? (Jánuca, la Pascua, la Pascua Judía, el Ramadán)
4. tu aniversario de boda u otro aniversario importante?
5. el Día de la Madre o el Día del Padre?
6. la Nochevieja o el Año Nuevo?

Actividades posibles: celebrar con mis parientes, cenar en casa, comer pastel, dar una fiesta, ir a la playa, ir al cine, ir a un café, ir de compras, merendar en el parque, quedarme en casa, recibir regalos, salir a bailar, salir a cenar en un restaurante, ver la televisión

ACTIVIDAD 3   Definiciones: ¿Qué día es?

1. El _____ es un día de fiesta en los Estados Unidos. Las familias se reúnen y preparan una comida abundante.
2. Los hispanos celebran este día más que los norteamericanos. Es el día antes de la Navidad, _____.
3. Es la semana antes del Domingo de Pascua. Las personas religiosas, especialmente en España y en Latinoamérica, asisten a varias ceremonias en las iglesias. Es la _____.
4. El _____ es una fiesta de 30 días. Cada día la gente no come desde temprano en la mañana hasta la noche. Cada noche hay una gran cena familiar.
5. Mucha gente le da la bienvenida a este primer día de enero con bailes y fiestas muy alegres. Esperan la medianoche con impaciencia. Es el _____.
6. En muchos países hispanos, los niños no reciben regalos el 25 de diciembre. Los reciben el 6 de _____, el Día de _____.
7. El _____ es una fiesta de ocho noches. Cada noche se enciende una vela más, hasta 9. A veces los niños reciben un regalo.
8. En México se celebra el 16 de septiembre; en Argentina es el 9 de julio; en los Estados Unidos es el 4 de julio. Es el _____.

¡OJO!

En algunos países hispanos las personas celebran su cumpleaños y también celebran el día de su santo. Si un hombre se llama José, entonces celebra el día de San José, el 19 de marzo. Si una mujer se llama Natalia, entonces celebra su santo el día de Santa Natalia, el 27 de julio.

el día de su santo

ACTIVIDAD 4 Entrevista: Los días feriados

1. ¿Cómo te gusta celebrar tu cumpleaños?
2. ¿Qué haces el Día de Acción de Gracias? ¿Celebras esta fiesta en casa con tu familia o vas a la casa de otros parientes o amigos? ¿Qué comen?
3. ¿Qué aspecto de la Navidad te gusta más? ¿Qué aspecto te gusta menos?
4. ¿Celebras el Año Nuevo con tu familia o con tus amigos? ¿Qué hacen para celebrarlo?
5. ¿Con quién celebras el Día de la Independencia: con tu familia o con tus amigos? ¿Van a un parque o se quedan en casa? ¿Ven los fuegos artificiales?
6. ¿Qué otras fiestas celebras con tu familia o tus amigos? ¿Qué hacen para celebrar esas fiestas? ¿Dan muchos regalos? ¿Ponen decoraciones en casa?

© Joaquín Salvador Lavado, QUINO, TODA MAFALDA, Ediciones de La Flor, 1993

VENTANAS CULTURALES Las costumbres

El carnaval de Barranquilla

Imagine una fiesta en la que participan miles de personas. El lugar de esta fiesta es una ciudad entera, sus calles, casas, parques y plazas. Hay música y baile, desfiles y carrozas. Así es el carnaval, la festividad más popular en los países del Caribe y América Central.

El carnaval se origina en España y tiene muchos elementos de la cultura africana. Se celebra durante cuatro días en febrero o marzo; cuatro días de total diversión antes de la celebración religiosa de la cuaresma. Hay varios países que celebran el carnaval; entre otros, Venezuela, Puerto Rico, Cuba, Panamá y Colombia. Algunos carnavales son muy famosos, como el panameño, el de Oruro en Bolivia y el de Barranquilla.

La ciudad de Barranquilla es un centro urbano en Colombia adonde van muchas personas de todo el Caribe para participar en el carnaval. Como otros carnavales, la fiesta colombiana tiene una reina, grupos de bailes folclóricos, disfraces impresionantes y comida deliciosa. La cumbia, música típica de Colombia, se escucha en todas partes. Los colombianos celebran así una de sus más grandes fiestas: bailan, cantan y se divierten.

VOCABULARIO ÚTIL	
miles	*thousands*
el desfile	*parade*
la carroza	*float*
la reina	*queen*
el disfraz	*costume*
(*pl.* disfraces)	

Ahora... ¡ustedes!

¿Te gustaría participar en un carnaval? ¿Qué aspectos del carnaval te gustan más: el baile, los disfraces, las carrozas, los desfiles?

✳ La rutina diaria

Lea Gramática 4.3–4.4.

Una mañana en la casa de los Saucedo

Ernesto se afeita.

Estela se maquilla.

Ernestito se lava los dientes.

Amanda se pone la ropa.

Guillermo se levanta.

ACTIVIDAD 5   Orden lógico: Primero... luego...

Ponga en orden estas actividades. Use las palabras **primero, luego** y **después**.

1. **a.** Me seco.   **b.** Me lavo los dientes.   **c.** Me baño.
2. **a.** Me maquillo.   **b.** Me levanto.   **c.** Me pongo la ropa.
3. **a.** Me peino.   **b.** Me afeito.   **c.** Me ducho.
4. **a.** Me baño.   **b.** Me levanto.   **c.** Me despierto.
5. **a.** Me lavo el pelo.   **b.** Me quito la ropa.   **c.** Me seco el pelo.
6. **a.** Me lavo los dientes.   **b.** Desayuno.   **c.** Preparo el desayuno.
7. **a.** Me pongo el pijama.   **b.** Me acuesto.   **c.** Me quito la ropa.

ACTIVIDAD 6   Conversación: Las actividades diarias

Busque las actividades que no están en orden lógico o que son imposibles.

1. Todas las mañanas (yo) me despierto, me levanto, me acuesto, me ducho y me visto.
2. Por la tarde, mis hermanitos regresan de la escuela, juegan con el perro, hacen su tarea y salen para el trabajo.
3. Lobo, el perro de Ernestito, duerme, fuma un cigarrillo, come, se lava los dientes y juega con Ernestito.
4. Todos los domingos mis amigos y yo almorzamos en un restaurante, vamos al cine, nos despertamos, cenamos y nos acostamos temprano.
5. De lunes a viernes, mi profesor(a) de español desayuna, sale para la universidad, lava su ropa y lee en la biblioteca.
6. Después de las diez de la noche, los estudiantes hacen su tarea, ven televisión, asisten a clase, escuchan al profesor / a la profesora, se lavan los dientes y se acuestan.
7. Por la mañana, tú te duchas, te afeitas, te secas, te lavas los dientes, sales para el trabajo y luego te vistes, ¿verdad?

¡OJO!

En la cultura hispana existe la costumbre de comer con la familia. Al mediodía todos regresan a casa a almorzar. Después de la comida, el padre regresa al trabajo y los niños a la escuela. Porque la vida urbana hace difícil el regreso a casa, ahora en muchas casas no hay almuerzos en familia, solamente desayunos y cenas.

ACTIVIDAD 7   Descripción de dibujos: La rutina

A. Escuche mientras su profesor describe cada uno de los siguientes dibujos. Diga el número que corresponde al dibujo.

B. Trabaje con un compañero / una compañera para describir las diferencias entre los dibujos 1 y 2 y entre los dibujos 3 y 4.

1. Un lunes a las 6:30 con la familia Saucedo.

2. Un jueves a las 6:30 con la familia Saucedo.

3. Un sábado a las 9:00 de la mañana con los amigos norteamericanos.

4. Un domingo a las 9:00 de la mañana con los amigos norteamericanos.

ACTIVIDAD 8   Intercambios: Las actividades diarias

Escuche a su profesor(a) mientras él/ella describe los dibujos. Diga el nombre de la persona en cada dibujo. Luego pregúntele a su compañero/a qué hace cada persona antes o después. Use *antes de / después de.*

MODELO: E1:   ¿Qué hace Amanda *después de* jugar al tenis?
          E2:   *Después de* jugar al tenis, Amanda toma un refresco.

1. Paula   **2.** Guillermo   **3.** Pedro   **4.** Raúl

5. doña Lola   **6.** don Eduardo   **7.** doña Rosita   **8.** Ernesto

▶ **PALABRAS ÚTILES**

ACTIVIDAD 9 Narración: La rutina de Adriana

primero   por último
luego   a la(s)…
después   desde la(s)…
más tarde   hasta la(s)…
finalmente

VENTANAS AL PASADO

Las calaveras de Posada

¡Sólo en México una persona se hace famosa jugando con la muerte! José Guadalupe Posada (1852–1913) trabaja en imprentas donde hacen tarjetas de felicitación, anuncios, carteles para eventos públicos, etiquetas para cigarrillos y otras cosas. Pero también trabaja para un periódico de oposición, *El Jicote*. Son los tiempos del dictador Porfirio Díaz (1876–1911): tiempos difíciles de represión política. En 1884, en la ciudad de México, trabaja en una imprenta donde publican almanaques y poesía. En este tiempo Posada empieza a crear los dibujos que desde fines del siglo XIX se asocian con el Día de los Muertos en México. Son interesantes obras de crítica social, parte de las populares «calaveras»:

VOCABULARIO ÚTIL

la imprenta	*printer*
la tarjeta de felicitación	*birthday card*
la etiqueta	*label*
la calavera	*skull*
el esqueleto	*skeleton*
vivo/a	*alive*
la riqueza	*wealth*

versos humorísticos y sarcásticos ilustrados con calaveras o esqueletos de gente viva, bailando, paseándose, peleando. Con sus dibujos, Posada nos presenta la riqueza, la miseria, la injusticia, la alegría: la esencia del pueblo mexicano.

Ahora... ¡ustedes!

¿Crees que las caricaturas políticas son parte importante de la democracia? ¿Es irreverente el arte de Posada? ¿Es apropiado para el Día de los Muertos? Menciona un ilustrador norteamericano de fama similar.

ACTIVIDAD 10   Entrevista: Preguntas personales

1. ¿Te gusta levantarte temprano o tarde? ¿Quién se levanta primero donde tú vives?
2. ¿Te duchas (te bañas) por la mañana o por la noche? ¿Qué marca de jabón usas?
3. ¿Te lavas el pelo todos los días? ¿Qué marca de champú prefieres? ¿Usas un acondicionador? ¿De qué marca es?
4. ¿Te afeitas con navaja o con afeitadora (eléctrica)?
5. ¿Te maquillas todos los días o prefieres maquillarte sólo cuando sales de noche?
6. ¿Te pones perfume/colonia todos los días? ¿Qué marca prefieres?
7. ¿A qué hora te acuestas? ¿Te gusta leer antes de acostarte o prefieres ver la televisión? ¿Cuántas horas duermes?

✳ Los estados físicos y anímicos

Lea Gramática 4.5.

(Ernesto) está contento

(Estela) están tristes

está enojado

está enferma

está aburrido

está ocupada

está preocupado

Ramón · Amanda tienen hambre

tienen prisa

tiene sueño

tiene sed

tiene calor

tiene frío

tiene miedo

REFRÁN

A mal tiempo, buena cara.

(*Keep a stiff upper lip.* Literally, *In bad times—or bad weather—a happy face.*)

ACTIVIDAD 11   Conversación: Las emociones

Diga si usted está de acuerdo o no con las siguientes afirmaciones.

▶ **FRASES ÚTILES**

(No) Estoy de acuerdo.
Depende.

1. Es bueno gritar si uno está enojado.
2. Si uno está deprimido, es mejor consultar a un psicólogo.
3. Si uno tiene frío, es mejor tomar una limonada.
4. Si uno está de mal humor, es buena idea hablar con un buen amigo o un pariente.
5. Si uno está aburrido, es preferible ver la televisión.
6. Si uno tiene prisa y va a llegar tarde a clase, es mejor manejar muy rápido.
7. Es recomendable quedarse en casa cuando uno está muy enfermo.
8. Si uno tiene miedo, es buena idea comerse las uñas.

ACTIVIDAD 12   Preferencias: ¿Qué hace usted en estas situaciones?

1. Cuando estoy triste,...
   a. quiero estar solo/a.
   b. escucho música.
   c. compro ropa nueva.
   d. ¿ ?
2. Cuando estoy contento/a,...
   a. salgo en el carro.
   b. voy de compras.
   c. prefiero estar solo/a.
   d. ¿ ?
3. Cuando estoy cansado/a,...
   a. duermo.
   b. leo.
   c. me baño.
   d. ¿ ?
4. Cuando estoy aburrido/a,...
   a. exploro el Internet.
   b. llamo a un amigo / una amiga.
   c. me quedo en casa.
   d. ¿ ?

5. Cuando tengo hambre,...
   a. como hamburguesas.
   b. tomo un vaso de leche.
   c. me lavo los dientes.
   d. ¿ ?
6. Cuando tengo frío,...
   a. me quito la chaqueta.
   b. me baño con agua caliente.
   c. me pongo un suéter.
   d. ¿ ?
7. Cuando tengo calor,...
   a. tomo un refresco.
   b. tomo café caliente.
   c. me ducho.
   d. ¿ ?
8. Cuando tengo prisa,...
   a. camino rápidamente.
   b. tomo el autobús.
   c. doy un paseo.
   d. ¿ ?

▶ **Y TÚ, ¿QUÉ DICES?**

Sí, yo también.   ¡Qué buena idea!
Yo tampoco.   ¡Ni pensarlo!
Yo sí. / Yo no.   ¡Qué ocurrencia!

ACTIVIDAD 13   Asociaciones: Los estados anímicos

¿Qué estado de ánimo asocia usted con las siguientes ocasiones?

1. Es su cumpleaños.
2. Tiene un examen de español en diez minutos.
3. Es un sábado de primavera. Hace sol y buen tiempo. Usted está en el parque con su hijo/a (perro).
4. Es la Nochevieja.
5. Usted tiene una entrevista para un trabajo en 10 minutos y de pronto recibe una llamada de su abuela.
6. Usted recibe una buena nota en su examen de biología.
7. Encuentra a su perro comiendo su mejor camisa.
8. Su gato está muy enfermo.

ACTIVIDAD 14   Intercambios: Los estados físicos y anímicos

Lea las situaciones y mire los dibujos. Luego diga cómo está o qué tiene Guillermo.

1. Son las 7:55. Guillermo va a llegar tarde a su clase de las 8:00 de la mañana.
2. Guillermo tiene un examen difícil hoy.
3. Guillermo tiene una mala nota en matemáticas. Su padre va a estar muy enojado.
4. Guillermo recibe una invitación para el Baile de los Enamorados.
5. Su padre le dice: —¡NO vas a ir al Baile de los Enamorados porque tienes un 6 en el examen de matemáticas!
6. Su abuela está muy enferma.
7. Después de correr, Guillermo… Y también…

Comunicación en la red

:-)	alegre
:-o	sorprendido/a
:-<	enojado/a
:-@	a gritos
:-(	triste
:-e	desilusionado/a
:-I	indiferente
:-D	me da risa

ACTIVIDAD 15   Entrevista: ¿Qué haces?

¿Qué haces cuando estás...

    1. triste?   **3.** de buen/mal humor?
    2. nervioso/a?   **4.** enamorado/a?

¿Qué haces cuando tienes...

    1. frío?   **3.** sed?
    2. sueño?   **4.** miedo?

ENLACE LITERARIO

«Versos sencillos», por José Martí

Selección de su libro *Versos sencillos* (1891)

La poesía del escritor cubano José Martí (1853–1895) se considera una de las mejores obras en lengua española. Entre los libros de poemas de Martí están *Ismaelillo* (1882), dedicado a su hijo, *Versos libres* (1882) y *Versos sencillos*. La poesía de *Versos sencillos* parece simple —por eso el poeta la considera «sencilla»[1]—, pero es muy rica en imágenes y símbolos, y expresa además el gran humanismo de este escritor. En la siguiente selección, el poeta habla de su hijo y sus poemas y describe su personalidad: es un hombre sincero a quien le gusta la naturaleza.[2]

Versos sencillos

Yo soy un hombre sincero
De donde crece la palma,[3]
Y antes de morirme[4] quiero
Echar[5] mis versos del alma.[6]

Yo vengo de todas partes,
Y hacia[7] todas partes voy:
Arte soy entre[8] las artes.
En los montes,[9] monte soy.

Oigo un suspiro,[10] a través
De[11] las tierras y la mar,
Y no es un suspiro, —es
Que mi hijo va a despertar.

Con los pobres de la tierra
Quiero yo mi suerte[12] echar:
El arroyo[13] de la sierra
Me complace[14] más que el mar.

Todo es hermoso y constante,
Todo es música y razón,
Y todo, como el diamante,
Antes de luz es carbón.[15]

Mi verso es de un verde claro
Y de un carmín encendido:[16]
Mi verso es un ciervo herido[17]
Que busca en el monte amparo.[18]

---

[1]*unaffected*   [2]*nature*   [3]*crece... the palm tree grows*   [4]*antes... before I die*   [5]*To cast; To express*   [6]*soul*   [7]*toward*
[8]*among*   [9]*forests*   [10]*sigh*   [11]*a... through*   [12]*luck*   [13]*brook*   [14]*Me... Pleases me*   [15]*coal*   [16]*carmín... bright crimson*   [17]*ciervo... wounded deer*   [18]*shelter*

Actividad creativa: Usted es poeta

Use los versos de José Martí como guía y escriba un poema para expresar sus sentimientos.

> *Yo soy _____*
> *De donde _____,*
> *Y antes de morirme quiero _____.*
> *Yo vengo de _____*
> *Y hacia _____ voy:*
> *_____ soy entre _____*
> *En _____, _____ soy.*

n resumen

De todo un poco

A. ¡Los Reyes Magos vienen mañana!

Mire los dibujos y ponga en orden las siguientes oraciones, para que coincidan con los dibujos.

a. _____ Se lavan los dientes.

b. _____ Finalmente son las siete y media. Se ponen el pijama.

c. _____ Se despiertan a las cinco de la mañana. Tienen miedo de mirar hacia la ventana.

d. _____ Se acuestan pero no se duermen. Hablan de los juguetes que esperan recibir.

e. _____ Su madre quiere llevarlas al museo y a la biblioteca, pero ellas prefieren quedarse en casa.

f. _____ Es el cinco de enero. Son las 5:00 de la tarde. Clarisa y Marisa están nerviosas e impacientes.

g. _____ Rezan antes de acostarse.

h. _____ Corren a la ventana. Ahí están los juguetes que quieren. ¡Qué contentas están!

i. _____ Les dicen «Buenas noches» a sus padres con un beso.

j. _____ Ponen los zapatos en la ventana y esperan… ¡Los Reyes Magos van a venir mañana muy temprano!

k. _____ Por fin se duermen. Sueñan que los Reyes Magos no les traen nada.

l. _____ Cenan con sus padres y charlan sobre los juguetes que quieren.

B. Entrevista con su profesor(a)

Trabaje con dos o tres estudiantes. Escriban preguntas para entrevistar a su profesor(a). Cada grupo va a escribir ocho buenas preguntas para saber más sobre él/ella: sobre su vida en casa, su rutina diaria, sus estados de ánimo, sus actividades favoritas, sus preferencias, cómo celebra los días feriados, etcétera.

MODELOS: ¿A qué hora se levanta usted durante la semana?
¿Qué le gusta hacer después del trabajo?
¿Qué hace usted cuando está aburrido/a?
¿Cómo celebra el Año Nuevo?
¿Qué le gusta hacer los viernes por la noche?

Después, cada grupo debe hacerle sus preguntas al profesor / a la profesora. Tomen apuntes sobre la información para luego escribir una composición sobre él/ella.

¡Dígalo por escrito!

Los días feriados

Describa su día feriado favorito y diga cómo lo celebra, dónde, con quién(es) y cómo se prepara (qué hace) para esa celebración.

¡Cuéntenos usted!

Cuéntenos sobre su día feriado favorito. ¿Cómo se llama esta celebración? ¿Es un día feriado religioso para usted? ¿Lo celebra usted con amigos o familiares? ¿Se celebra de día, de noche o durante varios días? ¿Comen ustedes comida típica o tradicional? ¿Hay algún símbolo asociado con esa fiesta?

PISTAS PARA LEER
When you read in Spanish, try to visualize the meaning of words and phrases. This **Lectura** provides many good examples for practicing this reading strategy. Visualize the following phrases. In paragraph 3: *esculturas cómicas que representan personas.* P4: *mujeres con hermosos trajes flamencos.* P5: *miles de personas.* P6: *espectáculo colorido de bailes regionales.*

VOCABULARIO ÚTIL

la quema	*burning*
el cartón	*cardboard*
la madera	*wood*
el premio	*prize, award*
el farolillo	*lantern*
la portada de luces	*lit up façade*
la estrella	*ferris wheel*
los fuegos artificiales	*fireworks*
la bendición	*blessing*
la fortaleza	*fortress*
la colina	*hill*

LECTURA

¡Grandes fiestas!

¿Le gustaría descubrir algunas de las fiestas más grandes y populares del mundo hispano? Pues aquí le hacemos una invitación. Vamos a hacer un viaje fantástico a España y América Latina. Es un viaje que comienza en marzo y termina en julio. Prepare su maleta y… ¡a viajar!

Primero es importante entender que las grandes fiestas del mundo hispano representan diferentes culturas y tradiciones: algunas tienen su origen en la religión católica, otras en tradiciones indígenas y otras más celebran eventos históricos. Pero todas estas fiestas tienen varios elementos en común: la participación de mucha gente, la alegría y la música.

Vamos primero a España. Estamos en Valencia, hermosa ciudad al este de la península ibérica y en la costa del Mar Mediterráneo. Queremos participar en la celebración de las Fallas de Valencia, una fiesta que dura varios días. Estamos aquí el 19 de marzo para ver el final de la fiesta con un evento espectacular: la quema de numerosas esculturas de cartón y madera, todas impresionantes. Los artistas que participan en las Fallas fabrican estos monumentos durante todo el año. Las esculturas pueden ser bellas, satíricas o cómicas, y siempre son muy elaboradas. Algunas representan personas; otras, eventos sociales. Las mejores reciben un premio y se guardan en el Museo de las Fallas. ¡Pero todas las otras se queman!

Visitemos ahora otra hermosa ciudad española. Nos vamos a Sevilla, en el sur de España. Hoy es un lunes de abril, por la noche, y estamos en el barrio de Los Remedios. Hay farolillos en las calles. Escuchamos guitarras y gente que canta sevillanas, la alegre música de esta región. ¡Hoy comienza la Feria de Sevilla! Pasamos por la hermosa portada de luces y vemos muje-

res con hermosos trajes flamencos. Tenemos todas las diversiones típicas de una feria, hasta una enorme estrella. Esta gran festividad termina en una semana, con fuegos artificiales. Pero no vamos a estar aquí para el final. Nos esperan otras fiestas…

Ahora queremos saltar a Perú. Es el 24 de junio y estamos en Cuzco para la Fiesta del Sol, Inti Raymi. Este evento de la cultura inca celebra el comienzo de un nuevo año. Inti Raymi es uno de los festivales más grandes de América del Sur, con la participación de miles de personas de Perú y todo el mundo. Hoy es el día más importante del festival, cuando un actor representa a Sapa Inca, Hijo del Sol, y pide la bendición del sol en la Plaza Qorikancha. Luego hay una procesión del Sapa Inca con muchas personas hasta la fortaleza de Sacsayhuamán, en las colinas de Cuzco. Después de esta procesión, comienza el nuevo año.

Gracias a nuestro viaje fantástico, estamos ahora en el sur de México. Participamos en la Guelaguetza, fiesta popular de Oaxaca que se realiza todos los años en julio. Hay un público enorme que ve con nosotros este espectáculo colorido de bailes regionales. En la Guelaguetza participan músicos y danzantes de las ocho regiones del estado de Oaxaca. Cada grupo lleva la ropa típica de su pueblo y presenta sus danzas. Luego le ofrece al público su «guelaguetza», que es un regalo de su región, como frutas, pan o chocolate. Después de la Guelaguetza vamos con la gente a pasear por la ciudad, donde hay muchas actividades culturales.

Bueno, ya visitamos las Fallas de Valencia y la Feria de Sevilla en España, el Festival Inti Rayni en Perú y la Guelaguetza en México. Nuestro viaje termina, pero sólo por ahora. Porque este paseo fantástico va a continuar para usted.

Comprensión

Busque la definición correcta.

1. _____ La Guelaguetza
2. _____ Inti Raymi
3. _____ El Museo de las Fallas
4. _____ La Feria de Sevilla

a. Esta fiesta comienza con un desfile.
b. El día más importante de esta fiesta es el 24 de junio.
c. Aquí están las esculturas que ganan premios.
d. Se escucha música alegre, las sevillanas.
e. Hay bailes regionales y regalos.
f. Un actor representa al Hijo del Sol.
g. Esta fiesta termina con fuegos artificiales.
h. El público recibe regalos de los danzantes.
i. Es parte de un evento espectacular de España.

Un paso más... ¡a escribir!

Usted tiene un amigo o una amiga de otro país. Esta persona quiere saber cuáles son las grandes fiestas nacionales que usted celebra. Escríbale una breve descripción de sus dos fiestas favoritas. ¿Por qué le gustan? ¿Qué hace usted en estas festividades? ¿Las celebra con la familia o con amigos?

MODELO: Estimado/a _____:

Mis dos fiestas favoritas son _____ y _____. Me gustan porque _____. Estas fiestas se celebran con varias actividades. Por ejemplo, yo _____, _____ y _____. Normalmente, celebro estas fiestas con _____.

ocabulario

• Los días feriados y las celebraciones
Holidays and Celebrations

el aniversario de boda	wedding anniversary
el Año Nuevo	New Year
el Día de Acción de Gracias	Thanksgiving
el Día de las Brujas	Halloween
el Día de los Enamorados	Valentine's Day
el Día de la Independencia	Independence Day
el Día de la Madre	Mother's Day
el Día de los Muertos	All Souls' Day (November 2nd)
el Día del Padre	Father's Day
el Día de los Reyes Magos	Epiphany, Day of the Magi (January 6th)
el día del santo	saint's day
el Día de Todos los Santos	All Saints' Day (November 1st)
el Domingo de Pascua	Easter Sunday
la fiesta	holiday; party
el Jánuca	Hanukkah
la(s) Navidad(es)	Christmas
la Nochebuena	Christmas Eve
la Nochevieja	New Year's Eve (December 31st)
la Pascua Judía	Passover
el Ramadán	Ramadan
la Semana Santa	Holy Week

• La rutina diaria
Daily Routine

acostarse me acuesto / se acuesta	to go to bed
afeitarse	to shave
bañarse	to bathe
despertarse (ie) me despierto / se despierta	to wake up
dormir (ue) duermo / duerme	to sleep
ducharse	to take a shower
lavarse los dientes	to brush one's teeth
lavarse el pelo	to wash one's hair
levantarse	to get up
maquillarse	to put on makeup
peinarse	to comb one's hair
ponerse (perfume / la ropa)	to put on (perfume/clothes)
quitarse (la ropa)	to take off (one's clothes)

secarse (el pelo)	to dry (one's hair)
venir vengo/viene	to come
vestirse (i) me visto / se viste	to get dressed
volver (ue) (vuelvo / vuelve)	to return, go back

• Los estados físicos y anímicos
Physical and Mental States

el estado de ánimo	mental state
estar...	to be . . .
alegre	happy
contento/a	happy
de buen/mal humor	in a good/bad mood
deprimido/a	depressed
enamorado/a	in love
enojado/a	angry
ocupado/a	busy
preocupado/a	worried
solo/a	alone, lonely
triste	sad
tener...	to be . . .
calor	hot
frío	cold
hambre	hungry
miedo	afraid
prisa	in a hurry
sed	thirsty
sueño	sleepy

PALABRA SEMEJANTE: nervioso/a
REPASO: aburrido/a, enfermo/a

• ¿Cuándo?
When?

antes de	before
de lunes a viernes	Monday through Friday
de pronto	suddenly
después de	after
desde la(s)... hasta la(s)	from . . . until . . .

REPASO: ayer, después, hoy, luego, mañana, el próximo... (día, mes), pasado mañana

• Los verbos
Verbs

comerse las uñas	to bite one's nails
dar (doy/da)	to give
dar la bienvenida	to welcome

encender (ie)	to light, to turn on
enciendo / enciende	
encontrar (ue)	to find
encuentro/encuentra	
entrevistar	to interview
escoger	to choose
escojo/escoge	
estar de acuerdo	to agree
gritar	to yell, scream
llamar	to call (on the phone)
pedir (i)	to ask for; request
pido / pide	
quedarse (en casa)	to stay (at home)
recibir regalos	to get gifts
reunirse	to get together
me reúno / se reúne	
saber	to know
sé/sabe	
soñar (ue) (con)	to dream (about)
tomar apuntes / un	to take notes / a test
examen	
traer	to bring
traigo/trae	

PALABRAS SEMEJANTES: celebrar, coincidir, consultar

• Los sustantivos   Nouns

el acondicionador	conditioner
la afeitadora (eléctrica)	(electric) razor
el baile	dance
el beso	kiss
el camello	camel
la colonia	cologne
los dulces	candy
los fuegos artificiales	fireworks
el fin	end
el globo	balloon
el hermanito	little brother
el jabón	soap

el juguete	toy
la llamada	(telephone) call
la marca	brand
la navaja	razor; razor blade
la nota	note, grade
el pariente / la parienta	relative
la toalla	towel
el vaso	glass
la vela	candle

PALABRAS SEMEJANTES: Latinoamérica, la afirmación, el aspecto, la ceremonia, el champú, la composición, la decoración, la diferencia, etcétera, la emoción, la (im)paciencia, la invitación, la limonada, el pijama, el psicólogo / la psicóloga, la situación

• Los adjetivos   Adjectives

caliente	hot
malo/a	bad

PALABRAS SEMEJANTES: abundante, eléctrico/a, familiar, (im)paciente, (im)posible, preferible, recomendable, religioso

• Palabras y expresiones útiles
Useful Words and Expressions

ahí	there, over there
depende	(it) depends
en orden lógico	in logical order
es mejor/peor	it is better/worse
especialmente	especially
nada	nothing
¡Ni pensarlo!	Don't even think of it!
¡Qué ocurrencia!	What a silly idea!
por fin	at last
rápidamente	quickly, rapidly
rápido	quick, fast
¡Yo sí!	I do!
¡Yo no!	I don't!

Gramática y ejercicios

4.1 Discussing Habitual Actions: Verbs with Stem-Vowel Changes (*ie, ue*) in the Present Tense

A. Here is the present tense of several commonly used verbs that follow the same pattern of stem-vowel changes as **querer** and **preferir:*** **cerrar** (*to close*), **pensar** (*to think*), **empezar** (*to begin*), **perder** (*to lose*), and **encender** (*to light; to turn on*).[†]

	cerrar	pensar	empezar	perder	encender
(yo)	cierro	pienso	empiezo	pierdo	enciendo
(tú)	cierras	piensas	empiezas	pierdes	enciendes
(usted, él/ella)	cierra	piensa	empieza	pierde	enciende
(nosotros/as)	cerramos	pensamos	empezamos	perdemos	encendemos
(vosotros/as)	cerráis	pensáis	empezáis	perdéis	encendéis
(ustedes, ellos/as)	cierran	piensan	empiezan	pierden	encienden

—¿A qué hora **cierran** ustedes la Nochevieja?
—**Cerramos** a las 5:00 de la tarde.

—*What time do you close on New Year's Eve?*
—*We close at 5:00 P.M.*

—¿**Encienden** ustedes las velas de Jánuca cada año?
—Sí, las **encendemos** por ocho noches seguidas.

—*Do you light Hanukkah candles every year?*
—*Yes, we light them for eight nights in a row.*

B. Three other verbs follow the same pattern as **jugar: dormir** (*to sleep*), **volver** (*to return, go back*), and **almorzar** (*to have lunch*).[‡]

	jugar	dormir	volver	almorzar
(yo)	juego	duermo	vuelvo	almuerzo
(tú)	juegas	duermes	vuelves	almuerzas
(usted, él/ella)	juega	duerme	vuelve	almuerza
(nosotros/as)	jugamos	dormimos	volvemos	almorzamos
(vosotros/as)	jugáis	dormís	volvéis	almorzáis
(ustedes, ellos/as)	juegan	duermen	vuelven	almuerzan

¿RECUERDA?

Recall from **Gramática 2.3** that the verbs **querer** (**quiero, quieres, quiere, queremos, queréis, quieren**) and **preferir** (**prefiero, prefieres, prefiere, preferimos, preferís, prefieren**) use two stems in their present-tense conjugations. The stem containing the vowel **e** appears only in the infinitive and in the **nosotros/as** and **vosotros/as** forms. The stem containing **ie** occurs in the rest of the forms.

*Recognition: **vos querés, preferís**
[†]Recognition: **vos cerrás, pensás, empezás, perdés, encendés**
[‡]Recognition: **vos jugás, dormís, volvés, almorzás**

cierro = I close
cerramos = we close
empiezo = I begin
empezamos = we begin

juego = I play
jugamos = we play
vuelvo = I return
volvemos = we return

These forms may be difficult to remember, but they will feel more natural as you hear and read more Spanish. Therefore, don't try to memorize all this, but do refer to the rules when you edit your writing.

—¿A qué hora **vuelven** a casa después de una fiesta?
—A veces no **volvemos** hasta las 3:00 ó 4:00 de la madrugada.

—*What time do you return home after a party?*
—*Sometimes we don't return until 3:00 or 4:00 in the morning.*

EJERCICIO 1

¿Qué hacen usted y sus amigos? Complete estas oraciones con la forma correcta del verbo entre paréntesis.

MODELO: —¿*Cierran* ustedes los ojos en clase? (cerrar) →
—No, no *cerramos* los ojos en clase.

1. —¿_____ ustedes en su clase de español? (dormir)
   —¡Claro que no! Nunca _____ en clase, porque nos divertimos.
2. —¿_____ ustedes en casa o en el trabajo? (almorzar)
   —Generalmente _____ en casa con la familia.
3. —¿_____ ustedes al trabajo después de almorzar? (volver)
   —Sí, _____ a las 2:00.
4. —¿_____ ustedes al tenis los fines de semana? (jugar)
   —A veces _____, a veces no.
5. —¿_____ ustedes mucho al tenis en el invierno? (jugar)
   —No, _____ poco porque hace demasiado frío.
6. —¿_____ ustedes frecuentemente cuando _____ al basquetbol? (perder, jugar)
   —No, casi nunca _____ cuando _____ al basquetbol.
7. —¿_____ ustedes ir al cine por la tarde? (preferir)
   —No, _____ ir por la mañana con los niños.
8. —¿_____ ustedes las vacaciones en mayo o en junio? (empezar)
   —Normalmente _____ las vacaciones en junio.

4.2 Discussing Habitual Actions: Irregular Verbs

A. As you know, an irregular verb is one that uses more than one stem to form its conjugation. (In many cases the irregularity is only in the **yo** form.) Here are some common verbs that add a **g** in the **yo** form: **tener** (*to have*), **venir** (*to come*), **salir** (*to leave; to go out*), and **poner** (*to put*).*

vengo = I come
viene = he/she comes; you come
venimos = we come

	tener	venir	salir	poner
(yo)	ten**g**o	ven**g**o	sal**g**o	pon**g**o
(tú)	tienes	vienes	sales	pones
(usted, él/ella)	tiene	viene	sale	pone
(nosotros/as)	tenemos	venimos	salimos	ponemos
(vosotros/as)	tenéis	venís	salís	ponéis
(ustedes, ellos/as)	tienen	vienen	salen	ponen

*Recognition: **vos tenés, venís, salís, ponés**

—¿Siempre **viene** usted temprano? —*Do you always come early?*
—Sí, casi siempre **vengo** a las 8:00. —*Yes, I almost always come at 8:00.*

—¿Dónde **pongo** mi ropa? —*Where do I put my clothes?*
—Aquí mismo, encima de esta silla. —*Right here, on this chair.*

B. The verbs **traer** (*to bring*) and **oír** (*to hear*) insert **ig** in the **yo** form.* In addition, **oír** adds a **y** in all but the **yo, nosotros/as,** and **vosotros/as** forms. The verbs **hacer** and **decir** change the **c** to **g** in the **yo** form. **Decir** (*to say, tell*) also changes the stem vowel **e** to **i** in all but the **nosotros/as** and **vosotros/as** forms.†

> **digo** = *I say*
> **dice** = *he/she says; you say*
> **decimos** = *we say*

	traer	**oír**	**hacer**	**decir**
(yo)	tra**igo**	o**igo**	ha**go**	**digo**
(tú)	traes	o**y**es	haces	d**i**ces
(usted, él/ella)	trae	o**y**e	hace	d**i**ce
(nosotros/as)	traemos	oímos	hacemos	decimos
(vosotros/as)	traéis	oís	hacéis	decís
(ustedes, ellos/as)	traen	o**y**en	hacen	d**i**cen

—¿Qué **traes** a las fiestas? —*What do you bring to parties?*
—**Traigo** mis discos compactos y algo de comer. —*I bring my CDs and something to eat.*

—¿No **oyes** un ruido extraño? —*Don't you hear a strange noise?*

—No, no **oigo** nada. —*No, I don't hear anything.*

EJERCICIO 2

Un amigo le hace preguntas sobre su clase de español. Contéstele según el modelo.

MODELO: —Generalmente, ¿vienes temprano a la clase de español?
    —Sí, *vengo* temprano todos los días.

1. —¿Traes tu perro a la clase de español?
    —¡Claro que no! _____ solamente el libro y el cuaderno.
2. —¿Pones tu libro de español debajo de la mesa?
    —No, _____ el libro encima de la mesa.
3. —¿Le dices «Buenos días» en español al profesor / a la profesora?
    —¡Qué va! A las 2:00 de la tarde le _____ «Buenas tardes».

---

*Recognition: **vos traés, oís**
†Recognition: **vos hacés, decís**

4. —¿Oyes música en tu clase?

—Sí, _____ canciones en español, naturalmente.

5. —¿Sales de tu clase a las 3:00?

—No, _____ a las 2:50.

6. —¿Siempre vienes a la clase preparado/a?

—Sí, casi siempre _____ preparado/a.

7. —¿Tienes mucha tarea?

—Sí, _____ tarea todos los días, excepto el domingo.

8. —¿Qué haces en tu clase?

— _____ un poco de todo: converso, leo, escribo.

4.3 Describing Daily Routine: Reflexives

A. In English, pronouns that indicate that the subject of a sentence does something to himself or herself are called *reflexive;* they end in *-self* (*-selves*).

> He cut himself. Babies often talk to themselves.
>
> She looked at herself in the mirror. We didn't blame ourselves.

Some actions that the subject does to himself or herself are not expressed with reflexive pronouns in English. For example, *I get up at 7:00. I take a bath and then get dressed.* In such sentences, Spanish always uses a reflexive pronoun: **Yo me levanto a las 7:00. Me baño y luego me pongo la ropa.**

B. Here is the present tense of the verb **levantarse** (*to get up*) with reflexive pronouns.*

> Actions done to oneself are expressed using reflexive words:
> **Me afeito.** (*I shave* [*myself*].)
> **Nos ponemos la ropa.** (*We put on our clothes.*)

levantarse (to get up)		
(yo)	me levanto	*I get up*
(tú)	te levantas	*you (inf. sing.) get up*
(usted, él/ella)	se levanta	*you (pol. sing.) get up; he/she gets up*
(nosotros/as)	nos levantamos	*we get up*
(vosotros/as)	os levantáis	*you (inf. pl., Spain) get up*
(ustedes, ellos/as)	se levantan	*you (pl.) get up; they get up*

C. Following is a list of verbs with the reflexive pronouns **me** (*myself*) and **se** (*himself, herself, yourself* [*pol. sing.*]) that you can use to describe your daily routine or that of someone else. Notice that the infinitives with the reflexive pronoun end in **se.**

---

*Recognition: **vos te levantás**

INFINITIVE

Me acuesto. / Se acuesta.*	acostarse	I go to bed. / He/She goes to bed; You (pol. sing.) go to bed.
Me despierto. / Se despierta.†	despertarse	I wake up. / He/She wakes up; You (pol. sing.) wake up.
Me levanto. / Se levanta.	levantarse	I get up (out of bed). / He/She gets up; You (pol. sing.) get up.
Me baño. / Se baña.	bañarse	I take a bath. / He/She takes a bath; You (pol. sing.) take a bath.
Me ducho. / Se ducha.	ducharse	I take a shower. / He/She takes a shower; You (pol. sing.) take a shower.
Me lavo el pelo. / Se lava el pelo.	lavarse el pelo	I wash my hair. / He/She washes his/her hair; You (pol. sing.) wash your hair.
Me seco. / Se seca.	secarse	I dry off. / He/She dries off; You (pol. sing.) dry off.
Me afeito. / Se afeita.	afeitarse	I shave. / He/She shaves; You (pol. sing.) shave.
Me lavo los dientes. / Se lava los dientes.	lavarse los dientes	I brush my teeth. / He/She brushes his/her teeth; You (pol. sing.) brush your teeth.
Me peino. / Se peina.	peinarse	I comb my hair. / He/She combs his/her hair; You (pol. sing.) comb your hair.
Me maquillo. / Se maquilla.	maquillarse	I put on makeup. / He/She puts on makeup; You (pol. sing.) put on makeup.
Me pongo la ropa. / Se pone la ropa.	ponerse la ropa	I put on my clothes. / He/She puts on his/her clothes; You (pol. sing.) put on your clothes.
Me quito la ropa. / Se quita la ropa.	quitarse la ropa	I take off my clothes. / He/She takes off his/her clothes; You (pol. sing.) take off your clothes.
Me (des)visto. / Se (des)viste.	(des)vestirse	I (un)dress. / He/She (un)dresses. You (pol. sing.) (un)dress.

Me levanto temprano y **me ducho** en seguida. Generalmente **me lavo** el pelo. Luego **me seco** y **me peino.**
Alberto **se levanta** tarde. **Se ducha** rápidamente, pero no **se afeita. Se pone la ropa** y **se peina.**

I get up early, and I take a shower immediately. Generally I wash my hair. Afterward I dry off and comb my hair.
Alberto gets up late. He showers quickly, but he doesn't shave. He dresses and combs his hair.

D. Reflexive pronouns are normally placed directly before the verb (**me seco**), but they may be attached to infinitives (**secarme**) and present participles (**secándome**).

---

*Acostarse is a stem-changing verb: the stem vowel **o** changes to **ue** in all but the **nosotros/as** and **vosotros/as** forms.
†**Despertarse** is also a stem-changing verb: the stem vowel **e** changes to **ie** in all but the **nosotros/as** and **vosotros/as** forms.

Me gusta **afeitarme** primero y luego **bañarme.**	*I like to shave first and then take a bath.*
Ernesto va a **levantarse** y **bañarse** inmediatamente.	*Ernesto is going to get up and take a bath immediately.*
—Amanda, ¿qué estás haciendo?	*—Amanda, what are you doing?*
—Estoy **lavándome** los dientes.	*—I'm brushing my teeth.*

EJERCICIO 3

¿Qué oración describe mejor los siguientes dibujos?

1. _____

2. _____

3. _____

4. _____

5. _____

6. _____

7. _____

a. Él se quita la camisa, pero ella se pone los zapatos.

b. Él sale para el trabajo a las 8:00, pero su hijo sale para la escuela a las 8:30.

c. Ella lee novelas después de trabajar, pero él prefiere ver la televisión.

d. Este joven se ducha por la mañana, pero las niñas prefieren bañarse por la noche.

e. Él se afeita la cara, pero su esposa se afeita las piernas.

f. A él no le gusta bañarse, pero le gusta bañar al perro.

g. Se acuesta a las 11:30 y se levanta a las 6:00.

EJERCICIO 4

Imagínese que su hermanito de tres años le hace estas preguntas. Contéstele correctamente.

MODELO: ¿Te lavas los dientes con jabón? →
No, me lavo los dientes con pasta de dientes.

1. ¿Te bañas antes de las 5:00 de la mañana?
2. ¿Te lavas el pelo con detergente?
3. ¿Te afeitas en la lavandería?
4. ¿Te levantas temprano los domingos?
5. ¿Te quitas la ropa en la universidad?
6. ¿Te peinas en la biblioteca?
7. ¿Te maquillas en la clase de español?
8. ¿Te duchas en el patio?

4.4 Ordering Events: Infinitives after Prepositions

A. When telling a story or relating a sequence of events, speakers use "sequencing" words to let listeners know the order in which the events occur. You have already used many of these sequencing words in the **Narración** activities, for example:

primero	*first*	antes	*before*
luego	*then*	finalmente	*finally*
después	*afterward*	por último	*at last*
más tarde	*later (on)*		

Primero me baño y **luego** me cepillo los dientes. **Después,** preparo el desayuno. **Luego** voy al trabajo y trabajo hasta las 6:00 de la tarde. **Finalmente** vuelvo a casa a eso de las 8:00.

First I take a bath, and then I brush my teeth. Afterward, I fix breakfast. Then I go to work and work until 6:00 P.M. Finally I return home about 8:00.

B. The words **después** and **antes** by themselves express the meanings *after(ward)* and *before.*

Después, vamos a cenar con Pedro y Andrea Ruiz.

Afterward, we're going to have dinner with Pedro and Andrea Ruiz.

C. The preposition **de** follows **antes** and **después** before a noun or an infinitive. (English uses the *-ing* form instead of the infinitive.) Don't forget to attach any object pronouns to the end of the infinitive.

Antes de acostarme, quiero terminar la tarea.
Vamos a terminar la tarea **antes de (después de) la comida.**
Después de jugar al béisbol, voy a ir a la playa.

Before going to bed, I want to finish my homework.
We are going to finish our homework before (after) the meal.
After playing baseball, I'm going to go to the beach.

> **antes de** + infinitive
> **Antes de ducharse, Ramón se afeita.**
> (*Before showering, Ramón shaves.*)
> **después de** + infinitive
> **Después de estudiar, vamos a salir a bailar.** (*After studying, we are going out dancing.*)

EJERCICIO 5

¿Qué oración describe mejor cada dibujo?

1. _____

2. _____

3. _____

4. _____

5. _____

a. Prepara la cena después de trabajar.
b. Limpian la casa antes de salir a jugar.
c. Siempre se lava los dientes después de comer.
d. Después de hacer ejercicio se ducha.
e. Antes de acostarse, apaga la luz.

EJERCICIO 6

Complete las oraciones lógicamente.

1. Nos gusta lavar el coche después de...
2. El señor Saucedo lee el periódico antes de...
3. Pedro Ruiz dice: «Después de levantarme por la mañana, me gusta... »
4. Antes de acostarse, es necesario...
5. Guillermo siempre hace la tarea antes de...

a. desayunar.
b. apagar las luces.
c. almorzar.
d. salir a jugar con sus amigos.
e. salir a pasear.

EJERCICIO 7

Haga una oración lógica con **antes de** o **después de.**

MODELO: hacer la tarea / ver la televisión (nosotros) →
Después de hacer la tarea, vamos a ver la televisión.
(Antes de ver la televisión, vamos a hacer la tarea.)

1. preparar la comida / hacer la compra (Estela)
2. limpiar la casa / invitar a unos amigos (Pedro y Andrea Ruiz)
3. dormir una siesta / ir al videocentro (Guillermo)
4. correr / bañarse (tú)
5. salir a bailar / ponerse la ropa (nosotros)

4.5 Describing States

A. *Estar* + Adjective

Use **estar (estoy, estás, está, estamos, estáis, están)** to describe how someone is, or is feeling, at a particular time.

Estar (*To be*) describes a state (how someone is at a particular time):
—**¿Cómo estás?** (*How are you?*) —**Estoy cansada.** (*I'm tired.*)

—¿Cómo **estás**?
—**Estoy** un poco deprimido.

—*How are you?*
—*I'm a bit depressed.*

—¿Cómo **está** José Luis hoy?
—**Está** enfermo.

—*How is José Luis today?*
—*He's sick.*

—¿Cómo **están** ustedes?
—**Estamos** muy bien, gracias.

—*How are you?*
—*We are fine, thank you.*

Remember that **ser** is used to identify or describe the inherent characteristics of someone or something, *not* to tell how that person or thing is (feeling) at a particular moment.

> Alberto **es alto, delgado, joven**
> **y muy guapo.**
> Hoy **está confundido y cansado.**

> *Alberto is tall, thin, young, and*
> *very handsome.*
> *Today he's confused and tired.*

EJERCICIO 8

Describa el estado físico o anímico de estas personas.

MODELOS: Carmen → Carmen *está nerviosa.*
　　　　　　yo → Yo *estoy cansado.*

1. yo	**a.** está nervioso
2. mi primo	**b.** están ocupados
3. Luis y yo	**c.** estoy enojado/a
4. Nora	**d.** estamos preocupados
5. tú (*f.*)	**e.** estás contenta
6. Pablo y Mónica	**f.** está deprimida

EJERCICIO 9

Mire los dibujos y haga preguntas. Use la forma correcta de **estar** y adjetivos como **(un poco) triste, ocupado/a, cansado/a, enojado/a, deprimido/a, alegre, irritado/a, contento/a, enamorado/a,** etcétera.

MODELO: ¿Está cansada Graciela?

¡OJO!

Look at these sketches and form questions about them.

B. *Tener* **+ Noun**

Tener + noun is used to describe some states:
¿Tienes hambre, Yolanda? (*Are you hungry, Yolanda?*)

Some states of being are described in Spanish with the verb **tener** (*to have*), although they correspond to the verb *to be* in English. Common states expressed with **tener** are **tener hambre** (*to be hungry*), **tener sueño** (*to be sleepy*), **tener sed** (*to be thirsty*), **tener prisa** (*to be in a hurry*), **tener frío** (*to be cold*), **tener calor** (*to be hot*), and **tener miedo** (*to be afraid*).

—Ernesto, ¿cuándo quieres comer? **Tengo** mucha **hambre.**

—*Ernesto, when do you want to eat? I'm very hungry.*

—Estela, ¿quieren ir al cine tú y Ernesto esta noche?

—*Estela, do you and Ernesto want to go to the movies tonight?*

—No, gracias. **Tenemos** mucho **sueño** y queremos acostarnos.

—*No, thanks. We're very sleepy and want to go to bed.*

—Guillermo, ¿**tienes sed**?
—Sí, **tengo** mucha **sed.** Vamos a tomar algo.

—*Guillermo, are you thirsty?*
—*Yes, I'm very thirsty. Let's get something to drink (drink something).*

—¿Por qué **tiene prisa** Amanda?
—Porque su clase empieza a las 8:00.

—*Why is Amanda in a hurry?*
—*Because her class begins at 8:00.*

With the words **calor/frío** (*heat/cold*) and **caliente** (*hot*), several combinations are possible.

To describe people, use **tener** + **calor/frío.**

—Nora, ¿tú no **tienes calor**?
—No, no **tengo calor.** Me gusta mucho el sol.

—*Nora, aren't you hot?*
—*No, I'm not hot. I love the sun.*

To describe things, use **estar** + **caliente/frío.**

Lan, cuidado. No toques la estufa. **Está** muy **caliente.**

Lan, be careful. Don't touch the stove. It's very hot.

To describe the weather, use **hacer** + **calor/frío.**

Ay, Pablo, **hace mucho frío** hoy. Voy a ponerme un abrigo.

Pablo, it's really cold today. I'm going to put on a coat.

EJERCICIO 10

Mire los dibujos. ¿Cuál es la oración que mejor identifica cada dibujo?

MODELO: Tiene sed.

a. Tienen miedo. **f.** Está enojado.
b. Tiene prisa. **g.** Está preocupado.
c. Tienen calor. **h.** Está deprimido.
d. Hace mucho calor. **i.** Tiene hambre.
e. Nieva hoy.

1. _____   2. _____   3. _____

4. _____   5. _____

EJERCICIO 11

Describa el estado de estas personas. Estados posibles: **tener** + **calor, frío, hambre, prisa, sed, sueño, miedo.**

MODELO: (Yo) *Tengo prisa* porque la clase empieza a las 4:00.

1. A mediodía, Mayín _____.
2. Si (tú) _____, ¿por qué no te pones un suéter?
3. (Nosotros) _____ porque la temperatura está a 45°C hoy.
4. A medianoche (yo) _____.
5. Estoy en casa. Son las 8:55 y tengo una clase a las 9:00. (Yo) _____.
6. Hace mucho sol hoy. Guillermo y Ernestito quieren tomar agua fría porque _____.
7. Cuando estoy solo/a de noche, a veces _____.
8. ¿Tienes algo para tomar? (Yo) _____.

El Día de los Muertos

¿Una fiesta que celebra la muerte[1]? ¡Así es! En México, el primero y el segundo día de noviembre son días dedicados al recuerdo de los familiares y amigos fallecidos.[2] El primero de noviembre es el Día de Todos los Santos y se dedica a los niños muertos. El 2 de noviembre es el Día de los Muertos y en ese día la gente honra a sus familiares: un tío, una esposa, una prima o un padre muerto. La tradición de honrar a los difuntos[3] es una mezcla de tradiciones católicas europeas con tradiciones de las culturas indígenas[4] de América.

Los preparativos para estos días empiezan a fines de[5] octubre y en algunas regiones las celebraciones duran hasta mediados de[6] noviembre. En los mercados se vende papel picado,[7] flores de cempasúchil,[8] calaveras y ataúdes de azúcar[9] decorados de colores vivos, juguetes[10] de papel maché en

forma de esqueletos y un pan[11] especial: el pan de muerto. En las casas y en edificios públicos se construyen ofrendas[12] que recuerdan a los amigos o familiares fallecidos.

Las ofrendas se adornan con velas, papel picado, flores y pan de muerto. Es costumbre poner objetos queridos[13] del difunto: por ejemplo, una comida o bebida favorita, o un recuerdo de sus gustos: un collar,[14] un libro, un instrumento musical y, si es posible, una foto. También es costumbre dejar un vaso de agua en el altar. ¿Sabe por qué? Porque los espíritus tienen sed después de su largo viaje al mundo de los vivos.[15] Se forma una senda[16] de pétalos de cempasúchil que guía al espíritu del muerto de la puerta hasta la ofrenda.

En muchos pueblos, por la mañana las familias van al panteón o cementerio y limpian las tumbas de

sus seres queridos[17] en preparación para la celebración de esa noche. De noche encienden velas,[18] ofrecen flores y comen comidas tradicionales en honor a los difuntos. Esa misma noche por las calles del pueblo hay desfiles de gente enmascarada[19] que pasa por las calles tocando música. El Día de los Muertos les permite a los mexicanos recordar y honrar a aquellas personas que siempre viven en el corazón de sus amigos y familiares.

[1]*death* [2]*who have died* [3]*people who have died* [4]*indigenous* [5]*a… at the end of* [6]*duran… last until the middle of* [7]*papel… decorative cut paper*
[8]*flores… marigold flowers* [9]*calaveras… skulls and coffins made of sugar* [10]*toys* [11]*bread* [12]*altars, offerings* [13]*objetos… cherished objects*
[14]*necklace* [15]*mundo… land of the living* [16]*path* [17]*seres… loved ones* [18]*encienden… they light candles* [19]*desfiles… parades of masked people*

Shakira, volcán de sonido

La joven colombiana Shakira Mebarak es una artista famosa. Shakira es cantautora, lo cual quiere decir que compone[1] las canciones que interpreta en sus discos. Y muchas de esas canciones son hermosos poemas al ritmo de rock. Para ser tan joven, Shakira escribe como una poeta de gran experiencia. Explora temas tradicionales —el amor, las relaciones humanas— desde una perspectiva fresca y nueva. Las melodías de esta talentosa compositora[2] son contagio-

sas. Predomina la instrumentación eléctrica, pero también las suaves guitarras y el piano.

Shakira es bilingüe y bicultural, de madre colombiana y padre libanés.[3] Su estilo y varias de sus canciones reflejan la influencia libanesa. De hecho, en su segundo disco Shakira canta parte de «Ojos así», su canción más popular, en árabe. Shakira ganó dos Grammys por esta canción en 2000. Y después de ese gran éxito,[4] la cantautora realiza el *crossover* con un compacto espectacular, *Laundry Service* (2002), muy popular en los Estados Unidos. Al conversar, Shakira parece tímida, pero al cantar sus hermosos poemas se transforma en un volcán de sonido, en pura energía.

[1]*she composes* [2]*composer* [3]*Lebanese* [4]*success*

La música andina

Los Andes se extienden desde Venezuela en el norte de Sudamérica, hasta Chile en el sur. En esta región andina hay varias culturas indígenas, entre ellas la *chibcha* de Colombia, la *quechua* de Ecuador, Perú y Bolivia y la *aimara* de Chile. La antigua civilización de los incas incluía las culturas de los quechua y los aimara.

Estas culturas producen una música hermosa, notable por sus instrumentos de viento: *la quena* y *la zampoña*. La quena es un tipo de flauta fabricada de una caña hueca[1] o de un hueso[2] de cóndor, que produce un sonido triste y dulce.[3] La zampoña o *seku* tiene dos líneas de tubos de bambú y produce un sonido misterioso.

La música andina se toca también con otros instrumentos indígenas como *el bombo, el charango* y *las charchas* o los cascabeles.[4] El bombo es un tambor[5] de madera y piel[6] de animal que se toca con un palo. El charango, hecho del capara-

zón del armadillo,[7] es una pequeña guitarra de diez cuerdas.[8] Las charchas son instrumentos de percusión y se fabrican de las pezuñas[9] de varios animales.

La música andina contemporánea utiliza también la guitarra, el violín y las maracas. Si a usted le interesa esta música melódica, puede escuchar la de los grupos Inti-Illimani de Chile, los Kjarkas de Bolivia o Takisuyo del este de los Estados Unidos.

[1]*caña... hollow cane* [2]*bone* [3]*sweet* [4]*small bells* [5]*drum* [6]*skin* [7]*caparazón... armadillo shell* [8]*strings* [9]*hooves*

Capítulo 5
Las clases y el trabajo

La calera, por Gabriel Bracho
(Venezuela)

M E T A S

In **Capítulo 5,** you will discuss classroom activities and your classmates' talents and abilities. You will also talk about careers, obligations, activities in progress, and recreational plans for the future.

Sobre el artista: Gabriel Bracho (1915–1995) nace en Venezuela. Estudia en Caracas y en Santiago de Chile, y tiene contacto con el movimiento muralista mexicano. Bracho hace una importante contribución a la pintura social y de protesta con sus murales americanistas. En Venezuela hay un museo que lleva su nombre; allí se exhiben sus obras y las de otros grandes pintores.

Época precolombina
Las costas del Caribe son pobladas
por pacíficos indios arahuacos.

Venezuela

1819
Se reúne el primer congreso.

Rebelión de esclavos negros y mestizos **1795**

1500   1700   1800

1498
Llega Cristóbal
Colón.

1730
Rebeliones contra
España; gana España

1811
Simón Bolívar proclama la independencia.

Los amigos animados: Para repasar

Antes de comenzar este capítulo, mire los segmentos animados para repasar el capítulo anterior.

A. Andrés está aburrido. Hoy es domingo y Susana Yamasaki conversa con Andrés, su hijo menor.

B. ¡Feliz cumpleaños! Hoy es el cumpleaños de Graciela y hay una fiesta en su casa. Ahora Graciela conversa con su hermano Diego.

En este capítulo...

ACTIVIDADES DE COMUNICACIÓN

• Las actividades en la clase de español
• Las habilidades
• Las carreras y las actividades del trabajo
• Las actividades futuras

EN RESUMEN

LECTURAS Y CULTURA

• **Ventanas culturales**
La lengua: El español de hoy
• **Enlace literario**
«Nadie entiende a los maestros», por José Emilio Pacheco
• **Ventanas culturales**
La vida diaria: El repartidor de libros
• **Lectura**
El lenguaje del cuerpo

GRAMÁTICA Y EJERCICIOS

5.1 Indicating to Whom Something Is Said: Indirect Object Pronouns with Verbs of Informing
5.2 Expressing Abilities: **saber** and **poder** + Infinitive
5.3 Referring to Actions in Progress: Present Progressive
5.4 Expressing Obligation and Duty: **tener que, deber, necesitar, hay que, es necesario**
5.5 Expressing Plans and Desires: **pensar, quisiera, me gustaría, tener ganas de**

1854 Abolición de la esclavitud

1929 Venezuela es el primer exportador de petróleo en el mundo.

1960 Se promulga una ley de reforma agraria de carácter moderado.

1998 Hugo Chávez es elegido presidente y su gobierno impulsa reformas políticas y económicas para mejorar la calidad de vida del pueblo.

1900

2000

1902–1903 Gran Bretaña, Alemania e Italia decretan un bloqueo marítimo para conseguir el pago de la deuda venezolana

1938 Plan para la construcción de hospitales y escuelas públicas

1976 Son nacionalizadas las industrias del petróleo y del hierro.

1983 Recesión económica causada por la baja de precios del petróleo

Actividades de comunicación y lecturas

✳ **Las actividades en la clase de español**

Lea Gramática 5.1.

Alberto les habla a sus compañeros.

Mónica le escribe un mensaje electrónico a su amigo.

La profesora nos dice «Buenos días».

La profesora nos hace preguntas.

Le contestamos a la profesora.

Nora le lee las Ventanas culturales a Esteban.

Carmen le hace una pregunta a la profesora Martínez.

La profesora le explica la gramática a Carmen.

ACTIVIDAD 1   Conversación: ¿Con qué frecuencia?

¿Con qué frecuencia hacen ustedes las siguientes actividades en la clase de español?

MODELOS: Escribimos las palabras nuevas en el cuaderno *todos los días.*
A veces leemos las Ventanas culturales.
La profesora *siempre* nos hace preguntas.

▶ **PALABRAS ÚTILES**

nunca	a veces	con frecuencia
raras veces	muchas veces	siempre / todos los días
de vez en cuando		

1. Les hablamos a los compañeros de clase.
2. Escribimos las palabras nuevas en el cuaderno.
3. Entendemos casi todo cuando la profesora / el profesor nos habla en español.
4. Contestamos las preguntas del profesor / de la profesora.
5. Escuchamos las opiniones de los compañeros de clase.
6. Jugamos juegos de video.
7. Aprendemos palabras nuevas.
8. Le hacemos preguntas al profesor / a la profesora.
9. Hacemos la tarea en clase.
10. Dormimos una siesta.
11. Le decimos «Buenas noches» al profesor / a la profesora.
12. Terminamos la clase temprano.

ACTIVIDAD 2   Preferencias: La clase de español

Aquí hay varias actividades relacionadas con la clase de español. Póngalas en orden, del número 1 (¡Me gusta mucho!) al número 7 (¡No me gusta nada!). Después, compare sus respuestas con las de sus compañeros de clase.

1. En el salón de clase:
   a. _____ tomar exámenes
   b. _____ trabajar en grupos
   c. _____ escuchar al profesor / a la profesora cuando nos habla
   d. _____ hablarles a mis compañeros en español
   e. _____ ver videos
   f. _____ participar en conversaciones
   g. _____ escuchar música hispana o cantar en español

2. Fuera del salón de clase:
   a. _____ estudiar para los exámenes
   b. _____ escribir composiciones
   c. _____ hacer la tarea de gramática
   d. _____ escuchar las actividades auditivas
   e. _____ hablarles a mis amigos hispanos en español
   f. _____ hacer las actividades del CD-ROM
   g. _____ escuchar una emisora de radio hispana

ACTIVIDAD 3   Descripción de dibujos: En la universidad

A. Escuche a su profesor(a) mientras él/ella describe las actividades de los estudiantes norteamericanos. Diga el número del dibujo que corresponde a cada descripción.

B. Diga qué diferencias hay entre los dibujos 1 y 2 y entre los dibujos 3 y 4.

ACTIVIDAD 4   Entrevista: La clase de español

1. ¿Te asigna mucha tarea el profesor / la profesora? ¿Lees todas las lecturas?
2. ¿Dónde escuchas las actividades auditivas: en tu coche, en casa o en el laboratorio de lenguas?
3. ¿Les explicas a tus compañeros cómo hacer la tarea? Cuando no comprendes la tarea, ¿te ayudan tus compañeros?
4. ¿A qué hora empieza esta clase? ¿Llegas tarde a clase? Cuando llegas tarde, ¿qué le dices al profesor / a la profesora?
5. ¿Te gusta cuando el profesor / la profesora te hace una pregunta? ¿Siempre le contestas en español? ¿Piensas en español cuando hablas español?
6. ¿Te gusta la clase de español? ¿Qué cosas *no* te gusta hacer en la clase?

ACTIVIDAD 5 Del mundo hispano: La Escuela de Idiomas Nerja

ESCUELA DE IDIOMAS NERJA
CURSOS DE ESPAÑOL DURANTE TODO EL AÑO
estancias de 2 a 24 semanas
clases de 4 o 6 horas diarias

Nuestros programas incluyen:
• cursos intensivos individuales o en grupo
• cursos de español comercial • cursos para profesores
• diploma de español como lengua extanjera (D.E.L.E.)

Actividades culturales y sociales
• excursiones • cocina española
• baile flamenco • charlas • fiestas
NIVELES: ELEMENTAL, INTERMEDIO I Y II,
AVANZADO I Y II, Y SUPERIOR.

OFERTA PARA EL NUEVO MILENIO

• 12 semanas curso intensivo
• 12 semanas de alojamiento
• 20 horas por semana
• 1.328 €

*precios sujetos a cambio

ALOJAMIENTO:
• en residencia con baño privado y
televisor, terraza y piscina
• con familia a corta distancia de la escuela
• en un piso con otros estudiantes

PROFESORES ESPECIALIZADOS EN METODOLOGÍA INNOVADORA

NUESTRA ESCUELA DISPONE DE:
• librería • biblioteca • cafetería
• centro multimedia

PIDA INFORMACIÓN DETALLADA A:

Escuela de Idiomas Nerja
C/Almirante Ferrándiz, No 73, Apartado 46
E-29780 Nerja, Málaga, España
Tfno: 34 5 252 1687 • Fax: 34 5 252 2119
correo e: idnerja@idnerja.es

*Escuela de Idiomas Nerja en la Costa del Sol, en un pueblo andaluz de
20.000 habitantes. Nerja está en la orilla del mar y está rodeado de
montañas, a cincuenta minutos del aeropuerto de Málaga. La escuela
está situada en al centro en una casa típica con jardín tropical.
Está cerca de las tiendas y las playas.*

Lea este anuncio de la Escuela de Idiomas Nerja y conteste las preguntas de
su profesor(a). Luego, trabaje con su compañero/a para contestar las siguientes preguntas.

1. ¿Cuántas horas de clase tienen los estudiantes al día?
2. ¿Son cursos individuales o para grupos?
3. ¿De cuántas semanas es el curso intensivo? ¿Cuánto cuesta?
4. ¿Qué instalaciones hay en esta escuela? ¿Hay cafetería? ¿Qué más hay?
5. ¿Cuál es la dirección de la Escuela de Idiomas Nerja?
6. Describa la ciudad de Nerja. ¿Le gustaría estudiar allí? ¿Por qué?

VENTANAS CULTURALES   La lengua

El español de hoy

VOCABULARIO ÚTIL	
lamentan	*regret*
extranjeras	*foreign*
el jonrón	*home run*

Hay personas en España que se preocupan por el uso de palabras inglesas en el idioma español. Muchos españoles lamentan el exceso de uso del inglés en la lengua española. «Hoy para viajar sacamos *tickets,* para divertirnos escuchamos *compacts,* cuando acampamos hacemos *camping* y las personas de negocios trabajan en el *business.*»

Entendemos esta preocupación de muchos españoles, pero el uso de palabras extranjeras ocurre con frecuencia en todos los idiomas. ¡Es un proceso natural! Es verdad que en español comemos bistec (que viene de *beef steak*) y también sandwiches. Llevamos suéter y jeans. Sufrimos estrés. Y cuando se habla de deportes, los hispanos juegan al fútbol, al voleibol, y hacen un jonrón o meten un gol. Pero el inglés también tiene muchas palabras de otras lenguas, especialmente del español. ¿Puede pensar en algunas?

Aquí tiene varias; para empezar: *vista, plaza, sierra, rodeo, patio* y *siesta.* Otras palabras de origen español, un poco modificadas, son *cigar* (cigarro) y *lasso* (lazo). El inglés usa también palabras de origen indígena que ya forman parte del español moderno: *tamale* (tamal), de la lengua náhuatl en México; *hurricane* (huracán) y *barbecue* (barbacoa), de la lengua de los indígenas del Caribe. También muchos nombres de ciudades y estados norteamericanos son españoles; por ejemplo, Colorado, California, Nevada, San Francisco, Los Ángeles y Santa Fe.

En realidad no debemos preocuparnos porque hacemos *camping,* compramos *tickets* y escuchamos *compacts:* las palabras extranjeras son parte natural de todos los idiomas.

Ahora... ¡ustedes!

¿Puedes nombrar otros lugares en los Estados Unidos que tienen nombres españoles? ¿Conoces otras palabras de origen extranjero que se usan en el inglés? (Piensa en la comida.)

✳ Las habilidades

Lea Gramática 5.2.

Estela conversa con su amiga Lola.

LOLA: Estela, ¿sabes montar a caballo?

ESTELA: Sí, y también sé jugar al polo.

LOLA: Y tus hijos, ¿saben ellos montar a caballo también?

ESTELA: No, pero saben patinar.

ESTELA: Ahora mi hijo Guillermo no puede patinar; tiene una pierna fracturada. Sólo puede leer y ver la televisión.

LOLA: ¡Pobre chico!

ACTIVIDAD 6   Descripción de dibujos: ¿Qué saben hacer estas personas?

Escuche a su profesor(a) mientras él/ella describe los talentos de las siguientes personas. Diga quién es cada persona que describe.

Susana

Estela

Pilar

Raúl

Doña María Eulalia

Nacho

Ricardo

Adriana

ACTIVIDAD 7 Orden lógico: Ernestito quiere bañar al perro

Busque el orden correcto de estas oraciones.

_____ ERNESTITO: Mamá, tengo ocho años. ¡Sé bañar a un perro!

_____ ESTELA: Perfecto, pero también vas a…

_____ ESTELA: Bueno, hijo, después de bañarlo, vas a secarlo muy bien.

_____ ERNESTITO: Ya sé, mamá.

_____ ESTELA: Sí, hijo, pero antes de traer al perro, prepara el agua y el jabón.

_____ ERNESTITO: Mamá, mamá, ¿puedo bañar a Lobo?

_____ ERNESTITO: Ya está todo listo, mamá.

ACTIVIDAD 8 Entrevistas: ¿Qué sabes hacer? ¿Qué puedes hacer?

LAS HABILIDADES

MODELO: E1: ¿Sabes _esquiar_?

E2: Sí, sé _esquiar_. (No, no sé _esquiar_. / Sí, sé _esquiar un poco_.)

1. patinar en el hielo
2. jugar al basquetbol
3. nadar
4. diseñar sitios Web
5. reparar carros
6. montar en motocicleta
7. bucear
8. hablar otro idioma (¿cuál?)
9. tocar algún instrumento musical
10. pintar
11. andar en patineta
12. bailar música salsa

EN TU CASA O EN LA RESIDENCIA ESTUDIANTIL

MODELO: E1: ¿Puedes _hacer la tarea en casa_ (_en la residencia estudiantil_)?

E2: No, no puedo _hacer la tarea en casa porque hay muchas distracciones_.

1. cenar a la hora que quieras
2. tener animales domésticos donde vives
3. ver la televisión a cualquier hora
4. dormir hasta las 10:00 de la mañana
5. escuchar música y hacer la tarea a la vez

ENLACE LITERARIO

«Nadie entiende a los maestros»,

por José Emilio Pacheco

Selección de su novela *El principio del placer* (1994)

José Emilio Pacheco (1939), famoso por su poesía y sus artículos periodísticos, escribe sobre la cultura mexicana. Es ganador del Premio Octavio Paz y el Premio Pablo Neruda. Entre sus publicaciones hay varios libros de poesía, cuentos y tres novelas; entre ellas, *El principio del placer* (1994). En *El principio del placer*, un joven mexicano cuenta su historia en forma de diario. Este joven se llama Jorge y comienza su historia describiendo sus clases.

Nadie entiende a los maestros

En dictados y composiciones nadie me gana; cometo errores pero tengo mejor ortografía y puntuación que los demás.[1] También soy bueno para historia, inglés y civismo.[2] En cambio, resulto bestia[3] en física, química, matemáticas y dibujo. No hay otro en mi salón que haya leído[4] casi completo *El tesoro de la juventud,*[5] así como todo Emilio Salgari y muchas novelas de Alejandro Dumas y Julio Verne.[6] Me encantan los libros pero el profesor de gimnasia nos dijo[7] que leer mucho debilita la voluntad.[8] Nadie entiende a los maestros, uno dice algo y el otro lo contrario.

Actividad creativa: Clases y profesores

En esta selección, un joven mexicano menciona las clases para las que es bueno y las clases en las que es «bestia». Imagínese que usted también escribe un diario. Mencione en una página de su diario las clases que le gustan y las que no le gustan. ¿Cuál es su favorita? ¿Por qué? ¡Describa también a sus profesores!

[1]los… *the other (students)*   [2]*civics*   [3]muy malo (*lit., a beast*)   [4]que… *who has read*   [5]*El tesoro de la juventud* (*The Treasure of Youth*) es una enciclopedia de gran prestigio en el mundo hispano que contiene información para los jóvenes. [6]Emilio Salgari (1863–1911), autor italiano de muchas novelas de aventuras, como *Sandokán, el rey del mar* (1906). Alejandro Dumas (1824–1895), escritor francés de novelas y dramas, como *La dama de las camelias* (1848). Julio Verne (1828–1905), escritor francés de ciencia ficción, como *La vuelta al mundo en ochenta días* (1873).   [7]nos… *told us* [8]debilita… *weakens the will*

✳ Las carreras y las actividades del trabajo

Lea Gramática 5.3–5.4.

El ama de casa está planchando.

La cajera está contando el dinero.

El trabajador social está escribiendo un informe.

El peluquero está cortando el pelo.

El médico está examinando al enfermo.

El dependiente debe arreglar la ropa.

El cocinero está preparando la comida y el mesero les está sirviendo a los clientes.

Los bomberos tienen que apagar el incendio.

El plomero necesita reparar la tubería.

El empleado debe entrar al trabajo a las 9:00.

La mecánico tiene que reparar el automóvil en el taller.

La abogada defiende a los acusados y la juez decide casos criminales.

La enfermera debe cuidar a los enfermos.

El terapeuta está trabajando con un paciente.

Los obreros están trabajando en la fábrica.

ACTIVIDAD 9   Asociaciones: ¿Dónde trabaja?

MODELO: Un mecánico trabaja en un taller de reparaciones.

1. _____ un(a) electricista
2. _____ un mesero / una mesera
3. _____ un peluquero / una peluquera
4. _____ un médico / una doctora
5. _____ un(a) piloto
6. _____ un cajero / una cajera
7. _____ un secretario ejecutivo / una secretaria ejecutiva

a. en un cuarto con muchas computadoras
b. en su consultorio y en un hospital
c. en un autobús
d. en un restaurante
e. en la cocina de un restaurante
f. en la calle o en una casa, con cables eléctricos

(Continúa)

8. _____ un dependiente / una
   dependienta
9. _____ un(a) cantante
10. _____ un profesor / una profesora
11. _____ un obrero industrial / una
   obrera industrial
12. _____ un(a) mecánico
13. _____ un cocinero / una cocinera
14. _____ un(a) chofer
15. _____ un programador / una
   programadora

g. en una fábrica
h. en un banco
i. en una tienda
j. en una peluquería
k. en un avión
l. en una universidad
m. en un taller de
   reparaciones
n. en una oficina
o. en un club nocturno

ACTIVIDAD 10 Identificaciones: Encuentre las diferencias

Mire los dibujos y encuentre las diferencias entre el dibujo de la derecha y
el de la izquierda. ¿Qué están haciendo estas personas?

ACTIVIDAD 11 Encuesta: Su opinión, por favor

Lea esta lista de profesiones y oficios y marque el más interesante (=1), el
más aburrido (=2), el más peligroso (=3), el más necesario (=4) y el más
prestigioso (=5).

_____ agente de seguros
_____ ama de casa
_____ asistente de médico
_____ (mujer) policía
_____ contador(a)
_____ (mujer) bombero
_____ electricista
_____ gerente

_____ hombre/mujer de negocios
_____ plomero/a
_____ programador(a)
_____ secretario ejecutivo /
   secretaria ejecutiva
_____ abogado/a
_____ trabajador(a) social
_____ terapeuta

Ahora, compare su opinión con las de sus compañeros y diga por qué
usted piensa así.

ACTIVIDAD 12 Narración: ¡Cuántas obligaciones!

Éstas son las actividades del trabajo de la profesora Martínez y de Luis y Carmen. ¿Qué tienen que hacer?

▶ **PALABRAS ÚTILES**

Tiene que	Necesita	Debe

ACTIVIDAD 13   Del mundo hispano: ¿Busca empleo?

Conteste las preguntas según la información en estos avisos clasificados.

1. ¿Qué tienen que hacer las personas que trabajan en el bar Noche de Ronda?
2. ¿Qué aptitudes necesita tener el/la chofer?
3. Si usted quiere el trabajo de secretario/a, ¿qué experiencia necesita tener?
4. Si usted quiere trabajar de tres a cuatro horas al día, ¿a qué número debe llamar?

SE NECESITA cocinero/a con experiencia en comida mexicana. Venga personalmente a la Calle Obregón 838.

BAR «Noche de Ronda» necesita meseras/os para atender mesas. Sueldo y comisión. Si le interesa, favor de llamar al 56-45-67-94.

SECRETARIA/O con tres años de experiencia. Algo de inglés y que escriba a máquina mínimo 50 ppm, para trabajo estable de oficina cerca del centro. Llame sólo de 5 a 7 P.M. 55-58-03-49.

DEPENDIENTEIA h/m para trabajo de media jornada. Llame al 55-49-05-34.

CHOFER h/m. Con experiencia. Debe hablar inglés. Compañía «Transportes El Blanco» en Coyoacán. 67-45-93.

TERAPEUTA h/m con experiencia. Para trabajo en clínica. Llame de 9 a 11 A.M. al Dr. Tamayo al 56-89-30-78.

ATENCIÓN: Compañía Hnos. Menéndez necesita varias personas bilingües para sus oficinas en Laredo y Ciudad Juárez. Llame al 56-94-93 o al 93-57-00 desde las 10 hasta las 14.

TALLER DE REPARACIONES busca mecánico con experiencia. Cinco días por semana. Buen sueldo. 56-44-91-83

5. ¿Qué tiene que saber hacer el cocinero / la cocinera?
6. ¿Es necesario ser hombre para obtener el trabajo de terapeuta?
7. ¿Qué compañía necesita personas que hablen inglés y español?
8. Si usted sabe reparar coches, ¿a qué número tiene que llamar?

ACTIVIDAD 14   Entrevistas: El trabajo

1. ¿Tienes trabajo de jornada completa o de media jornada ahora? ¿Es bueno el sueldo?
2. ¿Dónde trabajas? ¿Vives cerca o lejos de tu trabajo?
3. ¿A qué hora entras y a qué hora sales? ¿Te gustan tus horas de trabajo?
4. ¿Qué tienes que hacer? ¿Hay actividades diferentes o siempre la misma cosa? De todas las actividades de tu trabajo, ¿cuál te gusta más? ¿Por qué?
5. ¿Cuáles son los aspectos más desagradables de tu trabajo? ¿Por qué son desagradables?

Diccionario cibernético

at (@)	la arroba
click	hacer *clic*, pulsar
dot (.)	el punto
download	bajar
electronic mail	el correo electrónico
e-mail	el *e-mail*, el *mail*, el mensaje electrónico
Internet	el Internet
link	el enlace
modem	el *módem*
mouse pad	el *mouse pad*
mouse	el ratón, la rata
search engine	el buscador
slash (/)	raya
Web page	la página Web
World Wide Web	la red mundial

VENTANAS CULTURALES La vida diaria

El repartidor de libros

En el mundo hispano hay profesionales de todo tipo: artistas, maestros, escritores, arquitectos, ingenieros, científicos; por ejemplo, el científico mexicano Moisés Calderón, inventor del corazón artificial «Mexicor». También hay escritores de fama internacional, muchos ganadores del Premio Nobel, como el poeta chileno Pablo Neruda y el novelista colombiano Gabriel García Márquez.

Pero también hay muchos otros trabajadores que hacen una labor interesante y valiosa. En Chile, por ejemplo, hay un hombre que tiene un empleo muy especial. Su nombre es Álvaro del Canto y su trabajo es repartir libros. Álvaro hace este trabajo con un triciclo y una enorme caja. Esa caja contiene 200 obras literarias que Álvaro lleva a los residentes de Las Compañías, un barrio al norte de Santiago, la capital chilena. En este barrio hay 40.000 residentes. Álvaro trata de llegar especialmente a las personas pobres, quienes reciben los libros prestados durante una semana.

Gracias a Álvaro del Canto, mucha gente en Las Compañías está descubriendo el placer de la lectura y está aprendiendo con los libros. ¡Qué importante es el trabajo de Álvaro!

VOCABULARIO ÚTIL	
el corazón	*heart*
repartir	*deliver, distribute*
el triciclo	*tricycle*
la caja	*box*
prestados	*on loan*

Ahora... ¡ustedes!

Tienes la oportunidad de poner cinco libros en la caja de Álvaro del Canto. ¿Qué obras literarias vas a enviar al barrio de Las Compañías? ¿Por qué?

✳ Las actividades futuras

Lea Gramática 5.5.

Éstos son los planes y los deseos de Pilar Álvarez, José Estrada y Clara Martin.

Estudio informática porque quisiera ganar mucho dinero.

Después de graduarse, José va a ir de vacaciones a Guatemala.

Nos gustaría ir a bailar este viernes por la noche.

Clara piensa quedarse en casa el viernes por la noche. Tiene ganas de descansar.

ACTIVIDAD 15   Narración: El fin de semana de Esteban

Narre los planes de Esteban para el fin de semana.

el viernes por la tarde

el viernes por la noche

el sábado por la mañana

el sábado por la tarde

el sábado por la noche

el domingo por la mañana

el domingo por la tarde

el domingo por la noche

ACTIVIDAD 16   Preferencias: Los planes

Diga sí o no.

1. El sábado por la noche pienso…
  a. salir con los amigos.
  b. ir al cine.
  c. quedarme en casa.
  d. ¿ ?

2. Este fin de semana voy a…
  a. levantarme temprano.
  b. dormir todo el día.
  c. limpiar la casa.
  d. ¿ ?

3. Este fin de semana tengo ganas de…
  a. salir a bailar.
  b. andar en patineta.
  c. merendar con la familia.
  d. ¿ ?

4. Durante las vacaciones mis amigos y yo quisiéramos…
  a. estudiar.
  b. divertirnos mucho.
  c. acampar en las montañas.
  d. ¿ ?

5. El próximo verano a mi mejor amigo/a le gustaría…
  a. diseñar una página Web.
  b. viajar.
  c. asistir a la universidad.
  d. ¿ ?

▶ **Y TÚ, ¿QUÉ DICES?**

¿Dónde?/¿Adónde?
¿Con quién(es)?
¡Qué divertido!
Yo también.
¿Por qué?
¿Otra vez?

MODELO: E1: El próximo verano a mi mejor amigo/a le gustaría viajar.
      E2: ¿Adónde? (¿A qué país?)

¡OJO!

Con frecuencia, los hispanos incluyen a toda la familia en sus planes. Por lo general, los domingos se reúnen padres, abuelos, hijos y nietos para comer juntos.

REFRÁN

No dejes para mañana lo que puedes hacer hoy.

(*Don't leave for tomorrow what you can do today.*)

ACTIVIDAD 17   Encuesta: ¿Cuáles son sus planes?

1. Mañana, antes de venir a clases,...
2. Hoy, después de clases,...
3. Esta noche, antes de acostarme,...
4. Antes de salir para el trabajo,...
5. Este fin de semana,...
6. Durante las vacaciones de invierno (verano, primavera),...
7. Después de graduarme,...

a. voy a _____.
b. pienso _____.
c. quisiera _____.
d. me gustaría _____.
e. tengo ganas de _____.

Estudiantes de Derecho en la Universidad de La Habana, Cuba

En resumen

De todo un poco

A. ¿Qué oficio o carrera deben escoger?

Trabajen en grupos de tres para adivinar qué carreras son más apropiadas para las siguientes personas.

1. Juan Limón: Es una persona activa; nunca descansa. Nunca tiene miedo y le gustaría ser héroe. Sabe manejar muy bien.
2. Guadalupe Morales: Siempre contesta todas las preguntas que le hace la profesora de biología. Sabe mucho del cuerpo humano. No necesita dormir muchas horas. Le gusta ayudar a la gente enferma.
3. Ángela López: Les hace muchas preguntas a los profesores. No es tímida. Nunca está nerviosa cuando habla en público. Cree que la justicia es muy importante y le gustaría defender a las personas inocentes.
4. Lilián Torreón: Piensa trabajar en un hospital o en una clínica. Sabe bastante sobre el cuerpo humano y sabe usar las manos para tratar a los deportistas que tienen accidentes.

B. Un juego

Trate de adivinar la profesión de estas seis personas: los Hurtado (Jaime y Ana), los Pérez (Hugo y Cecilia) y los Salinas (Alejandro y Olivia). Las posibilidades son **doctor(a), dentista, ingeniero/a, maestro/a, secretario/a** y **abogado/a.** Use la siguiente información para encontrar la solución.

1. Ana trabaja en un hospital, pero no es doctora.
2. El esposo de la abogada es ingeniero.
3. La secretaria está casada con un doctor.
4. El esposo de la dentista trabaja en una escuela.
5. Jaime trabaja con enfermeras.
6. Alejandro enseña matemáticas.

¡Dígalo por escrito!

Descripciones de dos amigos

Escriba descripciones completas de dos amigos o miembros de su familia. Después de dar el nombre y el apellido de cada persona, dé una breve descripción física. Luego hable de los planes y deseos para el futuro que tienen estas personas. Hable también de sus habilidades y de su personalidad. Para estas últimas partes, use las descripciones de la actividad anterior (**De todo un poco A**) como modelos.

¡Cuéntenos usted!

Cuéntenos sobre su trabajo ideal. ¿Dónde trabaja usted? ¿Cuál es su sueldo? ¿Cuáles son sus horas de trabajo? ¿Qué hace usted?

LECTURA El lenguaje del cuerpo

Cuando hablamos necesitamos las palabras, ¿no es cierto? Pero las palabras no son siempre necesarias para la comunicación: el lenguaje por señas utiliza exclusivamente las manos y los dedos. Todos combinamos las palabras con gestos, expresiones de la cara y un lenguaje corporal que nos ayuda a expresar nuestras ideas y nuestras emociones. En la cultura hispana, las manos generalmente «hablan» mucho; las personas gesticulan con las manos para poner énfasis y avivar la comunicación.

Hay gestos universales; otros varían de cultura a cultura. En algunos casos, un gesto que se usa en un país puede crear problemas en otro, porque significa algo diferente. Piense, por ejemplo, en la seña tan popular en los Estados Unidos para decir «OK»: el pulgar y el índice unidos en forma de círculo. Este gesto expresa optimismo, pero no en todos los países. En España y Francia significa «cero» y en Japón es «dinero». Otro ejemplo interesante es la sonrisa, que para muchos de nosotros quiere decir alegría y felicidad. Pues en algunos países de África, la sonrisa puede ser interpretada como preocupación. ¡Qué diferencia!

> **PISTAS PARA LEER**
> Focus on the main idea in each paragraph. The following questions can guide you. Paragraph 1: Do we use only words when we communicate? P2: Are most gestures universal? P3: What cultural difference is mentioned? P4: How do gestures help us succeed in speaking a foreign language?

VOCABULARIO ÚTIL

el lenguaje	*sign*
por señas	*language*
gesticulan	*(they)*
	gesture
avivar	*liven up*
el pulgar	*thumb*
el índice	*index finger*
la sonrisa	*smile*
anglosajona	*Anglo-Saxon*

Hay varias diferencias entre la cultura hispana y la cultura anglosajona de los Estados Unidos. La distancia entre dos personas que se saludan, por ejemplo: un norteamericano extiende todo el brazo para darle la mano a su amigo y mantener así una distancia física apropiada. Dos amigos hispanos, sin embargo, extienden menos el brazo y a veces hasta se abrazan. En general, el contacto físico no es tan necesario para el norteamericano.

Es importante aprender las palabras para comunicarnos, pero si aprendemos también el lenguaje del cuerpo, nuestra comunicación se hace más rica y expresiva. ¿Cuáles son algunos de los gestos que caracterizan a las personas de Estados Unidos o a las de su país de origen? ¿Qué significan? Aquí tiene algunos de los gestos que caracterizan a los hispanos. Éstos son los más usados en España y en América Latina. ¡Aprenda el lenguaje del cuerpo!

1. No.

2. Quiero comer.

3. ¡Excelente!

4. furioso/a (enojado/a)

5. tacaño/a

6. muy amigos

7. Un momentito...

8. dinero (cuesta mucho)

9. ¡Ojo! ¡Tenga cuidado!

Comprensión

Mire los dibujos y después indique qué gesto se puede usar en las siguientes situaciones.

1. Un chico tiene mucha hambre.
2. El profesor está muy contento con la clase.
3. El/La recepcionista de una oficina le dice que usted tiene que esperar.
4. Una muchacha ve a su novio con otra chica.
5. El hombre no quiere comprarle un helado a su hijo.

Un paso más... ¡a escribir!

Escoja una de las situaciones de la actividad de **Comprensión** y escriba un diálogo corto entre las dos personas, haciendo referencia a los gestos que hacen cuando hablan. Aquí tiene un ejemplo para la primera situación.

MODELO: HIJO: Papá, tengo mucha hambre.
(*El hijo pone la mano cerca de la boca y mueve la mano.*)
PAPÁ: Bueno, estoy preparando sándwiches. Un momentito.
(*El papá hace un gesto con los dedos.*)
HIJO: ¿Sándwiches? ¡Súper! ¡Excelente!
(*El hijo se besa los dedos y luego los extiende.*)

ocabulario

• **Las actividades en la clase de español** — Activities in Spanish Class

aprender	to learn
comprender	to comprehend
decir (i) digo/dice	to say
empezar (ie)	to begin
enseñar	to teach
entender (ie)	to understand
explicar	to explain
pensar (ie)	to think
pensar en	to think about
terminar	to finish

REPASO: hacer preguntas, tomar apuntes

• **Las habilidades** — Abilities

poder (ue)	to be able to
saber (+ *infin.*)	to know how to (*do something*)

• **Las profesiones y el empleo** — Professions and Employment

el abogado / la abogada	lawyer
el/la agente de seguros	insurance agent
el bombero / la mujer bombera	firefighter
el cajero / la cajera	cashier
el/la cantante	singer
el/la chofer	driver
el cocinero / la cocinera	cook
el contador / la contadora	accountant
el dependiente / la dependienta	clerk, salesperson
el/la deportista	athlete
el/la electricista	electrician
el enfermero / la enfermera	nurse
el/la gerente	manager
el ingeniero / la ingeniera	engineer
el/la juez	judge
el maestro / la maestra	teacher
el médico	doctor
el mesero / la mesera	waiter / waitress
el obrero / la obrera (industrial)	(industrial) worker

el peluquero / la peluquera	hairdresser
el plomero / la plomera	plumber
el policía / la mujer policía	policeman / policewoman
el/la terapeuta	therapist
el trabajador / la trabajadora social	social worker

PALABRAS SEMEJANTES: el/la asistente, el/la dentista, el/la mecánico, el/la piloto, el programador / la programadora, el secretario (ejecutivo) / la secretaria (ejecutiva)
REPASO: el ama de casa, el doctor / la doctora

• **Los lugares del trabajo** — Workplaces

el avión	plane
el club nocturno	nightclub
la cocina	kitchen
el consultorio	doctor's office
el empleo	job
la fábrica	factory
la peluquería	beauty parlor
el taller de reparación	garage; repair shop

PALABRAS SEMEJANTES: el banco, la clínica, la compañía

• **Las actividades del trabajo** — Work Activities

actuar	to act
apagar (incendios)	to turn off (to put out fires)
arreglar	to fix
atender (ie) mesas	to wait on tables
ayudar	to help
calificar	to grade
contar (el dinero)	to count (money)
cortar (el pelo)	to cut (hair)
cuidar (de)	to take care of
entrar al trabajo	to start work
escribir a máquina	to type
ganar dinero	to earn money
pintar	to paint
servir (i) sirvo/sirve	to serve
tratar	to treat
vender	to sell

PALABRAS SEMEJANTES: archivar, asignar, defender, examinar, programar

• Los verbos — Verbs

adivinar	to guess
bucear	to skin dive or scuba dive
buscar	to look for
cantar	to sing
creer	to believe
dibujar	to draw
divertirse (ie)	to have fun
escalar montañas	to go mountain climbing
hornear	to bake
ir de vacaciones	to go on vacation
llorar	to cry
necesitar	to need
obtener	to obtain
pagar	to pay
tratar de (+ *infin.*)	to try to (*do something*)
tocar (el violín)	to play (violin)

PALABRAS SEMEJANTES: graduarse, marcar, participar

• Los sustantivos — Nouns

el anuncio	announcement, ad
el aviso clasificado	classified ad
la carrera	course of study
el curso	course
el cliente / la cliente	customer
el empleado / la empleada	employee
el informe	report
la jaula	cage
la jornada completa	full time (work)
los juegos de video	video games
la media jornada	part-time (work)
el oficio	job, position
la residencia estudiantil	college dormitory
el sueldo	salary
la tubería	plumbing; pipes

PALABRAS SEMEJANTES: el accidente, el acusado / la acusada, el animal doméstico, la aptitud, el caso criminal, la comisión, la distracción, la experiencia, el héroe, la instalación, la justicia, el/la paciente, la posibilidad, el público, la solución, el talento

• Los adjetivos — Adjectives

desagradable	unpleasant
listo/a	ready
el mismo / la misma	the same
peligroso/a	dangerous
pobre	poor

PALABRAS SEMEJANTES: activo/a, bilingüe, fracturado/a, individual, inocente, intensivo/a, necesario/a, prestigioso/a, relacionado/a

• ¿Con qué frecuencia? — How Often?

a cualquier hora	at any time
a la vez	at the same time
al día	per day
muchas veces	many times
otra vez	again
raras veces	rarely

REPASO: a veces, de vez en cuando, nunca, siempre, todos los días

• Las obligaciones — Obligations

deber (+ *infin.*)	ought to, should (*do something*)
Es necesario (+ *infin.*)	It's necessary to (+ *verb*)
hay que (+ *infin.*)	one has to (*do something*)
necesitar (+ *infin.*)	need to (+ *verb*)
tener que (+ *infin.*)	to have to (*do something*)

• El futuro — The Future

me (te, le, nos, os, les) gustaría (+ *infin.*)	I (you [*inf. sing.*], you [*pol. sing.*] /he/she, we, you [*inf. pl., Spain*], you [*pl.*] /they) would like to (*do something*)
pensar (ie) (+ *infin.*)	to plan to (*do something*)
quisiera (+ *infin.*)	I (you [*pol. sing.*], he/she would like to (*do something*)
tener ganas de (+ *infin.*)	to feel like (*doing something*)

REPASO: ir a (+ *infin.*), preferir (ir) (+ *infin.*), querer (ie) (+ *infin.*)

• Palabras y frases del texto — Words and Phrases from the Text

las actividades auditivas	listening activities
la encuesta	poll

• Palabras y frases útiles — Useful Words and Phrases

así	this way
bastante	enough
bastante (+ *adj.*)	quite (+ *adj.*)
favor de (+ *infin.*)	please (+ *action*)
Venga(n)	Come (*command*)

Gramática y ejercicios

5.1 Indicating to Whom Something Is Said: Indirect Object Pronouns with Verbs of Informing

¿RECUERDA?

In **Gramática 1.5** you learned to use indirect object pronouns with the verb **gustar** to say to whom something is pleasing. Review that construction now, if necessary.

GRAMÁTICA ILUSTRADA

A. Indirect object pronouns (**los pronombres de complemento indirecto**) are used with verbs of informing, which tell to whom something is said, told, explained, reported, asked, answered, and so on.*

Indirect object pronouns: **me, te, le, nos, os, les**

me	to me	nos	to us
te	to you (inf. sing.)	os	to you (inf. pl., Spain)
le	to you (pol. sing.); to him/her	les	to you (pl.); to them

It takes a good deal of time to acquire these forms. Begin by understanding them.

—¿Qué **les explica** la profesora Martínez?

—**Nos explica** el significado de las palabras nuevas.

—*What does Professor Martínez explain to you?*

—*She explains the meaning of new words to us.*

*Recognition: The indirect object pronoun for **vos** is **te.**

Amanda ya no **me habla.**

Amanda doesn't speak to me anymore.

¡Pobre Ernestito! Su mamá siempre **le dice** que no.

Poor Ernestito! His mother always says no to him.

B. Just like reflexive pronouns, indirect object pronouns are placed before the main verb or attached to infinitives (the **-ar, -er,** or **-ir** form of the verb) and present participles (the **-ndo** form of the verb).

> Indirect object pronouns are placed before the verb or attached to the infinitive.
> **Mi novia ya no me habla.** (My girlfriend doesn't talk to me anymore.)
> **Mi novia ya no quiere hablarme.** (My girlfriend doesn't want to talk to me anymore.)

—¿Qué **te va** a decir tu papá?

—What is your father going to say to you?

—No sé qué va a **decirme.**

—I don't know what he is going to say to me.

Esteban **nos está** leyendo la respuesta.
Esteban está **leyéndonos** la respuesta.

Esteban is reading the answer to us.

C. When using **le** or **les,** it is very common to use a phrase with **a** to specify the person (or thing) involved. Spanish requires the pronoun even when the phrase with **a** is used.

> As you read and listen to more Spanish, you will get a feel for these pronouns and how to use them.

—¿**A quién le** escribe Clara la carta?
—**Le** escribe la carta **a su amiga Norma.**

—To whom is Clara writing the letter?
—She's writing the letter to her friend Norma.

Yo siempre **le** aviso **a mi jefe** con tiempo si no voy a ir al trabajo.

I always tell my boss ahead of time if I'm not going to go to work.

EJERCICIO I

Complete las siguientes oraciones basándose en los dibujos. Use **me, te, le, nos** o **les.**

MODELO: Carmen **les** dice «Buenos días» **a sus amigas.**

1. Esteban dice:
—_____ contesto **a mis compañeros.**

2. La profesora Martínez _____ explica la lección **a los estudiantes.**

3. Nosotros _____ hacemos muchas preguntas **a la profesora.**

4. Nora _____ lee la Ventana cultural **a nosotros.**

5. —Lan, ¿_____ dices
qué tenemos de tarea?
—Sí, Luis, ahora
_____ digo cuál es la
tarea para mañana.

6. Carmen _____
escribe una carta **a
sus padres.**

7. _____ decimos
«Adiós» **a la
profesora** y ella
_____ dice
«Hasta luego».

8. —Nora, ¿_____ dices
la respuesta número 5,
por favor?
—Sí, Lan, en un
momento _____ digo
todas las respuestas.

EJERCICIO 2

Complete estos diálogos con **me, te, le, nos** o **les.**

5.2 Expressing Abilities: *saber* and *poder* + Infinitive

A. In the present tense, the verb **saber** (*to know facts, information*)* is irregular only in the **yo** form: **sé, sabes, sabe, sabemos, sabéis, saben.**

—¿**Sabes** cuándo va a llegar Alberto?
—No, no **sé.**

—*Do you know when Alberto is going to arrive?*
—*No, I don't know.*

Saber followed by an infinitive means *to know how to do something*. Note that there is no need to include a separate word to convey the English *how to.*

—¿**Sabes hablar** francés?

—*Do you know how to speak French?*

—No, pero **sé hablar** un poco de árabe.

—*No, but I know how to speak a little Arabic.*

—¿Quién **sabe jugar** al ajedrez?
—Yo **sé jugar** al dominó, pero no al ajedrez.

—*Who knows how to play chess?*
—*I know how to play dominoes, but not chess.*

> **saber** = *to know facts, information*
> **saber** + infinitive = *to know how to do something*
> **¿Sabes bucear?** (*Do you know how to scuba dive?*)
> **No, no sé bucear, pero sé nadar.** (*No, I don't know how to scuba dive, but I know how to swim.*)

B. The verb **poder**[†] followed by an infinitive usually indicates potential (*can, to be able to do something*) or permission (*may*). **Poder** is a stem-changing verb and so uses two stems: **pod-** for the infinitive and the **nosotros/as** and **vosotros/as** forms and **pued-** for all other present-tense forms: **puedo, puedes, puede, podemos, podéis, pueden.**

—¿Van a correr una vuelta más Carmen y Nora?
—No **pueden.** Ya están cansadas.

—*Are Carmen and Nora going to run another lap?*
—*They can't. They're already tired.*

—Guillermo, ¿vas a jugar al fútbol el domingo?
—No **puedo.** Tengo un examen el lunes.

—*Guillermo, are you going to play soccer on Sunday?*
—*I can't. I have an exam on Monday.*

> **poder** = *can, to be able to*
> **¿Puedes salir esta noche?** (*Can you go out tonight?*)
> **No, no puedo; mañana tengo un examen de biología.** (*No, I can't; I have a biology test tomorrow.*)

EJERCICIO 3

¿Qué (no) saben hacer estos vecinos hispanos? Complete las oraciones con la forma apropiada de **saber.**

MODELO: Ernestito dice: «Yo no *sé* mucho de matemáticas.»

1. Doña Lola dice: «Yo _____ montar a caballo.»
2. Don Eduardo, ¿_____ usted hablar italiano?
3. Clarisa y Marisa no _____ andar en bicicleta todavía, porque son muy pequeñas.
4. Ernestito le pregunta a Guillermo: «¿_____ esquiar?»
5. Amanda le dice a Ramón: «Graciela y yo todavía no _____ manejar.»

---

*Recognition: **vos sabés**
[†]Recognition: **vos podés**

EJERCICIO 4

¿Qué (no) pueden hacer estos vecinos hispanos? Complete las oraciones con la forma apropiada de **poder.**

MODELO: Nosotros no *podemos* esperarte hoy después de clase porque tenemos mucha prisa.

1. Ernestito le pregunta a Guillermo: «¿_____ salir a jugar conmigo?»
2. Andrea les pregunta a Estela y a Ernesto: «¿_____ venir a cenar con nosotros mañana?»
3. Silvia no _____ salir con Nacho mañana porque va a trabajar.
4. Doña Lola y doña Rosita no _____ ver su programa favorito de televisión mañana porque van a ir de compras.
5. Amanda le pregunta a su mamá: «¿_____ Graciela y yo ir a la plaza a pasear después de comer?»

5.3 Referring to Actions in Progress: Present Progressive

To describe an action that is taking place at the moment, Spanish uses a form of **estar** (*to be*) and an **-ndo** (*-ing*) form called a present participle.* This combination is called the *present progressive.*

> The present progressive (**estar** + verb ending in **-ndo**) is used to express actions in progress:
> **Estoy leyendo un libro.** (*I am reading a book.*)

estar + -ndo		
estoy		jugando (*playing*)
estás		caminando (*walking*)
está	+	fumando (*smoking*)
estamos		escuchando (*listening*)
estáis		escribiendo (*writing*)
están		comiendo (*eating*)

—¿Qué **está haciendo** el médico?   —*What is the doctor doing?*
—**Está examinando** a un paciente.   —*He is examining a patient.*

—Guillermo, ¿qué **estás haciendo**?   —*Guillermo, what are you doing?*
—**Estoy escribiendo** una composición.   —*I'm writing a composition.*

The present participle (**-ando, -iendo**) is formed from the infinitive.

jug**ar** → jug**ando**   com**er** → com**iendo**

habl**ar** → habl**ando**   viv**ir** → viv**iendo**

> In present participles of **-ar** verbs: replace **-ar** of the infinitive with **-ando.** In **-er** and **-ir** verbs: replace **-er/-ir** of the infinitive with **-iendo/-yendo.**

---

*Recognition: **vos estás jugando**

When a present participle is irregular, it will be noted as follows: **dormir (durmiendo), leer (leyendo).**

—¿**Está durmiendo** el juez ahora?	—*Is the judge sleeping now?*
—No, **está hablando** con un abogado.	—*No, he is speaking with a lawyer.*
—Estela, ¿qué **estás leyendo**?	—*Estela, what are you reading?*
—**Estoy leyendo** una novela.	—*I'm reading a novel.*

EJERCICIO 5

1. ¿Qué está haciendo Guillermo?

2. ¿Qué están haciendo estos señores?

3. ¿Qué está haciendo el mecánico?

4. ¿Qué está haciendo la señora Saucedo?

5. ¿Qué están haciendo Pedro y Andrea?

6. ¿Qué está haciendo la enfermera?

EJERCICIO 6

Lea las situaciones y luego complete las frases correctamente diciendo qué están haciendo las personas mencionadas. Use estos verbos: **atender, calificar, dar, reparar, servir, vender.**

MODELO: —Mira qué incendio tan grande. ¿Dónde están los bomberos?
—Ya *están apagando* el incendio.

1. —¿Dónde está la profesora Martínez?
—Está en el salón, _____ _____ los exámenes.

2. —Por favor, señorita, quiero hablar con el gerente.
—Lo siento, en este momento _____ _____ a otro cliente.

3. —Voy a llamar al mesero. Quiero un poco de agua.
—Pues está ocupado. Les _____ _____ la comida a los clientes de la mesa de al lado.

4. —¿Qué está haciendo el terapeuta en este momento?
—Le _____ _____ un masaje en el brazo al famoso jugador de béisbol, Sammy Sosa.

5. —Necesito hablar con el Sr. Pérez, el plomero, pero no contesta el teléfono.
   —Pues está en mi casa. _____ _____ la tubería de la cocina.

6. —¿Quién es ese hombre que está con tu padre?
   —Es un agente de seguros. Le _____ _____ un seguro de vida a papá.

5.4 Expressing Obligation and Duty: *tener que, deber, necesitar, hay que, es necesario*

The verbs **tener que** (*to have to*), **deber** (*should, ought to*), and **necesitar** (*to need to*) and the impersonal expressions **hay que** (*one must*) and **es necesario** (*it is necessary to*) are always followed by infinitives.

—¿A qué hora **tenemos que estar** en el teatro?

—A las nueve. **Hay que llegar** un poco antes para recoger los boletos.

—¡Pero **necesito estudiar** más!

—Está bien, pero **debemos salir** pronto.

—*What time do we have to be at the theater?*

—*At 9:00. We have to (One must) get there a little early to pick up the tickets.*

—*But I need to study more!*

—*OK, but we should leave soon.*

¿RECUERDA?

You have already seen and used many times the combination of conjugated verb + infinitive: for example, in **Gramática 2.3** (**preferir** and **querer** + infinitive) and **Gramática 5.2** (**saber** and **poder** + infinitive).

EJERCICIO 7

Esteban cuenta lo que él y sus compañeros de clase tienen que hacer hoy. Complete las oraciones con una forma de **tener que.**

1. Luis _____ trabajar hasta las doce.
2. Carmen y Nora _____ prepararse para un examen de sociología.
3. Yo _____ terminar la tarea para mi clase de matemáticas.
4. Alberto y yo _____ lavar el carro.
5. Mónica, ¿qué _____ hacer tú esta noche?

EJERCICIO 8

Estela Saucedo está hablando de lo que ella y su familia deben hacer mañana. Complete estas oraciones con la forma apropiada de **deber.**

1. Ernesto _____ ir en autobús al trabajo.
2. Yo _____ limpiar la cocina.
3. Ernestito, tú _____ hacer la tarea para la escuela.
4. Guillermo y Amanda _____ recoger sus libros.
5. Ernesto, tú y yo _____ llevar a los niños al parque a jugar.

¿Qué tienes que hacer este fin de semana?
What do you have to do this weekend?
Debo estudiar y también necesito lavar el carro y limpiar la casa.
I ought to study, and I also need to wash the car and clean the house.

Hay que llegar a tiempo al trabajo.
One must (We have to) arrive on time to work.

5.5 Expressing Plans and Desires: *pensar, quisiera, me gustaría, tener ganas de*

A. The verb **pensar*** (*to think*) followed by an infinitive expresses the idea of *to think about* or *to plan on doing* something. Here are the forms of **pensar (ie): pienso, piensas, piensa, pensamos, pensáis, piensan.**

—¿Qué **piensan hacer** ustedes durante las vacaciones?
—**Pensamos viajar** a Europa.

—*What are you thinking about doing for vacation?*
—*We're planning on traveling to Europe.*

When not followed by an infinitive, **pensar (ie)** usually expresses *to think*: **pensar que** (*to think that*), **pensar de** (*to think about, have an opinion of*), **pensar en** (*to think about someone or something, have one's thoughts on*).

—¿Qué **piensas del** nuevo plan?

—*What do you think about the new plan?*

—**Pienso que** es muy bueno.

—*I think that it's very good.*

—Ramón, ¿**piensas** mucho **en** Amanda?
—No, **pienso en** ella solamente de vez en cuando.

—*Ramón, do you often think about Amanda?*
—*No, I think about her only from time to time.*

pensar = *to think*
pensar + *infinitive* = *to think about, plan on doing* (something)
  ¿Qué piensas hacer después de clases? (*What are you planning to do after school?*)
  Pienso ir a la biblioteca y luego voy a trabajar. (*I'm planning to go to the library, and then I'm going to work.*)

B. Quisiera and **me (le) gustaría**[†] are also frequently used to indicate future desires, especially those that are speculative. Both forms are equivalent to English *would like*. Neither has a **yo** form ending in **-o.** You will learn more about these forms in **Gramática 15.5** and **15.6.**

quisiera = *I would like*
me gustaría = *I would like*
  Quisiera salir a cenar esta noche. (*I'd like to eat out tonight.*)
  Me gustaría ver una película. (*I'd like to see a movie.*)

(yo)	quisiera	me gustaría	*I would like*
(tú)	quisieras	te gustaría	*you (inf. sing.) would like*
(usted, él/ella)	quisiera	le gustaría	*you (pol. sing.) would like; he/she would like*
(nosotros/as)	quisiéramos	nos gustaría	*we would like*
(vosotros/as)	quisierais	os gustaría	*you (inf. pl., Spain) would like*
(ustedes, ellos/as)	quisieran	les gustaría	*you (pl.) would like; they would like*

Quisiéramos viajar este verano si tenemos tiempo.
A mi esposa **le gustaría viajar** a España.
Estoy cansado; **quisiera descansar** un poco.

We would like to travel this summer if we have time.
My wife would like to travel to Spain.
I'm tired; I would like to rest a while.

---

*Recognition: **vos pensás**
[†]Recognition: **vos quisieras, a vos te gustaría**

C. Tener ganas de (*to feel like* [*doing something*]) is also followed by an infinitive.

Tenemos ganas de quedarnos en casa esta noche.	*We feel like staying home tonight.*
Tengo ganas de salir a bailar.	*I feel like going out dancing.*

> **tener ganas de** +
> infinitive = *to feel like*
> (*doing something*)

EJERCICIO 9

¿Qué quisieran hacer estos estudiantes el próximo sábado? Escoja la forma correcta: **quisiera, quisieras, quisiéramos** o **quisieran.**

1. Luis _____ ir al campo a montar a caballo.
2. Carmen y yo _____ ir de compras.
3. Alberto y Pablo _____ merendar con unas amigas.
4. Mónica, ¿_____ quedarte en casa a descansar?
5. Esteban dice: «Yo _____ jugar al tenis.»

EJERCICIO 10

¿Qué les gustaría hacer a Estela Saucedo y a su familia? Escoja la forma correcta del pronombre: **me, te, nos, le** o **les.**

1. A Guillermo _____ gustaría jugar al fútbol con sus amigos.
2. A mis hijos, Amanda y Guillermo, _____ gustaría ir al campo a merendar.
3. A mi esposo, Ernesto, _____ gustaría ir al cine.
4. A mí _____ gustaría salir a comer en un buen restaurante.
5. A Andrea y a mí _____ gustaría jugar a las cartas el sábado en la noche.

EJERCICIO 11

¿Qué piensan hacer Pilar y sus amigos? Use las formas apropiadas de **pensar.**

1. El hermano de Pilar _____ quedarse en casa esta noche para estudiar.
2. Clara, ¿_____ tú ir de compras mañana?
3. José y yo _____ visitar a mis abuelos el sábado.
4. José y Clara _____ ir al Museo del Prado por la tarde.
5. Pilar dice: «Yo _____ hacer mi tarea el domingo por la noche.»

Capítulo 6
La residencia

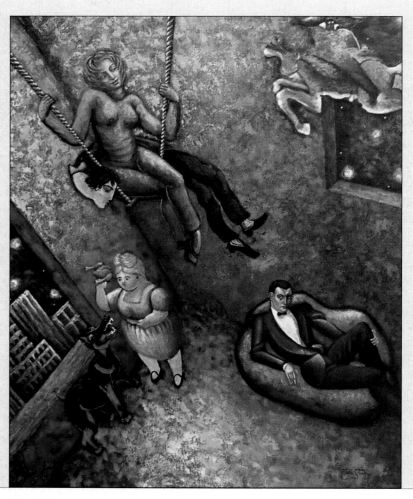

En la habitación, por Erika Stanley
(Costa Rica)

METAS

In **Capítulo 6,** you will talk about where you live and what you do there. You and your classmates will discuss what you have done recently. You will also learn how to introduce people to each other.

Sobre la artista: Erika Stanley nace en Costa Rica en 1973 y estudia pintura con Gonzalo Morales S. en San José. Su obra es principalmente pictórica y escultórica. Las pinturas de Stanley se exponen individualmente en varias galerías costarricenses; además, su obra viaja en exposiciones colectivas a otros países latinoamericanos y a los Estados Unidos. Stanley tiene varios premios y reconocimientos; ente otros, el primer lugar en el Certamen de Pintura Estudiantil de la Escuela de Artes Plásticas de la Universidad de Costa Rica.

Época precolombina
40.000 habitantes indígenas viven en pueblos agrícolas.

Costa Rica

1502 Cristóbal Colón descubre la costa Atlántica de Costa Rica.

1561–1573 Conquista de Costa Rica por sucesivas expediciones de españoles.

1824 Costa Rica forma parte de las Provincias Unidas de Centroamérica.

1821 Costa Rica se declara independiente de España.

1500

1800

1737 Se funda la ciudad de San José.

1828 Se anexa la Península de Nicoya (provincia de Guanacaste) a Costa Rica.

Los amigos animados: Para repasar

Antes de comenzar este capítulo, mire los segmentos animados para repasar el capítulo anterior.

A. Experimentos fantásticos. Ramón Gómez está de visita en casa de la familia Saucedo para ver a su novia, Amanda. Pero Amanda no está lista, así que Ramón conversa con Ernestito.

B. El ingeniero y el profesor. Pablo Cavic y Raúl Saucedo están en la cafetería de la universidad, conversando sobre sus futuras carreras.

En este capítulo...

1838 Costa Rica se separa de la Federación Centroamericana.

1848 José María Castro Madriz es el primer presidente de Costa Rica.

1948 Guerra Civil y abolición del ejército.

1983 El presidente Luis Alberto Monge Álvarez proclama la neutralidad permanente.

1992 Costa Rica es designada centro del Consejo de la Tierra.

1900

2000

1840–1870 Una oligarquía cafetalera nace con la exportación del café.

1882 Abolición de la pena de muerte por el General Guardia.

1986 El presidente Oscar Arias Sánchez recibe el premio Nobel de la Paz.

1989 Costa Rica celebra 100 años de democracia.

Actividades de comunicación y lecturas

✳ El vecindario y la casa

Lea Gramática 6.1–6.2.

ACTIVIDAD 1   Encuesta: ¿Qué hay en su casa?

Diga sí o no. Si la respuesta es **no,** explique por qué no.

MODELO: En mi casa hay tres dormitorios. En mi casa no hay cancha de tenis porque no soy rico/a.

1. En mi vecindario hay…
   a. una cancha de tenis.
   b. una biblioteca.
   c. muchos árboles.
   d. muchos edificios altos.
   e. un parque.
   f. ¿ ?

2. En la sala de mi casa hay…
   a. una cama.
   b. un lavabo.
   c. varias lámparas.
   d. muchas plantas.
   e. una alfombra.
   f. ¿ ?

3. En la cocina de mi casa hay…
   a. una estufa.
   b. un lavaplatos.
   c. un pasillo.
   d. un estante con libros.
   e. un horno de microondas.
   f. ¿ ?

4. En mi dormitorio hay…
   a. una cama matrimonial.
   b. un arbusto.
   c. un armario.
   d. muchas almohadas.
   e. una cómoda.
   f. ¿ ?

ACTIVIDAD 2   Identificaciones: ¿Para qué sirve?

Mire los siguientes objetos y aparatos y diga para qué sirven.

MODELO: Una lámpara sirve para ver y leer de noche.

▶ FRASES ÚTILES

para apoyar la cabeza cuando uno duerme	para lavarse las manos
para barrer	para lavarse los dientes
para calentar la comida rápidamente	para preparar el té o calentar agua
	para secarse
para guardar la ropa	para verse la cara
	para ver y leer de noche

1. una lámpara

2. un horno de microondas

3. una almohada

4. una escoba

5. una cómoda

6. un cepillo de dientes

7. una tetera

8. un lavabo

9. un espejo

10. una toalla

ACTIVIDAD 3   Intercambios: Los aparatos domésticos

MODELO: E1: ¿Cuál cuesta más, *el calentador* o *la cafetera*?
E2: *El calentador* cuesta más. (*El calentador* cuesta más que *la cafetera.*)

$159.89 el horno de microondas

$36.99 el tostador

$34.59 la cafetera

$28.99 el ventilador

$19.69 el cepillo de dientes eléctrico

$19.88 el secador de pelo

$229.99 la aspiradora

$49.99 la afeitadora (eléctrica)

$589.99 el lavaplatos

$68.89 el calentador

1. ¿Cuál cuesta más, el horno de microondas o la cafetera? ¿el ventilador o el secador de pelo?
2. ¿Cuál cuesta menos, la cafetera o el cepillo de dientes eléctrico? ¿la aspiradora o el tostador?
3. ¿Cuál de estos tres objetos es el más caro: el tostador, la afeitadora o la cafetera?
4. ¿Cuál de estas tres cosas es la más cara: el lavaplatos, la afeitadora o la aspiradora?
5. ¿Cuál de estas tres cosas cuesta menos: el secador de pelo, el calentador o el cepillo de dientes eléctrico?
6. ¿Cuál cuesta más, el ventilador o el tostador?
7. ¿Cuál cuesta menos, la afeitadora o el cepillo de dientes eléctrico?

ACTIVIDAD 4   Descripción de dibujos: Comparación de casas

Escuche las preguntas que le hace su profesor(a) y contéstelas según los dibujos.

la casa de los Ruiz:
3 dormitorios
2 baños
2 balcones

la casa de los Silva:
2 dormitorios
1 baño

la casa de los Saucedo:
5 dormitorios
3 baños
1 biblioteca
3 balcones

Ahora, hágale preguntas sobre las casas a su compañero/a. (Se puede comparar **baños, dormitorios, puertas, ventanas, balcones, pisos** y **árboles.**)

MODELO: E1: ¿Cuántas *ventanas* tiene la casa de los *Saucedo*?
          E2: Tiene *ocho.* Tiene *más que* la casa de los *Ruiz*.

          E1: ¿Cuántos *árboles* tiene la casa de los *Silva*?
          E2: Tiene *tres.* Tiene *tantos como* la casa de los *Ruiz*. Tiene *menos que* la casa de los *Saucedo*.

> **¡OJO!**
>
> En general, las casas y los apartamentos en los países hispanos son más pequeños que los de los Estados Unidos. Por eso, en algunos casos, la gente sale a pasear a los parques y en las plazas.

ACTIVIDAD 5   Del mundo hispano: Apartamentos en México

Nora va a pasar un semestre estudiando en la ciudad de México. Quiere alquilar un departamento o un cuarto. Éstas son sus preferencias. ¿Cuál de estos departamentos o habitaciones le gustaría a usted? ¿Por qué?

SE ALQUILA departamento. Dos recámaras. Sala, comedor, cocina, baño. Lugar céntrico. Alquiler módico. Llamar a Luz María Galván. Tel. 6-59-50-69. Calle 12 no. 420, México, D.F.

SE ALQUILA habitación amueblada. Preferible: joven estudiante, callado y serio. Alquiler bajo. Derecho a cocina. Favor de enviar datos personales. Isabel la Católica 96 (centro), México, D.F. Tel. 5-85-72-44

SE ALQUILA departamento amueblado. Dos recámaras. Dos baños. Cocina amplia: estufa, refrigerador, alacenas grandes y todos los utensilios. Ascensor. Avenida Juárez no. 420, México, D.F.

Departamento una recámara, bien decorado. Ventanas grandes. Vista agradable. Cerca de todo transporte. Llamar al 7-79-09-22 o escribir a Sres. Gallegos, Luis Kuhne no. 755, México 20, D.F.

ACTIVIDAD 6 Entrevista: El lugar donde vives

TU VECINDARIO

1. ¿Vives en un vecindario viejo o nuevo? ¿Te gusta vivir allí? ¿Por qué?
2. ¿Hay edificios de apartamentos en tu vecindario? ¿condominios?
3. ¿Hay una gasolinera cerca de tu casa (apartamento)?
4. ¿Cuál es el centro comercial más cercano a tu casa (apartamento)? ¿Te gusta ir de compras allí? ¿Por qué?
5. ¿Llevas tu ropa a la lavandería o tienes lavadora y secadora en tu casa (apartamento)?
6. ¿Hay algún parque en el vecindario? ¿Tiene piscina? ¿Vas a menudo? ¿Qué haces allí?

TU CASA

1. ¿Vives en una residencia estudiantil, en un apartamento o en una casa? ¿Es de uno o dos pisos?
2. ¿Tienes tu propio dormitorio o compartes un dormitorio con alguien? ¿Con quién? ¿Qué muebles y aparatos eléctricos hay en tu dormitorio?
3. ¿Tiene patio o terraza tu casa (apartamento)? ¿Cómo es?
4. ¿Tiene garaje para dos coches tu casa (apartamento)? ¿Qué hay en el garaje?
5. De todas las cosas que tienes, ¿cuál te gusta más? ¿Cuál es el aparato más útil que tienes en tu casa (apartamento)?

ENLACE LITERARIO

«Todos juntos», por Gioconda Belli

Selección de su libro *De la costilla de Eva* (1987)

La escritora nicaragüense Gioconda Belli (1948) es autora de ensayos y novelas, pero es conocida principalmente por su poesía. Su primera publicación es *Sobre la grama* (1974). Belli ha ganado[1] varios premios prestigiosos, como el de Casa de las Américas (Cuba, 1978) por el libro *Línea de fuego*. La obra de Gioconda Belli combina el tema del amor con el tema político. Para esta escritora es importante contribuir al cambio[2] social en su país. En esta primera parte del poema, Belli describe su vecindad mientras espera[3] a su compañero.

Todos juntos

Estos días mientras te espero
salgo en la mañana a pedalear en bicicleta.
En el camino de atrás de mi casa hay un barrio naciendo,[4]
acomodando sus trozos de madera[5] en paredes irregulares.
La gente siempre que paso,[6] temprano,
está recogiendo[7] agua de una manguera,[8] todos juntos.
Me miran pasar y yo los miro. Los chavalos[9] me dicen que los lleve.[10]
Después paso por una carpintería donde hay pupitres verdes
apilados frente al taller.[11]
Más abajo hay una iglesia y un parque cercado[12] (me pregunto por qué)
se me cansan las piernas[13] y regreso
dando la vuelta[14] por el gimnasio.
La luna se oculta[15] detrás de las palmeras
y reaparece[16] todas las tardes en lo alto del jardín.

Actividad creativa: Carta a un vecino

Imagínese que usted tiene un vecino o una vecina que estima mucho. Esta persona está ausente del barrio por varios meses y usted le escribe una carta para contarle de la vecindad. Puede narrarle alguna historia interesante o describirle los cambios en el barrio.

[1]ha... *has won* [2]*change* [3]mientras... *while she waits for* [4]*being born* [5]acomodando... *placing scraps of wood* [6]siempre... *whenever I pass by* [7]*gathering, collecting* [8]*hose* [9]*The kids* [10]que... *that I take them* [11]apilados... *piled up in front of the woodshop* [12]*fenced in* [13]se... *my legs get tired* [14]dando... *going by* [15]La... *The moon hides* [16]*reappears*

✳ Las actividades en casa

En la casa de los Ruiz

De noche es necesario prender (encender) la luz.

Marisa debe apagar la luz.

La empleada doméstica tiene que limpiar el piso.

Andrea necesita preparar la cena.

Hay que barrer aquí.

Pedro tiene que cortar el césped.

Clarisa debe regar las plantas.

¡OJO!

En los hogares hispanos donde hay una empleada doméstica, normalmente ella hace casi todos los quehaceres.

REFRÁN

Escoba nueva siempre barre bien.

(*A new broom sweeps clean.*)

En la casa de los Saucedo

La empleada doméstica tiene qué desempolvar...

...y pasar la aspiradora.

Hay que tender las camas.

Hay que lavar los platos.

Ernestito tiene que darles de comer al gato y al perro.

Amanda tiene que secar la ropa y planchar.

ACTIVIDAD 7 Descripción de dibujos: ¿Qué tiene que hacer?

Escuche a su profesor(a). ¿A cuál de los siguientes dibujos corresponde su descripción?

1. Luis

2. Pablo

3. Mónica / Lan

4. Nora

5. Carmen

6. Esteban

Ahora, describa usted los dibujos. Su compañero/a debe identificarlos.

ACTIVIDAD 8 Descripción de dibujos: ¡El cuarto de Esteban es un desastre!

Con su compañero/a, decidan qué debe hacer Esteban para arreglar su cuarto.

MODELO: Esteban debe recoger la ropa y necesita apagar el televisor. También tiene que...

ACTIVIDAD 9 Entrevista: Los quehaceres y las diversiones en casa

1. En tu casa (apartamento), ¿quién tiene que limpiar el refrigerador, desempolvar, pasar la aspiradora, limpiar el microondas, limpiar los baños, darles de comer a las mascotas, lavar la ropa, cortar el césped?
2. De todos los quehaceres, ¿cuál te gusta más/menos?
3. ¿Qué aspecto de tu casa (apartamento) te gusta más? ¿Por qué?
4. ¿Qué te gusta hacer en casa (en tu apartamento)?
5. ¿Pasas mucho tiempo en casa (en tu apartamento) los fines de semana o prefieres salir? ¿Te visitan mucho tus amigos los fines de semana?

✳ Las actividades con los amigos

Lea Gramática 6.3.

1. —¿Vio usted la televisión?
   —Sí, vi las noticias.

2. —¿Ya escribió los exámenes?
   —Sí, escribí dos anoche.

3. —¿Visitó a sus amigos este fin de semana?
   —Sí, visité al profesor López y conocí a su esposa.

1. —¿Limpiaste la casa el sábado?
   —Pues limpié la sala.

2. —¿Estudiaste mucho?
   —Estudié para la clase de química.

3. —¿Saliste a comer en algún restaurante?
   —Sí, almorcé en un restaurante cerca de mi casa.

ACTIVIDAD 10   Encuesta: ¿Qué hice?

Ponga las siguientes actividades en orden cronológico.

▶ PALABRAS ÚTILES

primero	después	por último
luego	más tarde	

1. Esta mañana (yo)…
   a. me lavé el pelo.
   b. desayuné.
   c. me desperté.
   d. corrí dos millas.

2. Ayer por la tarde (yo)…
   a. volví a casa.
   b. asistí a una clase.
   c. preparé el almuerzo.
   d. salí para el trabajo.

3. Anoche, antes de acostarme, (yo)…
   a. vi la televisión.
   b. planché una blusa / una camisa.
   c. lavé los platos.
   d. preparé la comida.

4. El sábado pasado (yo)…
   a. invité a unos amigos a cenar.
   b. cené con mis amigos.
   c. limpié la casa.
   d. barrí el patio.

ACTIVIDAD 11   Intercambios: El fin de semana

Aquí tiene usted algunas de las actividades del fin de semana pasado de Guillermo, Estela y el señor Alvar. Coméntelas con su compañero/a.

MODELOS: E1: ¿Quién *preparó la comida* (*el viernes*)?
          E2: *Estela.*

          E1: ¿Cuándo *sacó fotos el señor Alvar*?
          E2: *El domingo.*

NOMBRE	EL VIERNES	EL SÁBADO	EL DOMINGO
Guillermo Saucedo Ramírez	Bailó en una fiesta. Se acostó tarde.	Se levantó tarde. Limpió su cuarto.	Ayudó a su padre. Salió a pasear.
Estela Ramírez de Saucedo	Preparó la comida. Habló por teléfono.	Charló con la vecina. Almorzó con una amiga.	Visitó a su madre. Descansó toda la tarde.
el señor Alvar	Escribió una carta. Tocó el piano.	Jugó con sus nietos. Barrió el patio.	Asistió a misa. Sacó unas fotos.

ACTIVIDAD 12   Narración: Un fin de semana de Nora Morales

▶ **PALABRAS ÚTILES**

primero	después	finalmente
luego	más tarde	

El viernes

El sábado

El domingo

ACTIVIDAD 13   Entrevistas: ¿Qué hiciste?

EL FIN DE SEMANA PASADO

1. ¿Limpiaste tu cuarto (tu casa)?
2. ¿Saliste con amigos? ¿Adónde?
3. ¿Comiste en un restaurante? ¿Cuál? ¿Con quién(es)?
4. ¿Practicaste algún deporte? ¿Con quién(es)? ¿Dónde?
5. ¿Fuiste al cine? ¿Qué película viste? ¿Te gustó? ¿Por qué?

ANOCHE

6. ¿Trabajaste? ¿A qué hora volviste a casa?
7. ¿Estudiaste? ¿Qué?
8. ¿Hablaste por teléfono con tus amigos? ¿Escuchaste música?
9. ¿Viste la televisión? ¿Exploraste el Internet?
10. ¿A qué hora te acostaste?

ESTA MAÑANA

11. ¿A qué hora te levantaste? ¿Te bañaste?
12. ¿Desayunaste? ¿Qué tomaste?
13. ¿A qué hora saliste para la universidad? ¿A qué hora llegaste?
14. ¿A qué clase asististe primero?
15. ¿Leíste el periódico?

VENTANAS AL PASADO

La historia de las mascotas

Durante la conquista de las Américas, los españoles trajeron perros de guerra, llamados *dogos,* para someter a los indígenas. Los indígenas ya tenían perros, pero eran más pequeños, animales de compañía o de caza. El perro de los aztecas, que no tenía pelo, se llamaba *xoloitzcuintle* que significa «perro asistente del dios Xolotl», el dios de la vida y la muerte.

La organización Save-a-Sato, Puerto Rico

Después de la conquista muchos de estos perros se mezclaron con los perros nativos, lo que resultó en una raza mixta de perros callejeros. Mucha gente veía a esos animales como portadores de la rabia y los mataban.

Pero hoy en día la situación de las mascotas es diferente: ahora hay grupos de voluntarios dedicados a la protección de animales. En Puerto Rico trabaja el grupo Save-a-Sato, (*sato* significa «perro callejero» en esta isla); en Argentina trabaja el grupo No lo Abandones. Y en España hay mucha gente dedicada al rescate de mascotas abandonadas, como la Asociación Amor a los Animales en Madrid. En México, la Asociación Pro-Defensa Animal (APRODEA), trabaja con veterinarios voluntarios para vacunar y esterilizar perros y gatos. Además, la Universidad Autónoma de México provee una clínica móvil en México, D.F., que esteriliza a más de 800 animales cada mes.

La historia de las mascotas es larga e interesante, y el momento presente es muy alentador. Mucha gente ahora entiende que los animales son también habitantes de nuestro planeta y que necesitan cuidado y protección.

VOCABULARIO ÚTIL

la guerra	*war*
someter	*to subdue*
la caza	*hunting*
el dios	*god*
se mezclaron	*mixed*
callejero	*of the street*
los portadores	*carriers*
la rabia	*rabies*
el rescate	*rescue*
alentador	*encouraging*

Ahora... ¡ustedes!

¿Tienes mascotas? ¿Viven en casa contigo o viven afuera? ¿Hay en tu comunidad un centro de rescate para mascotas abandonadas?

❋ Las presentaciones

Lea Gramática 6.4–6.5.

ESTEBAN: Mónica, quiero presentarte a mi amigo, Jorge.

MÓNICA: Hola, Jorge. ¿Qué tal?

JORGE: ¿Qué tal, Mónica?

ESTELA SAUCEDO: Señor Luján, quisiera presentarle a mi amiga, la señora Medrano.

SR. LUJÁN: Mucho gusto en conocerla, señora.

SRA. MEDRANO: Igualmente, señor Luján.

DOÑA ROSITA: Señorita Batini, me gustaría presentarle a mi nuevo vecino, el señor Marcos.

LOLA BATINI: Mucho gusto en conocerlo, señor.

SR. MARCOS: Encantado, señorita Batini.

ACTIVIDAD 14   Diálogos abiertos: Las presentaciones

Su amigo quiere conocer a su profesor(a) de español.

E1: Profesor/Profesora _____, quiero presentarle a mi amigo/a _____. Es _____.

E2: Mucho gusto en conocerlo/a.

E3: _____.

Ahora presente a dos de sus compañeros que no se conocen.

E1: Oye, _____, ¿conoces a mi amigo/a _____?

E2: No, no _____ conozco.

E1: _____, te presento a _____. Él/Ella estudia _____ aquí en la universidad.

E2: Mucho gusto, _____.

E3: Igualmente.

ACTIVIDAD 15 Entrevista: ¿Conoces tu vecindario?

1. ¿Conoces a los vecinos de la casa (del apartamento) de la izquierda? ¿de la derecha? ¿de enfrente?
2. ¿Sabes el nombre de la escuela más cercana a tu casa (apartamento)? ¿Conoces al director / a la directora de esa escuela?
3. ¿Sabes dónde hay un buen restaurante cerca de tu casa (apartamento)? ¿Conoces a los dueños? ¿a los meseros?
4. ¿Sabes cuánto cuesta un apartamento pequeño en la ciudad o pueblo donde vives?
5. ¿Conoces a alguien con piscina en su casa?
6. ¿Sabes cuánto cuesta una casa en tu vecindario?
7. ¿Sabes dónde está el parque _____?
8. ¿Sabes dónde está la biblioteca pública más cercana?

VENTANAS CULTURALES   Las costumbres

De casa en casa: La tradición de las posadas

La tradición de las posadas tiene su origen en una historia de la Biblia: la virgen María y su esposo José buscan alojamiento en Belén, porque el niño Jesús va a nacer. Así, con este episodio del Nuevo Testamento, empezó esta popular celebración del pueblo mexicano. En sus comienzos las posadas se celebraban sólo en la iglesia. Pero con el tiempo se transformaron en un evento de la comunidad, celebrado también en casa, con la familia y los amigos.

Todos los años, entre el 16 y el 24 de diciembre, los mexicanos conmemoran este pasaje de la Biblia de una manera muy especial, organizando procesiones por los barrios de su ciudad. En muchas vecindades, niños y adultos van de casa en casa buscando alojamiento. Los niños llevan velas o faroles, tocan a las puertas y siguen su camino hasta la iglesia o su casa. Si hay un nacimiento, los pequeños se acercan al niño Jesús y le ofrecen flores. Algunas personas se visten de María y José, y representan así la búsqueda de alojamiento. La fiesta continúa después con tamales, chocolate caliente y otras sabrosas comidas. Los chicos también reciben regalos, por supuesto: ricos buñuelos, refrescos, dulces. A veces rompen una piñata.

Hoy en día, esta celebración es una de las más populares de México. Pero aquí en los Estados Unidos también podemos apreciar las posadas. En muchas ciudades —San Diego, San Antonio y Chicago, entre otras—, la comunidad mexicana mantiene viva la festiva tradición de diciembre.

VOCABULARIO ÚTIL

la posada	inn, hotel
buscan	they look
alojamiento	for lodging
la vela	candle
el farol	paper lantern
el nacimiento	nativity scene
la búsqueda	search
el buñuelo	fritter

Ahora... ¡ustedes!

¿Pasas los días feriados de diciembre con tus parientes? ¿Viajas? ¿Adónde vas? ¿Participas en alguna celebración en tu vecindario?

 En resumen

De todo un poco

A. ¿Cómo es tu casa/apartamento?

Trabajando en parejas, hablen de su casa (apartamento), su vecindario y sus obligaciones. Pueden usar la siguiente guía.

- descripción de la casa (del apartamento): los cuartos, los muebles, el patio, etcétera
- descripción del vecindario: las escuelas, la biblioteca, las tiendas, la lavandería, la gasolinera, etcétera
- las obligaciones que tiene cada miembro de la familia: lavar, planchar, cocinar, cortar el césped, etcétera

B. En grupos de 3 ó 4 describan la casa ideal. Si quieren, una persona puede hacer un dibujo. ¿Dónde está la casa ideal? ¿Cómo es la cocina? ¿Qué hay en ella? ¿Cómo es la sala? ¿y los otros cuartos? ¿Cómo es el patio/jardín? ¿Qué otras cosas especiales hay en la casa ideal?

¡Dígalo por escrito!

Casa a la venta

Imagínese que usted es agente de bienes raíces. Busque una foto o haga un dibujo de una casa. Luego, escriba un anuncio para una revista de bienes raíces describiendo esa casa. Debe incluir en su anuncio una descripción detallada de la casa, los cuartos, los aparatos domésticos que tiene, la vecindad, el precio y, claro, la foto o el dibujo.

¡Cuéntenos usted!

Cuéntenos sobre el cuarto o el lugar favorito de su casa. ¿Cómo es? ¿Es un lugar tranquilo o de mucha actividad? ¿Prefiere estar en ese lugar solo/a o acompañado/a? ¿Qué hace usted cuando está allí? ¿Duerme? ¿Escucha música? ¿Lee?

VOCABULARIO ÚTIL

antiguas	ancient
la mezcla	mixture
reconstruida	reconstructed
el siglo	century
el cerro	hill
parecido	like
el ambiente	ambience, atmosphere

LECTURA # Las hermosas ciudades hispanas

Muchas ciudades hispanas son antiguas y grandes. Algunas tienen entre trescientos y cuatrocientos años, y en España varias datan del Imperio Romano. Hay ciudades de América Latina, como Arequipa, al sur de Perú, donde se nota en sus edificios la mezcla de la cultura indígena y la cultura española. En algunas ciudades, la parte más vieja está reconstruida y hoy en día es una zona de interés turístico, como el Viejo San Juan en Puerto Rico, la ciudad colonial de Santo Domingo en la República Dominicana y el Quito colonial en Ecuador.

Las ciudades hispanas están generalmente divididas en zonas con nombres variados, por ejemplo: Argüelles, La Loma y La Villa. Algunas zonas son residenciales; otras son industriales o comerciales. Más que nada, en la típica ciudad hispana hay zonas mixtas: calles con casas particulares, apartamentos, tiendas y oficinas. En muchos casos, los adultos trabajan lejos de casa, pero hacen sus compras en las tiendas de su vecindario, en donde sus niños juegan.

El viejo San Juan, Puerto Rico

Cartagena, en Colombia, es un ejemplo de ciudad con áreas mixtas, con su arquitectura colonial impresionante, su centro lleno de casas particulares y también de actividad comercial, y sus bellas playas. A propósito, si a usted le interesa la arquitectura, debe ir a la ciudad de San Miguel de Allende, en México, donde va a encontrar hermosos edificios que datan de los siglos dieciocho y diecinueve. Varias casas de San Miguel de Allende son ahora monumentos históricos.

En muchas ciudades la plaza es un lugar central de gran vitalidad. Las plazas en México se llaman a veces «zócalo». El Zócalo de la ciudad de México es particularmente grande. La Plaza Mayor de Madrid, España, tiene cafés y restaurantes de comida española típica. En la ciudad de Cuenca, que está en las montañas de Ecuador, hay dos plazas muy populares. También son populares las plazas de Valparaíso, en Chile. Valparaíso está situada en la costa y sobre cerros. Esta ciudad chilena tiene, además de plazas hermosas, panoramas espectaculares.

La Plaza Mayor en Madrid, España

Hay ciudades hispanas con calles y barrios famosos; por ejemplo, el Paseo de la Reforma en la ciudad de México, que es un amplio bulevar parecido al de Champs Elysées de París. En Madrid, la Gran Vía es la calle de más tránsito y público en toda la ciudad. Otra calle muy conocida, especialmente por sus tiendas, es la Calle Florida en Buenos Aires. Si a usted le gusta el ambiente de una ciudad cosmopolita y elegante, debe ir a Buenos Aires, capital de Argentina. Allí va a encontrar grandes avenidas, numerosos parques, teatros y museos.

Como puede ver, muchas ciudades hispanas son antiguas y grandes, con plazas populares, edificios históricos y calles famosas. ¡Hay tantas ciudades hermosas en el mundo hispano!

Comprensión

Indique si las siguientes descripciones corresponden a las ciudades hispanas (H), a las ciudades norteamericanas (N) o a las dos (D).

1. _____ Son muy viejas.
2. _____ Hay ciudades que datan del Imperio Romano.
3. _____ En algunas ciudades el centro es una zona turística.
4. _____ Hay mucha actividad comercial en el centro.
5. _____ Hay gran cantidad de restaurantes.
6. _____ Muchas personas viven en el centro.
7. _____ Cada zona tiene su propio nombre.
8. _____ Se hacen las compras lejos de la casa.
9. _____ Los edificios de algunas ciudades son monumentos históricos.
10. _____ Tienen calles famosas.

Un paso más... ¡a conversar!

1. Describa la ciudad donde usted nació o la ciudad donde vive ahora. ¿Qué aspectos de esta ciudad le gustan más? ¿Cuáles no le gustan y por qué?
2. Considere las diez características de la actividad de Comprensión. ¿Cuáles describen la ciudad donde usted vive? Por ejemplo, ¿hay calles famosas en su ciudad?

ocabulario

• Los cuartos y otras dependencias
Rooms and Other Parts of the House

el ascensor	elevator
el baño (el cuarto de baño)	bathroom
la cerca	fence
la chimenea	fireplace
el comedor	dining room
el corredor	corridor, hallway
el dormitorio	bedroom
la escalera	stairway, stairs
la habitación	room
el pasillo	hall
el piso	story, floor; apartment (*Spain*)
la recámara	bedroom (*Mex.*)
la sala	living room

PALABRAS SEMEJANTES: el balcón, el garaje, el patio, la terraza
REPASO: la cocina, el jardín

• Los muebles y los aparatos eléctricos
Furniture and Electrical Appliances

la alacena	kitchen cupboard
la alfombra	carpet, rug
la almohada	pillow
el aparato (doméstico)	(household) appliance
el armario	closet
la aspiradora	vacuum cleaner
la bañera	bathtub
la cafetera	coffeepot
el calentador	heater
la cama (matrimonial)	(double) bed
el cepillo (de dientes)	(tooth)brush
la cómoda	chest of drawers
la cortina	curtain; drapes
el cuadro	picture (*on a wall*)
la ducha	shower
la escoba	broom
el espejo	mirror
el estante	shelf
la estufa	stove, range
el fregadero	kitchen sink
el gabinete	cabinet
el horno (de microondas)	(microwave) oven
el inodoro	toilet
el lavabo	bathroom sink

la lavadora	washing machine
el lavaplatos	dishwasher
la mesita	coffee table
el secador (de pelo)	hair dryer
la secadora	(clothes) dryer
el sillón	easy chair
la tetera	teapot
la taza	cup, mug; toilet bowl
el tocador	dresser
el ventilador	fan

PALABRAS SEMEJANTES: la lámpara, el piano, el plato, el refrigerador, el sofá, el tostador, el utensilio
REPASO: la afeitadora, la silla, el televisor, la toalla, el vaso

• La casa y el vecindario
House and Neighborhood

el arbusto	bush
la cancha de tenis	tennis court
la casa particular	private home
el centro comercial	shopping center
el departamento	apartment (*Mex.*)
el dueño / la dueña	owner
la estatua	statue
el pueblo	town

PALABRAS SEMEJANTES: el apartamento, la residencia, la vista
REPASO: el árbol, la ciudad, el colegio, el condominio, el edificio, la escuela, la fuente, la gasolinera, la iglesia, el lugar, el parque, la piscina, la plaza, el supermercado, el techo, la tienda

• Los quehaceres domésticos
Household Chores

barrer	to sweep
calentar (ie) caliento, calienta	to warm up
cortar el césped	to cut (mow) the grass
dar de comer	to feed
desempolvar	to dust
guardar (ropa)	to put away (clothes)
pasar la aspiradora	to vacuum
regar (ie) riego/riega	to water
sacar la basura	to take out the trash
tender (ie) la cama tiendo/tiende	to make the bed

REPASO: ayudar, cocinar, lavar, limpiar, planchar, secar

• Los verbos — Verbs

alquilar(se)	to rent, to be rented
se alquila	for rent
apoyar	to support
cerrar (ie)	to close
cierro/cierra	
compartir	to share
conocer	to know, to meet
conozco/conoce	
enviar	to send
prender (la luz)	to turn on (the light)

PALABRAS SEMEJANTES: comentar, identificar, incluir, ordenar

REPASO: apagar, deber (+ *infin.*), **encender (ie), hay que** (+ *infin.*), **necesitar, pasar tiempo, tener que** (+ *infin.*)

• Los sustantivos — Nouns

alguien	someone
el alquiler	rent
los bienes raíces	real estate
el director / la directora	(school) principal
la diversión	entertainment
el empleado doméstico / la empleada doméstica	servant
la entrada	entrance, driveway
la mascota	pet
las noticias	news
la pareja	pair, couple
el precio	price
la venta	sale

PALABRAS SEMEJANTES: el desastre, la milla, el objeto, el transporte

• Los adjetivos — Adjectives

agradable	pleasant, nice
amplio/a	roomy
amueblado/a	furnished
barato/a	inexpensive
caro/a	expensive
módico/a	moderate (in price)
propio/a	own
serio/a	serious
útil	useful

PALABRAS SEMEJANTES: cronológico/a, decorado/a

• ¿Cuándo? ¿Con qué frecuencia? — When? How Often?

a menudo	often
anoche	last night
(el mes/año) pasado	last (month/year)

REPASO: ahora, antes de / después de, ayer, esta noche, hoy, mañana, por la mañana/tarde/noche

• Las comparaciones — Comparisons

bueno, mejor, el/la mejor	good, better, (the) best
malo, peor, el/la peor	bad, worse, (the) worst
el/la más (+ *adj.*)	the most (+ *adj.*)
más/menos que (de)	more/less than
tan… como	as . . . as
tanto(s)/tanta(s)… como	as much / as many . . . as

• Las presentaciones — Introductions

Encantado/a	Delighted (Pleased) to meet you.
Gusto en conocerlo/a	Nice to meet you.
Quiero presentarle a…	I want to introduce you (*sing. pol.*) to . . .
Quiero presentarte a…	I want to introduce you (*inf.*) to . . .

REPASO: igualmente, mucho gusto, ¿Qué tal?

• Palabras y expresiones útiles — Useful Words and Phrases

¿Para qué sirve… ?	What is . . . used for?
pues	well, then

¿Y quién remodela mis baños y mi cocina?

EN OFICINAS · EMPRESAS · HOTELES · RESTAURANTES · CASAS · APARTAMENTOS

Casaviva

SOMOS PROFESIONALES EN LA CREACIÓN DE AMBIENTES

Gramática y ejercicios

6.1 Making Comparisons of Inequality: *más/menos*

GRAMÁTICA ILUSTRADA

Guillermo es **más alto que** Ramón.
Ramón es **menos alto que** Guillermo.

Amanda es **más seria que** Graciela.
Graciela es **menos seria que** Amanda.

Amanda recibe **mejores notas que** Graciela.
Graciela recibe **peores notas que** Amanda.

Ramón es **mejor atleta que** Guillermo.
Guillermo es **mejor estudiante que** Ramón.

Ernestito es **el más grande de** los tres.
Marisa es **la más pequeña de** los tres.

| **más que** = *more than* |
| **menos que** = *less than* |

A. Use the words **más... que** (*more . . . than*) and **menos... que** (*less . . . than*) to make unequal comparisons in Spanish. English often uses the ending *-er* (e.g., *taller*) in such comparisons, but Spanish uses **más/menos** + adjective.

Guillermo es **más** alto **que** Ramón.	*Guillermo is taller than Ramón.*
Graciela es **menos** seria **que** Amanda.	*Graciela is less serious than Amanda.*
Yo tengo **más** experiencia **que** Pilar.	*I have more experience than Pilar.*
José tiene **menos** tiempo **que** Clara.	*José has less time than Clara.*

B. To single out a member of a group as "the most" or "the least," add an article (**el, la, los, las**) to this construction. Note that English often uses the ending -*est*: **el más gordo** (*the fattest*), **las más grandes** (*the biggest ones*), **la más cara** (*the most expensive one*), **el menos útil** (*the least useful*). (Also note that Spanish uses **de** where English uses *of* or *in*.)

> | | |
> |---|---|
> | Adriana es **la más** simpática (**de** las tres que conozco). | Adriana is the nicest (*of the three I know*). |
> | Éstas son **las** casas **más** modernas **del** vecindario. | These are the most modern houses in the neighborhood. |
> | Aquí tiene usted **el** cuarto **más** grande **de** la casa. | Here you have the largest room in the house. |

> **el más alto** = *the tallest* (m. sing.)
> **los más altos** = *the tallest* (m. pl.)
> **la más alta** = *the tallest* (f. sing.)
> **las más altas** = *the tallest* (f. pl.)

C. There are special comparative and superlative forms for **bueno** and **malo**.

bueno	mejor	el/la mejor	good/better/best
malo	peor	el/la peor	bad/worse/worst

> **el/la mejor** = *the best* (sing.)
> **los/las mejores** = *the best* (pl.)
> **el/la peor** = *the worst* (sing.)
> **los/las peores** = *the worst* (pl.)

> | | |
> |---|---|
> | En mi opinión, la cocina es **el mejor** cuarto de la casa. | In my opinion, the kitchen is the best room in the house. |
> | No hay nada **peor** que el ruido de los coches cuando uno quiere dormir. | There is nothing worse than traffic noise when you want to sleep. |

D. The special forms **mayor / el/la mayor** (*older/oldest*) and **menor / el/la menor** (*younger/youngest*) are used to compare ages.

> | | |
> |---|---|
> | Mi hermano **mayor** se llama Jaime y mi hermana **menor** se llama Leticia. | My older brother is named Jaime, and my younger sister is named Leticia. |

> **mi hermana mayor** = *my older sister*
> **mi hermano menor** = *my younger brother*

EJERCICIO 1

Haga comparaciones. Use **más/menos que.**

MODELO: El sofá cuesta $150. El sofá-cama cuesta $500. (cuesta) →
El sofá-cama cuesta *más que* el sofá. (El sofá cuesta *menos que* el sofá-cama.)

1. La mesa pesa 25 kilos. El sillón pesa 48. (pesa)
2. En mi casa viven ocho personas. En la casa de los vecinos viven cinco. (viven)
3. La casa de los López tiene cuatro dormitorios. La casa de los vecinos tiene dos. (tiene)
4. En el patio de mis abuelos hay tres árboles. En nuestro patio hay cinco. (hay)
5. En la casa de los Ruiz hay tres dormitorios. En la casa de los Saucedo hay cuatro. (hay)

> **pesa** = *weighs*

EJERCICIO 2

Exprese su opinión. Use **mejor, peor, mayor, menor** o **el/la más... de...**

desierto = *desert*

MODELO: el Mercedes Benz; el Jaguar (mejor) →
En mi opinión, el Jaguar es *mejor que* el Mercedes.

1. vivir en el desierto; vivir en el centro de la ciudad (peor)
2. vivir en una casa; vivir en un apartamento (mejor)
3. un ventilador; un horno de microondas; un refrigerador (útil)
4. mi hermano Armando tiene 12 años; mi hermana Irma tiene 10 (mayor)
5. mi hijo tiene 6 meses; tu hija tiene 1 año (menor)
6. un Ferrari que cuesta $115.000; un Rolls Royce que cuesta $200.000; un BMW que cuesta $65.000 (caro)

6.2 Making Comparisons of Equality: *tan/tanto*

GRAMÁTICA ILUSTRADA

Ramón no es **tan alto como** Guillermo.

Marisa y Clarisa son **tan inteligentes como** Ernestito.

Andrea no tiene **tanto tiempo libre como** su hermana, Paula.

Graciela tiene **tantos amigos como** Amanda.

tan + adjective + **como** = *as* + adjective + *as*

A. When stating that qualities are (or are not) equal or identical (*as pretty as / not as pretty as*), use **(no) tan… como**. **Tan** never changes form in comparisons or contrasts of qualities.

Marisa es **tan** inteligente **como** Clarisa.

Marisa is as intelligent as Clarisa.

Ramón **no** es **tan** alto **como** Guillermo.

Ramón is not as tall as Guillermo.

tanto/a/os/as + noun + **como** = *as much/ many* + noun + *as*

B. When equating quantities (*as much/many as*), use **tanto… como**. **Tanto** agrees with the noun that follows: **tanto, tanta, tantos, tantas**.

Andrea no tiene **tanto dinero como** Paula.

Andrea doesn't have as much money as Paula.

Ustedes tienen **tantas clases como** nosotros.

You have as many classes as we do.

EJERCICIO 3

Haga comparaciones. Use **tan… como**.

MODELO: El Parque de Chapultepec es muy grande. El Parque Juárez es
pequeño. (grande) →
El Parque Juárez no es *tan grande como* el Parque de Chapultepec.

1. La piscina de los señores Montes es muy bonita. La piscina de los
señores Lugo es muy bonita también. (bonita)
2. El edificio de la avenida Oriente tiene seis pisos. El edificio nuevo
de la avenida del Libertador tiene diez. (alto)
3. La lavandería nueva de la calle Ebro es muy limpia. La lavandería
vieja de la avenida Almendros no es muy limpia. (limpia)
4. Los condominios «Princesa» son muy modernos. Los condominios
«San Juan» tienen ya veinte años. (modernos)

EJERCICIO 4

Haga comparaciones. Use **tantos/as... como.**

MODELO: Mi casa tiene dos dormitorios. Su casa tiene cuatro. →
Mi casa no tiene *tantos* dormitorios *como* su casa.

1. La sala de nuestra casa tiene cuatro lámparas. La sala de su casa
tiene sólo dos lámparas.
2. La casa de los señores Saucedo tiene ocho cuartos. La casa de los
señores Ruiz tiene seis cuartos.
3. La casa de mis padres tiene dos baños. La casa de los vecinos
también tiene dos baños.
4. El patio de doña Lola tiene muchas flores y plantas. El patio de
don Anselmo tiene pocas flores y plantas.

6.3 Talking about Past Actions: The Preterite of Regular Verbs (Part 1)

GRAMÁTICA ILUSTRADA

hablé = I spoke
comí = I ate
viví = I lived
hablaste = you (inf. sing.) spoke
comiste = you (inf. sing.) ate
viviste = you (inf. sing.) lived
habló = you (pol. sing.) spoke; he/she spoke
comió = you (pol. sing.) ate; he/she ate
vivió = you (pol. sing.) lived; he/she lived

The Spanish past tense (preterite), like the English present tense, is formed by adding a set of endings to the stem. Here are the singular preterite endings of the regular verbs **hablar** (to speak), **comer** (to eat), and **vivir** (to live).*

	-ar verbs	-er verbs	-ir verbs
(yo)	hablé	comí	viví
(tú)	hablaste	comiste	viviste
(usted, él/ella)	habló	comió	vivió

Note the written accent marks. They tell you where to put the stress. Also note that the singular endings for **-er** and **-ir** verbs are the same.

The following are some time expressions that often act as clues to help you recognize the preterite. You can use them to talk about the past.

anoche, ayer, ayer por la mañana (tarde, noche), anteayer, el lunes (martes, miércoles, etc.) pasado, la semana pasada, esta mañana, el mes (año) pasado, ya

Hablé con la vecina nueva **ayer.**   *I spoke with the new neighbor yesterday.*

—¿**Ya comiste?**   —*Did you already eat?*
—Sí, **comí** en casa.   —*Yes, I ate at home.*

EJERCICIO 5

¿Hizo usted estas actividades ayer? Conteste sí o no.

MODELO: trabajar → Sí, **trabajé** siete horas. (No, *no trabajé*.)

1. comprar un disco compacto
2. comer en un restaurante
3. hablar por teléfono
4. escribir una carta
5. estudiar cuatro horas
6. abrir la ventana
7. visitar a un amigo / una amiga
8. correr por la mañana
9. tomar un refresco
10. lavar los platos

EJERCICIO 6

Diga si cada una de las siguientes personas hizo las actividades indicadas.

MODELO: Christina Aguilera / cantar en la ducha esta mañana →
Christina Aguilera *cantó* en la ducha esta mañana.

1. mi madre / charlar con el presidente la semana pasada
2. el presidente de México / comer tacos en la calle ayer
3. la profesora de español / salir con Antonio Banderas anoche
4. yo / jugar al tenis con Anabel Medina ayer a medianoche
5. Fidel Castro / visitar los Estados Unidos el mes pasado

¿RECUERDA?

Spanish uses two different verbs to express the English verb *to know.* You have already seen and practiced the forms of one of these verbs, **saber,** which means *to know facts, information.* When followed by an infinitive, **saber** expresses the idea *to know how to (do something).* Return to **Gramática 5.2** to review the verb **saber** in more detail.

*The plural endings and many common verbs that are irregular in the preterite are introduced in **Gramática 7.1, 7.2,** and **7.3.**

6.4 Knowing People, Places, and Facts: *conocer* and *saber*

A. **Conocer** (*to know*) is used in the sense of *to be acquainted* or *familiar with*; it is normally used with people and places. **Saber** (*to know*) is used in the sense of *to know facts, information,* or, when followed by an infinitive, *to know how to* (*do something*). Here are the present-tense forms of **conocer*** and **saber.**

	conocer (to know people, places)	saber (to know facts, information)	
(yo)	conozco	sé	*I know*
(tú)	conoces	sabes	*you (inf. sing.) know*
(usted, él/ella)	conoce	sabe	*you (pol. sing.) know; he/she knows*
(nosotros/as)	conocemos	sabemos	*we know*
(vosotros/as)	conocéis	sabéis	*you (inf. pl., Spain) know*
(ustedes, ellos/as)	conocen	saben	*you (pl.) know; they know*

Note that the preposition **a** precedes a direct object noun when that noun is a person. This use of **a** is called the *personal* **a.**

—**¿Conoces a** Carla Espinosa?
—Sí, y **conozco** también **a** su hermano.
—¿Y **conoces** también **a** su amigo Rogelio?
—No, **a** él no lo **conozco.**

—*Do you know Carla Espinosa?*
—*Yes, and I also know her brother.*
—*And do you also know her friend Rogelio?*
—*No, I don't know him.*

—**¿Conoces** muy bien la ciudad de México?
—Todavía no.

—*Do you know Mexico City well?*
—*Not yet.*

—**¿Sabes** nadar?
—No, no **sé** nadar.

—*Do you know how to swim?*
—*No, I don't know how to swim.*

—**¿Sabes** dónde está el restaurante?
—No, no **sé.**
—**¿Sabes** si hay una biblioteca cerca?
—No, no **sé.**

—*Do you know where the restaurant is?*
—*No, I don't know.*
—*Do you know if there is a library nearby?*
—*No, I don't know.*

> **conocer** = *to know people, places*
> **saber** = *to know facts, information*
> **saber** + inf. = *to know how to* (*do something*)
> **Conozco a Adriana.**
> (*I know Adriana.*)
> **Sé que Adriana vive en Buenos Aires.**
> (*I know that Adriana lives in Buenos Aires.*)

B. The preterite of **conocer** (**conocí, conociste, conoció**) expresses the meaning *met* (*for the first time*) in English.

> **conocer** in the preterite = *met* (*for the first time*)

Conocí a Raúl la semana pasada.   *I met Raúl last week.*

---

*Recognition: **vos conocés**

EJERCICIO 7

—¿Conoce usted a los vecinos que viven enfrente?
—Sí, los conozco muy bien. Su apellido es Saucedo.

El señor Valdés lleva sólo una semana viviendo en el vecindario de San Vicente. Está hablando con su vecino, don Eduardo. Complete con las frases apropiadas las preguntas del señor Valdés.

¿Conoce usted...
¿Sabe usted...

1. a los dueños de la casa de la esquina (*corner*)?
2. a doña Rosita?
3. si hay una farmacia cerca?
4. si hay una alberca (piscina) pública cerca?
5. al director del colegio que está en la esquina?
6. un buen restaurante chino?
7. dónde está el Parque de Colón?
8. si hay una lavandería en el centro comercial El Toro?
9. cuánto cuesta ponerle un techo nuevo a la casa?
10. a la vecina de la casa amarilla?

6.5 Referring to People Already Mentioned: Personal Direct Object Pronouns

A. Personal direct object pronouns (**los pronombres de complemento directo**) are used with verbs such as *to see* (*someone*), *to remember* (*someone*), *to know* (*someone*), *to love* (*someone*), *to take* (*someone somewhere*), *to invite* (*someone*), and so forth. Here are some examples of direct object pronouns in English.

> Raúl Saucedo? I don't remember *him.*
> Ernestito and his brother and sister? We saw *them* yesterday.
> I'm José Estrada. You remember *me,* don't you?

B. You already know four of the personal direct object pronouns, because they are the same as the reflexive pronouns and the indirect object pronouns: **me** (*me*), **te** (*you*), **nos** (*us*), and **os** (*you; inf. pl., Spain*).

> Usted no **me** conoce todavía.   *You don't know me yet. I'm Raúl*
>   Soy Raúl Saucedo.   *Saucedo.*
> **Te** quiero mucho.   *I love you a lot.*
> Tú no **nos** recuerdas, ¿verdad?   *You don't remember us, do you?*

C. Four other direct object pronouns are used, according to the gender and number of the person(s) referred to.*

lo	*him, you (pol. m. sing.)*	los	*them, you (pl.)*
la	*her, you (pol. f. sing.)*	las	*them, you (females only)*

---

*Some Spanish speakers from Spain use **le/les** instead of **lo/los** as the direct object pronoun to refer to males.

—¿Conoces a **José Estrada,** el novio de Pilar?

—Sí, **lo** conozco.

—*Do you know José Estrada, Pilar's boyfriend?*

—*Yes, I know him.*

—¿Mi hija Margarita? **La** llevo todos los días a la escuela.

—*My daughter Margaret? I take her to school every day.*

—¿No **lo** vi a usted ayer, señor Torres?

—Sí, **me** vio en la biblioteca.

—*Didn't I see you yesterday, Mr. Torres?*

—*Yes, you saw me in the library.*

—¿Y tus **parientes**? ¿**Los** ves con frecuencia?

—Sí, durante las fiestas **los** invitamos a casa a cenar con nosotros.

—*And your relatives? Do you see them frequently?*

—*Yes, during the holidays we invite them to our house to have dinner with us.*

—¿Vas a visitar a tus **hermanas** mañana?

—Sí, **las** voy a ver al mediodía.

—*Are you going to visit your sisters tomorrow?*

—*Yes, I'm going to see them at noon.*

—Mamá, ¿cuándo vas a recoger**nos**?

—Paso a recoger**las** a las 2:45.

—*Mom, when are you going to pick us up?*

—*I'll pick you up at 2:45.*

> In the sentence *John saw her*, the word *her* is a direct object pronoun. Direct object pronouns answer the questions *Whom?* or *What?*

> In the sentence **Juan la conoce** (*John knows her*), **la** is a direct object pronoun.

> —**¿Dónde está Lan?**
> —**No sé. No *la* veo.**
> [*la* = **Lan**]
> —*Where is* **Lan**?
> —*I don't know. I don't see* **her**.
> [**her** = Lan]
>
> —**¿Conoces a los Silva?**
> —**Sí, *los* conocí ayer.**
> [los = **los Silva**]
> —*Do you know* **the Silvas**?
> —*Yes, I met* **them** *yesterday.* [**them** = the Silvas]

EJERCICIO 8

Complete estos diálogos con pronombres de complemento directo.

MODELO: —¿Conoces a Marta Guerrero?

         —Sí, *la* conozco.

1. —¿Conocen ustedes a los señores Saucedo?
   —Sí, _____ conocemos muy bien.
2. —¿Conoces tú a doña Rosita?
   —Sí, _____ conozco un poco.
3. —¿Y a Pedro Ruiz?
   —Sí, _____ conozco también.
4. —¿Conoce Estela Saucedo a Silvia y a Nacho?
   —Sí, ella _____ conoce un poco.
5. —Señor, yo no _____ conozco.
   —¿No me conoce? ¡Soy Ernesto Saucedo, su vecino!
6. —¿Conoce usted al esposo de Andrea Ruiz?
   —No, no _____ conozco.
7. —¿Conocen ustedes a la señorita Batini?
   —Sí, _____ conocemos muy bien; es amiga de mi madre.
8. —¿Conocen los señores Saucedo a los señores Silva?
   —Sí, los señores Saucedo _____ conocen muy bien; son vecinos.
9. —¿Conoces tú a Guillermo?
   —Sí, _____ conozco muy bien; es mi mejor amigo.
10. —¿Conoce Amanda a Graciela?
    —Sí, _____ conoce muy bien; son muy buenas amigas.

Capítulo 7

Hablando del pasado

Pintura de la serie *Tango argentino,*
por Guillermo Alio (Argentina)

M E T A S

In **Capítulo 7** you will continue to talk about things that happened in the past: your own experiences and those of others.

Sobre el artista: Guillermo Alio nació en Tucumán, Argentina, en 1950. Estudió en la Escuela de Bellas Artes en Buenos Aires. Sus obras se exhiben en varios países de América del Sur y Europa, los Estados Unidos, México e Israel. Actualmente da conferencias sobre arte en Argentina y otros países.

Época precolombina
Los indígenas patagónicos habitan el sur, centro y norte.

Argentina

1502 y 1616 Américo Vespucio y más tarde Juan Díaz de Solís se internan en el Río de la Plata.

1500

1800

1776 Creación del Virreinato del Río de la Plata; abarca Chile, Bolivia, Paraguay, Argentina y Uruguay.

1829–1852 Agresiones militares por parte de Inglaterra y Francia

Los amigos animados: Para repasar

Antes de comenzar este capítulo, mire los segmentos animados para repasar el capítulo anterior.

A. La Compañía Reparatodo. Y ahora un anuncio comercial en KSUN, Radio Sol.

B. El vecindario de Guillermo. Ahora Guillermo Saucedo, el hijo de Ernesto y Estela, lee una composición en su clase de lenguaje y escritura.

En este capítulo...

ACTIVIDADES DE COMUNICACIÓN

• Mis experiencias
• Las experiencias con los demás
• Hablando del pasado

EN RESUMEN

LECTURAS Y CULTURA

• **Enlace literario**
  «Cuando salimos de El Salvador», por Jorge Argueta
• **Ventanas culturales**
  Nuestra comunidad: Reuben Martínez, amigo de muchos
• **Ventanas al pasado**
  La independencia de Sudamérica
• **Lectura**
  Machu Picchu: Un viaje por el tiempo

GRAMÁTICA Y EJERCICIOS

7.1 Talking about Past Actions: The Preterite of Regular Verbs (Part 2)
7.2 Relating Past Events (Part 1): Verbs with Irregular Preterite Forms
7.3 More about Relating Past Events (Part 2): Stem-Changing Verbs in the Preterite
7.4 Reporting the Past: Indirect Object Pronouns with **decir**
7.5 Expressing *ago:* **hacer** + Time

60
mienza un periodo de ustrialización. Los indígenas n exterminados.

1976 El gobierno de María Estela Martínez (viuda de Perón) es derrocado y los militares toman el poder. Época conocida como "Guerra sucia".

1982 Guerra contra Inglaterra por las islas Malvinas; gana Inglaterra.

2002 Fuerte devaluación del peso; se estabiliza la economía.

1900

2000

1930–1945 Era de dictaduras militares

1946–1955 Gobierno de Juan Domingo Perón

2001 Crisis económica; Argentina cambia cinco veces de presidente.

2003 Nestor Kirchner es electo presidente.

Actividades de comunicación y lecturas

✳ **Mis experiencias**

Ayer hice muchas cosas.

Carla

Lea Gramática 7.1–7.2.

Por la mañana . . .

Me lavé el pelo.

Desayuné rápidamente.

Salí de casa.

Asistí a la clase de biología.

Tomé café con algunos amigos.

Escribí un informe para la clase de química.

Por la tarde . . .

Volví a casa a las dos.

Almorcé con mi mamá.

Trabajé por cuatro horas en una tienda de ropa.

Anoche . . .

Cené con mi familia.

Leí un poco antes de acostarme.

Me acosté temprano.

ACTIVIDAD 1   Orden lógico: Mis actividades

Ordene lógicamente las siguientes actividades.

_____ Leí una novela.
_____ Me duché.
_____ Me puse el pijama.
_____ Trabajé. / Asistí a clases.
_____ Me acosté.
_____ Hice la tarea.
_____ Cené.
_____ Desayuné.
_____ Salí para el trabajo / la universidad.
_____ Lavé los platos.
_____ Volví a casa.
_____ Me vestí.

ACTIVIDAD 2   Narración: La rutina

Complete lógicamente cada secuencia con la actividad que falta.

MODELO: Anoche cené, luego me quité la ropa, _____, me lavé los
dientes y me acosté.

1. Hoy me desperté, me levanté inmediatamente y me duché.
   Después me sequé y me puse ropa limpia.
2. Anoche llegué del trabajo, me quité la ropa, me puse el pijama,
   cené y me acosté.
3. Esta mañana me desperté tarde. Me quité rápidamente el pijama,
   me duché y me sequé. Luego tomé un vaso de leche (no
   desayuné porque no tuve tiempo) y salí para el trabajo.
4. El sábado pasado fui al cine. Primero me quité la ropa, luego me
   sequé y me puse ropa limpia. Un poco más tarde me peiné y me
   maquillé y, finalmente, salí para el cine con mi novio.
5. El domingo pasado me desperté, desayuné, me duché, me sequé,
   me vestí y salí de mi casa. Llegué a la cancha de tenis y jugué un
   partido con mi amigo.

Ahora, escriba una secuencia como las anteriores para que la clase diga qué
actividad falta.

ACTIVIDAD 3   Encuesta: La última vez

¿Cuándo fue la última vez que usted hizo las siguientes actividades?

MODELO: ¿Cuándo habló con su mamá por teléfono? →
          Hablé con ella *la semana pasada.*

▶ **POSIBILIDADES**

esta mañana	la semana pasada
ayer	ayer por la mañana (tarde, noche)
anteayer	el lunes (martes,...) pasado
anoche	el año pasado

1. ¿Cuándo lavó su carro?
2. ¿Cuándo se bañó?
3. ¿Cuándo se cortó el pelo?
4. ¿Cuándo navegó por el Internet?
5. ¿Cuándo asistió a clase? ¿a un concierto?
6. ¿Cuándo estudió más de una hora?
7. ¿Cuándo vio la televisión? ¿una película?
8. ¿Cuándo fue a la playa? ¿al lago? ¿al río?
9. ¿Cuándo fue de compras?
10. ¿Cuándo leyó el periódico? ¿una revista?

ACTIVIDAD 4   Narración: El fin de semana de Ricardo Sícora

▶ **PALABRAS ÚTILES**

primero	luego	más tarde
poco después	también	finalmente

ENLACE LITERARIO

«Cuando salimos de El Salvador», por Jorge Argueta

Selección de su libro *Una película en mi almohada* (2001)

Jorge Argueta es un poeta salvadoreño joven y talentoso. Llegó a los Estados Unidos en 1980 y desde entonces vive en San Francisco, California. Además de ser autor de poemas y cuentos, Argueta es maestro. Una de sus publicaciones recientes es *Xóchitl, la niña de las flores* (2003), una hermosa historia para niños. El libro *Una película en mi almohada* ganó varios premios, entre otros el Premio Américas de 2002 para literatura latinoamericana. En el conmovedor[1] poema aquí incluido, Argueta describe su experiencia al tener que abandonar su país.

Cuando salimos de El Salvador

Cuando salimos de El Salvador
para venir a los Estados Unidos
mi papá y yo salimos huyendo[2]
una madrugada[3] de diciembre

Salimos sin decirles adiós
a parientes, amigos o vecinos
No me despedí de Neto
mi mejor amigo

No me despedí de Koki
mi periquito parlanchín[4]
ni de la señorita
Sha-Sha-She-Sha
mi perrita favorita

Cuando salimos de El Salvador
en el autobús yo no dejaba de llorar[5]
porque allá se habían
quedado[6] mi mamá
mis hermanitos y mi abuela

Actividad creativa: Una experiencia memorable

Imagínese que usted está escribiendo su autobiografía y quiere contar una experiencia memorable que tuvo durante un viaje. ¿Qué recuerdos importantes o interesantes tiene de esta experiencia? ¿Qué pasó? Narre su historia en una página, en prosa o en forma poética.

[1]*moving* [2]*fleeing* [3]*dawn* [4]*talkative* [5]*no… couldn't stop crying* [6]*allá… had remained behind*

✳ Las experiencias con los demás

Lea Gramática 7.3–7.4.

Dos chicos vinieron a la fiesta de mi hijo. Bebieron demasiado.

¡A caminar!

Se afeitaron y se vistieron con cuidado.	Llegaron un poco tarde y les dijeron «¡Disculpen!» a sus amigos.	Bailaron y se divirtieron, pero bebieron mucha cerveza y...	¡Se sintieron mal! Tuvieron que regresar a casa a pie.

¡No quisimos beber en la fiesta!

Nos pusimos unos vestidos lindos.	Llegamos a la fiesta y nos sirvieron cerveza; no la aceptamos.	No nos quedamos en la fiesta. Preferimos ir a jugar al boliche.	Nos sentimos un poco ridículas con nuestros vestidos de fiesta, pero nos divertimos mucho.

ACTIVIDAD 5   Intercambios: El fin de semana de los vecinos

A continuación ustedes tienen una lista de lo que hicieron algunos de los vecinos de Ernesto y Estela durante el fin de semana.

MODELOS: E1: ¿Qué hicieron *los Olivera el viernes*?
          E2: Limpiaron la casa.

          E1: ¿Quiénes *salieron a cenar el sábado*?
          E2: *Los Silva.*

	LOS OLIVERA	**LOS SILVA**	**LOS RUIZ**
el viernes	Limpiaron la casa.	Fueron al cine y vieron una película romántica.	Viajaron a Acapulco con sus hijas.
el sábado	Dieron una fiesta y se divirtieron mucho.	Salieron a cenar.	Pasaron el día en la playa.
el domingo	Durmieron hasta las once; no hicieron nada.	Asistieron a un espectáculo de baile.	Almorzaron en un restaurante elegante.

ACTIVIDAD 6   **Narración: Las vacaciones de Rubén y Virginia Hernández**

los Hernández,
(Rubén y Virginia)

ACTIVIDAD 7   **Intercambios: Las vacaciones recientes**

A. Pregúntele a su compañero/a qué hicieron las personas en las fotos al margen de esta página y de la página 250.

> **MODELO:** E1: ¿Qué hicieron las personas en la playa?
> E2: *Tomaron el sol y nadaron.*

B. Ahora pregúntele a su compañero/a si él/ella hizo las mismas actividades durante sus últimas vacaciones.

> **MODELO:** E1: *¿Fuiste a la playa?*
> E2: No, no *fui a la playa,* pero *nadé mucho en la piscina.*

Una playa en Puerto Rico

El esquí en Chile

El cine en Barcelona, España

Un restaurante en Sevilla, España

ACTIVIDAD 8   Encuesta: ¿Cuándo?

Diga con quién y cuándo hizo usted las siguientes actividades. Luego comente sus respuestas con un compañero / una compañera.

MODELO: Fuimos al cine. → *Mi amigo Jorge y yo* fuimos al cine *anoche.*

▶ **POSIBILIDADES**

Mis amigos y yo	Mi novio/a y yo	Mi familia y yo	Mi esposo/a y yo

1. Practicamos un deporte.
2. Esquiamos en las montañas.
3. Dormimos en el campo, al aire libre.
4. Dimos una fiesta.
5. Vimos una película.
6. Bailamos.
7. Nos divertimos muchísimo.
8. Montamos a caballo.
9. Corrimos varios kilómetros.
10. Estudiamos en la biblioteca.

ACTIVIDAD 9   Narración: Los héroes y el ladrón

Los dibujos de arriba representan una aventura de Guillermo y su hermano Ernestito. Las siguientes oraciones describen cada dibujo. Póngalas en orden según los dibujos.

_____ Guillermo le ató las manos al ladrón y Ernestito llamó a la policía.

_____ Los chicos se pusieron rojos. Pero se sintieron muy bien porque hicieron algo heroico.

_____ Guillermo y Ernestito oyeron unos gritos desesperados.

_____ Corrieron detrás del ladrón.

_____ Miraron por la ventana y vieron a dos hermosas chicas asustadas.

_____ Lo atraparon y le quitaron las bolsas de las chicas.

_____ Ellas les dijeron: «¡Ayúdennos, por favor! ¡Aquel hombre nos robó las bolsas!»

_____ Las chicas les dijeron: «¡Muchísimas gracias!» y les dieron un beso.

_____ El policía arrestó al ladrón.

_____ Salieron y les preguntaron: «¿Qué les pasa?»

R E F R Á N

Más vale solo que mal acompañado.

(*Better to be alone than in bad company.*)

ACTIVIDAD 10   Conversación: Los recuerdos

¿Le pasó algo semejante (similar) a usted? ¿Qué hizo?

1. Una vez en un restaurante encontré una mosca en la ensalada. (Yo)…
2. Un día alguien chocó mi carro por detrás. (Yo)…
3. Un día vi a mi novio/a almorzando con mi mejor amigo/a.
4. Un día bebí mucho en una fiesta.
5. Un día mi perro arruinó mis zapatos.
6. Una vez invité a varios amigos a una fiesta. Todos aceptaron la invitación pero nadie asistió.
7. Un día que estaba solo/a en casa escuché ruidos y pasos en el piso de abajo.

▶ VOCABULARIO ÚTIL

Lo castigué.	Lloré.	Pedí otra ensalada.	Salí sin pagar.	Llamé a la policía.
Me enojé.	Me puse furioso/a.	Me quejé.	Me enfermé.	Tuve miedo.

ACTIVIDAD 11   Entrevista: El sábado pasado

Imagínese que su compañero/a es una persona famosa: un actor / una actriz, el presidente de los Estados Unidos, una estrella de televisión o un jugador / una jugadora de fútbol, de basquetbol o de tenis. Hágale preguntas sobre las actividades del sábado pasado.

1. ¿Se levantó tarde? ¿A qué hora se levantó?
2. ¿Leyó el periódico? ¿Tomó café, té o no tomó nada?
3. ¿Hizo ejercicio? ¿Practicó algún deporte?
4. ¿Dónde almorzó? ¿Con quién?
5. ¿Salió con algún amigo / alguna amiga? ¿Adónde fueron? ¿Se divirtieron?
6. ¿Dio una fiesta en casa? ¿A quiénes invitó?
7. ¿Vio la televisión? ¿Leyó una novela? ¿A qué hora se acostó?
8. ¿ … ?

VENTANAS CULTURALES Nuestra comunidad

Reuben Martínez, amigo de muchos

La librería del mexicoamericano Reuben Martínez es más que una tienda de libros. Este lugar es también una barbería y un centro cultural de Santa Ana, California. En la Librería Martínez Books and Art Gallery se ofrecen conciertos y exposiciones de arte, y muchos escritores latinos presentan su obra. Allí también Reuben les corta el pelo a sus amigos. El librero está orgulloso de su trabajo. Su tienda es un lugar de reuniones estimulantes al que las familias hispanas llevan a sus niños para descubrir nuevos libros en español, ¡y para leer con el dueño!

El señor Martínez es barbero porque no quiso ser minero, como su padre, y es librero porque aprecia los libros y la lectura. Por eso ayudó a fundar el Festival Latino de Libros (Latino Book Festival), que viaja por todo el país. Cuando puede, Martínez visita escuelas para charlar con estudiantes y estimularlos a estudiar y leer. Reconocido como líder educativo, Martínez recibió un premio importante de la Fundación MacArthur en 2004. Gracias a este premio, hoy Martínez es un hombre muy famoso. Pero su fama no lo distrae de su objetivo principal, que es promover los libros y la lectura en la comunidad hispana. Este librero de Santa Ana está siempre dispuesto a conversar sobre literatura y feliz de poder ayudar a los amigos.

Ahora... ¡ustedes!

¿Conoces un lugar como la tienda de Reuben Martínez? ¿Qué lugar es? ¿Qué tipo de servicios ofrece esta tienda?

✳ **Hablando del pasado**

Lea Gramática 7.5.

20.000 a.C.

Los indígenas americanos llegaron al continente desde Asia hace más de 20.000 años.

12 de octubre de 1492

Cristóbal Colón llegó a América hace cinco siglos.

17 de octubre de 1813

Hace más de 193 años que Bernardo O'Higgins, el libertador de Chile, dijo: «O vivir con honor o morir con gloria».

24 de julio de 1783

Hace más de 223 años que nació Simón Bolívar, el caudillo de la emancipación americana.

17 de agosto de 1850

Hace más de 156 años que murió José de San Martín, el libertador de Argentina, Chile y Perú.

5 de mayo de 1862

Los mexicanos ganaron la batalla de Puebla hace aproximadamente 145 años.

ACTIVIDAD 12   Asociaciones: Hablando del pasado

Busque las actividades que *no* son lógicas y explique por qué no lo son.

1. Soy Ernesto. Esta mañana me levanté muy tarde.
   a. El despertador no sonó.
   b. Llegué temprano al trabajo.
   c. Desayuné tranquilamente en casa.
   d. Manejé el carro muy rápido, en vez de tomar el autobús, para llegar pronto a la oficina.
2. Hace una semana Ramón fue a acampar en las montañas con su familia.
   a. Su hermano se bañó en el río.
   b. Su hermana bailó toda la noche en una discoteca.
   c. Su papá escaló una montaña.
   d. Su mamá preparó el desayuno.
3. Soy Amanda. Hace dos días fui con algunas amigas a comprar el nuevo disco compacto de Marc Anthony.
   a. Tomamos el metro.
   b. No pagamos mucho por el disco compacto.
   c. Compramos un taco en la tienda de música.
   d. Encontramos otro disco compacto de Thalía que nos gustó.

4. Hace un año Estela y Ernesto fueron a Europa.
    a. Visitaron el Museo del Prado en Madrid.
    b. Comieron en restaurantes franceses muy buenos.
    c. Subieron a las pirámides de Teotihuacán.
    d. Cruzaron el canal entre Inglaterra y Francia.

ACTIVIDAD 13   **Entrevista: Hechos memorables... una entrevista algo indiscreta**

MODELO: E1: ¿Cuánto tiempo hace que empezaste a estudiar español? →
           E2: Hace *seis meses* que empecé a estudiar español.

1. ¿Cuánto tiempo hace que saliste solo/a con un amigo / una amiga por primera vez?
2. ¿Cuánto tiempo hace que te dieron tu primer beso?
3. ¿Cuánto tiempo hace que te graduaste en la escuela secundaria? ¿que te matriculaste en la universidad?
4. ¿Cuánto tiempo hace que nació tu primer hijo / primera hija (primer sobrino / primera sobrina)?
5. ¿Cuánto hace que cumpliste años?
6. ¿Cuánto hace que un policía te puso una multa por manejar a exceso de velocidad?

VENTANAS AL PASADO

La independencia de Sudamérica

Desde los tiempos de la independencia de los Estados Unidos y de la Revolución Francesa, los jóvenes criollos no estaban contentos a causa de la preferencia que mostraba España por los peninsulares. Cansados de los abusos de poder de los españoles, los criollos soñaban con la independencia de sus países.

Simón Bolívar

En el norte de Sudamérica, el criollo Simón Bolívar liberó de los españoles el territorio que ahora ocupan Venezuela, Colombia, Ecuador y Panamá. Formó un solo país en 1819 y lo llamó la Gran Colombia. Su objetivo final era hacer del continente un solo país, fuerte y unido. Pero en vez de incluir más territorios libres, la Gran Colombia se disolvió en 1830. Triste por este evento, Bolívar comentó: «He arado en el mar». Bolívar, gran patriota, murió solo y pobre.

Después de contribuir a la independencia de su país, el argentino José de San Martín cruzó los Andes en 1817 para liberar a Chile. Victorioso, con la ayuda de Bernardo O'Higgins, siguió hasta Perú, en donde logró la liberación del país, abolió la esclavitud y estableció la libertad de imprenta.

José de San Martín

Otro gran patriota, Antonio José de Sucre, contribuyó a la independencia de Ecuador, Perú y Bolivia, y fue el primer presidente de Bolivia. Era muy joven y Bolívar lo consideraba su sucesor natural, pero fue asesinado en 1830, a la edad de 35 años.

Todos los países tienen grandes fiestas para el Día de la Independencia, aunque la independencia sólo benefició a la clase alta. Las masas continuaron viviendo en la miseria, al igual que hoy en día. Ahora, sin embargo, hay movimientos indígenas, como el de los Zapatistas en el sur de México y el de los indígenas de Colombia, Bolivia y Ecuador, que luchan contra la explotación. Como demuestra la Revolución Bolivariana de Venezuela, la independencia de Sudamérica ha sido un fracaso: la lucha sigue y cada día se avanza un poco.

VOCABULARIO ÚTIL	
los criollos	*children of Spaniards born in the Americas*
a causa de	*due to*
los peninsulares	*Spaniards living in the Americas*
soñaban	*would (used to) dream*
arado	*plowed*
logró	*achieved*
la esclavitud	*slavery*
la imprenta	*printing press*
luchan	*they fight*

Ahora... ¡ustedes!

¿Quiénes son los héroes de la independencia de tu país? ¿Hay otros líderes que admiras?

En resumen

De todo un poco

¿Quién lo hizo?

Diga cuál de las siguientes personas se relaciona con cada hecho histórico.

a. Neil Armstrong
b. La reina Isabel la Católica
c. Violeta Chamorro
d. Hernán Cortés
e. Marie Curie
f. Maximiliano de Habsburgo
g. Charles Lindbergh
h. Leonardo da Vinci
i. Serena Williams
j. Tiger Woods

1. _____ Recibió dos Premios Nóbel, uno en física en 1903 y otro en química en 1911. Descubrió la radiactividad.

2. _____ Conquistó a los aztecas hace aproximadamente 500 años. Quemó sus barcos para no regresar a España.

3. _____ Se casó con Fernando II de Aragón y gobernó Castilla de 1474 a 1504. Apoyó a Cristobal Colón.

4. _____ Pintó La Gioconda (la Mona Lisa) en Italia hace más de quinientos años. También fue inventor.

5. _____ Es norteamericano. Fue el primer hombre que caminó en la luna, hace aproximadamente treinta y cinco años.

¡OJO!

En muchos países hispanos se usa la palabra *castellano* para referirse al idioma español. Se oye especialmente en Chile, Argentina y España. Esto se debe a que la reina Isabel la Católica, que era de Castilla, unificó las provincias de España e impuso su idoma: el castellano.

6. _____ Joven tenista de los Estados Unidos quien ganó el torneo de Wimbledon dos veces, en 2002 y 2003. Participó en las Olimpíadas de 2000 y ganó medalla de oro en dobles. Ahora también es actriz.

7. _____ Hizo el primer vuelo transatlántico. Cruzó el Océano Atlántico en el «Espíritu de San Luis» en 1927, hace aproximadamente setenta y cinco años.

8. _____ Fue emperador de México de 1864 a 1867, hace más de 130 años.

9. _____ Se llama Eldrick; es un deportista muy famoso y un gran campeón. Ganó el Torneo de los Maestros (*Masters*) en 1997, 2001 y 2002; el Torneo PGA en 1999 y 2000; el Abierto de los Estados Unidos en 2000 y 2002.

10. _____ Nicaragüense famosa, presidenta de su país de 1990 a 1996. Fue la primera mujer elegida a ese cargo en América Latina.

Ahora, trabajando en grupos, preparen dos o tres descripciones de personas famosas para toda la clase.

¡Dígalo por escrito!

¡Soy inocente!

Debido a un error de identidad, la policía sospecha que usted participó en un robo que ocurrió el sábado pasado. La policía lo/la interroga a usted. Escriba un diálogo explicando exactamente lo que hizo usted el sábado pasado.

MODELO: POLICÍA: ¿Qué hizo usted el sábado pasado?
USTED: Pues, primero…

POLICÍA: ¿A qué hora? ¿Solo/a o acompañado/a? ¿Fue usted a trabajar? ¿Cuántas horas y dónde?

¡Cuéntenos usted!

Imagínese la noche de un fin de semana perfecto. ¿Qué hizo usted? ¿Salió con amigos o se quedó en casa? ¿Adónde fue?

Machu Picchu: Un viaje por el tiempo

El año pasado mi maestra de historia organizó una excursión a Machu Picchu y mis compañeros y yo fuimos a pie con ella por una parte del Camino Inca. La excursión fue como un viaje fantástico por el tiempo.

Primero tomamos un tren a la estación de Chachabamba, donde empezó nuestra caminata a Machu Picchu. La caminata que mucha gente hace por el Camino Inca es de 43 kilómetros y dura varios días, pero nosotros caminamos ocho kilómetros, nada más.

En el tren me senté al lado de la ventanilla para ver el paisaje. Pasamos por montañas muy verdes, a lo largo del Río Urubamba. Me gustó mucho ver ese paisaje tan bonito desde el tren, pero lo que más me gustó de la excursión fue la caminata. ¡Algún día quiero caminar los 43 kilómetros del Camino Inca!

Mi maestra nos dijo que ese camino era como un viaje espiritual para muchas personas indígenas. «Ese camino» dijo, «nos da la oportunidad de admirar el esplendor de Machu Picchu.»

Durante la excursión vimos varios valles, túneles y precipicios. Cuando paramos a comer y descansar, la maestra nos habló de la cultura incaica. «Esta cultura se mantiene muy viva en los países andinos» explicó la maestra, «los que están en la cordillera de los Andes: Colombia, Ecuador, Perú, Bolivia, Chile y Argentina. La civilización incaica se desintegró cuando llegaron los españoles. Pero los quechuas, indígenas del Imperio Incaico, resistieron la asimilación a la cultura hispana. Por eso los quechuas de hoy tienen tanto en común con sus antepasados y celebran sus tradiciones diariamente.»

Cuando llegamos al final de la ruta, un sitio llamado Intipunku, todos los estudiantes nos quedamos callados, admirando la vista de Machu Picchu. Mi maestra describió así esa vista: «Es una ciudad mágica entre dos grandes y eternas cumbres.»

PISTAS PARA LEER

Armando González Yamasaki, autor/narrador de esta **Lectura,** es un niño peruanojaponés de 13 años que vive en Cuzco, Perú, con su familia. Armando describe aquí su excursión a las ruinas de Machu Picchu, que fue una experiencia fantástica. Al leer, visualice el viaje de Armando; por ejemplo: *montañas verdes, paisaje bonito, ciudad mágica.*

VOCABULARIO ÚTIL

a pie	*on foot*
el Camino Inca	*the Inca Trail*
la caminata	*walk, hike*
el paisaje	*landscape*
a lo largo	*along*
el precipicio	*cliff*
incaica	*Incan*
la cordillera	*mountain range*
los antepasados	*ancestors*
la cumbre	*peak*

Me alegré mucho de estar en esa ciudad mágica y pensé en el gran misterio de Machu Picchu. ¿Cómo pudieron los incas construir su ciudad en un lugar tan remoto? ¿Cómo llevaron las piedras hasta allí arriba? ¿Para qué construyeron Machu Picchu? ¿Por qué la abandonaron? Los expertos también se hacen esas preguntas, pero nadie tiene las respuestas. Qué importa eso, ¿verdad? Lo importante es que Machu Picchu existe. Al estar allí, sentí que estaba viajando por el tiempo, visitando un pasado fantástico.

Comprensión

¿Qué hicieron Armando, sus compañeros y la maestra de historia? Busque el orden correcto.

_____ En el tren, Armando se sentó al lado de la ventanilla.
_____ Llegaron a una estación donde empezó la caminata.
_____ El tren pasó por montañas y a lo largo de un río.
_____ Armando pensó en el misterio de Machu Picchu.
_____ Armando se alegró de estar allí.
_____ Vieron túneles y precipicios.
_____ Descansaron y comieron.
_____ Los estudiantes vieron una ciudad mágica.
_____ La maestra les habló de la cultura incaica.

Un paso más... ¡a conversar!

¿Hizo usted una excursión a pie alguna vez, como la caminata de Armando? ¿Caminó mucho? ¿Cuántas millas o kilómetros? ¿Con quién hizo la excursión? ¿Fue una buena experiencia? Describa alguna anécdota interesante de su caminata.

Vocabulario

• La naturaleza — Nature

la arena	sand
la luna	moon
la mosca	fly
la ola	wave
el oso (panda)	(panda) bear
la palmera	palm tree

REPASO: el árbol, el lago, el mar, la montaña, el río, el sol

• Los lugares — Places

el aire libre	outdoors
la alberca	swimming pool (*Mex.*)
el campo	country(side)
la escuela primaria/secundaria	elementary/high school
el (jardín) zoológico	zoo

PALABRAS SEMEJANTES: Asia, América Latina, el continente, la pirámide

• Los verbos en el pasado (irregulares) — Verbs in the Past (Irregular)

almorzar (ue) — almorcé/almorzó	to have lunch
buscar — busqué/buscó	to look for
cruzar — crucé/cruzó	to cross
dar — di/dio	to give
decir — dije/dijo	to say, to tell
divertirse (ie, i) — me divertí / se divirtió	to have a good time
dormir (ue, u) — dormí/durmió	to sleep
empezar — empecé/empezó	to start
estar — estuve/estuvo	to be
hacer — hice/hizo	to do, to make
ir — fui/fue	to go

jugar (ue) — jugué/jugó	to play
leer — leí/leyó	to read
llegar — llegué/llegó	to arrive
oír — oí/oyó	to hear
ponerse (+ *adj.*) — me puse / se puso	to get, to become (+ *adj.*)
preferir (ie, i) — preferí/prefirió	to prefer
querer (ie) — quise/quiso	to want
sentirse (ie, i) (bien/mal) — me sentí / se sintió	to feel (good/bad, ill)
ser — fui/fue	to be
servir (i) — serví/sirvió	to serve
tener — tuve/tuvo	to have
traer — traje/trajo	to bring
venir — vine/vino	to come
ver — vi/vio	to see
vestirse — me vestí / se vistió	to get dressed

• Más verbos — More Verbs

atar	to tie
atrapar	to catch, to trap
casarse	to get married
castigar	to punish
chocar	to crash into
conquistar	to conquer
cumplir años	to have a birthday
descubrir	to discover
enfermarse	to get sick
enojarse	to get angry
estacionar	to park
faltar	to miss, to be lacking
ganar	to win, to earn
gobernar	to govern
hospedarse	to stay (*at a hotel*)

matricularse en	to enroll in
morir (ue) (u)	to die
preguntar	to ask
quejarse	to complain
quemar	to burn
quitar	to take away
robar	to steal
salir para (*un lugar*)	to leave for (*a place*)
saludar	to greet
sonar (ue)	to ring, to go off (*alarm*)
subir	to go up

PALABRAS SEMEJANTES: aceptar, arrestar, arruinar, relacionarse

• Otros sustantivos   Other Nouns

el barco	boat
la batalla	battle
la bolsa	purse
el campeón / la campeona	champion
el cargo	position, responsibility
el caudillo	leader
el (reloj) despertador	alarm (clock)
el espectáculo	show
la estrella de cine / de televisión	movie/television star
el exceso de velocidad	speeding
el grito	shout, scream
el hecho	event
el jugador / la jugadora	player
el ladrón / la ladrona	thief
la medalla (de oro)	(gold) medal
el metro	the subway
la multa	traffic ticket; penalty
un rato	a while
el recuerdo	memory
el ruido	noise
el siglo	century
el torneo	tournament
el traje de baño	bathing suit
el vuelo	flight

PALABRAS SEMEJANTES: la aventura, la confesión, la emancipación, el emperador / la emperatriz, la gloria, el honor, el inventor / la inventora, el kilómetro, el libertador, las Olimpíadas, el Premio Nobel, la posibilidad, la radiactividad, la secuencia

• Los adjetivos   Adjectives

asustado/a	frightened
demasiado/a(s)	too much (many)
elegido/a	elected
hermoso/a	beautiful
lindo/a	pretty
muchísimo/a	very much

PALABRAS SEMEJANTES: azteca, desesperado/a, furioso/a, heroico/a, histórico/a, indígena, indiscreto/a, memorable, reciente, ridículo/a, transatlántico/a

• Los adverbios   Adverbs

algo	somewhat
con cuidado	carefully
en vez de	instead of
poco después	a little later
pronto	soon

PALABRAS SEMEJANTES: aproximadamente, inmediatamente, lógicamente, tranquilamente

• Palabras y expresiones útiles   Useful Words and Expressions

¡Auxilio!	Help!
¿Cuánto tiempo hace que... ?	How long ago . . . ?
Hace... (+ *time*) (que)	(*Time*) ago . . .
Hace más de...	It has been more than (+ *time*)
disculpe(n)	excuse me
lo que	that which, what
los demás	the rest, others
¿Qué pasa?	What's wrong?
¿Qué pasó?	What happened?
por	through
la (última) vez	(last) time

Gramática y ejercicios

7.1 Talking about Past Actions: The Preterite of Regular Verbs (Part 2)

GRAMÁTICA ILUSTRADA

Singular preterite forms:

-ar	**-er/-ir**
-é	-í
-aste	-iste
-ó	-ió

Plural preterite forms:

-ar	**-er/-ir**
-amos	-imos
-asteis	-isteis
-aron	-ieron

A. You have already seen and used the singular preterite forms of regular verbs many times. Here is the complete set of preterite forms, singular and plural.*

	hablar	**comer**	**escribir**
(yo)	habl**é**	com**í**	escrib**í**
(tú)	habl**aste**	com**iste**	escrib**iste**
(usted, él/ella)	habl**ó**	com**ió**	escrib**ió**
(nosotros/as)	habl**amos**	com**imos**	escrib**imos**
(vosotros/as)	habl**asteis**	com**isteis**	escrib**isteis**
(ustedes, ellos/as)	habl**aron**	com**ieron**	escrib**ieron**

Note the following details about the difference between present and preterite forms.

- In regular preterite forms, the stress is always on the final syllable of the **yo** and **usted, él/ella** forms.

Generalmente me levanto a las ocho, pero ayer **me levanté** a las siete.	*Usually I get up at 8:00, but yesterday I got up at 7:00.*

- **Tú** forms in the preterite do not end in **-s.**

Normalmente me llamas por la noche, pero anoche no me **llamaste.**	*Normally you call me at night, but last night you didn't call me.*

- Though both present and preterite third-person plural forms end in **-n,** it is always **-ron** in the preterite.

Por lo general mis padres **salen** poco, pero la semana pasada **salieron** cinco veces.	*Usually my parents go out very little, but last week they went out five times.*

- Notice that the present and preterite **nosotros/as** forms are different in **-er** verbs.

Por lo general **comemos** un poco de carne, pero ayer no **comimos** ninguna.	*Usually we eat a little meat, but yesterday we didn't eat any.*

In **-ar** and **-ir** verbs, however, the **nosotros/as** form is the same in the preterite and the present tense (**hablamos, escribimos**). The context clarifies whether the speaker intends the present tense or the preterite.

Siempre **salimos** temprano para la universidad, pero ayer **salimos** un poco tarde.	*We always leave early for the university, but yesterday we left a little late.*

---

*Recognition: **vos hablaste, comiste, escribiste**

B. If the stem of an **-er/-ir** verb ends in a vowel (**le-er**), the **i** of the **-ió** and **-ieron** endings changes to **y** in the preterite.

> **leer:** leí, leíste, leyó, leímos, leísteis, leyeron
> **oír:** oí, oíste, oyó, oímos, oísteis, oyeron

> Yo **leí** el libro, pero Esteban no lo **leyó**.   *I read the book, but Esteban didn't read it.*

C. Regular verbs that end in **-car, -gar,** and **-zar** change the spelling of the preterite **yo** form in order to preserve the same sound as the infinitive.*

> **buscar:** bus**qu**é, buscaste, buscó, buscamos, buscasteis, buscaron
> **llegar:** lle**gu**é, llegaste, llegó, llegamos, llegasteis, llegaron
> **almorzar:** almor**c**é, almorzaste, almorzó, almorzamos, almorzasteis, almorzaron

> **Llegué** al centro a las 4:00.   *I arrived downtown at 4:00.*

> buscar: busqué/buscó
>
> llegar: llegué/llegó
> jugar: jugué/jugó
>
> empezar: empecé/ empezó
> almorzar: almorcé/ almorzó

> Don't try to remember all of this. Refer to this information when you are writing. In time, you will acquire much of it through listening and reading.

> **¡OJO!**
>
> In **Ej. 1,** your answers to the second part should be original.

EJERCICIO 1

¿Qué hizo Adriana ayer por la mañana? Busque el orden más lógico.

_____ Leyó el periódico.
_____ Llegó al trabajo a las 8:30.
_____ Desayunó cereal con leche y fruta.
_____ Se bañó.
_____ Comió una hamburguesa.
_____ Se levantó a las 7:00.
_____ Almorzó con un amigo.
_____ Manejó el coche al trabajo.
_____ Se puso la ropa (Se vistió).

¿Y qué hizo usted ayer por la mañana? Escriba una lista de cinco a siete actividades.

EJERCICIO 2

Complete los diálogos con formas de **llegar** y **leer.**

JOSÉ: ¿A qué hora _____[1] (tú) a la universidad?
CLARA: _____[2] a las ocho y media. ¿Y tú?
JOSÉ: Pilar y yo no _____[3] hasta las nueve y media porque el metro _____[4] tarde.
CLARA: ¿_____[5] el artículo sobre el viaje a la luna la semana pasada?
JOSÉ: Sí, lo _____.[6] (**Lo** *refers back to* **el artículo.**)
CLARA: ¿Lo _____[7] Pilar y Andrés?
JOSÉ: No sé si Andrés lo _____,[8] pero lo _____[9] Pilar y yo.

---

*For more information on spelling changes in the preterite, see **Capítulo 7** in the *Cuaderno de actividades.*

¡OJO!

In **Ej. 3,** your answers to the second part of this exercise should be original. Note that answers will be in **-amos, -imos** forms and that only **-er** verbs differ in present and preterite forms.

EJERCICIO 3

Éstas son las actividades de Pilar y su hermana Gloria un domingo del verano pasado en Madrid. ¿Qué oración corresponde a qué dibujo?

a. _____ Leyeron (por) un rato antes de apagar las luces.

b. _____ Caminaron desde la estación del metro hasta su apartamento.

c. _____ Almorzaron hamburguesas en el Wendy's de la Gran Vía.

d. _____ Salieron a pasear por el centro de Madrid.

e. _____ Vieron una película francesa.

f. _____ Llegaron a su apartamento a las 12:00 de la noche.

g. _____ Regresaron en el metro.

Ahora, piense en un domingo del verano pasado. ¿Qué actividades hicieron usted y sus amigos (o parientes)? Haga una lista de cinco a siete actividades.

MODELO: Mis amigos y yo *escuchamos música y bailamos en una discoteca.*

7.2 Relating Past Events (Part 1): Verbs with Irregular Preterite Forms

Some verbs have a different stem in the preterite and a slightly different set of endings.*

	tener	estar	poder	poner	saber	hacer
(yo)	tuve	estuve	pude	puse	supe	hice
(tú)	tuv**iste**	estuv**iste**	pud**iste**	pus**iste**	sup**iste**	hic**iste**
(usted, él/ella)	tuv**o**	estuv**o**	pud**o**	pus**o**	sup**o**	hiz**o**
(nosotros/as)	tuv**imos**	estuv**imos**	pud**imos**	pus**imos**	sup**imos**	hic**imos**
(vosotros/as)	tuv**isteis**	estuv**isteis**	pud**isteis**	pus**isteis**	sup**isteis**	hic**isteis**
(ustedes, ellos/as)	tuv**ieron**	estuv**ieron**	pud**ieron**	pus**ieron**	sup**ieron**	hic**ieron**

*Recognition: The **vos** forms in the preterite (regular and irregular) are identical to the **tú** forms: **vos quisiste, fuiste, hiciste.**

		venir	querer	decir	traer	conducir	traducir
(yo)		vine	quise	dije	traje	conduje	traduje
(tú)		viniste	quisiste	dijiste	trajiste	condujiste	tradujiste
(usted, él/ella)		vino	quiso	dijo	trajo	condujo	tradujo
(nosotros/as)		vinimos	quisimos	dijimos	trajimos	condujimos	tradujimos
(vosotros/as)		vinisteis	quisisteis	dijisteis	trajisteis	condujisteis	tradujisteis
(ustedes, ellos/as)		vinieron	quisieron	dijeron	trajeron	condujeron	tradujeron

The preceding table provides the preterite forms of most common irregular verbs. Look at the table and you will notice the most important differences.

- Unlike regular preterite verb endings, the endings of the **yo** and **usted, él/ella** forms are not stressed in the last syllable.

—¿Dónde **pusiste** mi chaqueta?   —*Where did you put my jacket?*
—La **puse** encima de la cama.   —*I put it on the bed.*

—¿Quién **vino** contigo?   —*Who came with you?*
—Nadie; **vine** solo.   —*Nobody; I came alone.*

- The verb **hacer** has a spelling change from **c** to **z** in the **usted, él/ella** form.

Ayer en el gimnasio Alberto **hizo** su tarea y yo **hice** ejercicio.   *Yesterday at the gym Alberto did his homework and I exercised.*

- The verbs **conducir, decir, traducir,** and **traer** drop the **i** in the **ustedes, ellos/as** form.

—¿Qué te **dijeron** de mí?   —*What did they tell you about me?*

—Me **dijeron** que estás locamente enamorado de Carmen.   —*They told me that you are madly in love with Carmen.*

—¿Qué **trajeron** ustedes de comer?   —*What did you bring to eat?*
—Trajimos refrescos y sandwiches.   —*We brought sodas and sandwiches.*

- The verbs **dar** and **ver** take the **-er/-ir** endings, but with no written accents. The verbs **ser** and **ir** share the same stem in the past tense. Their forms are thus identical, so the meaning must be inferred from the context.

> Many of the most common verbs in Spanish are irregular. Do not try to memorize each form, but refer to the chart when you write. In time, you will acquire these forms through listening and reading.

ser/ir (to be / to go)		
(yo)	fui	*I was/went*
(tú)	fuiste	*you (inf. sing.) were/went*
(usted, él/ella)	fue	*you (pol. sing.) were/went; he/she was/went*
(nosotros/as)	fuimos	*we were/went*
(vosotros/as)	fuisteis	*you (inf. pl., Spain) were/went*
(ustedes, ellos/as)	fueron	*you (pl.) were/went; they were/went*

> **fui** = *I went/was*
> **fue** = *you (pol. sing.) went/were; he/she went/was*

—¿Qué te **dieron**?   —*What did they give you?*
—Mi tío me **dio** dinero.   —*My uncle gave me money.*

—¿Adónde **fue** Luis anoche?   —*Where did Luis go last night?*
—**Fue** al cine.   —*He went to the movies.*

—¿Qué **fue** ese ruido?   —*What was that noise?*
—No **fue** nada. ¡Estás   —*It wasn't anything. You are*
imaginando cosas!   *imagining things!*

EJERCICIO 4

Éstas son las actividades de ayer de algunos de los vecinos hispanos. Complete las oraciones con la forma correcta del pretérito de **ver, ir, dar, hacer, decir, traer, poner** o **venir.**

1. Ernesto Saucedo _____ una fiesta para sus amigos.
2. Dice Ernesto: «_____ más de treinta personas a mi fiesta.»
3. Dice Andrea: «Yo _____ una botella de tequila.»
4. Todos _____ que la fiesta fue fantástica.
5. Amanda _____ a Graciela hablando con su novio, Rafael.
6. Ernestito le _____ una cadena de identificación a su perro.
7. Guillermo _____ la tarea para su clase de biología.
8. Dora y Javier _____ al teatro.

EJERCICIO 5

Cuente lo que hicieron estas personas.

MODELO: (Soy Pilar.) Anoche fui al cine con mi hermana. Después cenamos en un restaurante y dimos un paseo por el centro. Me acosté muy tarde. →
Pilar *fue* al cine con su hermana. Después *cenaron* en un restaurante y *dieron* un paseo por el centro. Pilar *se acostó* muy tarde.

1. (Soy Ricardo Sícora.) Un sábado por la mañana fui con mis hermanos Pablo y Enrique y unos amigos a una playa cerca de Caracas a bucear. Llegamos temprano a la playa, así que descansé un rato antes de nadar. Buceamos una hora y vimos muchísimos peces y animales marinos. Por la noche hicimos una fogata en la playa y cocinamos pescado en ella. Luego toqué la guitarra y todos cantamos y bailamos hasta muy tarde.
2. (Soy Silvia Bustamante.) Anoche fui con mi novio Nacho Padilla a una fiesta. Llegamos a las 9:00 y cuando entré, vi a Luisa Hernández, una amiga del Instituto de Inglés, donde estudié el año pasado. La saludé y salimos al patio a charlar de los viejos amigos del Instituto. Más tarde bailé mucho con Nacho y tomé una copa de champaña. ¡Regresé a casa un poco mareada!

EJERCICIO 6

Diga qué hacen las siguientes personas generalmente, qué hicieron ayer por la tarde y qué van a hacer mañana.

MODELO: Generalmente *Adriana juega al tenis por la tarde,* pero ayer *tradujo un documento del italiano al español* y mañana *va a aprender un nuevo programa de informática.*

	GENERALMENTE	AYER	MAÑANA
Pilar	asistir a clase	dormir toda la tarde	visitar a una amiga
Andrea y Pedro	almorzar con sus hijas	estar en casa todo el día	ir de compras
Adriana	jugar al tenis después de salir del trabajo	traducir un documento del italiano al español	aprender a usar un nuevo programa de informática
doña Lola	quedarse en casa	tomar café con sus amigas	cocinar toda la tarde
Carla y Rogelio	estudiar en la biblioteca	ir a la playa	lavar el carro

7.3 More about Relating Past Events (Part 2): Stem-Changing Verbs in the Preterite

A. In most cases, the vowels of stem-changing verbs do *not* change in the preterite forms. Here is a comparison of present-tense and preterite forms of the verbs **cerrar** (*to close*) and **contar** (*to tell, relate*).

	cerrar		contar	
	PRESENT	**PAST**	**PRESENT**	**PAST**
(yo)	cierro	cerré	cuento	conté
(tú)	cierras	cerraste	cuentas	contaste
(usted, él/ella)	cierra	cerró	cuenta	contó
(nosotros/as)	cerramos	cerramos	contamos	contamos
(vosotros/as)	cerráis	cerrasteis	contáis	contasteis
(ustedes, ellos/as)	cierran	cerraron	cuentan	contaron

¿RECUERDA?

You'll recall from **Gramática 4.1** that a small number of verbs have stem-vowel changes in the present-tense forms in which the spoken stress is on the stem vowel: **pienso** versus **pensar, duermo** versus **dormir.** (See also **Gramática 2.3, 3.3,** and **5.2** to review other familiar verbs with this type of stem change.)

Present:
   c**ie**rro/c**ie**rra
   p**ie**nso/p**ie**nsa
Past:
   cerré/cerró
   pensé/pensó

B. A few verbs, however, all in the **-ir** group, do change their stem vowel in the **usted, él/ella** and the **ustedes, ellos/as** forms of the preterite. There are two possible changes: **e → i** and **o → u.** The present-tense and preterite forms of the verbs **divertirse** (*to have a good time*) and **dormir** (*to* *sleep*) are given below.* Other common verbs with this change are **sentir** (*to feel*), **sugerir** (*to suggest*), **preferir** (*to prefer*), **mentir** (*to lie*), and **morir** (*to die*).

	divertirse		**dormir**	
	PRESENT	*PAST*	*PRESENT*	*PAST*
(yo)	me divierto	me divertí	duermo	dormí
(tú)	te diviertes	te divertiste	duermes	dormiste
(usted, él/ella)	se divierte	se divirtió	duerme	durmió
(nosotros/as)	nos divertimos	nos divertimos	dormimos	dormimos
(vosotros/as)	os divertís	os divertisteis	dormís	dormisteis
(ustedes, ellos/as)	se divierten	se divirtieron	duermen	durmieron

Present:
  me divierto /
  se divierte
  duermo/duerme
Past:
  me divertí / se divirtió
  dormí/durmió

Do not try to memorize all these forms, but refer to the chart when you write. In time, you will acquire the forms through listening and reading.

Yo **dormí** bien. Estela **durmió** mal.   *I slept well. Estela slept poorly.*

—¿**Se divirtió** usted anoche?   —*Did you have fun last night?*
—Sí, **me divertí** mucho.   —*Yes, I had a great time.*

EJERCICIO 7

Complete los siguientes diálogos con la forma correcta de los verbos.

DORMIR

—¿Cuántas horas _____[1] tú anoche?
— _____[2] solamente cinco.
—¿Generalmente _____[3] tan pocas horas?
—No, generalmente _____[4] por lo menos siete, a veces ocho.

SENTIR(SE)

—¿Tú te _____[5] mal ahora?
—No, me _____[6] bastante bien.
—Pero anoche te _____[7] muy mal, ¿verdad?
—Sí, anoche me _____[8] mal por un dolor de cabeza.

DIVERTIR(SE)

—¿Te _____[9] anoche en la fiesta?
—Sí, me _____[10] muchísimo. ¿Se _____[11] tu esposa?
—No, no se _____[12] porque no le gustó la música.

MENTIR

—Tú me _____,[13] ¿verdad?
—No, no te _____.[14] Te dije la verdad.
—Pues, alguien me _____.[15]
—No fui yo.

---

*This same stem-vowel change also occurs in the present participle: **durmiendo** (*sleeping*), **divirtiéndose** (*having fun*).

7.4 Reporting the Past: Indirect Object Pronouns with *decir*

In the preterite, the verb **decir** is commonly used with indirect object pronouns to report speech.

decir (*to say; to tell*)		
(yo)	dije	*I said*
(tú)	dijiste	*you (inf. sing.) said*
(usted, él/ella)	dijo	*you (pol. sing.) said; he/she said*
(nosotros/as)	dijimos	*we said*
(vosotros/as)	dijisteis	*you (inf. pl., Spain) said*
(ustedes, ellos/as)	dijeron	*you (pl.) said; they said*

Le dije que... *I told (said to) you/him/her that . . .*
Te dijimos que... *We told (said to) you that . . .*
Me dijo que... *You/He/She told (said to) me that . . .*
Me dijeron que... *You/They told (said to) me that . . .*

Note that the phrase **Le dijo que...** has several possible meanings; interpretation depends on the context.

Le dijo que...
$$\begin{cases} \textit{He/She told him that . . .} \\ \textit{He/She told her that . . .} \\ \textit{He/She told you that . . .} \\ \textit{You told him/her that . . .} \end{cases}$$

Don Anselmo fue a la casa de doña Rosita y **le dijo que** sus hijos van a llegar pasado mañana.

Don Anselmo went to doña Rosita's house and told her that his children are going to arrive the day after tomorrow.

¿RECUERDA?

In **Gramática 5.1** you learned that the indirect object pronouns (**me, te, le, nos, os, les**) are frequently used with verbs of informing such as **hablar, preguntar,** and **contestar.** Review that section briefly.

Le dije que... = *I told you (pol. sing.)/him/her that . . .*
Me dijo que... = *You (pol. sing.)/He/She told me that . . .*
Le dijimos que... = *We told you (pol. sing.)/him/her that . . .*

Remember that **dijo** is a *preterite* form, not a present-tense form.

EJERCICIO 8

Complete esta conversación telefónica usando pronombres de complemento indirecto (**me, te, le, nos, les**) y las formas correctas del pretérito del verbo **decir** (**dije, dijiste, dijo, dijimos, dijeron**).

GRACIELA: No oigo bien, Amanda. ¿Qué _____¹ _____²?

AMANDA: _____³ _____⁴ que no voy a estar en casa esta noche.

GRACIELA: ¡Ay, lo mismo _____⁵ _____⁶ tu hermano Guillermo! ¿Adónde vas?

AMANDA: Es que mi madre _____⁷ _____⁸ que hay una venta especial con precios muy rebajados hoy en El Palacio de Hierro.

GRACIELA: ¿Y qué _____⁹ _____¹⁰ tú a ella? ¿No _____¹¹ _____¹² que hoy tenemos mucha tarea?

AMANDA: Hmmm... no, pero _____¹³ _____¹⁴ que tú quieres ir con nosotras. Es verdad, ¿no?

GRACIELA: Ay, sí, Amanda, sí quisiera acompañarlas, pero... ¡_____ [15]
_____ [16] a mi papá que no voy a comprar más ropa este mes!

AMANDA: Pues, ven con nosotras pero... ¡deja tu dinero en casa!

GRACIELA: ¡Imposible!

7.5 Expressing *ago*: *hacer* + Time

The verb **hace** followed by an amount of time is equivalent to English expressions of time with *ago*.

hace cinco minutos	*five minutes ago*
hace una hora	*an hour ago*
hace dos años	*two years ago*
—¿Cuándo salió Ricardo?	*—When did Ricardo leave?*
—Hace una hora.	*—An hour ago.*

There are two ways to formulate the question *How long ago did . . . ?*

¿Cuánto (tiempo) hace que + preterite?
¿Hace cuánto (tiempo) que + preterite?

—Srta. Durán, ¿**cuánto (tiempo) hace que** usted **fue** a México?	*—Ms. Durán, how long ago did you go to Mexico?*
—**Fui hace tres años.**	*—I went three years ago.*

> **¿Cuánto hace que llegaste?**
> *How long ago did you arrive?*
> **Hace una hora.**
> *An hour ago.*
>
> **¿Hace cuánto tiempo que usted se graduó?**
> *How long ago did you graduate?*
> **Hace 10 años.**
> *Ten years ago.*

EJERCICIO 9

Estela está de mal humor hoy y acusa a Ernesto de no hacer nada para ayudarla. ¿Cómo puede defenderse Ernesto?

MODELO: ESTELA: ¡Tú nunca lavas los platos en esta casa!
ERNESTO: Pero, Estela, *lavé* los platos *hace una hora.* (Pero, Estela, *los lavé hace una hora.*)

1. ¡Tú nunca limpias el baño!
2. ¡Tú nunca barres el patio!
3. ¡La alfombra está sucia porque tú nunca pasas la aspiradora!
4. ¡Nunca bañas al pobre perro!
5. Estoy cansada de comer las mismas cosas. ¡Tú nunca me llevas a ningún restaurante elegante!

> **¡OJO!**
> Use first-person preterite forms and any appropriate time expression after **hace: dos días, unas horas, una semana,** etc.

EJERCICIO 10

¿Sabe usted mucho de historia? ¿Cuánto hace que... ?

MODELO: ¿Cuánto (tiempo) hace que terminó la Segunda Guerra Mundial? (1945) →
Terminó hace aproximadamente sesenta años.

> **¡OJO!**
> Short answers with **hace** + time only. Answers will vary according to the year in which the text is used.

1. ¿Cuánto tiempo hace que Alejandro G. Bell inventó el teléfono? (1876)

2. ¿Cuánto tiempo hace que Gustavo Eiffel construyó la Torre Eiffel? (1889)

3. ¿Cuánto hace que murió Pancho Villa? (1923)

4. ¿Cuánto tiempo hace que Colón llegó a América? (1492)

5. ¿Cuánto hace que murió Francisco Franco, el dictador de España? (1975)

6. ¿Cuánto hace que Alemania se unificó? (1990)

7. ¿Cuánto hace que los países de la antigua Unión Soviética se independizaron? (1991)

Capítulo 8
La comida

Bodegón con chiles, por Antonio Vinciguerra
(Honduras)

M E T A S

In **Capítulo 8** you will learn to talk about food, nutrition, shopping for and preparing food, and ordering meals in restaurants.

Sobre el artista: Antonio Vinciguerra nació en San Pedro Sula, Honduras, en 1954. Estudió humanidades y ciencias antes de iniciar su carrera de artista. Sus obras se exhiben en exposiciones públicas y también en colecciones privadas. En *Bodegón con chiles* utiliza la técnica de pastel óleo. Vinciguerra reside en Honduras.

Honduras

Época precolombina
Los pipiles, lencas, jicaques arawakos y mayas habitan el territorio.

1502 Colón llega a la costa atlántica de Honduras.

1544 España coloniza el territorio hondureño.

1821 Honduras se independiza de España.

1500

1800

El Salvador

Época precolombina
Los chibchas, pipiles, lencas y mayas habitan el territorio.

1525 España coloniza el territorio salvadoreño.

1821 El Salvador se independiza de España.

Los amigos animados: Para repasar

Antes de comenzar este capítulo, mire los segmentos animados para repasar el capítulo anterior.

A. El secreto. Silvia Bustamente conversa con Alfredo Gil, su amigo uruguayo, en la librería de la universidad.

B. El periódico *La Voz*. En este segmento comercial de KSUN, el escritor Pedro Ruiz habla del periódico mexicano *La Voz*.

En este capítulo...

ACTIVIDADES DE COMUNICACIÓN
- Las comidas, las bebidas y la nutrición
- La compra y la preparación de la comida
- Los restaurantes

EN RESUMEN

LECTURAS Y CULTURA
- **Ventanas culturales**
  La lengua: Comidas y palabras
- **Enlace literario**
  «Jitomates risueños», por Francisco X. Alarcón
- **Ventanas culturales**
  Las costumbres: ¡Estoy como agua para chocolate!
- **Lectura**
  Los deliciosos platos andinos

GRAMÁTICA Y EJERCICIOS
- **8.1** Referring to Objects Already Mentioned: Impersonal Direct Object Pronouns **lo, la, los,** and **las**
- **8.2** More about Expressing Likes: The Verbs **gustar** and **encantar**
- **8.3** Making Negative Statements and Questions: *No, Never*
- **8.4** Expressing *One* or *You:* The Impersonal **se**
- **8.5** Using Stem-Changing Verbs Like **pedir** and **servir:** Present-Tense and Preterite Forms

---

1890 Monopolio político y comercial de la empresa estadounidense United Fruit

1933–1949 Dictadura de Carías Andino, apoyada por EU

1963–1981 Múltiples golpes de estado; el ejército gobierna al país.

1998 El huracán Mitch deja 5.000 muertos y a 1.500.000 personas sin vivienda.

2001 Ricardo Maduro es electo presidente.

1900　　　　　　　　　　**2000**

1931–1944 Dictadura de Maximiliano Hernández y Martínez

1970 Nace el FMLN (Frente Martí para la Liberación Nacional).

1980–1992 Represión militar; 75.000 muertos

2004 Antonio Saca es electo presidente.

1992 Se firma en México un tratado entre el gobierno de El Salvador y el FMLN.

Actividades de comunicación y lecturas

✳ Las comidas, las bebidas y la nutrición

Lea Gramática 8.1–8.2.

Los platos típicos

la paella
(España)

el tamal
(México y
Centroamérica)

el casado de pollo
(Costa Rica)

¿La paella?
La hice ayer.

el plátano frito
(El Caribe, México y
Centroamérica)

las empanadas
(Argentina y Sudamérica)

el chile relleno
(México)

el flan
(México y España)

la parrillada
(Argentina)

las enchiladas   el arroz

las tortillas de maíz

los frijoles

El arroz, los frijoles y las tortillas
contienen muchos carbohidratos.

¿Los frijoles?
Siempre los como
para el almuerzo.

Las bebidas

las aguas frescas

la
jamaica

la
horchata

el batido de leche

el café con leche

La leche contiene calcio y proteina.

¿La horchata?
La bebemos todas
las tardes.

la cerveza

el vino rosado

el vino tinto

el vino blanco

Las carnes, las aves, el pescado y los mariscos

la carne de res

el cangrejo

el hígado

el pescado

la langosta
los camarones

las almejas

las ostras

la chuleta de cerdo

El pollo frito contiene mucha grasa.
La carne, el pollo y los mariscos tienen mucha proteína.

las mazorcas de maíz

el apio

Las legumbres

las zanahorias

el ajo

los guisantes

las habichuelas

los tomates

los rábanos

las calabacitas

la cebolla
el pepino

Las legumbres son muy nutritivas. Muchas contienen vitamina A.

la piña

la naranja

Las frutas

las fresas

el mango

el durazno

las uvas

los albaricoques

la sandía

la papaya

la toronja

la manzana

el plátano
(la banana)

La naranja y la toronja contienen mucha vitamina C.
La sandía y la papaya tienen mucho azúcar.
El albaricoque contiene mucho calcio.

ACTIVIDAD I   Conversación: Las comidas del día

Diga si comemos estas comidas para el desayuno, para el almuerzo o para la cena.

MODELOS: ¿Los huevos revueltos? *Los comemos para el desayuno.*
¿La sopa? *La tomamos para el almuerzo o para la cena.*

los huevos revueltos	los panqueques
los guisantes	el cereal
las legumbres	los espárragos
la sopa	la ensalada de lechuga
el pan tostado con jalea	el tocino
las hamburguesas	el yogur
un sándwich	las chuletas de cerdo
el pollo frito	las papas fritas
las enchiladas	el arroz
la coliflor	el maíz
los tacos	

▶ Y TÚ, ¿QUÉ DICES?

(No) Me gusta(n)…	A mí también.	A mí, sí.
Me encanta(n)…	A mí tampoco.	A mí, no.

E1: *¿El yogur?* Nunca *lo* como; *no me gusta.*
E2: *A mí tampoco.*
E2: *¿Las papas fritas? Me encantan.*
E1: *A mí, no. Prefiero la ensalada.*

ACTIVIDAD 2   Intercambios: La nutrición

¿Qué comidas son más ricas en proteína, en carbohidratos y en vitaminas? ¿Cuáles contienen más grasa? Mire los dibujos de las comidas al comienzo del capítulo. Trabajando con su compañero/a, pónganlas en uno (o más) de los cinco grupos de la siguiente tabla.

MODELO: E1: El arroz tiene muchos carbohidratos.
E2: Sí, y la carne de res contiene proteína y mucha grasa.

LA PROTEÍNA	LOS CARBOHIDRATOS	EL CALCIO	LAS VITAMINAS A Ó C	LA GRASA
_____	*el arroz*	_____	_____	*las papas fritas*
_____	_____	_____	_____	_____
_____	_____	_____	_____	_____
_____	_____	_____	_____	_____
_____	_____	_____	_____	_____
_____	_____	_____	_____	_____

ACTIVIDAD 3   Intercambios: ¿Qué vamos a comer hoy?

Primero, mire la lista de comidas. Luego prepare dos menús para el día (desayuno, almuerzo y cena), un menú de comida saludable solamente y otro con sus comidas y bebidas favoritas. Luego, converse con su(s) compañero(s) sobre los dos menús.

DESAYUNO	**ALMUERZO**	**CENA**
◆ fruta: toronja, naranja, piña, durazno, uvas, etc. ◆ cereal frío ◆ panqueques ◆ huevos rancheros, fritos, revueltos, etc. ◆ pan tostado (mantequilla) ◆ pan tostado a la francesa ◆ salchichas/ tocino ◆ café/té caliente ◆ leche (descremada) ◆ batido de leche ◆ donas ◆ avena ◆ yogur ◆ ¿ ?	◆ sopa: de legumbres, de frijoles, de cebolla, etc. ◆ ensalada de tomate ◆ ensalada de fruta fresca ◆ un sándwich: de atún, de jamón y queso, de pollo ◆ hamburguesa ◆ papas fritas ◆ tacos ◆ burritos ◆ limonada ◆ jugos naturales ◆ agua mineral ◆ refresco ◆ té caliente/helado ◆ ¿ ?	◆ pescado: a la parrilla, frito, al horno, etc. ◆ bistec ◆ ensalada verde ◆ legumbres: bróculi, coliflor, habichuelas, etc. ◆ camarones ◆ langosta ◆ enchiladas ◆ tamales ◆ chiles rellenos ◆ helado ◆ pastel o flan ◆ galletas de chocolate ◆ cerveza, vino, etc. ◆ ¿ ?

MODELO: E1: ¿Qué comidas saludables escogiste?
E2: Escogí *media toronja y yogur* para el desayuno. Para el almuerzo, escogí *ensalada de frutas y agua mineral*. Para la cena, escogí *ensalada verde y pescado a la parrilla*.
E1: ¿Y qué prefieres *desayunar/almorzar/cenar*?
E1: Prefiero...

REFRÁN

Al pan, pan y al vino, vino.

(*Don't beat around the bush*. Literally, [call] *The bread, "bread," and the wine, "wine."*)

ACTIVIDAD 4   Definiciones: Los alimentos

Combine cada definición de la izquierda con un alimento de la derecha.

I. Es una legumbre anaranjada que contiene vitamina A.

a. el batido de leche
b. la paella

2. Esta fruta de cáscara amarilla crece en las zonas tropicales.
3. Es un postre hecho de huevos, leche y azúcar. Es muy popular en los países hispanos.
4. Es una legumbre larga y verde que se usa con frecuencia en las ensaladas.
5. Son muy populares en la cocina mexicana. Se sirven con tortillas.
6. Éstas son uvas secas.
7. Es una bebida preparada con leche y helado o leche y fruta.
8. Es un plato de arroz, carne y mariscos, típico de España.

c. la zanahoria
d. los frijoles
e. el plátano
f. el flan
g. el durazno
h. el pepino
i. las pasas
j. la manzana

VENTANAS CULTURALES   La lengua

Comidas y palabras

Usted come sándwiches a veces, ¿no es cierto? Pues si pide un sándwich en un restaurante de España, debe llamarlo «bocadillo». ¿Le gusta el pastel? Entonces aprenda sus otros nombres: «bizcocho» en Puerto Rico, «queque» en Costa Rica y «torta» en España. Los cubanos lo llaman «cake», que se pronuncia «quey». Para decir «helado» en México, se usa una palabra del clima: algo frío y blanco que cae del cielo. ¿Puede adivinar lo que es? Sí, el helado es «la nieve».

Las legumbres son verduras en algunos países y hortalizas en otros. En todos sitios, los vegetales son plantas de cualquier tipo. La palabra que se usa en Uruguay y Argentina para la fresa es «frutilla» y en Argentina las habichuelas se llaman «chauchas». En España, México y otros países la banana es «plátano». Los españoles llaman «patata» a la papa y «zumo» al jugo de fruta. La palabra para «batata» es «camote» en México, «ñame» en los países andinos y «boniato». en Cuba.

En muchos casos, los nombres de las frutas y legumbres se originan en el idioma indígena de cada país. Por ejemplo, las habichuelas son «ejotes» en México. La palabra «ejote» (*éjotl*) es náhuatl, idioma que hablaban los aztecas, habitantes de México al llegar los españoles en 1519. En todo el mundo hispano hay muchos alimentos que heredamos de los antiguos mexicanos: entre otros, *aguácatl* (aguacate), *élotl* (elote), *xocólatl* (chocolate), *jitómatl* (jitomate), y *guajólotl* (guajolote, pavo). También de origen náhuatl son *cóyotl, tómatl* y *chilli*. Es fácil adivinar lo que significan esas palabras, ¿verdad?

VOCABULARIO ÚTIL	
adivinar	to guess
el zumo	fruit juice
la batata	sweet potato
hablaban	spoke (used to speak)
heredamos	we inherited
jitomate	red tomato (Mex.)
las palabras prestadas	borrowed words

Ahora... ¡ustedes!

Menciona otras palabras prestadas en el inglés o el español. Piensa, por ejemplo, en los platillos populares de los Estados Unidos y en los nombres de algunas ciudades norteamericanas. Piensa también en las palabras que se usan en español para hablar de los deportes.

ACTIVIDAD 5   Conversación: La mesa

Parte 1. Diga para qué sirven estos objetos de la mesa. Use las siguientes palabras y frases útiles.

MODELO: *El salero* sirve para *guardar la sal.*

▶ **PALABRAS Y FRASES ÚTILES**

las bebidas	guardar la pimienta	servir la comida
comer	guardar la sal	tomar café o té
cortar la comida	limpiarse la boca	tomar la sopa
cubrir la mesa	preparar la ensalada	

Parte 2. Ahora, trabaje con un compañero / una compañera para decir dónde están esos objetos en el dibujo. Usen **al lado de, entre, a la derecha de, a la izquierda de, enfrente de** o **encima de.**

MODELO: E1: ¿Dónde está *el tenedor*?
               E2: Está *a la izquierda del* plato.

ACTIVIDAD 6   Entrevista: La comida en casa

1. ¿Qué desayunas por lo general? ¿Qué comiste esta mañana antes de salir de casa? ¿Qué almuerzas normalmente? ¿Qué almorzaste hoy? (¿Qué vas a almorzar hoy?)

2. ¿Qué bebidas prefieres para el desayuno / el almuerzo / la cena? ¿Tomas café o té durante el día? ¿Lo tomas con o sin azúcar? ¿con o sin leche?

3. ¿Prefieres comer más al mediodía o por la noche? ¿Por qué? ¿Comes entre comidas? ¿Qué comes?

4. ¿Cenas en tu casa generalmente o sales a cenar? ¿Con quién? ¿Qué cenas? ¿Qué prefieres comer de postre?

5. Generalmente, ¿comes mientras ves la televisión? ¿Te gustan las palomitas de maíz? ¿Les pones mantequilla o sal? ¿Qué otra cosa te gusta comer en casa?

ENLACE LITERARIO

«Jitomates risueños», por Francisco X. Alarcón

Selección de su libro *Jitomates risueños* (1997)

Francisco X. Alarcón (1954) es un famoso poeta chicano que vive y trabaja de profesor en Davis, California. Alarcón ha publicado varios libros: *Cuerpo en llamas* (1990) y *Del otro lado de la noche* (2002), entre otros. Sus poemas para niños aparecen en *Jitomates risueños* (1997) y *Los ángeles andan en bicicleta* (1999). La colección *Jitomates risueños* recibió el premio Pura Belpré de la Asociación Americana de Bibliotecas. La obra de Alarcón es muy rica y además divierte a los jóvenes. El poema aquí incluido presenta una hermosa imagen de los tomates.

Jitomates risueños

en el jardín
plantamos
jitomates[1]

los vegetales
más felices
de todos

alegres
se redondean[2]
de sabor

risueños[3]
se ponen
colorados[4]

convirtiendo
sus arbustos
alambrados[5]

en árboles
de Navidad
en primavera

Actividad creativa: En el jardín

¿Le gustan los jitomates? ¿Qué otras frutas o legumbres le gustan? Escriba un breve poema sobre su legumbre o fruta favorita. Empiece con los versos de Alarcón:

En el jardín
plantamos...

[1]tomatoes (*Mex.*)   [2]*se... they grow round*   [3]*laughing, giddy*   [4]*se... they turn red*   [5]*sus... their wire-framed bushes*

✳ La compra y la preparación de la comida

Lea Gramática 8.3–8.4.

una taza
de harina

una media taza
de azúcar

una cucharada
de mantequilla

una cucharadita
de sal

media cucharadita
de bicarbonato de soda

A mí no me gusta el atún.

¡A mí tampoco!

un tarro
de mayonesa

el aderezo
para la ensalada

una lata de atún

un paquete
de fideos

la carne molida

la sopa
enlatada

la comida
pre-elaborada

los guisantes
congelados

¿Compra tu mamá comidas pre-elaboradas?

¡Ay, no! Nunca las compra.

Muchas comidas pre-elaboradas contienen
conservadores y colorantes.

Se cortan varias
rebanadas de tomate.

Se ralla el queso.

¿Hay papayas?

Sí, pero ninguna está madura.

Se corta una papaya
en trozos pequeños.

Se pica la cebolla.

ACTIVIDAD 7   Definiciones: La preparación de la comida

Combine cada descripción de la izquierda con una palabra de la derecha.

1. Se pone en la ensalada.
2. Para preparar un sándwich de queso, se corta el queso en _____.
3. Se usa mucho en la preparación de pasteles y galletas.
4. Si no se encuentran frutas o legumbres frescas, se pueden comprar _____.
5. Es un líquido dorado, muy espeso y dulce que se usa mucho en el té.
6. La receta pide ¼ de _____ de sal.

a. congeladas
b. la harina
c. la papaya
d. la miel
e. cucharadita
f. el aderezo
g. vainilla
h. rebanadas

REFRÁN

Del plato a la boca, se cae la sopa.

(*There is many a slip between the cup and the lip.* Literally, *From the plate to the mouth, the soup falls.*)

ACTIVIDAD 8   Del mundo hispano: Supermercado El Diamante

Imagínese que usted va a ir al supermercado El Diamante en Puerto Rico para hacer la compra. Estudie las dos listas y calcule el precio total de cada una.

LISTA 1		LISTA 2	
1	paquete de tocino	1	libra de carne molida
2	latas de sopa de legumbres	1	tarro de 16 onzas de mayonesa
2	aguacates	3	libras de cebollas amarillas
3	libras de carne molida	1	paquete de zanahorias
2	libras de limones	2	libras de manzanas
14	onzas de avena	1	sandía de ocho libras

ACTIVIDAD 9   Asociaciones: Las comidas y la cocina

En cada grupo de palabras hay una palabra que no pertenece al grupo. Búsquela y explique por qué no pertenece.

MODELO: la salchicha, la hamburguesa, la chuleta de cerdo, la pera
         La pera no pertenece a esta lista porque *no es carne.*

1. el apio, el pepino, las nueces, los guisantes
2. el flan, el helado, las aceitunas, el pastel
3. la miel, el panecillo, la mermelada, la jalea
4. la sal, el azúcar, la harina, la mostaza
5. la horchata, las almejas, los camarones, la langosta

ACTIVIDAD 10 Orden lógico: ¿Cómo se prepara(n)... ?

Ponga en orden los pasos para la preparación de estas comidas.

UNA QUESADILLA

_____ Se saca la quesadilla de la sartén.

_____ Se dobla la tortilla.

_____ Se saca una lata de chiles y una tortilla de harina.

_____ Se pone en una sartén con un poco de aceite.

_____ Se pone el queso y un chile sobre un lado de la tortilla.

_____ Se tapa la sartén y se fríe la quesadilla tres minutos de cada lado.

_____ Se ralla el queso.

_____ Se sirve con salsa y se come.

LOS CHILES RELLENOS

_____ Se baten los huevos.

_____ Se pelan los chiles.

_____ Se mojan los chiles en el huevo batido.

_____ Se asan los chiles.

_____ Se cortan varias rebanadas de queso.

_____ Se les quitan las semillas.

_____ Se pone una rebanada de queso en cada chile.

_____ Se fríen.

ACTIVIDAD 11 Narración: Vamos a preparar pupusas

Narre los pasos en la preparación de las pupusas (_bean-stuffed cornmeal cakes_), una comida típica de El Salvador.

▶ PALABRAS ÚTILES

primero	después
luego	finalmente

LOS PASOS

- Se sacan los ingredientes: la harina de maíz, el queso fresco y los frijoles.
- Se le agrega agua a la harina de maíz.
- Se amasa bien y se hace una tortilla.
- Dentro de la tortilla se pone una cucharada de queso y otra de frijoles.
- Se cierra la masa y se forma una bolita.
- Se palmea para formar de nuevo una tortilla.
- Se calienta la sartén y se fríe de cada lado por dos o tres minutos.
- Se sirve con el curtido (una ensalada de repollo (*cabbage*), vinagre y chile).

> **«Las pupusas», por Jorge Argueta**
>
> Las pupusas
> son redondas
> como la letra «O»
>
> Las pupusas
> son la más sabrosa
> memoria de casa
>
> Las pupusas
> las encontraba
> en la mesa
>
> cuando mi mamá
> me llamaba por las tardes
> «Jorgito, vente a comer»

ACTIVIDAD 12   Entrevista: Hacer la compra

1. ¿Quién hace la compra en tu casa?
2. ¿Se compran todos los comestibles en un supermercado o en varias tiendas pequeñas?
3. ¿Compras muchas legumbres y frutas?
4. ¿Compras muchas comidas pre-elaboradas? ¿Lees las etiquetas de las comidas para determinar si contienen colorantes o conservadores?
5. ¿Quién prepara las comidas en tu casa? ¿Te gusta cocinar? ¿Qué platos sabes preparar?
6. ¿Compras mucha comida chatarra (*junk food*)? ¿Qué compras?

VENTANAS CULTURALES   Las costumbres

¡Estoy como agua para chocolate!

Si una persona mexicana exclama «¡Estoy como agua para chocolate!», eso quiere decir que está muy enojada, a punto de hervir como el agua. En México, la frase coloquial «como agua para chocolate» se usa para expresar la idea de mucho enojo. Esta expresión tiene su origen en la preparación del chocolate caliente. Para hacerlo, se pone agua a calentar y, cuando empieza a hervir, se le echan trozos de chocolate en barra, luego se bate todo a mano con un molinillo y muy pronto queda lista la rica y tradicional bebida.

La famosa escritora mexicana Laura Esquivel usó esta frase coloquial para dar título a su novela *Como agua para chocolate* (1990); cada capítulo de la novela empieza con una receta de la cocina de México. Si usted quiere descubrir aspectos interesantes de la cultura mexicana, le recomendamos este libro. También puede ver la película, que resultó ser muy popular. La verdad es que el título es apropiado, pues en la novela de Esquivel se combinan los temas de la comida, el enojo y el amor apasionado.

VOCABULARIO ÚTIL

hervir	*boil*
el enojo	*anger*
el trozo	*piece, chunk*
se bate	*is whipped*
el molinillo	*beater, whip*
queda lista	*is ready*
la receta	*recipe*

Ahora... ¡ustedes!

Hay muchas expresiones coloquiales del inglés relacionadas con la comida; por ejemplo, "*too many cooks spoil the broth.*" ¿Puedes mencionar algunas otras?

✳ Los restaurantes

Lea Gramática 8.5.

Pedro y Andrea pidieron una ensalada, bistec al punto, papas fritas y bróculi.

El cocinero les preparó un plato especial.

El mesero les sirvió la comida.

Andrea tomó una copa de vino tinto, pero Pedro prefirió tomar agua mineral.

Comieron con gusto.

Pagaron la cuenta con su tarjeta de crédito.

Dejaron una buena propina.

la carne cruda

el bistec

poco asado/ poco cocido

al punto/ cocido

bien asado/ bien cocido

ACTIVIDAD 13   Narración: Mayín Durán sale a cenar

Lea las siguientes oraciones y póngalas en orden, según los dibujos. Luego, trabaje con un compañero / una compañera para narrar la historia.

_____ Comieron y conversaron.

_____ Pidieron la cuenta.

_____ Mayín pidió agua mineral y su amigo pidió un refresco.

_____ Mayín y su amigo pidieron la comida.

_____ Los dos pidieron postre.

_____ Pagaron la cuenta y dejaron una propina.

_____ Salieron a cenar.

_____ El mesero les sirvió la comida.

_____ Tomaron sus bebidas y conversaron, y luego el mesero les preguntó si estaban listos para pedir la comida.

_____ Salieron a pasear.

_____ El mesero les preguntó si querían tomar algo.

_____ Leyeron el menú.

ACTIVIDAD 14   Intercambios: Restaurante Mi Casita

Con su compañero/a, lea el menú del Restaurante Mi Casita. Primero miren los precios; después escojan las comidas y bebidas que van a pedir y digan por qué las van a pedir. Sigan los modelos.

MODELOS: E1: ¿Cuánto cuestan *los tamales de puerco*?
E2: Cuestan $*66.65* pesos.

E1: ¿Qué vas a pedir?
E2: Creo que voy a pedir *los chiles rellenos* porque *me encantan.*

▶ EXPRESIONES ÚTILES

Me encanta(n). (No) Tengo mucha hambre.	Estoy a dieta. (No) Tengo mucha sed.	No traigo mucho dinero. Es/Son saludable(s).

Restaurante Mi Casita

Rica comida mexicana e internacional a precios módicos

Plato del día:
Lasaña, pan de ajo, ensalada, mixta, sopa minestrone $85.50

Antojitos mexicanos
Se sirven para el almuerzo y la cena. (Con cada uno se incluye pan o tortillas, ensalada, arroz y frijoles o sopa del día.)

Enchiladas (3)	verdes o rojas	$57.25
Tostadas (2)	de res o de pollo	46.75
Tacos (4)	de res o de pollo	47.50
Burritos (2)	de res y/o frijoles	45.85
Chiles rellenos (2) de carne o queso		62.50
Tamales de puerco con chile verde (3)		66.65
Tamales dulces con almendras y pasas (3)		40.75

Rincón internacional

De España:	Rica paella valenciana (mínimo tres personas)	$187.50
De Perú:	Sabrosísimo cebiche	56.25
De los Estados Unidos:	Las mejores hamburguesas al sur de la frontera	52.00
De Italia:	Exquisita pizza de la casa (tamaño grande)	165.75
De China:	Delicioso y ligero chop suey de pollo	93.75

Desayuno
(Incluye pan o tortillas.)

Huevos rancheros	$67.75
Cereal frío	28.00
Avena	21.85
Leche (vaso)	19.25
Jugos frescos (vasito)	38.25
Fruta fresca (3 piezas)	57.40

Sopas

Caldo de res con legumbres	$52.00
Crema de espárragos	33.00
Crema de hongos	32.50
Minestrone	43.75
Sopa del día	19.25

Bebidas

Cerveza Carta Blanca	$38.25
Cerveza Tecate	33.00
Cerveza Superior	31.25
Cerveza Bohemia	35.50
Refrescos	11.65
Limonada (vaso)	15.75
Té helado con limón	19.25
Tehuacán (agua mineral)	25.00
Tehuacán de sabores	31.25
Café	19.25
Té caliente	18.75
Vino tinto (copa)	62.50
Vino blanco (copa)	66.65

Postres

Arroz con leche	$20.85
Flan	31.25
Helado de fresa o vainilla	25.00
Melocotón en almíbar	27.00
Mango en almíbar	31.25
Pastel (rebanada)	37.50

ACTIVIDAD 15   Del mundo hispano: Dónde comer en San José, Costa Rica

RECOMENDAMOS

  Le Monastére
27 puntos   San Rafael de Escazú Reservaciones al 289-4404. Comida internacional al estilo francés. Hermosa vista de 270° desde San José hasta el Golfo de Nicoya. De 10,200 a 28,440 (en colones) por persona.

 Machu Picchu
19 puntos   125 metros al norte del Kentucky Fried Chicken, por el Paseo Colón. Reservaciones al 222-7384. Comida peruana, especialmente mariscos, con el sabor auténtico del Perú. De 7,725 a 12,185 (en colones) por persona.

 La Masía de Triquell
21 puntos   Sabana Norte, de la Agencia Datsun 175 metros al oeste y 175 metros al norte. Reservaciones al 296-3528. Comida española e internacional. La mejor paella de Costa Rica. De 8,175 a 30,475 (en colones) por persona.

 El Balcón de Europa
11 puntos   Calle 9, entre Avenidas Central y Primera. Reservaciones 220-4821. Platillos italianos y costarricenses. De 4,900 a 14,220 (en colones) por persona.

 Ram Luna
25 puntos   En Aserrí. Reservaciones al 230-3060. Ambiente elegante y familiar. Vista de San José. Comida internacional y costarricense. Buffet y bailes folclóricos los miércoles desde las 17:00. De 10,200 a 24,375 (en colones) por persona. Buffet de los miércoles: 14,220 (en colones) por persona.

Primero, lea las recomendaciones de una revista turística de San José. Luego, conteste estas preguntas con su compañero/a.

1. De los cinco restaurantes que se recomiendan, ¿cuál es el mejor? ¿Cuántos puntos recibió? ¿Cuál es el peor? ¿Cuántos puntos recibió?
2. De los restaurantes que se recomiendan en la revista, ¿cuáles son «buenos»? ¿Cuáles son «normales»? ¿Cuáles son «muy buenos»? ¿Hay alguno «excelente»?
3. ¿Qué elementos se deben considerar para calificar un restaurante? ¿Cuál es el más importante, en su opinión? ¿Por qué?
4. ¿En cuál de los restaurantes es más barata la comida?
5. ¿En cuál de todos le gustaría cenar? ¿Por qué?

Ahora use las calificaciones de la revista para hablar con su compañero/a de algunos restaurantes de su ciudad.

 30–26 puntos
Excelente

 25–21 puntos
Muy bueno

 20–16 puntos
Bueno

 15–11 puntos
Normal

10–6 puntos
Regular

 5–0 puntos
Malo

ACTIVIDAD 16   Entrevista: Los restaurantes

1. ¿Qué clase de restaurante te gusta más?
2. ¿Te gusta la comida japonesa? ¿la comida china? ¿Qué otro tipo de comida de otros países te gusta?
3. ¿Cuál es el restaurante más elegante cerca de tu casa? ¿Comes allí con frecuencia? ¿Te gusta la comida? ¿el ambiente? ¿Te gustan los precios? ¿Es necesario hacer una reservación?
4. ¿Cuánto consideras que se debe pagar por una comida excelente en un buen restaurante?
5. ¿Cuántas veces por semana comes fuera de casa? ¿Comes frecuentemente en algún lugar en especial? ¿Dónde?
6. ¿Vas mucho a los restaurantes de «servicio rápido»? ¿Cuál de ellos es tu favorito? ¿Por qué?

n resumen

De todo un poco

Cuadros de preferencias

Complete los siguientes cuadros según sus propias preferencias.

EN MI CASA SERVIMOS LAS SIGUIENTES COMIDAS
CON FRECUENCIA

COMIDAS	RAZÓN	ALGUNAS POSIBILIDADES
1.		*No tiene mucha grasa.*
2.		*Es saludable.*
3.		*Tiene poco colesterol.*
4.		*Nos encanta a todos.*
5.		*Los ingredientes son baratos.*

EN MI CASA NUNCA SERVIMOS ESTAS COMIDAS

COMIDAS	RAZÓN	ALGUNAS POSIBILIDADES
1.		*Tiene mucha grasa.*
2.		*Es muy picante.*
3.		*Tiene mucho colesterol.*
4.		*No nos gusta.*
5.		*Los ingredientes cuestan mucho.*

Ahora, charle con un compañero / una compañera sobre el contenido de los cuadros.

¡Dígalo por escrito!

Usted es el dueño.

Imagínese que va a comprar un restaurante y que necesita un préstamo de un banco local. Escriba un plan detallado de su restaurante para el banco que le va a prestar el dinero. Incluya en el plan respuestas a las siguientes preguntas: ¿Cómo se llama el restaurante? ¿Dónde está? ¿Cuántos meseros van a necesitar? ¿Van a servir tres comidas diarias o sólo el almuerzo y/o la cena? ¿Cuál es el horario del restaurante? ¡No se le olvide incluir el menú!

¡Cuéntenos usted!

Descríbanos una cena ideal. ¿Es una cena en casa o en un restaurante? ¿Qué comidas se sirven? ¿Hay sopa o ensalada? ¿Qué hay de beber? ¿Cuáles son los platos principales? ¿Quién prepara la comida? ¿Con quién cena usted? ¿Qué prefiere de postre?

 LECTURA

Los deliciosos platos andinos

Colombia
(la arepa, las hallacas)

Venezuela
(la arepa, las hallacas)

Ecuador
(el locro)

Perú (papas a
la huancaina,
el cebiche)

Bolivia
(la cacerola de choclo)

Chile
(el caldillo
de congrio,
el vino)

PISTAS PARA LEER
Recuerde que «andino» quiere decir que viene de la región de los Andes. Al leer, considere estas preguntas: ¿Cuál es el ingrediente básico de la comida andina? ¿Qué platos de los países en la región de los Andes se mencionan? ¿Le gustaría probar estas especialidades? **Sugerencia:** Lea también la **Nota cultural** sobre otros platos hispanos en el *Cuaderno de actividades.*

VOCABULARIO ÚTIL

netamente	*distinctly*
el puesto	*food stand*
molido	*ground up*
el relleno	*filling, stuffing*
cubierto	*covered,*
	wrapped
la mazorca	*ear of corn*
rociadas	*sprinkled*
humilde	*humble*
la brocheta	*kabob*
el maní	*peanut*

La región andina de la América del Sur tiene una rica tradición indígena. Hablamos de los países que se encuentran en la cordillera de los Andes: Venezuela, Colombia, Ecuador, Perú, Bolivia y Chile. La cultura de los incas predomina en gran parte de ese territorio, especialmente en Perú, Ecuador y Bolivia. El 55 por ciento de la población boliviana, por ejemplo, es de origen indígena y habla quechua, el idioma de los incas. La presencia incaica es también muy visible en la sociedad ecuatoriana. El 30 por ciento de la población de Ecuador es monolingüe —habla solamente la lengua quechua— y una tercera parte es bilingüe —habla quechua y español.

Se entiende, entonces, el origen netamente indígena de muchos platos andinos. Considere el maíz, que se ha cultivado en la región de los Andes por 4.000 años. El maíz —*choclo* en quechua— es un ingrediente básico de varias comidas típicas de esta región. Los colombianos y los venezolanos lo comen en forma de arepa, una masa de maíz tostada o frita rellena de queso. El alimento rápido que más se consume en la zona andina es el choclo tostado, que se vende en puestos por todas partes.

En Perú, Bolivia y Chile es muy popular la cacerola de choclo, mezcla de pollo con maíz molido. Uno encuentra el tamal con diferentes nombres en varios países. Lo llaman «humitas» en Ecuador y Chile; «hallacas» en Venezuela y Colombia. El tamal es una masa de maíz que puede ser dulce o salada; puede llevar un relleno de carne de res o pollo, y siempre se cocina cubierto con hojas de mazorca o de plátano.

Hay especialidades en cada país. En Ecuador las especialidades son sus deliciosas sopas, como el locro, una sopa espesa hecha con papas, pescado y queso. El alimento principal en Perú es la papa, ¡que allí tiene doscientas variedades! La papa es otra legumbre que los indígenas andinos han cultivado por miles de años. Se prepara de muchas maneras, como las ricas papas a la huancaína (de la ciudad de Huancayo), que lleva papas hervidas y rociadas con una salsa cremosa de queso. Pero el plato peruano más conocido es sin duda el cebiche: pescado crudo que se cocina en jugo de limón, al cual se le pone también tomate, cilantro, ajo y cebolla.

El cebiche, plato típico de Perú

Una de las comidas rápidas más populares en Bolivia es el anticucho. En las esquinas de cualquier ciudad boliviana —La Paz, Cochabamba— encuentra usted anticucheras: una humilde parrilla, humo, intenso olor a carne. Los anticuchos se hacen con carne de corazón de res a la parrilla, servida al estilo brocheta. A veces se les pone una salsa de maní picante. Muchos bolivianos de todas las edades comen anticuchos.

Mencionemos por último una de las especialidades chilenas, que es el caldillo de congrio. Este plato se hace con pescado fresco, papas, tomate y hierbas. El pescado, a propósito, se come mucho en Chile, país que también produce vinos excelentes conocidos en todo el mundo. Hay otros deliciosos platos de la cocina andina que deberíamos mencionar, como la chicha morada, el ají y el tallarín de legumbres. Pero... mejor descubra usted estas ricas comidas.

Comprensión

Indique qué ingredientes de la siguiente lista se usan en cada plato.

Ingredientes: ajo, carne de res, cebolla, cilantro, corazón de res, hierbas, jugo de limón, maíz, papas, papas hervidas, pescado crudo, pescado fresco, pollo, queso, tomate

MODELO: el tamal → *El tamal se hace con masa de maíz, a veces con un relleno de carne y siempre con hojas de mazorca o plátano.*

1. el locro
2. el caldillo de congrio
3. las papas a la huancaína
4. la cacerola de choclo
5. el cebiche
6. la arepa
7. el anticucho
8. las hallacas

Un paso más... ¡a escribir!

Escoja tres de los platos andinos que se mencionan en la **Lectura** y compárelos con un plato que usted conoce; por ejemplo, la pizza, el sushi, los espaguetis, alguna sopa. Luego explique si son similares o no, y por qué le gusta o no le gusta ese plato.

Plato andino   Plato que yo conozco.   Me gusta / No me gusta porque…

_____   _____   _____

ocabulario

• El desayuno — Breakfast

la avena	oatmeal
los huevos (fritos, cocidos)	eggs (fried, hard-boiled)
el panecillo	roll, bun
el pan tostado (a la francesa)	(French) toast
el tocino	bacon
la tostada	toast (Spain); crispy tortilla with toppings (Mex.)

PALABRAS SEMEJANTES: la dona, los panqueques
REPASO: el cereal, los huevos revueltos, el pan, el pan tostado

• El almuerzo y la cena — Lunch and Dinner

el caldo	clear soup
los fideos	noodles
las galletas	crackers
el plato	prepared dish
la salchicha	sausage, frankfurter

PALABRAS SEMEJANTES: el perro caliente, la pizza, la tortilla
REPASO: el arroz, la ensalada, la hamburguesa, la papa (patata) al horno, las papas fritas, el queso, el sándwich, la sopa

• El restaurante — The Restaurant

el ambiente	atmosphere
la comida	meal; food
comer fuera	to eat out
la cuenta	bill, check
la propina	tip
la tarjeta de crédito	credit card

PALABRAS SEMEJANTES: el menú (la carta), el precio, la reservación
REPASO: atender (ie) la mesa, el mesero / la mesera, pagar, servir (i)
PLATILLOS DEL MUNDO HISPANO: el burrito, el casado de pollo, el cebiche, el chile relleno, las empanadas, la enchilada, los huevos rancheros, la paella valenciana, la parrillada, la pupusa, la quesadilla, el taco, el tamal, las tapas, la tortilla española

• La carne — Meat

el ave (f.)	poultry
la carne de cerdo / puerco	pork
la carne molida	ground beef
la carne de res	beef
las chuletas (de cerdo/puerco)	(pork) chops
el hígado	liver
el pavo (el guajolote)	turkey

REPASO: el bistec, el jamón, el pollo (frito)

• El pescado y los mariscos — Fish and Seafood

las almejas	clams
el atún	tuna
los camarones	shrimp
el cangrejo	crab
la langosta	lobster
las ostras	oysters

• Las legumbres — Vegetables

el apio	celery
la calabaza	pumpkin
la calabacita	zucchini
la cebolla	onion
los frijoles	beans
los guisantes / los chícharos	green peas
las habichuelas / los ejotes	green beans
los hongos	mushrooms
el maíz	corn
la mazorca de maíz / el elote	ear of corn
el pepino	cucumber
el rábano	radish
la zanahoria	carrot

PALABRAS SEMEJANTES: el bróculi, la coliflor, los espárragos
REPASO: la lechuga, el tomate (el jitomate)

• Las frutas y las nueces — Fruits and Nuts

el aguacate	avocado
el albaricoque (el chabacano)	apricot
los cacahuates	peanuts
el durazno (el melocotón)	peach
la fresa (la frutilla)	strawberry
la manzana	apple
la nuez (las nueces)	walnut(s); nut(s)
las pasas	raisins
la piña (el ananá)	pineapple
el plátano	banana
la sandía	watermelon
la toronja (el pomelo)	grapefruit
las uvas	grapes

PALABRAS SEMEJANTES: la banana, el limón, el mango, el melón, la papaya, la pera
REPASO: la naranja (la china)

• Los postres — Desserts

el arroz con leche	rice pudding
el flan	sweet custard

REPASO: el chocolate, las galletitas, el helado, el pastel, el yogur

• Las bebidas — Drinks

el batido (de leche, de frutas)	(milk, fruit) shake
la horchata	sweet rice drink
la jamaica	sweet drink made with hibiscus flowers
el té caliente/frío (helado)	(hot, iced) tea
el vino (blanco, rosado, tinto)	(white, rosé, red) wine

PALABRAS SEMEJANTES: el agua mineral, la limonada
REPASO: el agua, el café, la cerveza, el jugo (el zumo), la leche, el refresco

• Los condimentos, las especias y otros ingredientes — Condiments, Spices and Other Ingredients

el aceite	oil
la aceituna	olive
el aderezo	(salad) dressing
el ají	(bell) pepper
el ajo	garlic
el almíbar	syrup
el azúcar	sugar
el conservador	preservative
la harina	flour
la jalea	jelly
la miel	honey
la mostaza	mustard
la pimienta	pepper
la sal	salt

PALABRAS SEMEJANTES: el bicarbonato de soda, el colorante, la crema, la grasa, la mayonesa, la mermelada, la salsa, la vainilla, el vinagre
REPASO: la mantequilla

• La mesa y los cubiertos — Table Setting and Utensils

la cuchara	spoon
la cucharita	teaspoon
el cucharón	ladle
el cuchillo	knife
el cuenco	large serving bowl
la fuente de sopa	soup tureen
la jarra	pitcher
el mantel	tablecloth
el pimentero	pepper shaker
el platillo	saucer
el plato hondo	bowl
el salero	salt shaker
la servilleta	napkin
el tenedor	fork

REPASO: el plato, la taza, el vaso

• Las medidas y los recipientes — Measurements and Containers

la botella	bottle
la copa	wine glass
la cucharada	tablespoon (measurement)
la cucharadita	teaspoon (measurement)
la lata	can
la libra	pound
la onza	ounce
el paquete	package
la rebanada	slice
la sartén	(frying) pan
el tarro	jar

• Los verbos — Verbs

agregar	to add
amasar	to knead
asar	to roast
batir	to beat

contener	to contain
crecer	to grow
cubrir	to cover
dejar	to leave, to let
desear	to want, desire
doblar	to fold
estar a dieta	to be on a diet
freír (i)	to fry
mojar	to dip, to wet
pedir (i)	to ask for, to order food
pelar	to peel
picar	to chop, mince
rallar	to grate
tapar	to cover

PALABRAS SEMEJANTES: calcular, combinar, considerar, determinar, formar, recomendar
REPASO: hacer la compra, hornear

• La descripción de la comida
Describing Food

a la parrilla	grilled, charbroiled
al horno	baked
al punto, cocido/a	medium rare
bien asado/a, bien cocido/a	well-done
congelado/a	frozen
crudo/a	raw
descafeinado	decaffeinated
descremado	skimmed
dorado/a	golden brown
dulce	sweet
espeso/a	thick
enlatado/a	canned
fresco/a	fresh
maduro/a	ripe
medio/a	half
picante	hot (spicy)
poco asado/a, poco cocido/a	rare
rico/a	delicious
sabroso/a	flavorful, tasty
seco/a	dry

PALABRAS SEMEJANTES: concentrado/a, delicioso/a, excelente, normal, popular, tropical, turístico/a

• Los sustantivos
Nouns

el alimento	food, meal
el antojito	snack (Mex.)
la bolita (de masa)	little ball (of dough)
la cáscara	peel
los comestibles	food; groceries
la comida chatarra	junk food (Mex.)
la comida preelaborada	convenience food
la etiqueta	label
las palomitas de maíz	popcorn
la receta	recipe
el restaurante de servicio rápido	fast-food restaurant
el sabor	taste, flavor
la semilla	seed
el trozo	piece

PALABRAS SEMEJANTES: el calcio, el carbohidrato, el colesterol, el líquido, la nutrición, la preparación, la proteína, el total, la vitamina, la zona

• Palabras y expresiones del texto
Words and Expressions from the Text

pertenecer	to belong
la razón	reason
la tabla	table; graph

PALABRAS SEMEJANTES: el elemento, el punto, la recomendación

• Palabras y expresiones útiles
Useful Words and Expressions

con gusto	with pleasure
dentro	inside; within
de nuevo	again
frecuentemente	frequently
Me encanta(n) el/la/los/las...	I really like . . .
por lo general	usually
¿Qué clase de... ?	What type of . . . ?

Gramática y ejercicios

8.1 Referring to Objects Already Mentioned: Impersonal Direct Object Pronouns *lo, la, los,* and *las*

When referring to things already mentioned, use the Spanish object pronouns **lo** and **la**, which correspond to the English object pronoun *it:* **lo** refers to masculine words and **la** to feminine words. Spanish **los** and **las** correspond to English *them:* **los** refers to masculine words and **las** to feminine words.

> **lo** = *you, him, it* (*m.*)
> **la** = *you, her, it* (*f.*)
> **los** = *you, them* (*m. pl.*)
> **las** = *you, them* (*f. pl.*)
> **¿Quién preparó los frijoles?** (*Who made the beans?*)
> **Papá los preparó.** (*Dad made them.*)

—¿Quién compró **el pastel**?   —*Who bought the cake?*
—**Lo** compró Raúl.   —*Raúl bought it.*

—¿Quién trajo **la fruta**?   —*Who brought the fruit?*
—**La** trajo Nora.   —*Nora brought it.*

—Luis, ¿preparaste **los tacos**?   —*Luis, did you prepare the tacos?*
—Sí, **los** preparé esta mañana.   —*Yes, I prepared them this morning.*

—Carmen, ¿dónde pusiste **las servilletas**?   —*Carmen, where did you put the napkins?*
—**Las** puse en la mesa.   —*I put them on the table.*

¿RECUERDA?

As you saw in **Gramática 6.5,** the object pronouns **lo, la, los,** and **las** also serve as personal direct object pronouns.

—¿Viste a Alberto ayer?   —*Did you see Alberto yesterday?*
—No, no **lo** vi.   —*No, I didn't see him.*

¿La profesora Martínez?   *Professor Martínez? I saw her*
  La vi ayer en el mercado,   *yesterday at the market, but*
  pero ella no me vio.   *she didn't see me.*

Review this section now, if necessary.

Thus the Spanish direct object pronouns **lo, la, los,** and **las** may substitute for words referring to people *or* to things. For example, **la** in the first exchange below refers to **Mónica** (*her*); in the second one it refers to **la salsa** (*it*).

—¿Llamaste a **Mónica**?   —*Did you call Mónica?*
—Sí, **la** llamé ayer.   —*Yes, I called her yesterday.*

—Luis, ¿encontraste **la salsa**?   —*Luis, did you find the sauce?*
—Sí, **la** encontré en el refrigerador.   —*Yes, I found it in the refrigerator.*

These pronouns take time to acquire. You will find that you will gradually come to use them in your speech as you hear and read more Spanish.

DIRECT OBJECT PRONOUNS	
lo	*you, him, it (m.)*
la	*you, her, it (f.)*
los	*you, them (m. nouns or males or males and females)*
las	*you, them (f. nouns or females)*

Like other pronouns, direct object pronouns are usually placed before the verb.

¿La ensalada? Ella no **la** come nunca. *Salad? She never eats it.*

They may, however, be attached to the end of an infinitive or present progressive form.

¿El flan? Van a preparar**lo** más tarde. *The flan? They're going to fix it later.*

¿Los huevos? Estoy batiéndo**los** ahora. *The eggs? I'm beating them now.*

You will learn more about the placement of pronouns in **Gramática 13.5** and **Expansión gramatical 7.**

EJERCICIO 1

Conteste con **lo, la, los** o **las** y una terminación lógica.

MODELO: —¿Cuándo bebiste el jugo de naranja?
  —*Lo* bebí...

  a. hace diez años.
  ⓑ anoche.
  c. antes de levantarme.

1. —¿Cuándo preparaste el postre?
  — _____ preparé...
  a. en el restaurante.
  b. ayer.
  c. en la cocina.

2. —¿Dónde pusiste la carne?
  — _____ puse en...
  a. el jardín.
  b. el supermercado.
  c. el congelador.

3. —¿Dónde compraste las legumbres?
  — _____ compré...
  a. en una tienda de ropa.
  b. en el supermercado.
  c. en la cafetería de la escuela.

4. —¿Cuándo trajiste el hielo?
  — _____ traje...
  a. el año pasado.
  b. hace diez minutos.
  c. hace dos semanas.

5. —¿Dónde pusiste la mayonesa?
  — _____ puse en...
  a. la mesa.
  b. el sofá.
  c. el dormitorio.

6. —¿Cuándo preparaste las bebidas?
  — _____ preparé...
  a. hace dos minutos.
  b. para la fiesta de esta noche.
  c. mañana por la noche.

¡OJO!

These are open-ended questions. First use the correct direct object pronoun and then select a logical end to the sentence.

el congelador = *freezer*

7. —¿Dónde pusiste los vasos?
— _____ puse en…
  a. el armario.
  b. la cómoda.
  c. el gabinete.

8. —¿Dónde compraste el pan?
— _____ compré…
  a. esta mañana.
  b. en la panadería.
  c. en la biblioteca.

9. —¿Cuándo hiciste las tortillas?
— _____ hice…
  a. en el fregadero.
  b. cuando me levanté.
  c. después de acostarme.

10. —¿Cuándo trajiste los tomates para la salsa?
— _____ traje…
  a. esta mañana.
  b. hace veinte años.
  c. el mes pasado.

EJERCICIO 2

Complete estos diálogos con **lo, la, los** o **las.**

  1. —¿Viste a Mónica y a Nora en la fiesta?
    —Sí, _____ vi. Las dos bailaron toda la noche.
  2. —Raúl, ¿conoces a la señora Venegas?
    —No, no _____ conozco. ¿Quién es?
  3. —¿Visitaron ustedes a sus parientes durante las vacaciones?
    —No, _____ visitamos hace tres semanas.
  4. —Alberto, ¿conociste al profesor nuevo ayer en la reunión?
    —Sí, _____ conocí. Me parece muy simpático.
  5. —Carmen, ¿es esa señora que está allí la madre de Luis?
    —No sé; no _____ conozco.

8.2   More about Expressing Likes: The Verbs *gustar* and *encantar*

A. Gustar can also be followed by a noun. If the noun is singular, use the singular form, **gusta;** if it is plural, use the plural form, **gustan.**

  —¿Te gusta **la sandía**?   —*Do you like watermelon?*
  —Sí, pero me gust**an** más **las uvas.**   — *Yes, but I like grapes better.*

The preterite forms are **gustó** (*sing.*) and **gustaron** (*pl.*).

  —¿Te **gustó** el helado?   —*Did you like the ice cream?*
  —Sí, me **gustó** mucho.   —*Yes, I liked it a lot.*

  —Nos **gustaron** mucho esas galletitas.   —*We really liked those cookies.*

B. To ask who likes something, begin with **¿A quién… ?**

  —**¿A quién** le gusta la pizza?   —*Who likes pizza?*
  —¡A todos nos gusta!   —*We all do!*

To identify a specific person or persons who like(s) something, use the following pattern.

    A + *name* + **le(s)** + **gusta(n)…**

¿RECUERDA?

In **Gramática 1.5** you learned that the verb **gustar,** followed by an infinitive, is the most common Spanish equivalent for the English verb *to like* (*to do something*) and that **gustar** resembles the English verb phrase *to be pleasing* (*to someone*). You also learned that an indirect object pronoun (**me, te, nos, os, le,** or **les**) is used with **gustar** to identify the person to whom something is pleasing.

  A Nora le gusta cocinar. (*Nora likes to cook.*)
  Me gusta desayunar temprano. (*I like to eat breakfast early.*)

Use **gusta** if one item is being referred to; use **gustan** if more than one item is referred to.

> **Me gusta el café.**
> (*I like coffee.*)
> **Me gustan las tortillas de maíz.**
> (*I like corn tortillas.*)

A **Lan le gusta** leer novelas.	*Lan likes to read novels.*
A **Graciela** no **le gusta** la comida italiana.	*Graciela doesn't like Italian food.*
A **Guillermo** y **a Ernestito les gusta** mucho montar en bicicleta.	*Guillermo and Ernestito like to ride their bikes a lot.*

C. To state more emphatically that someone likes something, use the preposition **a** followed by the person (noun or pronoun) and then the corresponding indirect object pronoun (**me, te, le, nos, os, les**) + **gusta(n).**

—¿**A Paula le gustan** las hamburguesas?	—*Does Paula like hamburgers?*
—¡¿**A Paula**?! No, **a ella** no **le gustan** las hamburguesas.	—*Paula?! No, she doesn't like hamburgers.*

The following emphatic phrases are made up of the preposition **a** followed by pronouns. Notice that these pronouns are the same as the subject pronouns, except for **mí** and **ti.***

For emphasis, add:
a mí
a ti
a él / a ellos
a ella(s)
a usted(es)
a nosotros/as

> **A mí me gusta el chocolate.** (*I like chocolate*).
> **A ellas les gustan las papas fritas.**
> (*They like French fries.*)

a mí me gusta(n)	a nosotros/as nos gusta(n)
a ti te gusta(n)	a vosotros/as os gusta(n)
a usted le gusta(n)	a ustedes les gusta(n)
a él le gusta(n)	a ellos les gusta(n)
a ella le gusta(n)	a ellas les gusta(n)

Pues, **a mí me gustan** mucho todas las frutas, especialmente la papaya.	*Well, I really like all fruits, especially papaya.*
¿Y de veras **a ti no te gustan** las papas fritas?	*And do you really not like French fries?*

D. Emphatic short answers to questions with **gustar** are very common. Use the preposition **a** plus a pronoun or noun and the words **sí** or **no.**

—¿Le gustan las sardinas?	—*Do you like sardines?*
—¡**A mí, no!**	—*No, I don't!*
—¿Les gustan los postres de chocolate?	—*Do you like chocolate desserts?*
—**A mí, sí,** pero **a Nora, no.**	—*I do, but Nora doesn't.*

You can use the words **también** (*also*) and **tampoco** (*neither*) instead of **sí** and **no** in short answers.

With **gustar:**
a mí también = *me too*
a mí tampoco = *me neither*

—A Pablo le gustan las fajitas.	—*Pablo likes fajitas.*
—Pues, **a mí también.**	—*Well, so do I.*
—Luis, a mí no me gustan mucho estos tacos.	—*Luis, I don't like these tacos very much.*
—**A mí tampoco.**	—*I don't either.*

E. There are other Spanish verbs that function like **gustar.** One common one used to express likes and dislikes is **encantar.** (You will learn more about this kind of verb in **Gramática 10.5.**)

---

*Recognition: **a vos te gusta**

—A mí **me encanta** el flan.   —*I adore flan.*
—A mí también.   —*Me too.*

—**Nos encantan** los mariscos que   —*We love the seafood they serve*
sirven en este restaurante.   *in this restaurant.*
—A nosotros también.   —*So do we.*

A Ernesto y a Estela **les encanta**   *Ernesto and Estela love to eat*
salir a cenar.   *dinner out.*

> Remember to use **encanta** if referring to one item or **encantan** if more than one.
> **Les encanta la comida japonesa.** (*They really like Japanese food.*)
> **Nos encantan las papas fritas.** (*We adore French fries.*)

The preterite forms of **encantar** are **encantó** and **encantaron.**

A ella **le encantó** la cena.   *She loved the dinner.*
Me encantaron esas enchiladas.   *I really liked those enchiladas.*

EJERCICIO 3

Complete los siguientes diálogos.

Use **me/mí** y **te/ti.**

—¿_____¹ gustan las zanahorias?
—A mí no _____² gustan mucho. ¿Y a _____³?
—A _____,⁴ sí. Son muy buenas para la vista (los ojos).

Use **él/le, me/mí** y **te/ti.**

—¿A tu hermano _____⁵ gusta el pollo frito?
—A _____⁶ sí le gusta, pero a _____,⁷ no.
—¡A _____⁸ no te gusta el pollo! ¿Por qué no _____⁹ gusta?
—A _____¹⁰ sí me gusta el pollo, pero no _____¹¹ gusta el pollo
frito.

EJERCICIO 4

Haga oraciones que describan los gustos de las siguientes personas. Use
(1) una forma del verbo **encantar** (**encanta** o **encantan**); (2) el pronombre
apropiado (**me, te, le, les** o **nos**); y (3) el nombre de una comida.

MODELO: A mi hermana *le encantan las fresas.*

▶ **SUGERENCIAS**

el café	los dulces	el guacamole
los chiles rellenos	las fresas	las hamburguesas
el chocolate	los frijoles	las palomitas con mantequilla
la comida mexicana	la fruta	el pan

1. A mi mejor amigo/a
_____.

2. A mis padres _____.

3. A mi profesor(a) de
español _____.

4. A mi novio/a (esposo/a)
_____.

5. A mí _____.

6. A mi mejor amigo/a y a
mí _____.

8.3 Making Negative Statements and Questions: *No, Never*

algo	*something*	nada	*nothing*
alguien	*somebody*	nadie	*nobody*
algún	*some*	ningún	*none, no one*
alguno/a/os/as		ninguno/a (de)	
siempre	*always*	nunca (jamás)	*never*
también	*also*	tampoco	*neither*

A. Spanish often requires the use of multiple negatives in the same sentence when one responds negatively to a question.

> Whereas in English it is generally incorrect to have more than one negative in a sentence, in Spanish multiple negatives are frequently required.

—¿Tienes algo en el horno?
—**No, no** tengo **nada.**

—*Do you have something in the oven?*
—*No, I don't have anything.*

—¿Hay alguien en la puerta?
—**No, no** hay **nadie.**

—*Is there someone at the door?*
—*No, there is no one.*

—Señora Silva, ¿va usted siempre al mercado los martes?
—**No, no** voy **nunca** los martes.

—*Mrs. Silva, do you always go to the market on Tuesdays?*
—*No, I don't ever (I never) go on Tuesdays.*

B. **Alguno/a** corresponds to English *some* or *any*, and **ninguno/a** corresponds to English *none, not any,* or *neither one.*

> **algún (alguno/a/os/as)** = *some, any*
> **ningún (ninguno/a)** = *none, not any, neither one*

—¿Hay **algunos** postres sin azúcar?
—No, señor, no tenemos **ningún** postre sin azúcar.

—*Are there any desserts without sugar?*
—*No, sir, we don't have any desserts without sugar.*

—¿Hay **alguna** sopa sin carne?

—No, no hay **ninguna;** todas tienen carne.

—*Are there any soups without meat?*
—*No, there aren't any; they all have meat.*

Note that Spanish uses **ninguno/a** in the singular form.

C. **Alguno** and **ninguno** shorten to **algún** and **ningún** before masculine singular nouns.

—¿Hay **algún** restaurante en esta calle?
—No, no hay **ningún** restaurante por aquí.

—*Is there a restaurant on this street?*
—*No, there aren't any restaurants around here.*

Uno/Un, bueno/buen, primero/primer, and **tercero/tercer** follow the same rule.

¿Quieres pedir **una** copa de vino?

Do you want to order a glass of wine?

Sólo hay **un** plato mexicano en el menú.

There is only one Mexican dish on the menu.

¡Aquí sirven **unos** mariscos exquisitos!

They serve excellent seafood here!

Esteban es un **buen** cocinero.	*Esteban is a good cook.*
Nora y Carmen también son **buenas** cocineras.	*Nora and Carmen are also good cooks.*
Vamos a sentarnos en la **tercera** mesa.	*Let's sit down at the third table.*
El **primer** plato es la sopa.	*The first course is the soup.*

D. **No** is not used when the negative word precedes the verb.

Nunca como entre comidas.	*I never eat between meals.*
Nadie fue al mercado.	*Nobody went to the market.*

E. Express *I* (*you, we . . .*) *don't either* with a subject pronoun + **tampoco.**

—Yo no quiero comer helado.	*—I don't want to eat ice cream.*
—**Yo tampoco.**	*—I don't either.* (*Me neither.*)
Yo no quiero más arroz. **Tú tampoco,** ¿verdad?	*I don't want more rice. You don't either, do you?*

EJERCICIO 5

Conteste las siguientes preguntas de forma negativa. Use **nada, nadie, nunca** o **ninguno/a.**

MODELO: —¿Hay algo de comer en el refrigerador?
—No, no hay *nada.*

1. —¿Fue alguien al supermercado ayer?
—No, no fue _____.
2. —¿Desayunaste algo esta mañana?
—No, no comí _____.
3. —¿Siempre comes en restaurantes chinos?
—No, _____ como en ellos.
4. —¿Invitaste a alguien a cenar esta noche?
—No, no invité a _____.
5. —¿Compraste una sandía?
—No, no encontré _____ madura.
6. —¿Quieres algo de tomar?
—No gracias, no quiero _____.
7. —¿Te sirvo espinacas?
—No, gracias. ¡_____ las como!
8. —¿Por qué no invitaste a Diego y a Ramón a la fiesta?
—Los invité, pero _____ de los dos quiso **venir.**

EJERCICIO 6

Usted y Pedro Ruiz tienen gustos muy diferentes. En cada caso exprese una opinión opuesta a la de Pedro.

MODELO: PEDRO: Me encantan las almejas.   USTED: A mí, no. (A mí no me gustan.)

1. PEDRO: No me gustan las hamburguesas.   USTED: _____
2. PEDRO: Me encanta la horchata.   USTED: _____
3. PEDRO: No me gustan los guisantes.   USTED: _____

Usted y Ernesto Saucedo tienen los mismos gustos. En cada caso diga que usted está de acuerdo con la opinión de Ernesto.

MODELO: ERNESTO: No me gustan las comidas preelaboradas.   USTED: A mí tampoco (A mí tampoco me gustan).

4. ERNESTO: No me gusta el atún.   USTED: _____
5. ERNESTO: No me gustan los huevos revueltos.   USTED: _____
6. ERNESTO: Me gustan las pupusas.   USTED: _____

8.4 Expressing *One* or *You:* The Impersonal *se*

In addition to being a reflexive pronoun (see **Gramática 4.3**), **se** is also used in "impersonal" constructions.

In English this structure is expressed with the impersonal *you* (*You need good film to take good pictures*), the pronoun *one* (*One should always think before acting*), the pronoun *they* (*They sell beer by the glass*), or the simple passive (*Beer is sold only by the glass here*).

—¿Cómo **se dice** *tablecloth* en español?   —*How do you say* tablecloth *in Spanish?*
—**Se dice** «mantel».   —*You say* **mantel.**

Aquí **se habla** español.   *Spanish is spoken here.* (*They speak Spanish here.*)

Primero **se agrega** la sal y después **se mezcla** todo.   *First you add the salt and then you mix everything.*
No **se debe** dormir inmediatamente después de comer.   *One shouldn't* (*go to*) *sleep immediately after eating.*

If the topic in question is plural, the verb is usually also plural.

—¿**Se sirven mariscos** frescos aquí?   —*Are fresh shellfish served here?*
—Sí, **se preparan camarones** deliciosos y el precio es muy módico.   —*Yes, they prepare delicious shrimp, and the price is very moderate.*

EJERCICIO 7

Complete estas oraciones con la forma **se** impersonal de los siguientes verbos: **preparar, poner, cortar, lavar, agregar, necesitar, hablar** y **batir.**

1. Para preparar un sándwich de jamón y queso, _____ el jamón y el queso en rebanadas.

Se + third-person singular verb is used to express *one, you,* or impersonal *they.*
> **Se come mucho ajo en España.** (*One eats* [*They eat*] *lots of garlic in Spain.* (*Lots of garlic is eaten in Spain.*)

Se + third-person verb form is often used for instructions.
> **Primero se hierve el agua, después se le agrega la sal y luego se ponen los fideos y se cuecen por 8 minutos.** (*First you boil the water, then you add the salt, and then you put in the noodles and cook them for 8 minutes.*)

¡OJO!

The verb **necesitar** can be used twice. All others will be used once.

2. Para alimentarse bien, _____ comer de los cuatro grupos esenciales de alimentos.
3. Primero _____ el bróculi y luego _____ en el agua a hervir.
4. En este restaurante _____ mariscos frescos y deliciosos.
5. Para hacer un buen guacamole, _____ cebolla y otros ingredientes.
6. Para hacer una tortilla española, _____ huevos y patatas.
7. ¿_____ francés en ese restaurante?
8. ¿_____ los huevos para la tortilla española?

> **pedir** = to ask for
> present: **(yo) pido,**
>   **(él) pide**
> past: **(yo) pedí,**
>   **(él) pidió**
> **servir** = to serve
> present: **(yo) sirvo,**
>   **(él) sirve**
> past: **(yo) serví,**
>   **(él) sirvió**
>
> **Pedí camarones y fideos.**
> I ordered shrimp and pasta.
> **El mesero me sirvió almejas y arroz.**
> The waiter served me clams and rice.

8.5 Using Stem-Changing Verbs Like *pedir* and *servir*: Present-Tense and Preterite Forms

In a few verbs like **pedir** (*to order; to ask for*) and **servir** (*to serve*), the **-e-** of the infinitive changes to **-i-** in the present tense and the preterite. In the present, all forms of **pedir** and **servir** use the stems **pid-** and **sirv-** except for the **nosotros/as** and **vosotros/as** forms and the infinitive.*

	pedir	servir
(yo)	pido	sirvo
(tú)	pides	sirves
(usted, él/ella)	pide	sirve
(nosotros/as)	pedimos	servimos
(vosotros/as)	pedís	servís
(ustedes, ellos/as)	piden	sirven

In the preterite, only the **usted, él/ella** and **ustedes, ellos/as** forms use the stem with **i.**

	pedir	servir
(yo)	pedí	serví
(tú)	pediste	serviste
(usted, él/ella)	pidió	sirvió
(nosotros/as)	pedimos	servimos
(vosotros/as)	pedisteis	servisteis
(ustedes, ellos/as)	pidieron	sirvieron

En este restaurante **sirven** excelente comida. La semana pasada me **sirvieron** una paella sabrosísima.

They serve excellent food in this restaurant. Last week they served me a delicious paella.

---

*The **e** → **i** change also occurs in the present participles: **pidiendo** (*ordering*) and **sirviendo** (*serving*).

Recognition: **vos pedís, servís; vos pediste, serviste**

—Silvia, ¿qué platillo **pediste**
en el Restaurante Mi Casita?
—**Pedí** unas enchiladas de pollo.
Siempre **pido** lo mismo.

—*Silvia, what dish did you*
order at Mi Casita Restaurant?
—*I ordered chicken enchiladas.*
I always order the same thing.

The verbs **vestirse** (*to dress*) and **seguir** (*to follow*) conform to the **e** → **i** pattern.*

vestirse		seguir	
PRESENT	**PAST**	**PRESENT**	**PAST**
me v**i**sto	me vestí	s**i**go	seguí
te v**i**stes	te vestiste	s**i**gues	seguiste
se v**i**ste	se v**i**stió	s**i**gue	s**i**guió
nos vestimos	nos vestimos	seguimos	seguimos
os vestís	os vestisteis	seguís	seguisteis
se v**i**sten	se v**i**stieron	s**i**guen	s**i**guieron

Raúl se **vistió** rápido anoche.
Estela no **siguió** la receta.

Raúl dressed quickly last night.
Estela didn't follow the recipe.

Reír (*to laugh*), **sonreír** (*to smile*), and **freír** (*to fry*) also follow this pattern, except that in the third-person preterite forms one **i** is dropped: **fri- + -ió → frió; fri- + -ieron → frieron.**[†]

freír	
PRESENT	**PAST**
frío	freí
fríes	freíste
fríe	frió
freímos	freímos
freís	freísteis
fríen	frieron

Doña Rosita **frió** las tortillas.
Don Eduardo **sonrió** cuando
le sirvieron su platillo favorito.

Doña Rosita fried the tortillas.
Don Eduardo smiled when they
served him his favorite dish.

---

*The **e** → **i** change also occurs in the present participles: **vistiendo/vistiéndose** and **siguiendo.**
[†]The present participles are: **friendo, sonriendo,** and **riendo.**

Recognition: Present: **vos te vestís, seguís, freís, sonreís, reís**   Preterite: **vos te vestiste, seguiste, freíste, sonreíste, reíste**

EJERCICIO 8

Complete estos diálogos con las formas apropiadas de **servir** o **pedir**.

PILAR: ¿Qué vas a _____¹ ahora?
CLARA: Creo que voy a _____² pollo asado.
PILAR: En este restaurante _____³ muy buenos mariscos.
CLARA: Entonces voy a _____⁴ camarones fritos.

JOSÉ: ¿Qué _____⁵ tú en un restaurante mexicano?
PILAR: Eso depende. Si _____⁶ mariscos _____⁷ un cóctel de mariscos.
JOSÉ: ¿Y si no hay mariscos?
PILAR: Entonces prefiero _____⁸ un chile relleno.

PILAR: Ayer mi novio y yo fuimos a un restaurante francés muy elegante.
CLARA: ¿Qué _____⁹ ustedes?
PILAR: _____¹⁰ cóctel de mariscos, ensalada y carne de res en salsa de vino.
CLARA: Mmm. ¿Y les _____¹¹ postre también?
PILAR: Sí, yo _____¹² flan y mi novio _____¹³ pastel de chocolate.

JOSÉ: Pilar, ¿_____¹⁴ leche otra vez?
PILAR: No, ayer yo _____¹⁵ una Coca-Cola y Clara _____¹⁶ un vaso de leche.
JOSÉ: Ah sí, ya entiendo. Después ustedes _____¹⁷ un sándwich de pollo.
PILAR: No, José. Después _____¹⁸ un sándwich de jamón, pero el mesero nos _____¹⁹ sándwiches de pollo.
JOSÉ: ¿Y a mí también me _____²⁰ un sándwich de pollo?
PILAR: No, hombre. ¡Tú no fuiste con nosotros!

La comida mexicana es muy variada. Entre los platillos más populares se encuentran los tacos.

Capítulo 9
La niñez y la juventud

Sobre el artista: Walter Solón nació en 1924 en Uyuni, una pequeña ciudad al suroeste de Bolivia. En sus murales Solón trata los temas de la opresión y la resistencia política, y muchas de sus obras muestran la injusticia de las dictaduras. Víctimas de una dictadura militar en Bolivia, Solón y su esposa escaparon a Perú después de ser torturados. Solón murió en 1999.

METAS

In **Capítulo 9** you will expand your ability to talk about your family. You will learn to express different kinds of memories: your habitual activities and those of others, as well as how you felt about things in the past.

Fragmento de *Salud para todos,* por Walter Solón (Bolivia)

Bolivia

Época precolombina
Región habitada por los indígenas aimara y quechua

1100 Los incas establecieron el Imperio Inka.

1809 Varias sublevaciones criollas reprimidas por los españoles

1825 Se proclamó la República Bolívar, más tarde Bolivia.

1500   **1800**

1545 Se descubrieron las minas de Potosí y en 200 años miles de indígenas murieron por la explotación inhumana.

Chile invadió Bolivia e inició la guerra del Pacífico (ganó Chile).

1880

Los amigos animados: Para repasar

Antes de comenzar este capítulo, mire los segmentos animados para repasar el capítulo anterior.

A. El Restaurante Tres Estrellas. Desde Acapulco, un mensaje del Restaurante Tres Estrellas, el restaurante que todos preferimos.

B. Algo diferente. Andrea Saucedo y su esposo, Pedro Ruiz, van a salir a cenar con sus hijas Marisa y Clarisa. Ahora están decidiendo qué tipo de comida prefieren comer.

En este capítulo...

ACTIVIDADES DE COMUNICACIÓN

• La familia y los parientes
• La niñez
• La juventud

EN RESUMEN

LECTURAS Y CULTURA

• **Ventanas culturales**
  Nuestra comunidad: Carlos Santana… ¡Oye como va!
• **Enlace literario**
  «La noche buena», por Tomás Rivera
• **Ventanas culturales**
  La vida diaria: Los chicos de la calle
• **Lectura**
  ¡Así piensan los niños!

GRAMÁTICA Y EJERCICIOS

9.1 Describing Family Relationships: The Reciprocal Reflexive Verbs **parecerse** and **llevarse bien**

9.2 Expressing *for, from,* and *to whom:* Prepositions + Pronouns

9.3 Saying What You Used to Do: The Imperfect Tense

9.4 Describing the Past: The Imperfect and Preterite of "State" Verbs

9.5 Saying What You Were Going to Do: The Imperfect of **ir** + **a** + Infinitive

1904
Bolivia firmó un tratado de paz con Chile y perdió territorios en la costa.

1952
Se inició la Revolución Nacional Boliviana.

2000 Los habitantes de Cochambamba triunfaron en su lucha contra la privatización del agua.
2004
La Central Obrera Boliviana inició una huelga general pidiendo la nacionalización del gas natural en Bolivia.

1900

2000

1932–1935
Guerra con Paraguay por la posesión del Chaco Boreal (ganó Paraguay).

1985
El gobierno impuso estrictas medidas neoliberales; hubo manifestaciones populares.

2003
Cientos de miles de bolivianos protestaron contra los planes de privatización y exportación de gas natural; renunció el presidente Gonzalo Sánchez de Lozada.

Actividades de comunicación y lecturas

✳ La familia y los parientes

Lea Gramática 9.1–9.2.

La familia

ACTIVIDAD I   Definiciones: La familia de Raúl

Mire el dibujo de arriba y escuche las oraciones que le va a leer su profesor(a). Diga si son ciertas o falsas.

MODELO: PROF.: «La tía de Clarisa y Marisa se llama Andrea.» →
          E.: Falso. Andrea es *la madre* de Clarisa y Marisa.

ACTIVIDAD 2   Intercambios: La familia de Raúl

Hágale estas preguntas a su compañero/a.

1. ¿Cómo se llaman las hermanas de Raúl? ¿Y el hermano?
2. ¿Cuántos sobrinos tiene Raúl? ¿Cómo se llaman?
3. ¿Tienen nueras Dora y Javier?
4. ¿Cómo se llaman los cuñados de Raúl?
5. ¿Cómo se llama el suegro de Pedro y Estela?
6. ¿Cómo se llaman las cuñadas de Estela?
7. ¿Cuántos nietos tienen Dora y Javier?
8. ¿Cómo se llaman los tíos de Clarisa y Marisa?
9. ¿Cómo se llaman los primos de Clarisa y Marisa?
10. ¿Cómo se llama el yerno de Dora y Javier?

ACTIVIDAD 3   Descripción de dibujos: La familia de Mónica

Lea la descripción de la familia de Mónica en la página 312. Basándose en el árbol genealógico, llene los espacios en blanco con los nombres o palabras apropiados.

¡OJO!

En el mundo hispano, las relaciones entre los mayores y los jóvenes son íntimas y especiales. Conversan, comparten ideas, salen a pasear y juegan juntos. Los abuelos participan en las experiencias de sus nietos, y los nietos escuchan las historias y los recuerdos de sus abuelos. Así se mantiene viva la historia familiar.

Los padres de Mónica se llaman _____ y _____ y están _____.
Mónica vive con su madre y su _____, Tony. Su madre y Tony tienen
dos hijas, Jessica y Ashley. Ellas son las _____ de Mónica. Jessica
se parece a _____, pero Ashley se parece más a _____.

La nueva esposa de Henry Clark se llama _____. Sharon tiene dos
hijos de su primer esposo; se llaman _____ y _____ y son los
_____ de Mónica. Mónica no visita a sus hermanastros con frecuencia, pero se lleva bien con ellos. A Mónica le gusta hablar con Sharon, su
_____, pero dice que su padrastro, Tony, no la comprende.

R E F R Á N

De tal palo, tal astilla.

(*Like father, like son.* Literally, *From this stick, this* [*similar*] *splinter.*)

ACTIVIDAD 4   Diálogo abierto: La familia

Diga a quién se parecen usted y otras personas de su familia. ¿Se llevan bien
usted y estas personas?

E1: ¿A quién te pareces?
E2: Me parezco a _____.
E1: ¿A quién se parece tu _____? (*hermano/a, hijo/a, primo/a, sobrino/a*)
E2: Se parece a _____.
E1: ¿Te llevas bien con tu _____? (*padre, madre, padrastro, madrastra, hermano/a, hermanastro/a, primo/a, tío/a, cuñado/a*)
E2: Sí me llevo bien (*o* No, no me llevo bien) con él/ella por-
que _____.

ACTIVIDAD 5   Entrevista: Mi familia y mis parientes

1. ¿Vives con tus padres o con otros parientes? ¿Están divorciados
   tus padres? ¿Tienes padrastro o madrastra? ¿Te llevas bien con
   él/ella?
2. ¿Están vivos o muertos tus abuelos? ¿Dónde viven? ¿Los ves con
   frecuencia? Si están muertos, ¿cuánto tiempo hace que murieron?
3. ¿Cuántos hermanos tienes? ¿Tienes medios hermanos o medias
   hermanas? ¿Te pareces a ellos/as? ¿Tienes hermanastros o herma-
   nastras? ¿Te llevas bien con ellos/as?
4. ¿Cuántos tíos tienes? ¿Dónde viven? ¿Tienes muchos primos o
   pocos? ¿Celebras los días feriados con tus tíos y tus primos?
5. ¿Están casados tus hermanos? ¿Te llevas bien con tus cuñados?
   ¿Tienes sobrinos? ¿Cuántos años tienen? ¿Cómo se llaman?
6. ¿Estás casado/a tú? ¿Tienes hijos? ¿Cómo se llaman? ¿Están
   casados tus hijos? ¿Cómo se llama tu nuera/yerno? ¿Tienes
   nietos? ¿Cuántos años tienen?

✳ La niñez

Lea Gramática 9.3.

Cuando (yo) era niña, vivía en Guanajuato.

15, 16, 17...

Mis amigas y yo jugábamos al escondite en el parque.

Leía las tiras cómicas los domingos.

Saltaba la cuerda.

Mis amigas y yo jugábamos con nuestras muñequitas en el jardín de la casa.

Mi abuela y yo preparábamos la cena.

Jugaba al bebeleche en el patio de recreo de la escuela.

ACTIVIDAD 6   Asociaciones: La niñez de algunas personas famosas

¿Qué hacían estas personas famosas en su niñez?

Rubén Blades, cantante y abogado panameño
Rigoberta Menchú, activista de Guatemala
Arantxa Sánchez Vicario, tenista española
Cristóbal Colón, navegante y explorador

1. Soñaba con cambiar la sociedad.
2. Practicaba el tenis.
3. Nadaba en el Mar Caribe.
4. Vivía en España.
5. Navegaba.
6. Quería mejorar la vida de los indígenas de su país.
7. Comía comida panameña.
8. Quería descubrir «nuevos mundos».
9. Estudiaba música.
10. Hablaba español.
11. Estudiaba los mapas.
12. Soñaba con viajar.
13. Deseaba descubrir una nueva ruta a la India.
14. Era bilingüe.
15. Vivía en Panamá.
16. Competía en muchos torneos de tenis.

ACTIVIDAD 7 Conversación: ¡Viva el verano!

Mire el dibujo y piense en su niñez.

¿Hacía usted las mismas cosas que los niños de los dibujos?

¿Iba al cine? ¿Con quién(es)?

¿Jugaba a la pelota? ¿Dónde?

¿Volaba un papalote? ¿Dónde?

¿Iba al zoológico? ¿Dónde? ¿Con quién(es)?

¿Paseaba en bicicleta? ¿Dónde, en el parque o en su barrio?

¿Tomaba helados? ¿Qué sabor prefería?

¿Qué otras cosas hacía durante el verano?

ACTIVIDAD 8   Descripción de dibujos: La niñez de los amigos norteamericanos

Mire la siguiente tabla y escuche las oraciones que le lee su profesor(a). Diga si son ciertas o falsas.

Ahora, hágale preguntas a un compañero / una compañera según la tabla.

MODELO: E1: ¿Qué hacía Lan siempre de niña?
              E2: *Sacaba buenas notas.*

Finalmente, hágale preguntas a su compañero/a sobre lo que él/ella hacía de niño/a.

MODELO: E1: De niño/a, ¿qué hacías tú después de las clases?
              E2: *Jugaba con mis amiguitos.*

VENTANAS CULTURALES   Nuestra comunidad

Carlos Santana... ¡Oye como va!

¿Conoce usted la música de Carlos Santana? Si ha escuchado los discos de este guitarrista mexicano, entonces sabe que Santana tiene un sonido único, mezcla de rock, blues y ritmos afrocubanos. Santana se hizo famoso con la canción "Oye como va" en 1970 y desde entonces ha tenido una serie estimable de éxitos: ¡31 álbumes! Su compacto *Supernatural* (1999) recibió nueve premios Grammy en 2000 y fue el ganador del Disco del Año. Ahora Carlos Santana es parte del Salón de la Fama del Rock.

Santana no es sólo un gran músico y artista famoso; también es un hombre humanitario que se dedica a hacer obras de caridad. En 1999, el guitarrista recibió el Premio de Excelencia del Congreso estadounidense por su servicio a la comunidad hispana y por su trabajo en la Fundación Milagro. Santana creó esta fundación con su esposa Déborah en 1997. Su objetivo es ayudar a los hispanos pobres. Se enfoca especialmente en la educación, la salud y el albergue de los niños en los Estados Unidos y México.

Carlos y Déborah Santana quieren mejorar la situación de la gente necesitada en nuestra sociedad, y con su fundación están realizando este objetivo. El talentoso músico opina que uno debe dejar una huella en el mundo. Sin duda, Santana dejará una huella profunda.

Carlos Santana recibe uno de sus muchos premios.

VOCABULARIO ÚTIL	
el éxito	*triumph, (music) hit*
el Salón de la Fama	*Hall of Fame*
la obra de caridad	*work of charity*
Milagro	*Miracle*
el albergue	*shelter*
dejar una huella	*to leave a mark*

Ahora... ¡ustedes!

¿Te gusta la música de Carlos Santana? ¿Qué opinas de su fundación? Digamos que tienes suficiente dinero para crear una organización como la Fundación Milagro de Santana. ¿A quiénes va a ayudar tu fundación? ¿Por qué?

ACTIVIDAD 9   Entrevista: La niñez

1. De niño/a, ¿vivías en una ciudad o en un pueblito?
2. ¿Qué te gustaba hacer? ¿Jugabas con muñecas? ¿con carritos?
3. ¿Tenías perro o gato? ¿Cómo se llamaba?
4. ¿A qué escuela asistías? ¿Cómo era? ¿Recuerdas cómo se llamaba tu maestro favorito / maestra favorita? ¿Por qué era tu favorito/a?
5. ¿Qué te gustaba hacer en la escuela? ¿Qué no te gustaba hacer?
6. ¿Tenías muchos amiguitos? ¿A qué jugaban en el recreo? ¿al gato? ¿a la pelota? ¿al escondite? ¿a la rayuela (al bebeleche)?
7. ¿Ibas al cine con frecuencia? ¿Qué películas te gustaba ver?

«La noche buena», por Tomás Rivera

Selección de su novela *...y no se lo tragó la tierra* (1971)

Tomás Rivera (1935–1984) es uno de los escritores mexicoamericanos más reconocidos y apreciados. Poeta y novelista, Rivera también se destacó como profesor y administrador en varias universidades. La obra más importante de Rivera es *...y no se lo tragó la tierra*. Esta novela muestra las dificultades y esperanzas de una comunidad de obreros migratorios mexicanos en los años 50. El protagonista es un joven que cuenta la historia de su familia y sus vecinos. En esta selección vemos el deseo de una madre pobre de comprarles regalos de Navidad a sus hijos.

La noche buena

Faltaban tres días para la nochebuena cuando doña María se decidió comprarles algo a sus niños. Esta sería[1] la primera vez que les compraría[2] juguetes. Cada año se proponía hacerlo pero siempre terminaba diciéndose que no, que no podían. Su esposo de todas maneras les traía dulces y nueces a cada uno, así que racionalizaba que en realidad no les faltaba[3] nada. Sin embargo cada navidad preguntaban los niños por sus juguetes. Ella siempre los apaciguaba[4] con lo de siempre. Les decía que se esperaran[5] hasta el seis de enero, el día de los reyes magos y así para cuando se llegaba ese día ya hasta se les había olvidado[6] todo a los niños. También había notado[7] que sus hijos apreciaban menos y menos la venida[8] de don Chon[9] la noche de navidad cuando venía con el costal[10] de naranjas y nueces.

—Pero, ¿por qué a nosotros no nos trae nada Santo Clos?[11]

—¿Cómo que no? ¿Luego cuando viene y les trae naranjas y nueces?

—No, pero ése es don Chon.

—No, yo digo lo que siempre aparece debajo de la máquina de coser.[12]

—Ah, eso lo trae papá, apoco cree que no sabemos. ¿Es que no somos buenos como los demás?

—Sí, sí son buenos, pero... pues espérense hasta el día de los reyes magos. Ése es el día en que de veras[13] vienen los juguetes y los regalos. Allá en México no viene Santo Clos sino los reyes magos. Y no vienen hasta el seis de enero. Así que ése sí es el mero[14] día.

—Pero, lo que pasa es que se les olvida.[15] Porque a nosotros nunca nos han dado[16] nada ni en la noche buena ni en el día de los reyes magos.

—Bueno, pero a lo mejor esta vez sí.

—Pos[17] sí, ojalá.

Actividad creativa: La promesa

¿Recuerda usted alguna promesa que sus padres le hicieron cuando era niño o adolescente? Piense en algo que su mamá o su papá le prometió y describa este recuerdo en una página. ¿Cumplió[18] él o ella la promesa? ¿Recibió usted lo que deseaba?

---

[1]*would be*   [2]*would buy*   [3]*no... they didn't lack anything*   [4]*los... calmed them down, appeased them*   [5]*Les... She told them to wait*   [6]*se... had forgotten*   [7]*había... she had noticed*   [8]*arrival*   [9]Don Chon es un amigo de la familia.   [10]*sack*   [11]Esta pregunta la hacen los niños; el diálogo es entre la mamá y sus hijos.   [12]*máquina... sewing machine*   [13]*de... really, surely*   [14]correcto, verdadero (*Mex.*)   [15]*se... they forget*   [16]*nunca... they have never given us*   [17]Pues (*Mex.*)   [18]*Fulfilled*

✳ La juventud

Lea Gramática 9.4–9.5.

Pedro

Pedro Ruiz Galván era un joven muy guapo.

Bailaba con su novia Andrea en las fiestas.

Escribía cuentos para su clase de lengua.

En la escuela siempre se metía en líos.

Tenía muchos amigos. Iba al cine con ellos.

Conoció a su mejor amigo, Ernesto Saucedo Muñoz, cuando los dos tenían 13 años.

Quería casarse a los 15 años, pero su papá no quiso darle permiso.

ACTIVIDAD 10 **Intercambios: La juventud de los amigos hispanos**

Hágale preguntas a su compañero/a sobre lo que hacían los amigos hispanos cuando eran más jóvenes.

MODELOS: E1: ¿Qué hacía *Ricardo después de las clases?*
E2: *Veía la televisión.*

E1: ¿Quién *esquiaba durante las vacaciones?*
E2: *Adriana.*

ACTIVIDAD 11   Intercambios: La escuela secundaria

Diga qué hacía usted en estas situaciones cuando era estudiante de la escuela secundaria.

MODELO: E1: Cuando mi madre no me permitía ver la televisión antes de hacer la tarea, hacía sólo una parte y le decía: «¡Ya terminé!»

E2: ¡Qué pícaro/a!

I. Cuando no quería ir a la escuela,...
   a. decía: «Ay, estoy enfermo/a.»
   b. iba al cine.
   c. decía: «¡Pero si hoy no hay clases!»
   d. ¿ ?

2. Cuando mi madre no me permitía ver la televisión antes de hacer la tarea,...
   a. lloraba.
   b. hacía la tarea rápidamente.
   c. decía: «¡Pero si hoy no tengo tarea!»
   d. ¿ ?

3. Cuando quería comprar ropa nueva y no tenía dinero,...
   a. le pedía dinero a mi padre (madre, abuelo,...).
   b. ahorraba dinero.
   c. trabajaba.
   d. ¿ ?

4. Cuando quería salir con mis amigos y mi padre/madre no me daba permiso,...
   a. me escapaba cuando todos estaban dormidos.
   b. discutía con mi padre/madre.
   c. lloraba y gritaba.
   d. ¿ ?

5. Cuando tenía que entregarle la tarea al profesor / a la profesora y no la tenía,...
   a. la hacía rápidamente durante la clase.
   b. le decía: «Anoche no pude hacerla porque estaba enfermo/a.»
   c. le preguntaba: «¿Teníamos tarea?»
   d. ¿ ?

▶ **Y TÚ, ¿QUÉ DICES?**

Yo también.
Yo no, yo...
¿De veras?
¡Qué pícaro/a!
¡No lo creo!
¡Qué mentiroso/a!
¡Qué buena idea!
¿Y nunca tuviste problemas?

ACTIVIDAD 12   Entrevistas: La juventud

LA ESCUELA SECUNDARIA

1. ¿Cómo se llamaba tu escuela secundaria?
2. ¿Vivías lejos o cerca de la escuela? ¿Llegabas a la escuela a tiempo o tarde?
3. ¿Qué materia preferías? ¿Sacabas buenas notas?
4. ¿En qué actividades participabas? ¿En actividades deportivas? ¿En teatro? ¿Eras socio/a de algún club?
5. ¿Qué hacías después de las clases todos los días? ¿Estudiabas mucho? ¿Salías con tus amigos? ¿Adónde iban?

LOS VERANOS

1. Cuando eras más joven, ¿dónde pasabas los veranos?
2. ¿Visitabas a tus parientes? ¿Qué hacías con ellos?
3. ¿Trabajabas? ¿dónde? ¿Qué hacías? ¿Ganabas mucho dinero?
4. ¿Qué hacías por las tardes? ¿por las noches?
5. ¿Había cosas que querías hacer pero que tus padres no te permitían? ¿Recuerdas algunas? ¿Por qué no te permitían hacerlas? ¿Las hacías o eras muy obediente y no las hacías?

ACTIVIDAD 13   Entrevista: La juventud de una persona famosa

Imagínese que usted es una persona famosa: actor o actriz de cine, atleta, científico o político. Su compañero es periodista y le va a hacer preguntas sobre su juventud. Si no sabe qué hacía su personaje, puede inventar sus actividades.

E1: Buenas tardes Sr./Sra./Srta. _____. ¿Le puedo hacer algunas preguntas sobre su vida?

E2: ¡Por supuesto!

E1: ¿_____?

▶ PREGUNTAS POSIBLES

¿Dónde vivía?
¿Viajaba con frecuencia?
¿Le gustaba la escuela?
¿Veía mucho la televisión?
¿Practicaba algún deporte?
¿Leía mucho?
¿Cuál era su comida favorita?
¿Qué le gustaba hacer en su tiempo libre?

VENTANAS CULTURALES   La vida diaria

Los chicos de la calle

Los números son alarmantes: hay 40 millones de niños desamparados en las ciudades de América Latina. Son niños sin familia que viven en la calle y duermen en edificios abandonados y parques públicos. Muchos de ellos sufren abuso físico, usan drogas y están enfermos. Una de las razones de este problema es el rápido crecimiento de la población en las ciudades grandes. Otra razón es económica: la injusta distribución de recursos.

Por suerte hay gente que está ayudando a estos niños desamparados, como la organización Casa Alianza, que ofrece cuidado y refugio a 9.000 niños de la calle anualmente. La oficina central de esta organización está en San José, Costa Rica, aunque extiende sus servicios a Honduras, México y Nicaragua. Casa Alianza también tiene un sitio Web donde los niños hablan de su vida. En Buenos Aires, Argentina, hay un centro llamado CAINA que socorre a niños y adolescentes. Este lugar provee comida, ducha y deportes a más de 2.000 chicos cada año. Además, el CAINA produce una revista titulada *Chicos de la calle*. En esta revista, los jóvenes cuentan su historia en tiras cómicas y fotonovelas. Las fotonovelas son narraciones ilustradas con fotografías; los niños toman todas las fotos. Una de las revistas, por ejemplo, cuenta la historia de un niño que roba flores para dárselas de regalo a su madre.

La revista *Chicos de la calle* y el sitio Web de Casa Alianza contribuyen a cambiar la imagen negativa que hay de tantos jóvenes desamparados. Detrás de su imagen agresiva, aparecen estos niños con ilusiones de vivir una vida normal. Ellos desean lo mismo que mucha gente: un hogar, una familia y un futuro.

VOCABULARIO ÚTIL

desamparado	*homeless*
el crecimiento de la población	*population growth*
los recursos	*resources*
socorre	*helps*
la tira cómica	*comic strip*

Ahora... ¡ustedes!

¿Te parece importante la revista *Chicos de la calle*? ¿Por qué? Esta revista incluye una tira cómica, una fotonovela y artículos. ¿Qué otros segmentos piensas que debe tener esta revista? ¿Qué temas debe explorar?

En resumen

De todo un poco

Los recuerdos

¿Qué recuerdos tiene usted relacionados con su familia y con su niñez o juventud? Complete las siguientes oraciones.

MODELO: Recuerdo que para Pascua siempre *íbamos al parque a buscar huevitos.*

I. Recuerdo que en Navidad (Jánuca, Ramadán, el Año Nuevo,...) mi abuela (madre, tío,...) siempre...

2. Cuando era niño/a, para el Día de la Independencia (el 4 de julio) mi familia siempre...

3. Para mi cumpleaños, mis padres (tíos, primos, abuelos, hermanos,...) siempre...

4. Todavía recuerdo que para el Día de Acción de Gracias...

Ahora, comparta sus recuerdos con un compañero / una compañera.

¡Dígalo por escrito!

La niñez/juventud ideal

Piense en su niñez o juventud. ¿Fue ideal su niñez/juventud o hay cosas que quisiera cambiar? Escriba una composición sobre las actividades en la vida ideal de un niño / una niña o un joven / una joven.

MODELO: De niña mi familia y yo vivíamos en una isla en el Mar Caribe. Yo iba a la escuela en bicicleta y nadaba en el mar a la hora del almuerzo. Por la tarde...

▶ **ALGUNAS ACTIVIDADES IDEALES POSIBLES**

dormir en casa de amigos	nadar
asistir a conciertos	pasar tiempo con (*persona*)
comer muchos dulces	ver la televisión (videos) en mi
no hacer la tarea	cuarto
andar en patineta	ir de compras
jugar videojuegos	acampar en la montaña
ir a fiestas	salir con amigos
ir al cine	practicar deportes

¡Cuéntenos usted!

Cuéntenos sobre uno de sus primeros recuerdos. ¿Cuántos años tenía? ¿Dónde estaba? ¿Con quién estaba? ¿Qué hacía?

LECTURA ¡Así piensan los niños!

VOCABULARIO ÚTIL

díver	*divertido*
la propuesta	*proposal*
te escondes	*you hide*
precavida	*cautious*
la cuesta empinada	*steep hill*
¡te vas a caer!	*you'll fall!*
agarrada a los tirantes	*hanging on to suspenders*
hacerse grande	*become a big girl*
pensativa	*thoughtful*
un rato	*a while*
hubiese entendido	*she had understood*
prosiguió	*she continued*

¡QUÉ DÍVER!
María (3 años) y su amiga Patricia (5 años) estaban jugando en el jardín de nuestra casa. De pronto, María hizo una propuesta sugerente: «¿Por qué no jugamos a que tú te escondes detrás de ese árbol y yo te busco?»
(Ana Isabel Fernández, Palma)

NIÑA PRECAVIDA
Mi hija Ana (3 años) bajó corriendo por una cuesta muy empinada. «¡Ten cuidado, que te vas a caer!» exclamé al verla correr tan alocada. «No te preocupes, mamá», respondió ella. «¡Voy agarrada a los tirantes!»
(Lourdes Mejido, Badajoz)

LÓGICA INFANTIL
Le dije a mi hija Conchita (4 años) que tenía que comer todo el arroz para hacerse grande como papá y mamá. La pequeña se quedó pensativa y después de un rato me dijo: «Mami, yo tengo que comer para hacerme grande como papá y como tú, ¿verdad?»

«¡Sí, mi niña!» exclamé, contenta de que por fin lo hubiese entendido. «Oye —prosiguió ella— ¿y vosotros para qué coméis?»
(Conchita Palazón, Sardañola)

Comprensión

1. ¿Por qué está preocupada la mamá de Ana? Según Ana, ¿por qué no necesita preocuparse su mamá?
2. ¿A qué jugaban María y Patricia?
3. Según la madre de Conchita, ¿para qué tienen que comer los niños todo lo que sus padres les sirven?
4. ¿Por qué pregunta Conchita para qué comen sus padres?

Un paso más... ¡a escribir!

¿Recuerda algo chistoso que usted o su hijo/a dijo cuando tenía cuatro, cinco, seis o siete años? Prepare con un compañero / una compañera una breve comedia sobre una experiencia cómica o interesante de la infancia. Escriban su diálogo para luego actuarlo en clase.

ocabulario

• La familia y los parientes — Family and Relatives

el cuñado / la cuñada	brother-in-law/sister-in-law
el hermanastro / la hermanastra	stepbrother/stepsister
el hijastro / la hijastra	stepson/stepdaughter
la madrastra	stepmother
el medio hermano / la media hermana	half brother / half sister
la nuera	daughter-in-law
el padrastro	stepfather
el suegro / la suegra	father-in-law/mother-in-law
los suegros	in-laws
yerno	son-in-law

REPASO: el abuelo (abuelito) / la abuela (abuelita), el hermano (hermanito) / la hermana (hermanita), el hijo (hijito) / la hija (hijita), el hijo único / la hija única, la madre, el nieto / la nieta, el padre, los padres, el primo / la prima, el sobrino / la sobrina, el tío / la tía

• Los verbos — Verbs

ahorrar	to save
basarse en	to be based upon
cambiar	to change
competir (i)	to compete
dar permiso	to give permission
descubrir	to discover
discutir	to discuss, to argue
entregar	to hand in, turn in
inventar	to invent
jugar (ue)	to play
a la pelota	ball
a la rayuela (bebeleche) (Mex.)	hopscotch
al escondite	hide-and-seek
al gato	tag
con carritos, muñecas	with little cars, dolls
llenar (el espacio en blanco)	to fill (in the blank)
llevarse bien	to get along well
mejorar(se)	to improve; to get better
meterse en líos	to get into trouble
parecerse	to look like
pelear	to fight
permitir(se)	to allow
recordar (ue)	to remember
sacar buenas / malas notas	to get good/bad grades
saltar la cuerda	to jump rope
soñar (con)	to dream (about)
subirse a los árboles	to climb trees
volar un papalote (Mex.)	to fly a kite

PALABRA SEMEJANTE: escaparse
REPASO: casarse, preguntar, volar una cometa

• Los sustantivos — Nouns

el árbol genealógico	family tree
el barrio	neighborhood
el científico / la científica	scientist
el cuento	story
la escuela	
primaria	elementary school
secundaria	junior high / high school
el/la joven	young person
la juventud	youth
la niñez	childhood
el/la periodista	reporter
el personaje	character (in a story)
el/la político	politician
el pueblito	little town
el recreo	recess, break
el patio de recreo	playground
los recuerdos	memories
el socio / la socia	member
las tiras cómicas	comic strips

PALABRAS SEMEJANTES: el (la) activista, el animal doméstico, el (la) atleta, el explorador / la exploradora, el navegante, la ruta, la sociedad, el (la) tenista, la terminal de autobuses
REPASO: la mascota, la materia, la preparatoria, la vida

• Los adjetivos — Adjectives

cierto/a	true
dormido/a	asleep
estar muerto/a (vivo/a)	to be dead (alive)
obediente	well–behaved, obedient
pocos/as	few

PALABRAS SEMEJANTES: falso/a

• Palabras y expresiones útiles

a tiempo	on time
¿Cómo era… ?	What was/were . . . like?
de niño/a	as a child
había	there was/were
¡Qué mentiroso/a!	What a liar!
¡Qué pícaro/a!	What a rascal!
todavía	still
¡Viva… !	Hooray (for) …!; Long live …!

Gramática y ejercicios

You have already studied some reflexive verbs (see **Gramática 4.3**) that are used to express daily routine: **levantarse, ducharse, despertarse, vestirse, afeitarse, maquillarse,** etc. Remember that reflexive verbs use a reflexive pronoun (**me, te, se, nos, os, se**) placed in front of the conjugated verb.

me levanto = *I get up*
te bañas = *you (inf. sing.) take a bath*
se afeita = *you (pol. sing.) shave; he/she shaves*
nos vestimos = *we get dressed*
se acuestan = *you (pl.) / they go to bed*

parecerse = *to look like*
—**¿A quién te pareces?**
 (*Who do you look like?*)
—**Me parezco a mi hermana.**
 (*I look like my sister.*)

9.1 Describing Family Relationships: The Reciprocal Reflexive Verbs *parecerse* and *llevarse bien*

GRAMÁTICA ILUSTRADA

Andrea y Paula son gemelas. Se parecen mucho.

Susana se lleva muy bien con sus hijos.

Mónica y su padrastro no siempre se llevan bien.

Some reflexive verbs have a special meaning. One such verb is **parecerse*** (*to look like*).

parecerse (*to look like*)		
(yo)	me parezco†	*I look like*
(tú)	te pareces	*you (inf. sing.) look like*
(usted, él/ella)	se parece	*you (pol. sing.) look like; he/she looks like*
(nosotros/as)	nos parecemos	*we look like*
(vosotros/as)	os parecéis	*you (inf. pl., Spain) look like*
(ustedes, ellos/as)	se parecen	*you (pl.) look like; they look like*

—¿A quién **te pareces**?
—**Me parezco a** mi tía Lila.
 Nuestros hijos **se parecen a** mi suegro.

—*Who do you look like?*
—*I look like my Aunt Lila.*
 Our children look like my father-in-law.

---

*Recognition: **vos te parecés**
†Don't forget to use the personal **a** with this verb. See **Gramática 6.4.**

Another reflexive verb with special meaning is **llevarse... con** (*to get along . . . with*).

—¿**Con** quién **te llevas** mejor, con tu mamá o con tu papá?

—With whom do you get along better, your mother or your father?

—**Me llevo** mejor **con** mi papá.

—I get along better with my father.

When used in plural form, some reflexive verbs can express reciprocal action (*to each other*). Both **parecerse** and **llevarse** can be used in this way. (You will learn more about other reciprocal reflexives in **Gramática 14.1.**)

Clarisa y Marisa no son gemelas, pero **se parecen** mucho.

Clarisa and Marisa are not twins, but they look a lot alike.

Mi abuela y yo **nos parecemos.**

My grandmother and I look alike.

Mi cuñada y yo **no nos llevamos bien.**

My sister-in-law and I don't get along well.

Graciela y Amanda **se llevan** muy bien; son muy buenas amigas.

Graciela y Amanda get along very well; they are very good friends.

> **llevarse bien con** = *to get along well with*
> —¿**Te llevas bien con tus hermanos?** (*Do you get along well with your siblings?*)
> —**Sí, me llevo bien con todos en mi familia.** (*Yes, I get along well with everyone in my family.*)

> Reflexive verbs are also used to express reciprocal actions (*each other*).

> **nos parecemos** = *we look alike (like each other)*
> **se parecen** = *they look alike (like each other)*
> **se llevan bien** = *they get along well (with each other)*

EJERCICIO 1

Use las formas apropiadas del verbo **parecerse** para completar las siguientes oraciones.

1. Ernestito _____ mucho a su padre.

2. Amanda y Guillermo son hermanos pero no _____.

Amanda dice: «Yo _____ a papá; ¿a quién _____ tú, Guillermo?»

3. Andrea dice: «Yo _____ mucho a Paula, pero _____ menos a Raúl.»

4. Paula dice: «Sí, Andrea, tú y yo _____ mucho porque somos gemelas. Raúl _____ más a mamá.»

5. ¿A quién _____ más usted, a su padre o a su madre?

EJERCICIO 2

Use las formas apropiadas del verbo **(no) llevarse** para terminar correctamente estas oraciones.

1. MÓNICA: Mis padres se divorciaron, pero ahora _____ bien.

2. SR. VO: Lan, ¿_____ bien con tus compañeros de clase?

LAN: Sí, papá. En la clase de la profesora Martínez todos _____ muy bien; somos buenos amigos.

3. MÓNICA: Mis hermanastros y yo _____ bien, pero yo no _____ bien con mi padrastro.

4. NORA: Mis primos _____ muy bien; siempre les gusta estar juntos.

5. ESTEBAN: Raúl, ¿ahora _____ (tú) bien con las chicas?

RAÚL: ¡Por supuesto, Esteban! Las chicas bonitas y yo _____ muy bien.

9.2 Expressing *for, from,* and *to* whom: Prepositions + Pronouns

A. As you saw in **Gramática 8.2,** pronouns often follow prepositions in Spanish.

a mí	*to, at me*	para ella	*for her*
de ti, usted(es)	*of, from you*	sin nosotros/as	*without us*
en él	*in, on him/it*	con ellos/as	*with them*
		para vosotros/as	*for you*

—¿Para quién es el regalo? ¿Es **para mí**?
—No, es **para él**.

—¿**Sin** Rogelio? No podemos ir **sin él**.

Adriana es una magnífica empleada. Tengo mucha confianza **en ella**.

—*Who is the present for? Is it for me?*
—*No, it's for him.*

—*Without Rogelio? We can't go without him.*

Adriana is a great employee. I have a lot of confidence in her.

B. Con and **mí** combine to form **conmigo** (*with me*). **Con** and **ti** form **contigo** (*with you*).

—Nora, ¿quieres ir **conmigo** al cine esta tarde?
—No, Esteban. No puedo ir **contigo** esta tarde. Tengo que llevar a mi abuelita al aeropuerto.

—*Nora, do you want to go to the movies with me this afternoon?*
—*No, Esteban. I can't go with you this afternoon. I have to take my grandma to the airport.*

> **conmigo** = *with me*
> **contigo** = *with you (inf. sing.)*

EJERCICIO 3

Graciela le dice a Amanda para quién(es) son algunas cosas y Amanda reacciona con sorpresa. ¿Qué dice Amanda en cada caso?

MODELO: Esta calculadora es para mi hermanito. →
¿Para *él*? ¡No lo creo! *¡Es muy pequeño!*

▶ POSIBILIDADES

¿Para _____?   ¡No me/te/le/nos/les gusta(n)!
¡No lo creo!   ¡Es muy pequeño/a!
¿Te/Le/Les gusta(n)?

1. Esta corbata es para mi tía.
2. Este abrigo es para ti.
3. Este disco compacto de música clásica es para Clarisa y Marisa.
4. Estos periódicos son para ti y para tus amigos.
5. Esta patineta es para mi abuelito.
6. Esta cerveza es para mí.
7. Estas muñecas son para la profesora de español.
8. Esta ensalada es para Lobo, el perro de Ernestito.

EJERCICIO 4

Complete estos diálogos con **mí, ti, él, conmigo** o **contigo.**

1. DIEGO: Amanda, ¿quieres ir _____[a] al Baile de los Enamorados?
    AMANDA: No, Diego. Lo siento, pero no puedo ir _____[b] porque voy a ir con Ramón, mi novio.

2. RAFAEL: Graciela, estas rosas son para _____.[a] ¿Te gustan?
    GRACIELA: ¿Para _____[b]? ¡Ay, Rafael, muchas gracias! Me encantan.

3. AMANDA: Graciela, ¿qué piensas tú de Luc, el nuevo estudiante francés?
    GRACIELA: ¿Qué pienso de _____[a]? Pues, no lo conozco, pero creo que es *muy* atractivo.
    AMANDA: Ajá... y yo voy a estudiar con _____[b] esta tarde... en mi casa.
    GRACIELA: ¡No lo creo, Amanda! ¿Vas a estudiar con _____[c]? ¿Sola? ¿Sin _____[d]? ¡Qué envidia!

9.3 Saying What You Used to Do: The Imperfect Tense

A. The Spanish imperfect tense is used to describe actions that occurred repeatedly or habitually in the past. To express the same idea, English often uses the phrases *used to* or *would,* or just the simple past.

¿A qué hora **te levantabas** en el verano?	*What time*	did you / did you used to / would you	get up in the summer?
Siempre **me levantaba** a las 9:00.	*I always*	got up / used to get up / would get up	at 9:00.

> The imperfect often means *used to* or *would.*
> **De niña, nadaba todos los días en el verano.** (*As a child, I used to [would] swim every day in the summer.*)
> **Cuando éramos jóvenes, íbamos al cine todos los sábados.** (*When we were young, we would go to the movies every Saturday.*)

Imperfect endings:
-**ar** verbs = -**aba**
-**er/-ir** verbs = -**ía**

B. There are two patterns of endings for the imperfect: for -**ar** verbs, the -**aba** endings; for -**er/-ir** verbs, the -**ía** endings.*

	manejar	comer	vivir
(yo)	manej**aba**	com**ía**	viv**ía**
(tú)	manej**abas**	com**ías**	viv**ías**
(usted, él/ella)	manej**aba**	com**ía**	viv**ía**
(nosotros/as)	manej**ábamos**	com**íamos**	viv**íamos**
(vosotros/as)	manej**abais**	com**íais**	viv**íais**
(ustedes, ellos/as)	manej**aban**	com**ían**	viv**ían**

Mis hermanos **comían** mucho cuando **visitábamos** a nuestros abuelos.

My brothers used to eat a lot when we visited (*would visit*) our grandparents.

—¿Qué **hacía** Raúl los domingos cuando **estaba** en la secundaria?

—*What did Raúl used to do on Sundays when he was in high school?*

—**Jugaba** al tenis con sus amigos.

—*He used to play tennis with his friends.*

C. Only three verbs are irregular in the imperfect.

Only **ir, ser,** and **ver** are irregular in the imperfect.

	ir	ser	ver
(yo)	iba	era	veía
(tú)	ibas	eras	veías
(usted, él/ella)	iba	era	veía
(nosotros/as)	íbamos	éramos	veíamos
(vosotros/as)	ibais	erais	veíais
(ustedes, ellos/as)	iban	eran	veían

Te **veía** más cuando trabajabas en esta oficina.

I used to see you more when you worked in this office.

Cuando **era** muy joven, **íbamos** a la finca y mi padre me llevaba en su caballo.

When I was very young, we used to go to the farm and my father would let me ride with him on his horse.

---

*Recognition: In the imperfect, the **vos** form is identical to the **tú** form: **manejabas, comías, vivías,** etc.

EJERCICIO 5

¿Qué hacían estas personas de niños?

MODELO: jugar mucho al tenis / Paula → Paula *jugaba* mucho al tenis.

1. andar en bicicleta / Guillermo
2. jugar con muñecas / Amanda y yo
3. leer las tiras cómicas del periódico los domingos / Andrea
4. bañarse en el mar en Acapulco / doña Lola y doña Rosita
5. comer muchos dulces / don Eduardo
6. limpiar su recámara / Estela
7. pasar las vacaciones en Acapulco / la familia Saucedo
8. escuchar música rock / Pedro Ruiz
9. ver dibujos animados en la televisión / Ernesto
10. cuidar el jardín / el abuelo de Ernestito

> **¡OJO!**
>
> Some Spanish speakers use **muñequitos** for cartoons instead of **dibujos animados.**

EJERCICIO 6

Complete cada oración con el nombre de la(s) persona(s) y la forma apropiada del imperfecto.

MODELO: Ya no monta a caballo mucho, pero antes *montaba* a caballo todos los fines de semana.

1. _____ : Ya no juegan a las cartas, pero antes _____ todas las tardes.
2. _____ : Antes _____ a misa todos los domingos, pero ya no van mucho.
3. _____ : De niña _____ la cuerda, pero ya nunca salta la cuerda.
4. _____ : Ya no se pelea con sus hermanas, pero antes _____ mucho con ellas.
5. _____ : Ya no llora tanto cuando ve películas tristes, pero de adolescente _____ mucho.
6. _____ : Cuando tenía ocho años, no _____ bien con las niñas.
7. _____ : De niñas, _____ mucho.

9.4 Describing the Past: The Imperfect and Preterite of "State" Verbs

GRAMÁTICA ILUSTRADA

Yo conocía a tu madre cuando ella vivía en Arenal.

El sábado pasado conocí a tus padres en una fiesta.

Yo sabía que Nacho y Silvia eran novios.

Anoche supe que Nacho y Silvia van a casarse.

> Verbs of state do not express action—for example, *to want, to have.* When used in talking about the past, they are usually conjugated in the imperfect.

A. Some verbs express actions (*run, jump, eat*); others express states (*want, have, be, can*). In the narration of a past event, verbs describing states or ongoing conditions are usually conjugated in the imperfect tense.

—Guillermo, ¿**sabías** la respuesta de la cuarta pregunta?
—**Sabía** una parte, pero no toda.

—Guillermo, *did you know the answer to the fourth question?*
—*I knew part of it, but not all.*

—¿Qué **querías** hacer?
—**Quería** ir al cine.
—¿Por qué no **podías** ir?
—Porque no **tenía** dinero.

—*What did you want to do?*
—*I wanted to go to the movies.*
—*Why couldn't you go?*
—*Because I didn't have any money.*

B. When Spanish speakers use state verbs in the preterite, they usually do so to convey that the state came to an end. English speakers often use completely different verbs to express that meaning. Compare the English equivalents of the following state verbs in the imperfect and in the preterite.

IMPERFECT		PRETERITE	
sabía	I knew	supe	I found out
no sabía	I didn't know	no supe	I never knew
conocía	I was acquainted with	conocí	I met
tenía	I had	tuve	I had; I received
quería	I wanted	quise	I wanted (and tried)
no quería	I didn't want	no quise	I refused
podía	I was able; could	pude	I could (and did)
no podía	I wasn't able, couldn't	no pude	I (tried and) couldn't

(yo) **sabía** = *I knew*
(yo) **supe** = *I found out*

usted **conocía** = *you (pol. sing.) knew*
usted **conoció** = *you (pol. sing.) met*

—¿**Supiste** lo que les pasó a Graciela y a Amanda?

—*Did you find out what happened to Graciela and Amanda?*

—No, no **supe** nada. ¿Qué les pasó?

—*No, I didn't find out (never heard) anything. What happened to them?*

—¿Por qué no **pudiste** terminar?
—**No quise** terminar porque me cansé mucho.

—*Why weren't you able to finish?*
—*I didn't try to finish because I got very tired.*

C. The verbs **ser** and **estar** are usually used in the imperfect; they are used in the preterite only when the state has explicitly come to an end within a specified amount of time.

When used to express *was/were*, **ser** and **estar** are usually in the imperfect.
Estaba muy cansado. (*I was very tired.*)
Éramos amigas íntimas en la escuela secundaria. (*We were very close friends in high school.*)

INFINITIVE	IMPERFECT		PRETERITE	
ser	era	I was	fui	I was
estar	estaba	I was	estuve	I was

—¿Cómo **eras** de niño?
—**Era** muy tímido.

—*What were you like as a child?*
—*I was very shy.*

—¿Cuánto tiempo **fuiste** presidente del club?
—**Fui** presidente seis años.

—*How long were you president of the club?*
—*I was president for six years.*

—¿Dónde **estaban** tus padres anoche?
—**Estaban** con los abuelos.

—*Where were your parents last night?*
—*They were with my grandparents.*

—¿Cuánto tiempo **estuvieron** en España?
—**Estuvimos** allí de mayo a julio.

—*How long were you in Spain?*
—*We were there from May to July.*

Within a limited or specified time frame, **ser** and **estar** may be used in the preterite to express *was/were*.
Estuvimos cinco días en Acapulco. (*We were in Acapulco for five days.*)
Mi hijo fue presidente del Club de Español por dos años. (*My son was president of the Spanish Club for two years.*)

¡OJO!

All verbs here are state verbs and should be used in the imperfect. Note the use of **conociste** (*met*) in item 1.

EJERCICIO 7

Complete las oraciones según el modelo. Use el imperfecto de los verbos en letra cursiva (italics).

MODELO: Ahora no *soy* tímido, pero de niño *era* muy tímido.

1. Ahora Guillermo *tiene* 12 años, pero cuando tú lo conociste _____ sólo 8 años.
2. Ahora *sé* muy bien las respuestas, pero esta mañana, cuando tomé el examen, no las _____.
3. Ahora *conocemos* muy bien a doña Rosita, pero hace un año no la _____.
4. Ahora Paula *es* agente de viajes, pero yo recuerdo cuando _____ secretaria.
5. Ahora Paula *está* aquí en México, pero hace una semana _____ en España.

¡OJO!

In the first part, all the verbs are state verbs and should be used in the imperfect. The second part of this exercise provides practice for meanings and uses of state verbs in preterite forms.

EJERCICIO 8

Complete las siguientes oraciones con la forma apropiada del imperfecto de estos «verbos de estado»: **conocer, estar, poder, querer, saber, ser** y **tener.**

1. Luis _____ sólo 10 años cuando viajó a Colombia.
2. Einstein _____ un joven muy inteligente, pero sacaba malas notas.
3. Yo no _____ a tu hermano. ¡Qué guapo es!
4. (Nosotros) _____ comprar un carro nuevo, pero no _____ dinero. Ahora, por fin tenemos suficiente dinero.
5. ¿Dónde _____ (tú) esta mañana?
6. Ayer almorcé a las 11:00 porque _____ mucha hambre.

Ahora, use la forma apropiada del pretérito de estos «verbos de estado»: **conocer, poder, querer, saber** y **tener.**

7. Ayer _____ que el hijo mayor de mi vecino es adoptado.
8. Hoy no fui a trabajar porque no dormí anoche. Toda la noche _____ un dolor de cabeza horrible.
9. ¡Qué simpático es el esposo de Andrea Ruiz! Lo _____ anoche en la fiesta.
10. Ah, sí, la fiesta de fin de año... Los Ruiz me invitaron, pero yo no _____ ir. ¡A mí no me gustan las fiestas!
11. Ayer fui al parque con mis hijos; traté de patinar con ellos, pero no _____. ¡Me estoy poniendo viejo!

¿RECUERDA?

Recall from **Gramática 2.1** that the present tense of **ir** + **a** + infinitive is used to express future actions.

Amanda, ¿**vas a llamar** a Ramón esta noche? (*Amanda, are you going to call Ramón tonight?*)

9.5 Saying What You Were Going to Do: The Imperfect of *ir* + *a* + Infinitive

The imperfect of **ir** (**iba, ibas, iba, íbamos, ibais, iban**) can be used in this construction to express past intentions (*was/were going to do something*).

Íbamos a esquiar el jueves, pero ahora dicen que va a llover.

We were going to ski on Thursday, but now they say it's going to rain.

Rubén y Virginia **iban a pasar** el día en el parque, pero decidieron visitar las pirámides.

Rubén and Virginia were going to spend the day at the park, but they decided to visit the pyramids.

> **va a** + infinitive = *he/she/you (pol. sing.) is/are going to*
> **Paula va a comprar un coche.** (*Paula is going to buy a car.*)

The imperfect of **querer** and **pensar** + infinitive is similar in meaning.

Quería acampar en las montañas este verano, pero resulta que tengo que trabajar.

I wanted (was hoping) to go camping in the mountains this summer, but it turns out I have to work.

Carmen **pensaba pasar** el verano en España, pero no ahorró suficiente dinero.

Carmen was thinking about (was planning on) spending the summer in Spain, but she didn't save enough money.

> **iba a** + infinitive = *I/he/she/you (pol. sing.) was/were going to*
> **Iba a viajar por Europa, pero tuve que trabajar.** (*I was going to travel through Europe, but I had to work.*)

EJERCICIO 9

Invente una excusa. Use **iba** + **a** + infinitivo, seguido de su excusa.

MODELO: ¿Por qué no me llamaste anoche? (llegar muy tarde)
Iba a llamarte, pero llegué muy tarde.

1. ¿Por qué no viniste en tu carro anoche? (quedarse sin gasolina)
2. ¿Por qué no trajiste flores? (la tienda cerrar temprano)
3. ¿Por qué no me compraste un regalo? (no tener tiempo)
4. ¿Por qué no cenaste con nosotros? (cenar antes en casa)
5. ¿Por qué no fuiste al Baile de los Enamorados? (asistir a un concierto)
6. ¿Por qué no me dijiste que no sabías bailar? (no poder)
7. ¿Por qué no llegaste a tiempo? (perder mi reloj)
8. ¿Por qué no asististe a clase ayer? (ir a ver a mi abuela enferma)

> **¡OJO!**
>
> Note that to make excuses you should use preterite.

Círculo de Amigas

¿Qué sabe usted de Nicaragua? ¿Que hubo una revolución en 1979? ¿Que hubo una sangrienta[1] contrarrevolución apoyada[2] por los Estados Unidos? ¿Que el huracán Mitch causó gran destrucción en 1998? ¿Que el país tiene una altísima tasa de desempleo[3] y que en las zonas rurales predomina la pobreza[4]? Sí, lamentablemente, todo esto es cierto; pero también hay buenas noticias. En Jinotega, un pequeño pueblo nicaragüense, existe ahora un Círculo de Amigas que ayuda a los pobres de este país.

El Círculo de Amigas fue fundado por una profesora de español en California, Pat McCully. Ella visitó Nicaragua varias veces en los años ochenta, pero no visitó los sitios turísticos, sino las zonas rurales más remotas. Mientras charlaba con la gente, observaba su ropa harapienta[5] y sus viviendas[6] pobres. Decidió hacer algo para ayudar.

Comenzo[7] por enseñar a las mujeres a coser. Así empezó el Círculo de Amigas: como un pequeño espacio en el que las mujeres podían aprender a coser la ropa de su familia. Con la ayuda de varias personas y las contribuciones de muchas otras, el Círculo de Amigas ha crecido.[8] Ahora tiene una pequeña clínica médica y un centro de computación (con computadoras usadas).

Lo que es más importante, la organización ahora intenta ayudar a la gente a vivir mejor: construye viviendas modestas, compra estufas de propano y consigue barriles para que la gente pueda tener agua limpia en su casa. Y no sólo eso, sino que tiene un programa de apoyo para las niñas. El Círculo consigue patrocinadores[9] que contribuyen $40.00 por mes. Ese dinero asegura que la niña más pequeña* de una familia pueda asistir a la escuela y que toda la familia coma mejor.

Como podemos ver, esta organización crece[10] cada día más y provee una ayuda valiosa para el pueblo de Jinotega. ¿Quiere usted saber cómo puede participar? Pues hay muchas maneras: usted puede ser patrocinador(a) de una niña, puede regalar máquinas de coser, computadoras, lentes y otras cosas parecidas. Puede también contribuir con su talento.

---

[1]*bloody* [2]*backed* [3]*tasa… unemployment rate* [4]*poverty* [5]*ragged* [6]*homes* [7]*She began* [8]*ha… has grown* [9]*sponsors* [10]*grows*

---

*Círculo de Amigas *has decided on the youngest female for two reasons: Whenever there are funds for school, it is often the boys who get this privilege. Why the youngest? Because the sooner a child starts her education, the more likely she is to continue with it.*

Celia Cruz, reina de la salsa

Celia Cruz es la cantante cubana más famosa y admirada. Murió el 16 de julio de 2003, pero sus canciones vivirán para siempre. Celia creó un estilo único con canciones alegres y movidas[1] de salsa. Ha pasado a la historia de la música internacional con diez nominaciones para el Grammy, muchos premios y varios doctorados honorarios. ¡Hasta hay una calle en Miami que lleva su nombre! Por todo esto, a Celia se le conoce como la «reina de la salsa». Nadie puede hacernos bailar como ella.

Celia nació en la Habana en un hogar de catorce hijos y pronto mostró interés por la música. Desde muy joven empezó a cantar en espectáculos escolares y fiestas de la comunidad. Celia encontró su inspiración en la tradición afrocubana de su país. En 1950 se incorporó como vocalista a La Sonora Matancera, la orquesta más popular del Caribe. Cantó con este grupo durante quince años, haciendo giras[2] por todo el mundo.

Después de la Revolución Cubana de 1959, Celia decidió exilarse en Nueva York. Lo demás, como dice el dicho, «es historia»; una historia de esfuerzo y grandes éxitos:[3] el aclamado disco *Duets* (1988) y un papel importante en la película *The Mambo Kings* (1992), entre otros.

Con la música, Celia le enseñó al mundo a apreciar su cultura y su rica tradición musical. En una de sus grabaciones[4] finales, la cantante expresó vivamente su mensaje personal: para Celia Cruz, como dice esta canción, «la vida es un carnaval».

[1]*upbeat* [2]*tours* [3]*accomplishments* [4]*recordings*

Las tapas

Antes del almuerzo, antes de la cena… ¡unas deliciosas tapas con vino tinto! Las tapas son pequeñas porciones de comida que los españoles comen con una copa de vino o de licor.* Existe una gran variedad de estos pequeños aperitivos.[1] Una tapa puede ser algo tan sencillo como trozos de queso, aceitunas, maní,[2] chorizo[3] asado o canapés. Pero también puede ser un platillo más elaborado, como por ejemplo, trocitos de la típica tortilla española de patatas. Otros tipos de tapas son los camarones a la parrilla, los camarones u hongos preparados con ajo, los calamares[4] fritos, las ancas de rana[5] o las anguilas.[6]

En España, las tapas se sirven en lugares que se llaman tascas. En las tascas los españoles se reúnen para beber y comer tapas antes del almuerzo o la cena. Ésta es la oportunidad para hablar de política, filosofía, literatura, cine, teatro… Con frecuencia, la gente va de una tasca a otra, especialmente si es antes de la cena. Pero, las tapas son más que una deliciosa costumbre española: son un estilo de vida. Y, además de formar parte íntegra de la cultura de España, resultan muy prácticas. ¡Cuando se come a la vez que se bebe, los efectos del alcohol no son tan fuertes!

[1]*appetizers* [2]*peanuts (also called* cacahuates *or* cacahuetes*)* [3]*sausage* [4]*squid* [5]*ancas… frog legs* [6]*eels*

Originally only a free small plate of salted almonds or a slice of jamón serrano (a very salty ham) were served. The slice of ham or the plate of almonds was placed on top of the wine glass as a cover, hence the name tapas *(covers). People would eat the* tapa, *feel thirsty, and order another glass of wine.*

La revista *Vida y cultura* continúa en el sitio Web: **www.mhhe.com/dosmundos6.**

Capítulo 10
Nuestro planeta

Fuga a la tierra de la fertilidad, por Paul Leonor Chevalier (República Dominicana)

METAS

In **Capítulo 10** you will talk about places you have traveled to, including their geography and climate. You will also discuss transportation and automobile travel. Finally, you will learn about and discuss environmental issues and concerns.

Sobre el artista: El artista dominicano Paul Leonor Chevalier estudió pintura en la Escuela Nacional de Bellas Artes en Santo Domingo. En 1995, se graduó magna cum laude en arquitectura en la Universidad Nacional Pedro Henríquez Ureña. Es miembro del Colegio Dominicano de Artistas Plásticos. Ha participado en numerosas exposiciones y ha recibido varios premios.

República Dominicana

Época precolombina
Tribus indígenas: lucayos, ciguayos, taínos y caribes

1492
Cristóbal Colón llegó a la isla y la gobernó durante 8 años.

1697–1861
Los franceses y los españoles gobernaron alternativame

1500   1700   18

Puerto Rico

Época precolombina
Región poblada por los taínos

1520
La isla empezó a conocerse por el nombre de Puerto Rico y la capital por San Juan.

Los amigos animados: Para repasar

Antes de comenzar este capítulo, mire los segmentos animados para repasar el capítulo anterior.

A. La familia de Carla. Carla y Rogelio conversan sobre la familia de Carla.

B. Los recuerdos de doña María. Cuando Esteban y Raúl visitaron a doña María en Guanajuato, la abuela de Raúl le contó un poco de su vida a Esteban. Ésta es su historia.

En este capítulo...

ACTIVIDADES DE COMUNICACIÓN
- La geografía y el clima
- Los medios de transporte
- La ecología y el medio ambiente

EN RESUMEN

LECTURAS Y CULTURA
- **Enlace literario**
  «Dos cuerpos», por Octavio Paz
- **Ventanas al pasado**
  Los caminos incas
- **Ventanas culturales**
  La lengua: Nuestro pequeño mundo azul
- **Lectura**
  Costa Rica, un país ideal

GRAMÁTICA Y EJERCICIOS
10.1 Saying What You Have Done: The Present Perfect
10.2 Exclamations with **¡Qué... !**, **¡Cuánto/a/os/as... !**
10.3 Expressing *by, through,* Destination, and Time: **por** and **para** (Part I)
10.4 Describing Actions: Adverbs
10.5 Expressing Reactions: More Verbs Like **gustar**

1865 Independencia de España

1916–1924 EU invadió y gobernó la República Dominicana.

1930–1961 Trujillo se hizo dictador de la República. Graves violaciones de los derechos humanos.

1965 EU invadió el país con 35.000 tropas.

1990 Problemas económicos. 2.000 dominicanos emigraron a EU y 20.000 a España.

2004 Se eligió a Fernández Reyna del Partido de la Liberación Dominicana.

1900   **2000**

1873 Se abolió la esclavitud.

1898 Guerra hispanoestadounidense. EU se apoderó de Filipinas, Cuba y Puerto Rico.

1917 EU otorgó la ciudadanía estadounidense a los puertorriqueños.

1951 EU y los votantes puertorriqueños establecieron el Estado Libre Asociado de Puerto Rico.

2000 Se eligió como gobernadora a Sila María Calderón, partidaria de mantener el Estado Libre Asociado.

Actividades de comunicación y lecturas

✳ La geografía y el clima

Lea Gramática 10.1–10.2.

¡Qué bosque tropical más húmedo!

¡Qué desastrosa fue esa inundación!

¡Cuántas islas hay en la costa de Chile!

ACTIVIDAD I Definiciones: La geografía

1. _____ la selva
2. _____ el río
3. _____ la inundación
4. _____ el lago
5. _____ la playa
6. _____ el desierto
7. _____ la península
8. _____ la isla
9. _____ el valle
10. _____ la bahía

a. porción de tierra rodeada completamente de agua
b. espacio entre dos montañas
c. parte de arena a la orilla del mar
d. lugar árido, a veces con mucha arena
e. porción de tierra rodeada de agua, pero unida a tierra firme por un lado
f. entrada del mar en la costa, más pequeña que un golfo
g. extensión de agua rodeada de tierra
h. lugar donde llueve mucho y hay mucha vegetación
i. desbordamiento de los ríos, los lagos o el mar, que cubre la tierra de agua
j. corriente de agua que generalmente corre hacia el mar

ACTIVIDAD 2 Descripción de fotos: ¡Qué impresionantes son esas montañas!

Escuche la descripción que le da su profesor(a) y señale la foto correspondiente.

1. El nudo de Huascarán, Perú

2. Bariloche, Argentina

3. El Yunque, Puerto Rico

4. La Cordillera Vilcabamba, Perú

5. La playa en Cancún, México

6. El lago Titicaca, Bolivia

8. San Felipe, México

7. Salto del Laja, Chile

9. Un arrecife de corales en la Isla Cocos, Costa Rica

Ahora, con un compañero / una compañera, mire las demás fotos y exprese los pensamientos que se le ocurran.

▶ **FRASES ÚTILES**

¡Cuánto/a/os/as... !	¡Qué... !	vegetación
olas	estrellas	profundo/a
peces coloridos	cataratas	flores

ACTIVIDAD 3 Del mundo hispano: El pronóstico del tiempo

Conteste las preguntas según la información de un periódico de San Juan, Puerto Rico.

Agosto

La temperatura de la semana: San Juan, Puerto Rico

LUNES. Se anticipa un día de calor con una temperatura máxima de 35.9° C (grados centígrados) y una mínima de 30.4° C.

MARTES. Se anticipa neblina por la costa en la mañana, pero mucho calor el resto del día. La temperatura máxima va a llegar a los 41° grados centígrados. Por la noche la temperatura va a bajar a 33° C.

MIÉRCOLES. Se pronostica un día fresco, parcialmente nublado y con lloviznas frecuentes. La temperatura máxima durante el día será de 30° C y la mínima esta noche será de 24° C.

JUEVES. Va a ser un día soleado pero más frío que ayer. La temperatura máxima durante el día será de 27° C y la mínima esta noche, de 22° C. El huracán Eliza se acerca a la isla con vientos de 80 millas por hora.

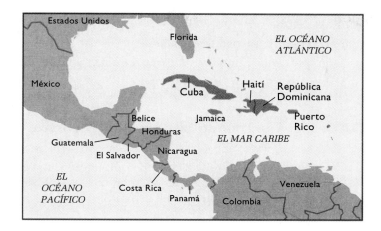

I. ¿Cuál va a ser el día más caluroso de esta semana?
2. ¿Qué noche va a hacer más frío?
3. ¿Va a llover esta semana?
4. ¿Qué día va a estar nublado?
5. ¿Va a haber neblina? ¿Dónde? ¿Qué día?
6. En su opinión, ¿va a causar muchos daños (destrucción) Eliza?

ACTIVIDAD 4   Descripción de dibujos: El tiempo

Use estas palabras para completar las oraciones a continuación: **escarcha, fresco, humedad, llovizna, neblina, nubes, rocío, tormenta, truenos** y **viento.**

I. Después de los relámpagos, casi siempre vienen los _____.
2. Si por la noche baja la temperatura puede aparecer _____ en las ventanas y en los techos.
3. Antes de una _____, las _____ cubren el sol.
4. Una lluvia ligera también se llama _____.
5. Cuando hace mucho _____, la gente pierde el sombrero.
6. En las zonas tropicales hay mucha _____.
7. Hay que manejar lentamente cuando hay mucha _____.
8. Cuando la temperatura está a 15° C, hace _____.
9. Las gotas de agua que aparecen en las plantas por la mañana son _____.

Quien siembra vientos, recoge tempestades.

(*You reap what you sow*. Literally, *Those who plant winds, harvest storms*.)

ACTIVIDAD 5   Del mundo hispano: Los recursos naturales

Lea el siguiente artículo y luego trabaje con un compañero / una compañera para decir si las afirmaciones de la página 345 son ciertas o falsas. Corrijan las afirmaciones falsas con información del artículo.

EXPEDICIONES al Mar de Cortés

Catalogado como uno de los ecosistemas más ricos del mundo por su abundante flora y fauna, el Mar de Cortés es todo un reto para buzos profesionales y aficionados.

Por su gran concentración y diversidad de animales y aves marinas, los especialistas afirman que el Mar de Cortés y las lagunas de Baja California —a donde llega a aparearse la ballena gris después de recorrer 10.000 kilómetros— son la versión mexicana de las islas Galápagos. En este lugar se conocen bien muchos sitios de buceo por la belleza de sus cañones y montañas submarinas; las islas rocosas y áridas contrastan con la colorida variedad de plantas y animales debajo de la superficie: estrellas marinas, esponjas, anémonas y moluscos en abundancia, peces multicolores, delfines, leones marinos...

Quienes desean sumergirse en estas aguas y descubrir su extraordinaria vida marina, lo pueden hacer de junio a noviembre en expediciones organizadas que parten desde la amistosa ciudad de La Paz. Los paquetes incluyen tres inmersiones al día con tanques y pesas, experimentados maestros de buceo y tripulación, duchas de agua fresca, fácil acceso a la rampa de buceo, cubierta con área de sombra, un cocinero a bordo que prepara desayunos, comidas, refrigerios y bebidas, sistemas de video VHS y DVD, hotel y transporte al aeropuerto.

Salidas de junio a noviembre

Precio de los paquetes	Cabañas Los Arcos	Hotel Los Arcos
3 noches, 2 días de buceo	$3.745	$4.065
4 noches, 3 días de buceo	$4.875	$5.750
5 noches, 4 días de buceo	$6.300	$7.445
6 noches, 5 días de buceo	$7.490	$9.125
7 noches, 6 días de buceo	$8.745	$10.825

Todos los precios son por persona con base en ocupación doble, en pesos. Reservaciones en Expediciones Mar de Cortés al teléfono 1-612-483-6796.

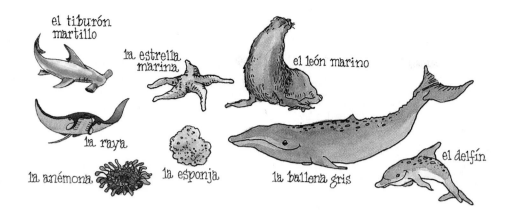

1. El Mar de Cortés se compara con las islas de Hawai.
2. Tanto en las Islas Galápagos como en el Mar de Cortés hay gran concentración y diversidad de animales y aves marinos.
3. En las lagunas de Baja California se pueden observar ballenas grises.
4. En este lugar hay abundancia de sitios de buceo muy bellos.
5. En el Mar de Cortés hay islas verdes y húmedas y arrecifes coloridos llenos de animales y plantas marinos.
6. Los paquetes turísticos incluyen tanques y pesas, lecciones de buceo, hotel y transporte aéreo.
7. Hay paquetes durante las cuatro estaciones del año: la primavera, el verano, el otoño y el invierno.

Ahora, hágale preguntas a su compañero/a acerca de los precios de los varios paquetes turísticos.

MODELO: E1: ¿Cuánto cuesta el paquete de 6 noches con 5 días de buceo en Cabañas Los Arcos?

       E2: Cuesta *$7.490.*

ACTIVIDAD 6   Entrevistas: Los viajes, las actividades y el tiempo

¿ADÓNDE HAS VIAJADO?

1. ¿Has pasado tiempo en las montañas? ¿Dónde? ¿Qué hiciste? ¿Te gustó? ¿Por qué?
2. ¿Vives cerca del mar? Si no, ¿cuál es el mar más cercano a donde vives? ¿Cuántas veces has ido al mar / a la playa durante los últimos seis meses? ¿Cómo estaba el agua? ¿muy fría? ¿tibia?
3. ¿Hay un lago o río cerca de donde vives? ¿Cómo se llama? ¿Vas con frecuencia? ¿Qué haces allí?
4. ¿Has ido al desierto? ¿Dónde? ¿Cuándo? ¿Qué hiciste allí?
5. ¿Has visto una selva? ¿Dónde? ¿Te gustó? ¿Por qué? Explica.

LAS ACTIVIDADES Y EL TIEMPO

1. ¿Qué te gusta hacer cuando hace calor (frío, viento, mal tiempo)?
2. ¿Qué haces cuando llueve (nieva, hace buen tiempo, hay relámpagos y truenos)?

3. ¿Has vivido en un lugar muy húmedo? ¿en un lugar muy seco? ¿Dónde? ¿Te gustó? ¿Por qué?

4. ¿Has visto un huracán alguna vez? ¿Qué pasó? ¿Has visto un tornado alguna vez? ¿Dónde? ¿Causó daño?

5. ¿Has manejado alguna vez por la carretera en la neblina? ¿Tenías miedo? ¿Has pasado por una tormenta en avión? ¿Dónde? ¿Tuviste mucho miedo?

ENLACE LITERARIO

«Dos cuerpos», por Octavio Paz

Selección de su libro *Libertad bajo palabra: Obra poética* (*1935–1957*)

Poeta y ensayista de fama internacional, Octavio Paz (1914–1998) recibió el premio Nóbel de Literatura en 1990. La obra poética de Octavio Paz es impresionante. Entre sus libros más famosos se encuentra *Piedra de sol* (1957), basado en el símbolo del Calendario Azteca, la Piedra de Sol. Se destacan también *Libertad bajo palabra* (1949) y *Topoemas* (1971). Los ensayos de Paz tratan una variedad de temas: arte, política, antropología. Su libro *El laberinto de la soledad* (1950) es uno de los estudios más importantes sobre el carácter mexicano.

Dos cuerpos

Dos cuerpos frente a frente
son a veces dos olas
y la noche es océano.

Dos cuerpos frente a frente
son a veces dos piedras[1]
y la noche desierto.

Dos cuerpos frente a frente
son a veces raíces[2]
en la noche enlazadas.[3]

Dos cuerpos frente a frente
son a veces navajas[4]
y la noche relámpago.

Dos cuerpos frente a frente
son dos astros[5] que caen
en un cielo vacío.[6]

Actividad creativa: El cuerpo humano y la naturaleza

En este hermoso poema de Octavio Paz, el poeta compara dos cuerpos humanos con olas, piedras, raíces y astros. ¿Con qué otros elementos de la naturaleza podríamos comparar el cuerpo humano? Escriba un poema haciendo esta comparación. Puede seguir el modelo de Paz.

Dos cuerpos frente a frente
son a veces...

[1]*rocks*   [2]*roots*   [3]*interlaced*   [4]*blades*   [5]*estrellas*   [6]*empty*

✳ Los medios de transporte

Lea Gramática 10.3–10.4.

Se puede viajar cómodamente por avión.

Salimos ahora para España.

Los trenes en España salen y llegan puntualmente.

Hicimos una gira en bicicleta por dos semanas.

Hoy regresamos. Tenemos que estar en Madrid para el lunes.

ACTIVIDAD 7   Definiciones: El transporte

LOS MEDIOS DE TRANSPORTE

1. _____ el avión
2. _____ el tren
3. _____ el barco
4. _____ el tranvía
5. _____ la bicicleta
6. _____ el autobús
7. _____ el transbordador
8. _____ el metro

a. medio de transporte que flota en el agua
b. medio de transporte subterráneo; se usa en las grandes ciudades del mundo
c. vehículo de dos ruedas que no usa gasolina
d. vehículo que puede transportar de 30 a 80 pasajeros
e. vehículo aéreo
f. medio de transporte que tiene vagones y una locomotora
g. tipo de tren que, empleado en las ciudades, usa electricidad
h. flota en el agua; sirve para transportar personas y vehículos

ACTIVIDAD 8   Intercambios: Reservaciones por Internet

MODELO: E1: ¿Cuánto cuesta el pasaje a *Costa Rica* desde México?
            E2: Cuesta *$7.360 pesos.*

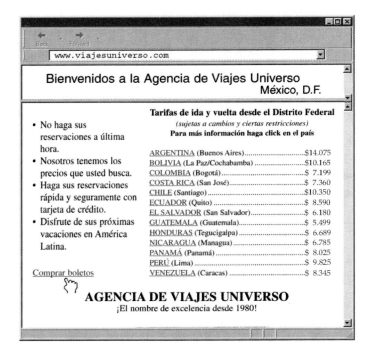

www.viajesuniverso.com

Bienvenidos a la Agencia de Viajes Universo
México, D.F.

- No haga sus reservaciones a última hora.
- Nosotros tenemos los precios que usted busca.
- Haga sus reservaciones rápida y seguramente con tarjeta de crédito.
- Disfrute de sus próximas vacaciones en América Latina.

Comprar boletos

Tarifas de ida y vuelta desde el Distrito Federal
(sujetas a cambios y ciertas restricciones)
Para más información haga click en el país

ARGENTINA (Buenos Aires).............................$14.075
BOLIVIA (La Paz/Cochabamba) $10.165
COLOMBIA (Bogotá)..$ 7.199
COSTA RICA (San José)....................................$ 7.360
CHILE (Santiago)..$10.350
ECUADOR (Quito) ....$ 8.590
EL SALVADOR (San Salvador)...........................$ 6.180
GUATEMALA (Guatemala)................................$ 5.499
HONDURAS (Tegucigalpa) ....$ 6.689
NICARAGUA (Managua)...................................$ 6.785
PANAMÁ (Panamá)...$ 8.025
PERÚ (Lima) ....$ 9.825
VENEZUELA (Caracas) ....$ 8.345

AGENCIA DE VIAJES UNIVERSO
¡El nombre de excelencia desde 1980!

ACTIVIDAD 9   Conversación: Los medios de transporte: ventajas y desventajas

Piense en las ventajas y las desventajas de cada uno de los siguientes medios de transporte: el avión, el tren, el coche (el carro), el autobús, el metro, el taxi, el crucero, la bicicleta y la motocicleta. Comparta sus ideas con el resto de la clase.

MEDIO DE TRANSPORTE	VENTAJA	DESVENTAJA
el avión	es rápido	los asientos no son cómodos
el tren		
el coche (el carro)		
el autobús		
el metro		
el taxi		
el crucero		
la bicicleta		
la motocicleta		

ACTIVIDAD 10   Entrevistas: El transporte

EL TRANSPORTE

1. ¿Usas mucho el autobús? ¿Por qué? ¿Andas mucho en bicicleta? ¿Andabas mucho en bicicleta de niño/a? ¿Cuál es tu forma de transporte preferida?
2. De niño/a, ¿viajabas mucho en auto con tu familia? ¿Adónde iban? ¿Te gustaba hacer viajes con tu familia?
3. ¿Has viajado por tren? ¿Adónde fuiste? ¿Te gusta viajar por tren? ¿Por qué? ¿Has viajado por avión? ¿Adónde has ido? ¿Te gusta viajar por avión? ¿Crees que es peligroso viajar por avión? Explica.
4. ¿Has andado alguna vez en motocicleta? ¿Te gustó? ¿Llevas casco cuando andas en moto? ¿Crees que es peligroso montar en moto? ¿Por qué?
5. ¿Has viajado en barco? ¿Adónde fuiste? ¿Te gustó el viaje? ¿Era grande o pequeño el barco? ¿Te mareas cuando viajas por barco?

¡OJO!

Autobús es la palabra más usada para referirse al medio de transporte público que circula por las ciudades o que lleva a los pasajeros de una ciudad a otra. Pero en Puerto Rico, Cuba y la República Dominicana la palabra más usada es *guagua*. En Argentina y Uruguay se dice *colectivo*, mientras que en México es el *camión*. El *metro* es la palabra más usada para referirse al transporte metropolitano subterráneo, pero en Buenos Aires se dice el *subte*.

VENTANAS AL PASADO

Los caminos incas

Muchos sabemos que la cultura inca es una de las más importantes de las Américas. Hemos oído hablar de esa hermosa fortaleza en los Andes, Machu Picchu. Sabemos también que los incas tenían grandes conocimientos de arquitectura, medicina y agricultura. Algo que no es tan conocido es su gran dominio de la ingeniería. Una de las mejores pruebas: la vasta red de caminos que incluía puentes, depósitos y *tambos* (lugares para descansar).

El imperio de los incas se extendió en pocos años por la zona de los Andes, donde el transporte y la comunicación parecen casi imposibles, sobre todo en ese tiempo primitivo en que no tenían conocimiento de la rueda ni usaban metales. La red de caminos impulsó la expansión del imperio y luego fomentó su organización. Por esos caminos transitaban los *chasquis,* mensajeros que aseguraban la comunicación entre todas las partes del imperio y el gobierno central en Cuzco. Un *chasqui* corría por los caminos hasta encontrarse con otro *chasqui* y darle la información que debía transmitir. El otro *chasqui* entonces empezaba a correr hasta encontrarse con el próximo *chasqui* y así hasta que la información llegaba a su destino. A los *chasquis* los entrenaban desde niños. Se alimentaban con una dieta especial para poder ir de un lugar a otro sin cansarse ni sufrir por la gran altitud de los Andes.

Los *chasquis* con frecuencia transportaban documentos importantes de una parte del imperio a otra por medio de *quipus* (hilos de colores anudados). Los *quipus* formaban un sistema mnemotécnico para registrar información, por ejemplo noticias sobre el censo, cantidades de productos conservados en los depósitos o noticias sobre los enemigos del emperador. En estos tiempos de tecnología avanzada, los poblados indígenas siguen usando los *quipus* para registrar los productos de las cosechas y el número de animales de las comunidades.

VOCABULARIO ÚTIL	
el dominio	*mastery*
la prueba	*proof*
el depósito	*storage*
el conocimiento	*knowledge*
fomentó	*promoted*
encontrarse	*to meet (each other)*
el hilo	*thread*
anudados	*knotted*
mnemotécnico	*mnemonic (memory aid)*
el emperador	*emperor*
la cosecha	*harvest*

Ahora... ¡ustedes!

¿Has visitado Machu Picchu o has visto fotos de estas ruinas? ¿Qué piensas cuando ves esas construcciones monumentales en la cima de la montaña? ¿Hay algo similar en los Estados Unidos? ¿Dónde?

✳ La ecología y el medio ambiente

Lea Gramática 10.5.

Me parece que debemos hacer un esfuerzo serio por eliminar la contaminación de los ríos.

Nos urge salvar los árboles.

Debemos encontrar otros medios de transporte.

Me preocupa mucho el sistema ecológico del desierto.

A los científicos les interesa resolver el problema de la destrucción de las selvas tropicales.

A todos nos preocupa mucho el agujero en la capa de ozono.

Nos molesta la contaminación del aire (el esmog).

¿Puede Ud. salvar su hábitat?

A Esteban y a Raúl les llama mucho la atención el número de especies que están en peligro de extinción.

ACTIVIDAD 11   Intercambios: Los amigos hispanos protegen el ambiente

A. Mire los dibujos en la siguiente página. Hágale preguntas a su compañero/a sobre lo que hacen estos amigos hispanos para proteger el medio ambiente.

MODELO: E1: ¿Qué hace *Ernesto* para proteger el medio ambiente?
E2: *Va a su trabajo en autobús en vez de manejar. También…*

Ernesto

PALABRAS ÚTILES

la energía renovable
la energía verde

Andrea

PALABRAS ÚTILES

la bolsa de lona
sembrar legumbres
el reciclaje
reciclar

PALABRAS ÚTILES

pájaros lastimados
usar ambos lados
la impresora
cubiertos de petróleo

Paula

Raúl

PALABRAS ÚTILES

el carro híbrido
el combustible

B. ¿Cuáles de estas actividades haces tú?

MODELOS: Yo reciclo el vidrio y el plástico.
Manejo un coche híbrido.

ACTIVIDAD 12   Intercambios: Especies en peligro de extinción, problemas y soluciones

MODELO: E1: ¿Cuál es el hábitat de *los quetzales*?
E2: Los quetzales viven en *las selvas de Centroamérica.*

E1: ¿Cuál es la solución al problema *de los quetzales*?
E2: (No) Debemos *permitir su exportación.*

Reptiles

serpiente

tortuga

Insectos

mariposa
monarca

abejas

mariquita

ESPECIES EN PELIGRO DE EXTINCIÓN

NOMBRE	HÁBITAT	SOLUCIÓN
mariposas monarca	las sierras de México	no usar pesticidas
quetzal, guacamayo	selvas de Centroamérica	no permitir su exportación
águilas	Montañas Rocosas de Norteamérica	no permitir la caza de esta especie
ballenas	los océanos del mundo	imponer fuertes restricciones para la caza de esta especie
delfines	los océanos y mares del mundo	requerir el uso de redes especiales en la pesca
gorilas	las tierras bajas de África	crear reservas
lobos	los bosques del hemisferio norte	no permitir la caza de esta especie
osos panda	los bosques de bambú de Asia	proteger su hábitat creando reservas
tortugas	las playas tropicales	proteger sus huevos
manatí	el Mar Caribe	limitar el uso de barcos de motor

Aves

tucán

quetzal

guacamayo

lapa
roja

Mamíferos

leopardo
cazador

lobo

oso

manatí

¡OJO!

El 98 % de todos los animales y plantas que han habitado la tierra ya se ha extinguido.

VENTANAS CULTURALES · La lengua

Nuestro pequeño mundo azul

¿Sabe usted ya muchas palabras para hablar del medio ambiente? Sigamos hablando de este tema importante. ¿Con qué palabras podemos describir nuestro planeta? Podemos decir que la Tierra es fuerte y saludable y que es el único planeta donde sabemos que hay vida. Debemos tratar de conservarla, ¿no cree usted? Lo más crucial es la capa de ozono que cubre la Tierra. Esa capa nos protege de la radiación solar y debemos preocuparnos por no destruirla.

Nuestras acciones afectan el planeta. Hay productos químicos, como los aerosoles, que dañan el aire y el agua. Debemos dejar de usarlos. ¿Cree que reciclamos lo suficiente? Ciertos productos —el plástico, por ejemplo— se quedan con nosotros por miles de años. Todos los días derrochamos recursos naturales como el agua y producimos toneladas de basura. También creamos lluvia ácida. La lluvia ácida es provocada por gases tóxicos de las fábricas que se mezclan con la precipitación atmosférica, contaminando el suelo y la vegetación.

Pero el enemigo más grande de la Tierra es sin duda la energía nuclear, especialmente el uranio, metal radiactivo que se usó para crear la bomba atómica. Lo ideal es poner fin a la producción de armas nucleares. ¿Qué más podemos hacer para conservar la vida en la Tierra? Algo muy urgente es cuidar las selvas tropicales: desde el sudeste de México hasta la zona amazónica, los bosques de Petén en Guatemala, Darién en Panamá y Chocó en Colombia. Esas selvas son un ingrediente vital de la Tierra, pues proveen el oxígeno que necesitamos para vivir en nuestro pequeño y hermoso mundo azul.

VOCABULARIO ÚTIL	
dejar de	*stop*
derrochamos	*we waste*
la tonelada	*ton*
provocada	*triggered, produced*

Ahora... ¡ustedes!

¿Qué haces para proteger el medio ambiente? Piensa en dos lugares de tu vida diaria —tu casa, tu trabajo, los parques que visitas o la universidad, por ejemplo— y luego explica qué haces o qué has hecho allí para ayudar con la conservación de nuestro planeta.

¡OJO!

Puerto Rico también se conoce como la Isla del Encanto o por su nombre indígena: Borinquen. Es una isla de flora y fauna muy especiales. Abundan árboles tropicales como el flamboyán, la ceiba y el guayacán. En las playas llega a desovar (*lay eggs*) la tortuga marina más grande del mundo, el tinglar; ¡pesa hasta 800 libras! La Isla de Mona al oeste de Puerto Rico es el hábitat de las iguanas mona y unos cangrejos ermitaños, llamados *cobos,* que cada agosto descienden del monte a las playas para desovar. La pequeña rana de árbol llamada *coquí,* es quizás el símbolo más conocido de Puerto Rico y su canto llena las noches tropicales.

ACTIVIDAD 13   Asociaciones: El medio ambiente, problemas y soluciones

¿Les preocupan los siguientes problemas ecológicos? Digan qué podemos hacer para resolverlos y salvar el planeta.

MODELO: Nos preocupa *la sequía*. Creemos que no debemos *desperdiciar el agua*.

PROBLEMAS ECOLÓGICOS

1. el consumo excesivo de petróleo
2. la destrucción de las selvas tropicales
3. el uso excesivo de productos plásticos
4. la destrucción del hábitat de algunas especies de animales y plantas
5. la contaminación de los ríos y los océanos
6. el agujero en la capa de ozono
7. los desperdicios de las plantas nucleares
8. la contaminación del aire en las grandes ciudades
9. la sequía; la escasez de agua
10. el uso excesivo de poliestireno

SOLUCIONES

a. usar pesticidas no tóxicos
b. imponerles fuertes restricciones a las industrias
c. usar menos energía
d. fomentar la agricultura orgánica
e. restringir el uso de los autos
f. criar animales en los zoológicos
g. controlar la natalidad
h. crear nuevas reservas naturales
i. desarrollar otros medios de transporte
j. reducir drásticamente o eliminar la producción de carburos fluorados
k. comprar productos en envases de vidrio y participar en programas de reciclaje
l. no desperdiciar el agua
m. pedir envases de cartón

> **¡OJO!**
>
> • La recolección, el transporte y la eliminación de la basura gasta energía y contamina el aire y la tierra; además, ocupa espacio vital en las ciudades.
>
> • Sólo el 5 % de la población mundial reside en los Estados Unidos, pero en este país se produce 25 % de los gases de efecto invernadero.
>
> • En los basureros, debido a la falta de oxígeno, los desperdicios no se descomponen, incluso si son biodegradables.

Biosfera de Sian Ka'an, México

- La Agencia para la Protección del Ambiente (EPA) calcula que en los Estados Unidos los pesticidas han contaminado el agua en 38 estados.
- En los Estados Unidos se estima que se usan 187 galones (711 litros) de agua por persona por día. En España se usan 52 galones (200 litros) de agua por persona por día. En California y Tejas se usan hasta 450 millones de galones por día en la producción de carne de res y carne de puerco. Consumo de agua por actividad: lavarse los dientes = 5.2 galones (20 litros), lavar los platos = 15.5 galones (60 litros), ducharse = 32.5 galones (125 litros), usar el inodoro = 3 galones (12 litros).
- Si reciclamos una tonelada de periódicos, podemos ahorrar la energía suficiente para que 550 hogares funcionen por un día.

ACTIVIDAD 14 Del mundo hispano: El abecedario ecológico

Lea este artículo sobre varios temas ecológicos. Luego conecte las frases para tener una lista de las ideas principales del artículo.

ABECEDARIO ECOLÓGICO

Amazonia Es una zona selvática que comprendre toda la zona norte de Brasil y una parte del oriente peruano, y que llega al sur de Colombia y Venezuela. Está conformada por densas selvas y grandes ríos. Tiene 7 millones de kilómetros cuadrados de vegetación. Muchos medicamentos tienen su origen en esta región. La Amazonia también alberga[1] 30 millones de especies animales. Pero la explotación de los recursos naturales de esta área está produciendo una tasa[2] de extinción animal de 100 especies animales por día.

Biosfera de Sian Ka'an En 1989 el gobierno de México estableció La Biosfera de Sian Ka'an: una reserva de 650.000 hectáreas (1.6 millones de acres) situada en la costa caribeña de la península de Yucatán. Esta biosfera alberga más de 100 especies de mamíferos y 336 especies de aves. Dos especies de tortugas marinas en peligro de extinción se anidan[3] en las playas de Sian Ka'an. Tiene una población de sólo 2.000 personas, en su mayoría[4] indígenas mayas. El propósito de la biosfera es la protección de especies en peligro de extinción y la educación de la gente sobre la importancia de la biodiversidad.

Capa de Ozono Los científicos nos dicen que el uso de los carburos fluorados y de otras sustancias químicas está causando la desaparición de la capa de ozono que nos protege de los rayos dañinos[5] del sol. El agujero más grande en la capa de ozono está en el hemisferio sur, por la Antártida, pero también hay otro agujero en el Ártico. Ya ha desaparecido más del 4% de esta capa protectora y en países como Chile y Australia ya se ha notado un aumento[6] en la incidencia del cáncer de la piel.

Desperdicios nucleares Mucha gente ve la energía nuclear como fuente de energía limpia, pero los desperdicios de los reactores nucleares, como el uranio y el plutonio, son sustancias químicas muy dañinas para el ser humano y otros animales. Además, son muy difíciles de almacenar.[7] Las armas[8] nucleares, como los misiles tan usados por los ejércitos modernos, dejan residuos de uranio en la tierra por años, con consecuencias graves para la fauna y la flora.

[1]*gives shelter to* [2]*rate* [3]*se...nest* [4]*majority* [5]*damaging* [6]*increase* [7]*to store* [8]*weapons*

1. La Amazonia cubre una área inmensa y...
2. La explotación de los recursos de la Amazonia causa...
3. En 1989 el gobierno de México estableció la Biosfera de Sian Ka'an, que...
4. El uso de los carburos fluorados y otras sustancias químicas...
5. La capa de ozono está desapareciendo...
6. Los misiles usados por el ejército...

a. es una reserva inmensa situada en la costa caribeña de la península de Yucatán.
b. dejan residuos tóxicos en la tierra con consecuencias graves para la fauna y la flora.
c. y ya se ha notado un aumento en la incidencia del cáncer de la piel en el hemisferio del sur.
d. la extinción animal de 100 especies por día.
e. es el hábitat para 30 millones de especies animales.
f. ha causado la desaparición de 4.6 % de la capa de ozono.

En resumen

De todo un poco

A. La geografía y el clima de América Latina

Trabaje con varios compañeros para poner los nombres de los siguientes mares y océanos, las cordilleras y los ríos más importantes de América Latina en el mapa que su profesor(a) le va a dar.

1. el Río Bravo
2. cuatro cordilleras:
   a. Sierra Madre Occidental
   b. Sierra Madre Oriental
   c. Sierra Madre del Sur
   d. cordillera de los Andes
3. el canal de Panamá
4. el lago Titicaca
5. el río Orinoco
6. el río Amazonas
7. el río Paraná
8. el río de la Plata
9. las cataratas del Iguasú
10. el Océano Atlántico
11. el Océano Pacífico
12. el Mar Caribe
13. el golfo de California
14. el golfo de México

B. ¡Salvemos el medio ambiente!

Hagan una lista de medidas que cualquier ciudadano puede tomar para reducir la cantidad de basura que produce diariamente. Compartan sus ideas con la clase.

MODELO: Uno puede llevar sus propias bolsas de lona al supermercado.

¡Dígalo por escrito!

El medio ambiente y usted

Piense en algo que le preocupa a usted: un problema climático o ambiental o alguna especie de animal en peligro de extinción. Escriba una breve composición sobre el tema. Explique el problema, luego diga dónde ocurre, cuáles son sus causas principales y cuáles son las consecuencias. Para terminar, sugiera qué se puede hacer para mitigar o resolver este problema.

¡Cuéntenos usted!

Cuéntenos sobre un lugar geográfico que le impresionó. ¿Dónde fue? ¿Pasó usted mucho tiempo allí o estuvo sólo uno o dos días? ¿Le gustó o no? ¿Por qué?

PISTAS PARA LEER
Esta **Lectura** se enfoca
en Costa Rica, un país
donde hay muchos
bosques, y en los temas
del ecoturismo y la
reforestación. Mire las
fotos y describa las
imágenes. Ahora fíjese
en el título y en el
Vocabulario útil.
¿Qué perspectiva va a
tener esta **Lectura**
sobre Costa Rica? ¿Será
positiva o negativa? ¿Por
qué?

Costa Rica, un país ideal

VOCABULARIO ÚTIL

De entrada	To begin with
rechazan	they reject
el oro	gold
A pesar de	In spite of
la reforestación	reforesting
el Movimiento	Environmental
Ambiental	Movement

Territorio forestal de Costa Rica

Costa Rica es un país único, no sólo en el mundo hispano sino en el mundo entero. Hay varios aspectos de la sociedad costarricense que contribuyen a formar esta imagen especial. De entrada, el país no tiene ejército, pues los ciudadanos de Costa Rica rechazan la guerra. Pero eso no es todo. Los costarricenses también están muy conscientes de la importancia de la naturaleza. El gobierno tiene reglas estrictas para la construcción de viviendas y hoteles en zonas selváticas. El 40 por ciento del territorio del país está poblado de bosques, y hay en Costa Rica uno de los sistemas más extensos de parques nacionales en todo el planeta.

La población de Costa Rica es de tres millones de habitantes. El país tiene una industria estable de turismo y exporta café, plátanos, carne, azúcar y cacao. El clima es de dos estaciones: la seca (diciembre a abril) y la húmeda (mayo a noviembre). El nombre del país es muy apropiado, pues la *costa* que da al Océano Atlántico es *rica* en selvas tropicales. Pero, en realidad, los exploradores españoles le dieron el nombre de Costa Rica a este país porque pensaban que iban a encontrar allí mucho oro.

Se nota que los costarricenses quieren conservar sus recursos naturales: las especies de animales, los bosques y las selvas. De hecho, el «ecoturismo» comenzó en Costa Rica. Entre otras ideas, el ecoturismo propone un tipo de turismo que no destruya el medio ambiente y pone énfasis en el daño que podemos causar al planeta. El ecoturismo también trata de educar a los turistas en cuestiones ambientales. Costa Rica está a la cabeza de este movimiento, ofreciendo periódicamente conferencias donde participan personas de todo el mundo.

Si a usted le interesa visitar hermosos sitios ecoturísticos, le esperan varios en Costa Rica. En el Lago Arenal puede pescar, navegar y andar en bicicleta a lo largo de la orilla. Puede visitar el fantástico Volcán Arenal, activo desde su erupción en 1968. Si pescar es su pasión, vaya a la Playa Tamarindo. En el bosque tropical de Monteverde le espera una experiencia inolvidable. Monteverde es una de las zonas de conservación más famosas en Centroamérica; tiene más de 100 especies de mamíferos, más de 400 especies de aves y 2.500 especies de plantas. Hay que dar una caminata por Monteverde para apreciar su belleza.

Parque Nacional
Braulio Carrillo

A pesar de su visión ecoturística, Costa Rica ha tenido que hacer algunos sacrificios debido a presiones económicas. Entre 1981 y 1990 el país perdió un 2 por ciento de sus bosques, pues estaba exportando mucha madera. Como no había un plan oficial de reforestación, los bosques empezaron a desaparecer. Por suerte, miembros del Movimiento Ambiental convencieron al gobierno costarricense de la necesidad de sembrar más árboles, y ahora hay varias iniciativas de reforestación en Costa Rica.

Hay pocos países como Costa Rica, con una conciencia nacional del medio ambiente y donde la gente toma en serio las cuestiones ambientales. En nuestro planeta —devastado por las guerras y por la destrucción de la naturaleza— Costa Rica es un país ideal.

El volcán
Arenal,
activo
desde
1968

Comprensión

Complete las oraciones con frases de la columna de la derecha.

1. En los años ochenta…
2. El Movimiento Ambiental le hizo ver al gobierno costarricense…
3. Costa Rica es un país pacífico, pues…
4. El gobierno costarricense no permite…
5. El nombre de Costa Rica se relaciona con…
6. Monteverde es un bosque tropical…
7. El ecoturismo…

a. nos informa sobre los daños que causamos al planeta.
b. Costa Rica estaba perdiendo una gran cantidad de bosques.
c. la importancia de plantar más árboles.
d. la construcción de muchos hoteles en zonas selváticas.
e. no cree en la guerra y no tiene ejército.
f. la búsqueda de oro de los exploradores españoles.
g. de una gran riqueza en su fauna y su flora.

Un paso más… ¡a escribir!

Imagínese que, por un momento fantástico, un árbol en el bosque tropical de Monteverde puede hablar. ¿Qué va a decir este árbol con respecto a su vida, a su medio ambiente y a sus vecinos? ¿Qué va a decir del ser humano? Escriba una composición titulada «El monólogo del árbol».

 Vocabulario

• **La geografía**	Geography
la **Amazonia**	Amazon Basin
el **arrecife**	reef
la **bahía**	bay
el **bosque**	forest
la **catarata**	waterfall
la **colina**	hill
la **cordillera**	(mountain) range
la **isla**	island
el **llano**	plain
la **orilla**	shore, (river) bank
la **selva (tropical)**	(tropical) jungle

la **sierra**	mountains
el **terremoto**	earthquake
la **tierra**	land; earth

PALABRAS SEMEJANTES: el **cañón,** **Centroamérica,** la **corriente,** la **costa,** el **desierto,** el **golfo,** el **hemisferio,** la **laguna,** la **península,** el **valle,** la **vegetación,** el **volcán,** **Yucatán**

• **El clima**	Weather
caluroso	warm, hot
el **cielo**	sky
el **desbordamiento**	overflow

la escarcha	frost
la humedad	humidity
la inundación	flood
la llovizna	drizzle
lloviznar	to drizzle
la lluvia	rain
la neblina	fog
la nube	cloud
pronosticar	to forecast (*weather*)
el relámpago	lightning
el rocío	dew
soleado/a	sunny
la tormenta	storm
el trueno	thunder

PALABRAS SEMEJANTES: el aire, el ciclón, húmedo/a, el huracán, el tornado
REPASO: el centígrado, el grado, llover (ue), nevar (ie), nublado/a, el pronóstico, la temperatura mínima/máxima

• Los medios de transporte — Means of Transportation

¡Alto!	Stop! (*Mex.*)
el asiento	seat
la autopista	freeway, expressway
la carretera	highway
el crucero	cruise ship
el letrero	sign
el pasaje	fare, ticket price
el pasajero / la pasajera	passenger
por avión (tren)	by plane (train)
la rueda	wheel
el semáforo	signal (light)
la señal	signal (light)
el transbordador	ferry
el tranvía	cable car, streetcar

PALABRAS SEMEJANTES: el taxi, transportar, el vehículo
REPASO: el barco, la bici(cleta), el carro, el coche, la moto(cicleta)

• La ecología y el medio ambiente — Ecology and the Environment

el agujero en la capa de ozono	hole in the ozone layer
la bolsa de lona	canvas bag
la caza	hunt; hunting
los desperdicios (nucleares)	(nuclear) waste
en peligro de extinción	in danger of extinction
la energía renovable	renewable energy

el envase	packing, packaging, bottle
la escasez	scarcity, shortage
la natalidad	birth rate
el reciclaje	recycling
el recurso (natural)	(natural) resource
la red (de pesca)	(fishing) net
la sequía	drought
el vidrio	glass (*material*)

PALABRAS SEMEJANTES: la biosfera, el carburo fluorado, la contaminación, la destrucción, el esmog, las especies, el hábitat, el pesticida, el petróleo, el planeta, la planta nuclear, la reserva, el residuo químico, el uso

• Los animales — Animals

la abeja	bee
el águila	eagle
la ballena	whale
el delfín	dolphin
la esponja	sponge
la estrella (marina)	(sea) star; starfish
el guacamayo	parrot
el león (marino)	(sea) lion
el lobo	wolf
el mamífero	mammal
la mariposa	butterfly
el pájaro	bird
el pez (los peces)	fish
el tiburón	shark
la tortuga (marina)	tortoise; (sea) turtle

PALABRAS SEMEJANTES: el gorila, el insecto, el leopardo, el reptil, la serpiente

• Los verbos — Verbs

bajar	to lower; to come down
corregir	to correct
crear	to create
criar	to raise (animals, children)
desarrollar	to develop
desperdiciar	to waste
hacer una gira	to take a tour
imponer	to impose
llamar la atención	to call attention
marearse	to get seasick
molestar	to bother
parecer	to seem
preocupar	to worry
proteger	to protect
requerir	require
resolver	to solve

salvar	to save
sembrar	to plant
urgir	to be urgent

PALABRAS SEMEJANTES: anticipar, causar, compararse, conectar, controlar, eliminar, establecer, flotar, fomentar, generar, interesar, limitar, observar, ocurrir, pasar, producir, reciclar, reducir, restringir

• Los sustantivos — Nouns

el aumento	increase
el buceo	diving (underwater swimming)
el cáncer (de la piel)	(skin) cancer
la cantidad	quantity
el cartón	cardboard
el casco	helmet
el ciudadano / la ciudadana	citizen
los daños	damages
la desaparición	disappearance
la (des)ventaja	(dis)advantage
el ejército	army, military
el esfuerzo	effort
el gobierno	government
la hoja (de papel)	leaf; sheet (of paper)
la impresora	printer
el pensamiento	thought
el poliestireno	styrofoam
el tema	theme
el viaje	trip

PALABRAS SEMEJANTES: la abundancia, la agricultura, el artículo, el bambú, la concentración, la consecuencia, el consumo, la diversidad, la electricidad, el espacio, la explotación, la exportación, la extensión, la fauna, la flora, la forma, la incidencia, la industria, la letra, la locomotora, el millón, el misil, el organismo, el plutonio, la porción, el problema, la producción, el producto, el resto, la restricción, el sistema, la sustancia, el tanque, el uranio

• Los adjetivos — Adjectives

aéreo/a	pertaining to air (travel)
ambiental	environmental
ambos/as	both
bello/a	beautiful
cubierto/a	covered
dañino/a	harmful
lastimado/a	injured
ligero/a	light
lleno/a	full
profundo/a	deep
rocoso/a	rocky
rodeado/a	surrounded
serio/a	serious
tibio/a	warm
unido/a	connected; unified

PALABRAS SEMEJANTES: árido/a, caribeño/a, colorido/a, desastroso/a, ecológico/a, excesivo/a, firme, grave, híbrido, húmedo/a, impresionante, inmenso/a, orgánico/a, plástico/a, positivo/a, preferido/a, principal, situado/a, subterráneo/a, tóxico/a, usado/a

• Los adverbios — Adverbs

cómodamente	comfortably
diariamente	daily
lentamente	slowly

PALABRAS SEMEJANTES: completamente, drásticamente, puntualmente

• Palabras y expresiones útiles — Useful Words and Expressions

acerca de	about
¡Cuánto/a/os/as... !	How many . . . !
hacia	toward
mil(es)	thousand(s)
¡Qué + *noun* + **tan/más** + *adjective*!	What a + *adjective* + *noun*!
para	to (in the direction of)

Gramática y ejercicios

10.1 Saying What You Have Done: The Present Perfect

A. The present perfect is formed with the present tense of the verb **haber*** (*to have*) followed by a form of the verb called the past participle.

> —¿**Han visitado** ustedes Europa?
> —Sí, **hemos visitado** España dos veces.

> —*Have you visited Europe?*
> —*Yes, we've visited Spain twice.*

This tense is used very similarly in English.

B. The present-tense forms of **haber** are irregular.

> **(Yo) He viajado a Panamá.** (*I have traveled to Panama.*)
> **he** = present tense of **haber**
> **viajado** = past participle of **viajar**

haber (to have)		
(yo)	he	*I have*
(tú)	has	*you (inf. sing.) have*
(usted, él/ella)	ha	*you (pol. sing.) have; he/she has*
(nosotros/as)	hemos	*we have*
(vosotros/as)	habéis	*you (inf. pl., Spain) have*
(ustedes, ellos/as)	han	*you (pl.) have; they have*

> **Tú has visto el museo del Prado.** (*You have seen the Prado Museum.*)
> **has** = present tense of **haber**
> **visto** = past participle of **ver**

> —Ernesto, ¿**has recogido** el coche?
> —No, todavía no **han llamado** del taller.

> —*Ernesto, have you picked up the car?*
> —*No, they haven't called yet from the garage.*

> **Ellos han ido a Europa cinco veces.** (*They have gone to Europe five times.*)
> **han** = present tense of **haber**
> **ido** = past participle of **ir**

C. The past participle is formed by adding **-ado** to the stem of **-ar** verbs and **-ido** to the stem of **-er** and **-ir** verbs.

-ar	
INFINITIVE	**PAST PARTICIPLE**
hablar	hablado
jugar	jugado
preparar	preparado

*Recognition: **vos habés**

-er / -ir	
INFINITIVE	*PAST PARTICIPLE*
comer	comido
vivir	vivido
dormir	dormido

—¿Ya **han comprado** los señores Ruiz los boletos?
—No, no **han tenido** tiempo todavía.

—*Have the Ruizes already bought the tickets?*
—*No, they haven't had time yet.*

—Andrea, **¿has terminado?**
—No, el agente de viajes no **ha conseguido** las reservaciones todavía.

—*Andrea, have you finished?*
—*No, the travel agent hasn't gotten the reservations yet.*

D. A few verbs have irregular participles.

abrir: **abierto**	*to open / opened*
cubrir: **cubierto**	*to cover / covered*
decir: **dicho**	*to say / said; to tell / told*
escribir: **escrito**	*to write / written*
hacer: **hecho**	*to do / done; to make / made*
morir: **muerto**	*to die / died; dead*
poner: **puesto**	*to put / put*
resolver: **resuelto**	*to solve / solved*
romper: **roto**	*to break / broken*
ver: **visto**	*to see / seen*
volver: **vuelto**	*to return / returned*

The participles of verbs derived from these verbs are also irregular. For example, **describir** is derived from **escribir**.

describir: **descrito**	*to describe / described*
devolver: **devuelto**	*to return / returned*
inscribir: **inscrito**	*to enroll / enrolled*
reponer: **repuesto**	*to put back / put back*
suponer: **supuesto**	*to suppose / supposed*

—Estela, ¿dónde **has puesto** mis pantalones nuevos?
—Ya te **he dicho** que están encima de la cama.

—*Estela, where have you put my new pants?*
—*I've already told you that they're on top of the bed.*

Ernesto fue a la agencia de viajes hace dos horas y todavía no **ha vuelto.**

Ernesto went to the travel agency two hours ago and hasn't come back yet.

Note that **ya** (*already*) and **todavía no** (*not yet*) are adverbs commonly used with the present perfect tense.

EJERCICIO 1

Éstas son algunas de las cosas que han hecho los amigos y parientes de Estela. Complete las oraciones con **comer, comprar, escribir, hablar, ir, limpiar, oír, pasar, ver** y **viajar.**

> **MODELO:** Mis cuñados *han ido* mucho a Puerto Vallarta porque les gustan las playas y el sol.

1. Ernesto y yo _____ la nueva película de Almodóvar cuatro veces.
2. Ramón le _____ varias cartas a Amanda.
3. Yo _____ tres veces este mes a Cuernavaca.
4. La señorita Batini _____ una casa nueva.
5. Pedro, ¿_____ en un restaurante chino últimamente?
6. Guillermo no _____ con Ernesto hoy.
7. Graciela, tú nunca _____ a España, ¿verdad?
8. Marisa y Clarisa _____ su cuarto muy bien.
9. Ernestito, ¿_____? ¡Papá dice que vamos a ir de vacaciones en Florida!
10. Pedro y Andrea _____ sus vacaciones en Acapulco muchas veces.

EJERCICIO 2

¿Cuántas veces ha hecho usted estas cosas? Haga preguntas y respuestas.

> **MODELO:** bucear en el mar Caribe →
> —¿Cuántas veces *has buceado* en el mar Caribe?
> —Nunca *he buceado* allí. (Mi hermana y yo *hemos buceado* en el mar Caribe dos o tres veces.)

1. viajar a México
2. esquiar en un lago
3. subir a una pirámide
4. acampar en la montaña
5. alquilar un coche
6. cocinar para diez personas
7. leer tres novelas en un día
8. correr 5 kilómetros sin parar
9. decirles una mentira a sus padres
10. romper un vaso en un restaurante

10.2 Exclamations with ¡*Qué... !*, ¡*Cuánto/a/os/as... !*

A. Form exclamations with **qué** using ¡**Qué** + *adjective* . . . !*

¡**Qué bonita** es la playa!	*How pretty the beach is!*
¡**Qué interesante** fue ese viaje!	*What an interesting trip that was!*

B. Use the pattern ¡**Qué** + *noun* + **tan/más** + *adjective*! to express *What a(n)* . . . !

¡**Qué país tan grande!**	*What a large country!*
¡**Qué viaje más divertido!**	*What an enjoyable trip!*

¡Qué montañas tan altas! (*What tall mountains!*)
¡Qué azul es el agua aquí! (*How blue the water is here!*)

---

*Note that **qué** and **cuánto** take an accent mark in exclamations as well as in questions.

¡Cuántas personas hay en esta playa! (*There sure are a lot of people on this beach!* [*What a lot of people there are on this beach!*])

C. Use **cuánto/a/os/as** to express surprise about quantity.

¡Cuánto dinero tiene ese hombre!	*What a lot of money that man has!*
¡No te imaginas **cuántas horas tuvimos que esperar!	*You can't imagine how many hours we had to wait!*

EJERCICIO 3

Imagínese que usted está mirando las fotos de Susana Yamasaki y sus hijos, quienes acaban de regresar de un viaje por América Latina. Exprese su sorpresa al ver estas fotos.

MODELO: las pirámides de Teotihuacán: pirámides / altas →
Las pirámides de Teotihuacán... ¡Qué pirámides tan (más) altas!

1. Bolivia: país / interesante
2. un vuelo de Buenos Aires a México, D.F.: vuelo / largo
3. los Andes: montañas / altas
4. una selva tropical en Venezuela: selva / verde
5. una playa en el Caribe: arena / blanca

EJERCICIO 4

Ahora imagínese que usted también ha hecho un viaje por España y por América Latina. Haga comentarios sobre los lugares interesantes que ha visto.

MODELO: azul / el agua del Caribe → ¡Qué azul es el agua del Caribe!

1. impresionantes / las ruinas de Machu Picchu
2. grande / el lago Titicaca
3. cosmopolita / la ciudad de Buenos Aires
4. húmeda / la selva de Ecuador
5. seco / el desierto de Atacama en Chile
6. alta / la torre de la Giralda en Sevilla
7. hermoso / el edificio del Alcázar de Segovia
8. inmenso / el parque del Retiro en Madrid
9. interesante / el Museo del Prado
10. antiguo / el acueducto de Segovia

por = movement *through* or *by*, or *means of transportation*
para = movement *toward a destination*
Caminamos por la playa. (*We walked along the beach.*)
Fuimos por tren. (*We went by train.*)
Salen mañana para Cuzco. (*They leave tomorrow for Cuzco.*)

10.3 Expressing *by, through*, Destination, and Time: *por* and *para* (Part 1)

The prepositions **por** and **para** have distinct meanings.

A. **Para** indicates movement *toward* a destination.

Cuando era niño, salía **para** la escuela a las 7:30.	*When I was a kid, I used to leave for school at 7:30.*
Perdón, señor, ¿cuál es el tren que sale **para** Madrid?	*Excuse me, sir, which is the train that is leaving for Madrid?*

Por, on the other hand, indicates motion *through* or *by* (*along*) a place.

Pasamos **por** varios pueblos antes de llegar a Salamanca. | *We went through various villages before arriving in Salamanca.*
Por las noches caminábamos **por** la orilla del lago de Chapala. | *In the evenings we would take walks along the shore of Lake Chapala.*

Por is also used to indicate means of transportation.

Mis hermanos quieren viajar **por** barco, pero yo quiero ir **por** avión. | *My brothers want to travel by boat, but I want to go by plane.*

Note the contrast in usage in the following example.

Mañana salgo **para** París. Voy a viajar **por** tren. | *Tomorrow I'm leaving for Paris. I'll travel by train.*

B. Por and **para** can also be followed by expressions of time.

1. Use **por** to indicate length of time (although you may often omit **por** in these cases). Some examples of time expressions are **por una semana, por tres meses, por un año,** and **por mucho tiempo.**

Hoy tengo que trabajar en el taller (**por**) **diez horas.** | *Today I have to work in the shop for ten hours.*

You can also use **por** to express *during, in,* or *at* with parts of the day: **por la mañana, por la tarde, por la noche.**

Aquí **por la noche** todo el mundo sale a pasear. | *Here in (during) the evening everybody goes out for a walk.*

2. Use **para** to indicate a deadline by which something is expected to happen.

Hay que entregar el informe **para** las 10:00. | *We have to turn in the report by 10:00.*
La tarea es **para** el viernes. | *The homework is for (due) Friday.*

> **por** = *length of time, during*
> **para** = *deadline*
> **Estuvimos en España por tres semanas.** (*We were in Spain for three weeks.*)
> **Paula necesita terminar el trabajo para el lunes.** (*Paula needs to finish the job by Monday.*)

EJERCICIO 5

Aquí tiene usted parte de una conversación entre Silvia Bustamante y su novio, Nacho Padilla. Escoja **por** o **para.**

SILVIA: Ayer trabajé _____[1] ocho horas en la terminal de autobuses.

NACHO: Yo manejé mi taxi _____[2] solamente cinco horas.

SILVIA: ¿Cuándo sales _____[3] Morelia?

NACHO: En dos días. Salgo _____[4] la mañana y voy a viajar _____[5] tres horas.

SILVIA: ¿No vas _____[6] avión?

NACHO: ¡Claro que no! Voy _____[7] tren. Es mucho más barato.

SILVIA: ¿Cuánto tiempo piensas quedarte allí?

NACHO: ¡Una semana! Necesito recoger unos documentos importantes. Van a estar listos _____[8] el próximo viernes.

-mente = *-ly*
cómodamente = *comfortably*
calmadamente = *calmly*

10.4 Describing Actions: Adverbs

Words that describe actions are called *adverbs*. Many adverbs are formed in Spanish by adding **-mente** to the feminine or neuter form of the adjective: **rápida** (*fast*) → **rápidamente** (*quickly*); **libre** (*free*) → **libremente** (*freely*).

—Amanda, ¿vas al cine **frecuentemente**?
—Sí, voy casi todos los fines de semana.

—Amanda, do you go to the movies frequently?
—Yes, I go almost every weekend.

En este país puedes hablar **abiertamente**.

In this country you can talk openly.

EJERCICIO 6

Primero escoja el adjetivo más lógico entre **cómoda, constante, inmediata, puntual** y **rápida**. Luego forme un adverbio.

MODELO: (general) → *Generalmente* tomo el autobús número 73 para ir a la universidad.

1. ¡Los trenes en Japón transitan a 250 kilómetros por hora! Los pasajeros llegan _____ a su destino.
2. Me gusta viajar por tren. Me siento _____ y miro el paisaje por la ventanilla.
3. En España los trenes y los autobuses llegan y salen _____.
4. ¡Nunca he visto tantos autobuses! En la estación de autobuses de Guadalajara, los autobuses llegan y salen _____.
5. Tenemos que correr; el próximo autobús sale _____.

¿RECUERDA?

Recall from **Gramática 1.5** and **8.2** that **gustar** and **encantar** are used with indirect object pronouns.

me — *to me*
te — *to you (inf. sing.)*
le — *to you (pol. sing.); to him/her*
nos — *to us*
os — *to you (inf. pl., Spain)*
les — *to you (pl.); to them*

Some useful expressions:
me interesa = *I'm interested in*
no me interesa = *I'm not interested in*
me importa = *it matters to me*
no me importa = *I don't care*
me parece que sí = *I think so*
me parece que no = *I think not*

10.5 Expressing Reactions: More Verbs Like *gustar*

Like **gustar** and **encantar**, several other verbs also use indirect object pronouns.

dar miedo *to frighten*
dar rabia *to infuriate*
fascinar *to be fascinating; to love*
importar *to matter*
interesar *to be interesting*

llamar la atención *to attract attention*
molestar *to bother*
parecer *to seem like*
preocupar *to worry, be worrying*
urgir *to be pressing, really necessary*

The English equivalents of these verbs vary according to context.

—¿Qué **te interesa**?
—**Me interesa** la geografía porque **me fascina** viajar.

—What interests you?
—I'm interested in geography because I love to travel.

El paisaje es tan lindo que no **nos importa** si llueve.

The countryside is so pretty that it doesn't matter to us if it rains.

—Susana, ¿qué **te parece** un viaje a Chile y Bolivia?

—*Susana, what do you think about a trip to Chile and Bolivia?*

—**Me parece** una idea fantástica.

—*It seems like a great idea to me.*

The person whose opinion is described (**me, te, le, nos, os, les**) is usually mentioned first. The subject of this kind of sentence normally follows the verb. In the following sentence, *our* opinion (**nos**) is described, and the smoke (**el humo**) is the subject of the sentence. **Molesta** is singular because **el humo** is singular.

Nos molest**a el humo.**   *The smoke bothers us.*

If the subject that follows the verb is a singular noun or an infinitive, the verb is singular. In the following sentence, the verb is followed by an infinitive, so the verb is singular.

Me import**a conservar** energía.   *I care about conserving energy.*

In the next sentence, the subject (**las maletas**) is plural, so the verbs (**gustan/parecen**) are plural.

Me gusta**n las maletas** que usted compró; **me** parece**n** muy prácticas.

I like the suitcases you bought; they seem very practical to me.

EJERCICIO 7

Exprese su opinión usando la forma apropiada de los verbos indicados.

MODELO: La contaminación del aire...

       a. _____ (molestar)
       b. _____ (encantar)

      La contaminación del aire *me molesta.*

1. La conservación de nuestros recursos naturales...
   a. _____ necesaria. (parecer)
   b. no _____. (importar)

2. Los bosques y las selvas...
   a. _____. (fascinar)
   b. no _____. (interesar)

3. Vivir en un clima caluroso...
   a. _____. (encantar)
   b. no _____. (gustar)

4. El tránsito en las autopistas...
   a. _____. (molestar)
   b. no _____. (gustar)

5. Los ríos del mundo...
   a. _____. (importar)
   b. no _____. (preocupar)

Capítulo 11
De viaje

Feria en Barrio Reus, por Jorge Pizzanelli (Uruguay)

METAS

In **Capítulo 11** you will continue to talk about travel-related experiences: making plans, following directions, and reading maps. You will learn about travel in Spanish-speaking countries, including changing money, clearing customs, and finding lodging. You will also discover new places to visit in the Hispanic world.

Sobre el artista: Jorge Pizzanelli nació en Uruguay en 1945. En 1986 comenzó sus estudios de pintura. Tiene preferencia por el estilo impresionista y, como tema, prefiere los paisajes. Su obra se distingue por la capacidad para representar la luz natural. Desde 1987 ha expuesto en prestigiosas galerías de Montevideo y Punta del Este. Además, ha tenido exposiciones en Uruguay, Brasil, los Estados Unidos y Japón.

Uruguay

Época precolombina
Región poblada por los charrúas, los chanáes y los guaraníes

Se promulgó la constitución de la República Oriental del Uruguay. **1830**

Brasil y Argentina renunciaron a sus pretensiones sobre Uruguay. **1828**

1600–1800
Genocidio de los indígenas

1839–1851
La inestabilidad política culminó en guerra civil.

1500   **1600**   **1800**

Paraguay

Época precolombina
Región poblada por tribus guaraníes, guaycurúes y paraguás

1524
Llegaron los primeros europeos.

1776
Creación del virreinato del Río de la Plata

1813
Se declaró la independencia de Paraguay.

1816–1840
José Gaspar Rodríguez de Francia fue declarado dictador perpetuo.

1864
Argentina, Brasil y Uruguay (la Triple Alianza) declararon la guerra contra Paraguay.

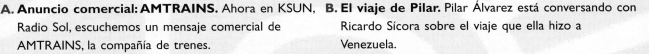
Los amigos animados: Para repasar

Antes de comenzar este capítulo, mire los segmentos animados para repasar el capítulo anterior.

A. Anuncio comercial: AMTRAINS. Ahora en KSUN, Radio Sol, escuchemos un mensaje comercial de AMTRAINS, la compañía de trenes.

B. El viaje de Pilar. Pilar Álvarez está conversando con Ricardo Sícora sobre el viaje que ella hizo a Venezuela.

En este capítulo...

ACTIVIDADES DE COMUNICACIÓN

• Los viajes en automóvil
• En busca de sitios
• Los planes de viaje
• Los sitios turísticos

EN RESUMEN

LECTURAS Y CULTURA

• **Enlace literario**
  «En tren», por Antonio Machado
• **Ventanas culturales**
  Nuestra comunidad: Juan Luis Guerra, embajador musical
• **Ventanas culturales**
  Las costumbres: La danza negra en Perú... ¡a bailar!
• **Lectura**
  Mérida, ciudad en la montaña

GRAMÁTICA Y EJERCICIOS

11.1 Giving Instructions: Polite Commands

11.2 Softening Commands (Part 1): The Present Subjunctive Following **querer**

11.3 Expressing Indefinite Future and the Present Subjunctive of Irregular Verbs

11.4 Talking about Past Actions in Progress: The Imperfect Progressive

11.5 Telling What Was Happening: The Imperfect in Contrast to the Preterite

---

1900 Comenzó un siglo de abundante inmigración de españoles e italianos.

El presidente Bordaberry declaró el estado de guerra y disolvió la Asamblea General.

1972

1958 Las elecciones llevaron al partido Blanco (apoyado por Argentina) al poder.

1976 Bordaberry fue remplazado por un consejo de militares y civiles.

1999 Jorge Batlle, del tradicional Partido Colorado, asumió la presidencia.

2001 Comenzó un período de crisis económica y financiera.

1900

2000

1887–1904 Gobernaron los colorados (el partido Asociación Nacional Republicana).

1932 Comenzó la Guerra del Chaco por el petróleo; terminó en 1935 cuando EU se unió a Argentina, Brasil, Uruguay, Perú y Chile contra Paraguay.

1954–1989 El general Alfredo Stroessner fue nombrado presidente y fue reelecto 7 veces.

2003 Duarte Frutos asumió la presidencia.

1995 Carlos Wasmosy: primer presidente civil electo en 182 años

Actividades de comunicación y lecturas

✳ **Los viajes en automóvil**

el maletero
el espejo retrovisor
el limpiaparabrisas
el parabrisas
la antena
el capó
los faros
la placa
el parachoques
una llanta desinflada
las llantas
el guardafango

la bocina   el volante   los cambios
el cinturón de seguridad
el asiento
los frenos

¡OJO!

Los viajes en automóvil son cómodos y divertidos, pero hay que recordar que el automóvil contribuye a la contaminación del medio ambiente. Por eso, este dato que apareció en la revista de la organización estadounidense Sierra Club resulta muy alentador: Si cada residente de una comunidad de 100.000 habitantes reemplaza un viaje en automóvil de 14.5 kilómetros (9 millas) con uno en bicicleta una vez al mes, se puede reducir la cantidad de emisiones de bióxido de carbono por 3.764 toneladas al año.

ACTIVIDAD 1   Las partes del carro

1. _____ los frenos
2. _____ los limpia-parabrisas
3. _____ el volante
4. _____ la bocina
5. _____ la placa
6. _____ el parabrisas
7. _____ el cinturón de seguridad

a. Protege a los pasajeros del viento.
b. Se usa para mantener en el asiento a los pasajeros de un automóvil o un avión.
c. Se usan cuando llueve.
d. Se usan para parar el coche.
e. Se usa para manejar el coche.
f. Tiene los números para identificar el coche.
g. Se toca para llamar la atención de los peatones y otros choferes.

ACTIVIDAD 2 Descripción de dibujos: Los letreros de la carretera

Diga cuál es la frase u oración que corresponde a cada número.

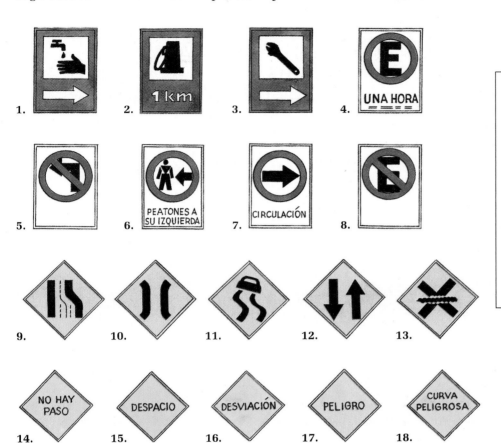

a. puente angosto
b. No doble a la izquierda.
c. tránsito de un solo sentido (una vía)
d. baños
e. gasolinera
f. ¡Cuidado! Puede haber personas a su izquierda.
g. mecánico
h. tránsito de doble sentido (vía)
i. estacionamiento de una hora
j. No se estacione.
k. tren
l. camino angosto
m. superficie resbalosa
n. prohibido el tránsito
o. Disminuya la velocidad porque hay una curva.
p. Tiene que ir por otro camino.
q. Disminuya la velocidad.
r. Tenga mucho cuidado.

ACTIVIDAD 3   Entrevista: Tú y tu coche

1. ¿Tienes tu propio coche? ¿De qué marca es? ¿Cómo es tu coche? ¿Es práctico? ¿grande? ¿elegante? ¿Gasta mucha gasolina?
2. ¿Tienes seguro? ¿De qué compañía? ¿Es una compañía buena? ¿Por qué lo dices? ¿Es muy caro tu seguro?
3. ¿Te gusta manejar? ¿Cuántas millas manejas cada día, aproximadamente? ¿Cómo está el tránsito a la hora que sales para el trabajo? ¿Y cuando regresas a casa?
4. ¿Has tenido un accidente en tu coche? ¿Chocaste? ¿Con qué chocaste? ¿Quién tuvo la culpa? ¿Cuánto (tiempo) hace? ¿Fue un accidente serio o sin importancia?
5. ¿Has salido de vacaciones en tu coche? ¿Cuánto (tiempo) hace? ¿A dónde fuiste? ¿Con quién fuiste? ¿Cuántas horas tuviste que manejar? ¿Te gustó el viaje? ¿Por qué?

▶ **EXPRESIONES ÚTILES**

gastar gasolina
    (no) gasta...
tener la culpa
    yo (no) tuve la culpa
chocar
    choqué con...

ACTIVIDAD 4   Situación: Un viaje en carro

Usted va a viajar de El Paso, Texas, a Barranca del Cobre en Chihuahua, México. Es una distancia de 500 kilómetros. Complete las siguientes dos listas con cinco tareas o más para cada lista.

ANTES DE SALIR	LISTA PARA EL MECÁNICO
Tengo que / Necesito: • • • • •	Debe: • Revisar... • • • •

✳ En busca de sitios

Lea Gramática 11.1.

Buenos Aires, Argentina: De Congregación Israelita al Correo Central (ambos marcados con asterisco)

TURISTA: Perdone, ¿puede decirme cómo llegar al Correo Central?

ADRIANA: Sí, por supuesto. Mire aquí en su plano. Salga de la Congregación Israelita por la calle Córdoba y camine dos cuadras hacia el este. En la Avenida 9 de Julio doble a la derecha. Camine cuatro cuadras por 9 de Julio y luego, en la glorieta del Obelisco, doble a la izquierda en la Avenida Corrientes. Camine siete cuadras hacia el este por Corrientes, cruce la Avenida L. N. Alem y ahí tiene usted el Correo Central.

TURISTA: Muchísimas gracias, señorita.

ADRIANA: Para servirle. Adiós.

ACTIVIDAD 5   Conversación: La Ciudad de Buenos Aires

Mire el plano de la página 375 y explique cómo se va de una parte del centro de la ciudad a otra. (Los números en el plano van a ayudarle a encontrar los lugares mencionados.)

MODELO: del Cementerio de la Recoleta a la Plaza de Mayo (*Los dos están marcados con la* **M** *de* **Modelo.**) →

Salga del cementerio por la calle Junín y tome la calle Guido al sur. Camine once cuadras. En la Avenida Córdoba, doble a la izquierda y camine dos cuadras por esa avenida. Luego doble a la derecha en Avenida 9 de Julio y camine nueve cuadras por esa calle tan ancha. Pase el Obelisco y siga hasta la Avenida de Mayo. Ahí doble a la izquierda. Camine cinco cuadras y ahí está la Plaza de Mayo, enfrente de usted.

1. de la Plaza Naciones Unidas a la aduana
2. del Congreso Nacional al Palacio San Martín
3. del Palacio de Justicia a la Casa Rosada
4. de la iglesia de Nuestra Señora del Pilar a Luna Park
5. de la iglesia de Santa Catalina de Siena a (la facultad de) Derecho y Ciencias Sociales

REFRÁN

Todos los caminos llegan a Roma.

(*All roads lead to Rome.*)

ACTIVIDAD 6   Del mundo hispano: Consejos para los viajeros

Lea el artículo de la izquierda. Luego, con un compañero / una compañera de clase, escriba otros dos o tres consejos útiles para los viajeros.

Cuando salga de VIAJE...

La misma atención que se pone para planear las vacaciones, se debe de tener para cuidar la casa antes de emprender el viaje. Algunas sugerencias:

• Riegue las plantas antes de irse o pida a un vecino que lo haga.

• Pida a un vecino que recoja su correspondencia y el periódico.

• Dígales a los vecinos que usted sale de vacaciones y deles el nombre y el número de teléfono de su hotel.

• Tenga suficiente comida en casa para que cuando regrese no tenga que ir de compras.

• Encienda la contestadora telefónica.

• Deje encargadas a sus mascotas en casa de algún familiar o con su veterinario.

• Cubra su coche con una funda para protegerlo.

• Ponga las llaves en un lugar seguro de la casa.

ACTIVIDAD 7   Del mundo hispano: El metro de Madrid

Dé instrucciones para ir de una estación del metro a otra. No olvide hacer los transbordos necesarios.

MODELO: De Atocha a El Carmen → Suba a un tren de la Línea 1 en Atocha, dirección Plaza de Castilla, y baje en la Estación Sol. Allí suba a un tren de la Línea 2, dirección Ventas, y baje en la Estación Ventas. En Ventas, suba a un tren de la Línea 5, dirección Canillejas, y siga hasta la primera estación. Bájese; allí es El Carmen.

1. de Tetuán a Sevilla
2. de Puente de Vallecas a Ríos Rosas
3. de Aluche a Goya
4. de Oporto a Portazgo
5. de Esperanza a Quintana

ENLACE LITERARIO

«En tren», por Antonio Machado

Selección de su libro *Poesías completas* (1943)

Antonio Machado (1875–1939) es uno de los grandes escritores de España. Publicó ensayos y obras de teatro, pero se le conoce más por su obra poética. La poesía de Machado es sencilla y muy sentida.[1] Entre sus publicaciones más conocidas se encuentran *Soledades, galerías y otros poemas* (1903), *Campos de Castilla* (1912) y *Nuevas canciones* (1925). Uno de los temas principales en la obra de Machado es la experiencia de viajar, como lo ejemplifican los poemas «Yo voy soñando caminos», «El viajero» y la selección de «En tren» que aquí incluimos.

En tren

Yo, para todo viaje
—siempre sobre la madera
de mi vagón de tercera—,[2]
voy ligero[3] de equipaje.
Si es de noche, porque no
acostumbro[4] a dormir yo,
y de día, por mirar
los arbolitos pasar;
yo nunca duermo en el tren,
y sin embargo,[5] voy bien.
¡Este placer de alejarse[6]!
Londres, Madrid, Ponferrada,
tan lindos... para marcharse.
Lo molesto es la llegada.
Luego, el tren, al caminar,
siempre nos hace soñar;
y casi casi olvidamos
el jamelgo[7] que montamos.
¡Oh el pollino[8] que sabe bien el camino!
¿Dónde estamos?
¿Dónde todos nos bajamos?

Actividad creativa: La manera ideal de viajar

En este poema, Antonio Machado describe su manera de viajar en tren: siempre va ligero de equipaje y nunca duerme. ¿Cómo le gusta viajar a usted? Cuando es un viaje largo, ¿duerme? ¿lee? ¿ve películas? ¿Lleva mucho equipaje? Describa en una página su manera ideal de viajar.

[1]*heartfelt* [2]vagón... *third-class car* [3]*light* [4]*no... I'm not used to* [5]*sin... yet* [6]*to get away*
[7]caballo malo o flaco [8]*young donkey*

✳ Los planes de viaje

Lea Gramática 11.2–11.3.

¿Se necesitan vacunas?

LANCHILE .com
☐ boleto de ida
☑ boleto de ida y vuelta

hacer las reservaciones por Internet

el boleto

el pasaporte

el Consulado de Chile

la visa

la lancha

el barco

viajar en crucero

el equipaje (las maletas)

el aeropuerto

LANCHILE

el mostrador

Pedro y Andrea facturan el equipaje

la clase turística

la primera clase

abordar el avión

la sala de espera

reclamo de equipaje

el contrabando

los derechos de aduana

la inmigración

←la cola→
hacer cola

—Su pasaporte, por favor.
—Aquí lo tiene.

—Cuando llegue al hotel, voy a descansar.

revisar el equipaje

la aduana

en el banco

el cajero↗

los billetes

Cambio
US $1.⁰⁰ = .76€

(dinero en efectivo)

(las tarjetas de crédito)

—Permítame revisar su equipaje.
—Sí, como no. ¿La cámara también?

—Quisiera cambiar dólares.
—Permítame ver su pasaporte, por favor.

el alojamiento

el gerente

el botones

la recepción

el ascensor (el elevador)

la camarera

la mesita de noche
la cama matrimonial

la habitación

Se hospedaron en el Hotel Horizonte.

la salida

TAXI

Hoy regresan a Barcelona. Quieren que el botones ponga su equipaje en el maletero.

ACTIVIDAD 8   Conversación: ¡Viajar es tan fácil como decir 1, 2, 3!

Ordene lógicamente estas actividades.

_____ comprar los boletos
_____ abordar el avión
_____ comprar ropa y otras cosas
_____ planear el viaje
_____ ir al aeropuerto

_____ hacer las maletas (empacar)
_____ ahorrar el dinero necesario
_____ hacer las reservaciones
_____ sacar el pasaporte y la visa
_____ avisarles a los vecinos que usted sale de vacaciones

ACTIVIDAD 9   Intercambios: Los paquetes turísticos

Mire estos paquetes turísticos ofrecidos por la aerolínea costarricense LACSA. Después, hágale preguntas a su compañero/a.

Santiago de compras
4 noches / 5 días
Desde **$899**

Incluye:
- Boleto aéreo ida y vuelta (sin impuestos).
- 4 noches de alojamiento en Hotel Galerías.
- Impuestos hoteleros.
- Traslado aeropuerto/hotel/aeropuerto.
- Desayuno Buffet.
- Coctel de bienvenida.
- Tour de compras.

Barranquilla Ejecutivo
2 noches / 3 días
Desde **$297**

Incluye:
- Boleto aéreo ida y vuelta (sin impuestos).
- Dos noches de alojamiento con desayuno americano.
- Impuestos hoteleros.

Quito Ejecutivo
3 noches / 4 días
Desde **$478**

Incluye:
- Boleto aéreo ida y vuelta (sin impuestos).
- Traslado aeropuerto/hotel/aeropuerto.
- 3 noches de alojamiento en hotel seleccionado.
- Impuestos hoteleros.

1. ¿Cuánto cuesta el paquete a Barranquilla? ¿Incluye los impuestos hoteleros?
2. ¿Qué más está incluido, además del alojamiento, en el paquete «Barranquilla Ejecutivo»?
3. ¿Está incluido un tour de compras en el paquete «Quito Ejecutivo»?
4. ¿Incluye el traslado del aeropuerto al hotel el paquete «Quito Ejecutivo»?
5. ¿Qué incluye el paquete «Santiago de compras» además del boleto, el alojamiento y los traslados del aeropuerto al hotel?

ACTIVIDAD 10   Intercambios: Las vacaciones ideales

Lea con su compañero/a estas descripciones de excursiones y escojan las vacaciones perfectas para las personas que aparecen abajo.

MODELOS: A _____ le(s) recomiendo la excursión a _____ porque _____.

A mí me gustaría la excursión de _____ porque _____.

Unas vacaciones de 6 noches y 7 días por las antiguas ciudades de Roma y Atenas. Excursiones al Partenón, la Catedral de San Pedro y otros lugares históricos. Alojamiento en hoteles de lujo.

Viaje de 5 noches y 6 días para acampar en las montañas al sur de Chile. Guía experto, caminatas de 10 kilómetros diarias, alojamiento en cabañas. Todo el equipo incluido.

CARIBE

Viaje en crucero de 6 noches y 7 días por el Caribe. Comida internacional, música y baile todas las noches. Piscina y cancha de tenis a bordo. Excursiones a mercados y sitios turísticos en cada puerto.

Gira de 8 noches y 9 días por la costa noreste de los Estados Unidos, incluyendo las ciudades históricas de Williamsburg, Jamestown, Boston, Baltimore y Charleston, terminando en Nueva York. Hoteles de precios módicos.

DOS SEMANAS —13 noches y 14 días— en moderno club de vacaciones, en la península de Yucatán. Canchas de tenis, tres piscinas de agua dulce y una de agua salada. Clases de buceo, excursiones en barco de vela, campamento para niños.

Gira de dos semanas, 13 noches y 14 días, por las capitales de Europa: Londres, Roma, París, Estocolmo, Berlín y Viena. Excursiones en cada ciudad con guías expertos. Alojamiento en hoteles de precios módicos.

Una semana, 6 noches y 7 días, en un hotel en la Playa Dominical de Costa Rica. Restaurante, bar, dos piscinas, jacuzzi, canchas de tenis.

---

1. Adriana Bolini: Adriana es argentina, soltera, de 35 años. Ella es mujer de negocios. Le gusta mucho viajar y ha viajado por muchas partes de Europa.
2. Susana Yamasaki y sus hijos, Armando y Andrés (de 13 y 9 años, respectivamente): Susana es madre divorciada y trabaja de secretaria y también de guía de turistas para las ruinas de Machu Picchu. A Susana le gusta salir de vacaciones con sus hijos.
3. Raúl Saucedo: Raúl es estudiante de ingeniería en la Universidad de Texas, en San Antonio. Es muy aventurero y le gusta viajar porque le encanta conocer gente interesante.
4. Pilar y Clara: Clara está de visita en España por un año. Allí conoció a Pilar. Las dos son estudiantes y tienen un mes de vacaciones entre semestres.

ACTIVIDAD II   Del mundo hispano: De viaje en Andalucía

Granada

HOTELES Y RESTAURANTES

HOTELES: Alhambra Palace. Caro. Hermoso palacio estilo morisco en la cumbre de la montaña Alhambra con magníficas vistas. Tel. 22-14-68. **Parador de San Francisco.** Caro. Está en un antiguo convento dentro de los muros de la Alhambra y es el

parador más popular de España. Se requiere hacer reservación de 4 a 6 meses de anticipación. Tel. 22-14-93. **América.** Moderado. Encantador hotel dentro de los terrenos de la Alhambra. Es muy popular, reserve con anticipación. Tel. 22-74-71.

RESTAURANTES: Baroca. Caro. Considerado uno de los mejores de Granada. Tel. 26-50-61. **Cunini.** Caro. Muy famoso por su pescado y comida marina. Tel. 26-37-01. **Colombia.** Caro-Moderado. En la montaña de la Alhambra con elegante decorado árabe, música de guitarra y esplén-

De estilo morisco, el Alhambra Palace es uno de los hoteles caros de Granada, con magníficas vistas desde la cumbre de la montaña.

Sevilla ofrece a los visitantes hoteles de lujo, como el Alfonso XIII, un edificio de estilo morisco construido en 1929 para la Exhibición Mundial.

didas vistas. Muy turístico, pero divertido. Tel. 22-74-33.

Sevilla

HOTELES Y RESTAURANTES

Todos los precios pueden duplicarse e incluso triplicarse durante la Semana Santa y los días que dura la Feria.

HOTELES: Alfonso XIII. De lujo. Construido en estilo morisco para la exhibición de 1929, es el

hotel clásico de Sevilla lleno de belleza y encanto. Tel. 22-28-50. **Doña María.** Caro. Pequeño, con habitaciones de buen gusto amuebladas con antigüedades y piscina en la azotea con vista a la Giralda. Tel. 22-49-90. **Bécquer.** Moderado. Hotel agradable y moderno. Tel. 22-89-00. **Fernando III.** Moderado. A orillas del barrio Santa Cruz; piscina en la azotea. Tel. 21-73-07.

RESTAURANTES: Albahaca. Caro. Todos frecuentan este restaurante, hermosamente localizado en el corazón del viejo barrio judío; platos creativos. Tel. 22-07-14. **La Dorada.** Caro. Muy famoso por sus pescados y comida marina. Tel. 45-51-00. **Bodegón Torre del Oro.** Moderado. Atmósfera rústica, buena comida y popular entre turistas y locales. Tel. 21-31-69. **Bolero.** Moderado. Muy popular para disfrutar paella y platos de pescado. Tel. 21-26-31.

EN GRANADA

1. Si usted necesita un hotel de precios módicos, ¿en dónde va a hospedarse?
2. ¿Cómo se llama un parador muy popular?
3. Si quiere comer en un restaurante de ambiente árabe, ¿en dónde va a cenar?
4. ¿En dónde va a cenar, si tiene ganas de comer mariscos?
5. Si desea cenar en el mejor restaurante de Granada, ¿a cuál va a ir?

EN SEVILLA

1. Si desea cenar en un restaurante en el centro del barrio judío, ¿a cuál piensa ir?
2. Si busca un hotel elegante y clásico, ¿cuál va a escoger?
3. Si prefiere un hotel de precios módicos con piscina, ¿en dónde va a hospedarse?
4. Si desea comer una buena paella, ¿en qué restaurante puede hacerlo?
5. ¿Cómo se llama un restaurante de precios módicos y ambiente informal?

VENTANAS CULTURALES Nuestra comunidad

Juan Luis Guerra, embajador musical

El cantautor Juan Luis Guerra compone canciones que se cantan y se conocen en el mundo entero. Para él no hay barreras culturales. Sus canciones tienen bellas melodías e incorporan ritmos del folclor de su patria, la República Dominicana: el merengue y la bachata, por ejemplo. Guerra escribe sobre la vida cotidiana y el amor. La canción que lo hizo famoso, «Ojalá que llueva café», tiene un tema de esperanza en la voz de un campesino. Y en el disco *Bachata rosa* (1989) están sus canciones más populares, «La bilirrubina» y «Burbujas de amor». Pero hay otros discos muy hermosos, como *Areito* (1992), que presenta temas sobre los taínos, indígenas del Caribe, y *Ni es lo mismo ni se escribe igual,* que ganó dos Grammys Latinos en 2000.

Juan Luis Guerra dice que su inspiración la encuentra en el pueblo dominicano. Es por ese pueblo que trabaja no sólo como artista sino también con ayuda específica. Desde 1989, Juan Luis dedica parte de su tiempo a una fundación que él creó con un amigo doctor. El objectivo de esta fundación y sus doctores es ofrecer cuidado médico a cientos de personas pobres de la República Dominicana. Gracias a este trabajo humanitario y a sus canciones, Juan Luis Guerra es hoy el embajador musical de su país. El compositor no encuentra barreras para llevar a todo el mundo sus ritmos tropicales y sus mensajes de esperanza.

VOCABULARIO ÚTIL

el cantautor	*singer-songwriter*
las barreras	*barriers*
cotidiana	*daily*
la esperanza	*hope*
el campesino	*peasant*
el embajador	*ambassador*
el estado de ánimo	*mood, state of mind*

Ahora... ¡ustedes!

¿Crees que la música puede afectar el estado de ánimo de una persona? ¿De qué manera? ¿Hay un tipo de música o alguna canción que te afecte mucho? ¿Por qué te afecta así?

ACTIVIDAD 12   Del mundo hispano: La Barranca del Cobre en México

Lea este artículo y luego hágale las siguientes preguntas a un compañero / una compañera de clase.

Barranca del Cobre
Una de las maravillas naturales de México

Visitar la Barranca del Cobre es una de las grandes experiencias que puede tener un viajero en México. Localizada en la Sierra Madre Occidental de Chihuahua, en un área de más de 35,000 km², es 1.5 veces más profunda y cubre cuatro veces la extensión del Gran Cañón en Arizona. Su vegetación y fauna desde el fondo de las barrancas —que en algunas zonas llegan a tener 3,000 metros de profundidad— hasta sus sierras nevadas en invierno son tan diversas, que nunca se acaban de admirar. En la región viven dispersos más de 50,000 indios tarahumaras, que todavía conservan una cultura muy interesante.

Quienes deseen conocer esta región, considerada por muchos la octava maravilla natural del mundo, pueden hacerlo en una de las excursiónes de siete días organizadas por Ecogrupos de México. Incluyen: organizador de grupo bilingüe, seis noches de hospedaje en hotel, transportación en autobús, lanchas, tren (desde donde se tienen vistas espectaculares atravesando puentes y túneles), camionetas, entradas a los sitios de interés, caminatas guiadas por los tarahumaras, 10 alimentos y bitácora impresa con información de la región. No incluye: transportación aérea, bebidas alcohólicas, gastos extras en el hotel (teléfono, lavandería, etc.).

Adulto doble: $4,405 (579 dólares), triple: $3,607 (474 dólares), sencillo: $5,677 (746 dólares), niño $2,576 (338 dólares). Los precios no incluyen IVA. Para mayores informes y reservaciones llame al 661-9121. Fax: 663-5381. ◗

1. ¿Dónde está la Barranca del Cobre?
2. ¿Qué tribu de indígenas vive en esta región?
3. ¿Es más grande o menos grande la Barranca del Cobre que el Gran Cañón en Arizona?
4. ¿Cómo se llama la compañía que organiza las excursiones?
5. ¿Está incluido el vuelo en el precio de la excursión?
6. ¿Es necesario saber hablar español para ir en esta excursión?
7. ¿Cuánto cuesta una habitación doble, por adulto? ¿y una habitación sencilla?

Nuevos vuelos entre
Lima y Santiago

Los viajeros de negocios pueden ahora salir por la mañana de Lima para asistir a una reunión en Santiago y estar de regreso a la hora de la cena, gracias al nuevo vuelo que ofrece United Airlines. Los vuelos que enlazan ambas ciudades operan miércoles, viernes y sábados en un Boeing 757. El vuelo 973 sale de Lima a las 8:35 a.m. y llega a Santiago a las 12:55 p.m.; el vuelo 972 sale de Santiago a las 6:00 p.m. y llega a Lima a las 8:35 p.m. El trayecto dura aproximadamente tres horas y media. ◗

✳ Los sitios turísticos

Lea Gramática 11.4–11.5.

Pedro y Andrea hicieron las
reservaciones en la Agencia
Universo el 6 de junio.

Pedro y Andrea llegaron a Madrid
el 2 de julio.

Pedro y Andrea dormían
cuando sonó el teléfono.

Estaban tomando un refresco en un
café de la Gran Vía cuando vieron a
un viejo amigo de Pedro.

A las 4:00 de la tarde Pedro y Andrea
admiraban las pinturas de Goya en el Museo
del Prado, cuando las luces se apagaron.

ACTIVIDAD 13   Descripción de dibujos: El viaje de Virginia y Rubén

Diga qué estaba pasando.

MODELO: A las 6:05 Virginia y Rubén *estaban recogiendo (recogían) los boletos en la agencia de viajes.*

MODELO: Virginia y Rubén *estaban paseando (paseaban) por el Paseo de la Reforma cuando dos carros chocaron.*

VENTANAS CULTURALES Las costumbres

La danza negra en Perú... ¡a bailar!

Cuando pensamos en Perú, imaginamos los Andes y el gran Imperio Inca, pero Perú tiene también una larga tradición africana. Al igual que a muchos otros países de América Latina, los españoles llevaron esclavos africanos a Perú para trabajar en las grandes plantaciones. Estos esclavos trajeron consigo las tradiciones musicales de África occidental. Cuando los españoles prohibieron el uso de los tambores, los africanos desarrollaron el uso del cajón, una caja grande de madera, como las que se usaban en la agricultura. Las formas musicales más conocidas de la danza negra son *el festejo, el landó, la zamba malató* y *el alcatraz.* Este último fue prohibido en la época colonial por su sensualidad.

Por muchos años la danza negra quedó en el olvido, pero en 1969 se formó el grupo Perú Negro, con la meta de preservar el baile y la música de la gente negra de Perú. Actualmente hay muchos intérpretes de este estilo musical. En Lima, Susana Baca fundó el Centro Experimental de Música Negrocontinuo y se ha dedicado no sólo a cantar música negra sino a difundir esta tradición por todo el país. Eva Ayllón, conocida como «la voz de oro de Perú», se destaca con su versión del festejo, «Raíces negras». Ayllón incorpora palabras africanas al ritmo de su música.

Quien quiera escuchar esta música tan contagiosa puede ir a varios clubes nocturnos de Lima donde tocan los artistas Lucila Campos, Arturo «Zambo» Cavero y el grupo Perú Negro. También lo puede hacer por Internet, visitando los sitios Web de los artistas aquí mencionados. ¡A bailar!

Susana Baca, cantante

VOCABULARIO ÚTIL	
el Imperio	*Empire*
consigo	*with him/her/you (formal)/them*
África occidental	*West Africa*
los tambores	*drums*
la caja	*box*
de madera	*wooden*
quedó en el olvido	*was forgotten*
difundir	*to disseminate*
se destaca	*stands out*

Ahora... ¡ustedes!

¿Qué tipo de música prefieres? ¿el jazz, la música *country,* el rock, el hip-hop, el rap, la música folclórica, la música clásica? ¿Conoces la música de algún país hispano? Por ejemplo, ¿te gusta la salsa, el merengue o el flamenco?

ACTIVIDAD 14   Narración: De turistas en España

Diga qué hicieron Pedro y Andrea durante su viaje a España.

ACTIVIDAD 15   Del mundo hispano: La ecología de Cuba

Lea los datos que aparecen a continuación y el mapa de la página 390, y luego converse con su compañero/a usando las preguntas de la siguiente página.

Datos interesantes sobre la ecología de Cuba

Cuba tiene 263 reservas naturales que cubren el 22% de su territorio. Este país tiene también la mayor diversidad de paisaje, flora y fauna de todo el territorio de las Antillas.

La península de Guanahacabibes tiene una de las seis reservas biosféricas de Cuba. Protege las aguas, los arrecifes, las selvas tropicales y los manglares[1] de la costa del uso excesivo por los humanos.

La Reserva Biosférica Ciénaga de Zapata es el área protegida de mayor extensión en Cuba. Alberga[2] más de 3.000 cocodrilos cubanos, una especie en peligro de extinción.

En el Humedal[3] Río Máximo-Camagüey habitan más de 70.000 flamencos. Este sitio está protegido —más que por el hombre— por su desalentadora[4] inaccesibilidad.

En la parte oriental de Cuba existe una cueva[5] en la cual viven más de 4.000.000 de murciélagos[6] (12 especies distintas, incluyendo el murciélago más pequeño del mundo).

En el Desembarco del Granma, sitio proclamado Patrimonio de la Humanidad,[7] crece una de las orquídeas más pequeñas del mundo: sus pétalos alcanzan una extensión de apenas una pulgada.[8]

En la reserva biosférica Cuchillas del Toa habita una de las ranas más pequeñas del mundo.

Por toda Cuba se está dando una revolución silenciosa de agricultura orgánica. En muchas partes, debido a[9] la falta de tractores y pesticidas, los campesinos usan métodos naturales para controlar los insectos y para cultivar sus tierras.

[1]mangrove swamp [2]houses [3]wetlands [4]daunting [5]cave [6]bats [7]Patrimonio...World Heritage site [8]inch [9]due to

1. ¿Son extensas las reservas naturales de Cuba?
2. ¿Es variado el paisaje cubano? ¿y la flora y la fauna?
3. ¿Qué datos interesantes hay en relación con especies muy pequeñas de flora y fauna?
4. ¿Qué especie en peligro de extinción se protege en la Reserva Biosférica Ciénaga de Zapata? ¿Es pequeña esa reserva?
5. ¿Qué se protege en la península de Guanahacabibes?
6. ¿En qué consiste la nueva revolución cubana?
7. ¿Qué es lo que protege a los flamencos del Humedal Río Máximo–Camagüey?
8. ¿Ha visitado una reserva biológica? ¿Dónde? ¿Qué es lo que más le llamó la atención de ese lugar?

n resumen

De todo un poco

A. Hable de sus viajes con un compañero / una compañera.

1. ¿Has visitado un país hispano? ¿Cuál? ¿Con quién fuiste? ¿Te gustó?
2. ¿A qué (otro) país hispano te gustaría viajar? ¿Por qué?
3. ¿Has tenido algún problema o una experiencia que no te permitió disfrutar de un viaje? ¿Dónde fue? ¿en el aeropuerto? ¿en aduana o inmigración? ¿en un restaurante?
4. Además de tu coche, ¿qué otros medios de transporte empleas tú aquí en este país? ¿Qué medios has empleado en otros países?
5. ¿Has hecho un viaje en un crucero? ¿Adónde fuiste? ¿Con quién? ¿Qué es lo que más te gustó? ¿Qué es lo que menos te gustó?

B. Con su compañero/a, prepare una de las siguientes situaciones.

1. Los planes de viaje: Usted va a salir de vacaciones con destino a Sudamérica. Hable por teléfono con el empleado / la empleada de la aerolínea para obtener la siguiente información: la hora de salida del avión, las escalas, la hora del almuerzo, la película y la hora de llegada del avión.

> EMPLEADO/A: Aeroméxico, a sus órdenes.
> USTED: Buenos días, señor(ita). Voy a viajar a Chile mañana y tengo algunas preguntas.
> EMPLEADO/A: Sí, dígame.
> USTED: ¿A qué hora sale el vuelo número _____?
> EMPLEADO/A: Ese vuelo sale a la(s) _____ de la _____.
> USTED: Otra pregunta, ¿... ?

2. En el hotel: Usted acaba de llegar a un hotel después de manejar ocho horas. Dígale al empleado / a la empleada lo que usted quiere y pídale la información necesaria (el precio, el tamaño de la cama, si tiene baño, teléfono, televisión, etcétera). Luego, decida si quiere la habitación o no.

> EMPLEADO/A: Buenas noches, señor/señora. ¿En qué puedo servirle?
> USTED: Quisiera una habitación con...

> ¡OJO!
>
> Cada año, más turistas visitan España que el número total de personas que viven en ese país.

¡Dígalo por escrito!

Viajando por el mundo hispano.

Prepare un folleto de turismo para viajeros que quieren visitar alguna ciudad o país del mundo hispano. El folleto debe incluir mapas, fotos o dibujos. Puede mencionar paisajes, excursiones, hoteles y restaurantes. Use mandatos como *camine, coma, conozca, descanse, disfrute, diviértase, vea, venga, viaje, visite,* etcétera.

¡Cuéntenos usted!

Cuéntenos sobre algo cómico o peligroso que le pasó en un viaje. ¿Adónde iba usted? ¿Con quién viajaba? ¿Qué pasó?

PISTAS PARA LEER
En esta **Lectura** se describe una de las regiones más hermosas de América Latina. ¿Qué tipo de lugar evocan las palabras del **Vocabulario útil**? ¿Es tropical, por ejemplo? Primero lea el texto selectivamente y visualice los sitios que se describen. Luego léalo en detalle y decida si quiere hacer un viaje a Mérida.

VOCABULARIO ÚTIL

primaveral	*spring-like*
la balsa	*raft*
los alrededores	*surroundings*
el manantial	*(water) spring*
la aldea	*village*
el trapiche	*sugar cane mill*
el guarapo	*sugar cane juice or liquor*
el teleférico	*cable car*
la cima	*summit, top*

LECTURA Mérida, ciudad en la montaña

Cuando pensamos en la belleza natural de Venezuela, generalmente evocamos sus playas, su clima tropical y su cultura caribeña. Es cierto que Caracas, la capital, es una de las ciudades más hermosas de la región del Caribe. Pero al suroeste de Caracas hay una zona montañosa que ofrece un ambiente muy diferente al del trópico. En esa región de Venezuela se encuentra una ciudad encantadora: Mérida.

La ciudad de Mérida está en el estado del mismo nombre, entre las montañas andinas, y tiene una de las dos universidades más antiguas de Venezuela: la Universidad de los Andes, fundada en 1785. El clima de Mérida es templado y primaveral casi todo el año, a pesar de estar en las montañas. La temporada lluviosa es de mayo a noviembre, pero llueve sólo muy temprano en la mañana. En el estado de Mérida hay doce parques nacionales, además de una increíble variedad de zonas geográficas: bosques, cascadas, lagos, montañas con picos nevados y hasta una playa, Palmarito, al sureste del Lago Maracaibo.

¿Se imagina todas las actividades que son posibles en el estado de Mérida? Allí puede hacer montañismo y ciclismo en Pico Bolívar y Pico Espejo; puede explorar los lagos en canoa y en balsa, nadar, pescar, dar largas caminatas por los bosques y observar un gran variedad de aves. En los alrededores de la ciudad de Mérida hay paisajes fantásticos, manantiales de agua caliente, pueblos que conservan intacta su arquitectura colonial y aldeas donde puede comprar bellas artesanías; también hay trapiches para observar cómo se hace el azúcar y probar el rico guarapo, una bebida que se prepara con el jugo de la caña de azúcar.

Pico Bolívar, Venezuela

La ciudad de Mérida también tiene mucho que ofrecer. En febrero y marzo se celebra la Feria del Sol con bailes regionales. Pero si usted prefiere ir de compras y saborear los platos típicos, entonces debe visitar el mercado Principal de Mérida, donde encontrará muchísimos restaurantes y tiendas. La Plaza Bolívar es el centro y corazón de la ciudad. Allí verá una imponente catedral, la Basílica Menor de la Inmaculada Concepción, varios museos importantes —como el Museo Arqueológico, donde se exhiben obras precolombinas, y el Museo de Arte Moderno— y la Casa de la Cultura, que muestra la obra de artesanos locales. Pero lo más emocionante de su visita a la ciudad de Mérida va a ser sin duda un paseo en teleférico a la cima de Pico Espejo. Es una subida de siete millas en el teleférico más largo y alto del mundo. Desde la cima de la montaña podrá admirar un paisaje maravilloso de valles y picos nevados.

Hay tantos lugares hermosos que visitar en América Latina. Y entre todos está Mérida, encantadora ciudad en la montaña.

Comprensión

Complete las frases de la columna A con las frases de la columna B para hacer un resumen.

A

1. Entre los atractivos de la ciudad de Mérida...
2. Si usted quiere ver cómo se hace el azúcar,...
3. En el estado de Mérida uno puede disfrutar de varios deportes;...
4. En el centro de la ciudad de Mérida hay...
5. Los turistas que quieren ir de compras...
6. El clima de Mérida es...
7. Vaya a la cima de Pico Espejo...

B

a. para ver un paisaje fantástico de valles y picos nevados.
b. y probar la cocina venezolana, van al Mercado Principal de Mérida.
c. una plaza, una catedral y varios museos.
d. muy agradable, como de primavera, y tiene una temporada de lluvia.
e. debe visitar los trapiches, donde también hacen guarapo.
f. está la Feria del Sol y un paseo en teleférico.
g. por ejemplo, el montañismo y la natación.

Un paso más... ¡a escribir!

Imagínese que usted está de vacaciones en Mérida (o en otra ciudad) y que va a mandarle una tarjeta postal a uno de sus amigos. Usando el siguiente modelo, mencione sus lugares favoritos en la ciudad o en la región y sus actividades más divertidas en esos lugares.

MODELO: Querido/a _____:
Aquí estoy en (*ciudad*). Es una ciudad muy _____ y tiene _____. Mis lugares favoritos son _____ y _____. En esta ciudad uno puede hacer muchas actividades divertidas. Por ejemplo, el primer día yo (*actividad*) y (*actividad*). Ayer viajé con (*personas que viajan con usted*) por los alrededores de la ciudad y allí hicimos muchas cosas. Entre otras, (*actividades que hicieron*). Mañana vamos a...
La foto en esta postal es de _____. ¿Qué te parece?
Bueno, ¡hasta la próxima!
Un abrazo,
(*su firma*)

ocabulario

• El automóvil — Automobile

abrocharse el cinturón de seguridad	to fasten one's seat belt
los cambios	gears
el capó	hood
el espejo retrovisor	rearview mirror
los faros	headlights
los frenos	brakes
el guardafangos	fender
el limpiaparabrisas	windshield wiper
la llanta (desinflada)	(flat) tire
el maletero	trunk
el parabrisas	windshield
el parachoques	bumper
el peatón / la peatona	pedestrian
la placa	license plate
el seguro automovilístico	(automobile) insurance
tocar la bocina	to honk the horn
el tránsito	traffic
el volante	steering wheel

PALABRAS SEMEJANTES: la antena, la circulación
REPASO: el asiento, la autopista, la carretera, la rueda, el semáforo, la señal, el tanque

• Los letreros en la carretera — Road Signs

el camino	road
despacio	slow
la desviación	detour
disminuya la velocidad	slow down
doble sentido (vía)	two-way
no hay paso	no entrance
el puente	bridge
un solo sentido (una sola vía)	one-way

PALABRA SEMEJANTE: la curva
REPASO: ¡Alto!, el peligro

• Los viajes — Trips

la aduana	customs
el alojamiento	lodging
el barco de vela	sail boat
el botones	bellhop
la camarera	chambermaid
el cambio	money exchange
los derechos de aduana	customs duty, taxes
el destino	destination
la excursión	tour, field trip
la habitación	(hotel) room
sencilla	single occupancy
doble	double occupancy
los impuestos	taxes
las instrucciones	directions
la llegada	arrival
la maleta	suitcase
el mostrador	counter
la primera clase	first class
la recepción	lobby
la sala de espera	waiting room
la salida	departure; exit
la vacuna	vaccination, shot
el viajero / la viajera	traveler
el visado (la visa)	visa

PALABRAS SEMEJANTES: la agencia de viajes, la clase turística, el consulado, el contrabando, la inmigración, el turismo
REPASO: el crucero, el pasaje, el pasajero / la pasajera, el plano, el/la turista

• El transporte aéreo — Air Travel

abordo	on board
el/la asistente de vuelo	flight attendant
el boleto	ticket
de ida y vuelta	round-trip
la escala	stopover
el reclamo de equipaje	baggage claim
el transbordo	transfer
el traslado de... a...	transportation from . . . to . . .

PALABRAS SEMEJANTES: la aerolínea
REPASO: el aeropuerto, el avión, el vuelo

• Los lugares — Places

la cabaña	cabin
el campamento	campground; camp
la corrida de toros	bullfight
la estación del metro	subway station
la glorieta	traffic circle
el parador	state (tourist) hotel
el puerto	port

PALABRAS SEMEJANTES: el acueducto, el cementerio, la lancha, el monumento, el palacio, la plaza, la ruina

• Los mandatos — Commands

baje(n) (bajar)	get off (to get off)
doble(n) (doblar)	turn (to turn)
haga(n) (hacer)	do, make (to do, to make)
salga(n) (salir)	leave (to leave)
siga(n) (seguir)	keep going (to keep going)
suba(n) (subir)	board (to board)
tome(n) (tomar)	(to take)

• Los verbos — Verbs

abordar	to board
acabar de (+ infin.)	to have just done *something*
avisar	to advise; to warn
broncearse	to get a tan
caerse	to fall down
cambiar dólares por...	to exchange dollars for . . .
chocar (con)	to crash, run into (*something*)
disfrutar	to enjoy
empacar	to pack
estar de visita	to be staying
facturar el equipaje	to check baggage
gastar gasolina	to use (waste) gasoline
hacer clic en	to "click" on
hacer cola	to stand in line
hacer las maletas	to pack
olvidar	to forget
revisar	to check
sacar el pasaporte	to get a passport
salir de vacaciones	to go on vacation
tener la culpa	to be at fault

PALABRAS SEMEJANTES: admirar, anunciar, consistir (en), mantener, mencionar, organizar, planear
REPASO: estacionar el carro, hospedarse

• Los sustantivos — Nouns

el agua dulce/salada	fresh/salt water
el billete	ticket
la caminata	walk, hike
el consejo	advice
la cuadra	(*street*) block
el (dinero en) efectivo	cash (money)
el equipo	equipment

la esquina	corner
el este	east
el folleto	brochure
el lujo	luxury
la mesita de noche	night table, nightstand
el oeste	west
el paisaje	landscape; countryside
la pintura	painting
la superficie	surface
la tribu	tribe

PALABRAS SEMEJANTES: el adulto, el ballet folclórico, el experto / la experta, el flamenco, la importancia, el kilómetro, la porcelana, la región, la revolución, la selección

• Los adjetivos — Adjectives

ancho/a	wide
aventurero/a	adventurous
judío/a	Jewish
ofrecido/a	offered
resbaloso/a	slippery

PALABRAS SEMEJANTES: extenso/a, incluido/a, prohibido/a

• Palabras y expresiones útiles — Useful Words and Expressions

además de	besides
Aquí lo tiene.	Here it is.
A sus órdenes	How may I help you?; At your service
a última hora	last minute
¿Cómo se va de... a... ?	How does one get from . . . to . . . ?
¡Cuidado!	Careful! Watch out!
Para servirle.	You are welcome.
permítame	allow me
por supuesto	of course
Sí, como no.	Yes, of course.

PALABRA SEMEJANTE: ¡Qué coincidencia!
REPASO: a la derecha / a la izquierda

Gramática y ejercicios

Polite commands:
-ar verbs take **-e(n)** endings: **hable** (usted), **tomen** (ustedes)
-er/-ir verbs take **-a(n)** endings: **coma** (usted), **escriban** (ustedes)

11.1 Giving Instructions: Polite Commands

A. Polite singular commands (a command you would make to a person you address with **usted**) are formed by changing **-ar** verb endings to **-e**; **-er** and **-ir** endings change to **-a**. (Informal commands are presented in **Gramática 14.3.**)

-ar: Lleve el paquete.	*Take the package.*
-er: Coma cereal por la mañana.	*Eat cereal in the morning.*
-ir: Abra la ventana, por favor.	*Open the window, please.*

B. To give polite commands to more than one person, add **-n.***

No bailen más de dos horas.	*Don't dance more than two hours.*

C. If a verb stem is irregular in the **yo** form of the present tense, it usually has the same irregularity in the command form: **yo pongo** → **ponga.**

Venga(n) temprano, por favor.	*Come early, please.*
Salga(n) inmediatamente.	*Leave immediately.*

Here are some common irregular commands based on the **yo** form.

conozca	(conocer)	*know*		tenga	(tener)	*have*
diga	(decir)	*say*		traiga	(traer)	*bring*
haga	(hacer)	*do; make*		vea	(ver)	*see*
oiga	(oír)	*hear*		venga	(venir)	*come*

Tengan cuidado en la autopista.	*Be careful on the freeway.*
Traiga sus documentos mañana a la oficina de la aduana.	*Bring your documents tomorrow to the customs office.*

D. The following irregular command forms do not match the first-person singular forms.

dé	(dar)	*give*		sepa	(saber)	*know*
esté	(estar)	*be*		vaya	(ir)	*go*
sea	(ser)	*be*				

Sepa muy bien lo que quiere decir antes de hablar.	*Know well what you want to say before speaking.*
Si quiere reservar un asiento para diciembre, **vaya** ahora mismo a la agencia de viajes.	*If you want to reserve a seat for December, go to the travel agency right away.*

---

*In Spain the **vosotros/as** command form is used for plural *informal* commands. See the section on **vos** and **vosotros** in the **Expansión gramatical** at the end of the *Cuaderno de actividades*. In most of Latin America, however, the plural polite command is used to give a command to more than one person, whether one normally addresses them politely or informally.

E. Verbs with vowel changes in the stem show the same changes in the polite command forms.

piense	pensar (ie)	*think*	**cie**rre	cerrar (ie)	*close*
duerma	dormir (ue)	*sleep*	**vue**lva	volver (ue)	*return*
sirva	servir (i)	*serve*	consiga	conseguir (i)	*get*

Duerma por lo menos ocho horas cada noche.
Sleep at least eight hours every night.

Cierre la maleta.
Close the suitcase.

Sirva los refrescos.
Serve the refreshments.

F. Object pronouns and reflexive pronouns are attached to affirmative commands and precede negative ones.

Tráigale café, por favor; **no le traiga** té.
Bring her coffee, please; don't bring her tea.

Dígame la verdad; **no me diga** que no la sabe.
Tell me the truth; don't tell me that you don't know (it).

Espere, **no lo haga** ahora; **hágalo** más tarde.
Wait, don't do it now; do it later.

Levántese temprano; **no se pierda** las noticias de las seis.
Get up early; don't miss the six o'clock news.

EJERCICIO I

Imagínese que usted es agente de viajes. Conteste las preguntas de sus clientes con un mandato lógico. Si es necesario, use un pronombre de complemento directo (**lo, la, los** o **las**).

MODELOS: ¿Tengo que pagar el pasaje hoy? →
Sí, *páguelo* hoy, por favor.

¿Necesito ir al consulado mañana? →
Sí, *vaya* mañana por la mañana.

1. ¿Debo hacer las reservaciones inmediatamente?
2. ¿Tengo que comprar ya los pasajes?
3. ¿Tengo que traer el dinero mañana?
4. ¿Necesito recoger los pasajes la semana que viene?
5. ¿Debo llegar al aeropuerto dos horas antes de la salida de mi vuelo?
6. ¿Necesito conseguir otro pasaporte?

EJERCICIO 2

Sus primos dicen que deben hacer las siguientes cosas. Déles mandatos directos. Si es necesario, use un pronombre de complemento directo (**lo, la, los** o **las**).

MODELOS: Debemos llamar a Jorge. → ¡*Llámenlo!*

Debemos volver antes de septiembre. →
Sí, *vuelvan* antes de septiembre.

> **¡OJO!**
>
> Remember to attach pronouns to the end of affirmative command forms.

> **mañana por la mañana** = *tomorrow morning*

> **conseguir** = *to get, obtain*

1. Debemos preparar el itinerario.
2. Debemos conseguir los pasaportes.
3. Debemos limpiar las maletas.
4. Debemos hacer las maletas esta noche.
5. Debemos dormir antes de salir.
6. Debemos salir inmediatamente.

11.2 Softening Commands (Part 1): The Present Subjunctive following *querer*

GRAMÁTICA ILUSTRADA

Andrea y Pedro quieren que el empleado les revise el boleto.

A. You already know the Spanish verb forms used to give direct commands: for example, **siéntese, escriba, camine.** Rather than give a direct command, a speaker may prefer to use a "softened" expression, such as *I want you to . . .* A softened expression is used to talk about what one person wants another to do: *My parents want me to . . .*

—¿Qué **quiere** el inspector de aduanas?
—**Quiere** que abramos todas las maletas.

—*What does the customs inspector want?*
—*He wants us to open all of our suitcases.*

In Spanish, the verb in the clause that follows softened expressions like **quiero que...** has the same form as a command, but because these softened commands can be addressed to anyone, the second verb changes endings to indicate who is to do the action. These forms are called the *subjunctive mood.* You will learn more about the subjunctive in **Capítulos 12, 14** and **15.**

> Softened commands = command forms after **querer que**
>
> **Quieren que yo termine el trabajo.**
> (*They want me to finish the job.*)
> **Quiero que tú comas con nosotros.**
> (*I want you to eat with us.*)

Quiero que
{
vayamos al museo primero.
tú **te quedes** con Adriana.
Carla nos **compre** los boletos.
}

I want
{
us to go to the museum first.
you to stay with Adriana.
Carla to buy us the tickets.
}

B. The forms of the present subjunctive are the same as the **usted** command forms plus the person/number endings: **hablar** → **hable** + **-s, -mos, -éis,*** **-n.** Thus, the endings contain a different vowel from the present tense (which we will call *present indicative* when we want to contrast it with the present subjunctive).

> Present subjunctive forms = polite command forms with person/number endings:
>
> | | |
> |---|---|
> | **coma** | **viaje** |
> | **comas** | **viajes** |
> | **coma** | **viaje** |
> | **comamos** | **viajemos** |
> | **comáis** | **viajéis** |
> | **coman** | **viajen** |

INFINITIVE	PRESENT INDICATIVE	PRESENT SUBJUNCTIVE
hablar	habla	hable
comer	come	coma
escribir	escribe	escriba

Here are the rest of the present subjunctive forms.[†]

	-ar	-er	-ir
(yo)	hable	coma	escriba
(tú)	hables	comas	escribas
(usted, él/ella)	hable	coma	escriba
(nosotros/as)	hablemos	comamos	escribamos
(vosotros/as)	habléis	comáis	escribáis
(ustedes, ellos/as)	hablen	coman	escriban

—¿Qué quiere la mesera?
—Quiere que **paguemos**[‡] en la caja a la salida.

—*What does the waitress want?*
—*She wants us to pay at the cash register when we leave.*

C. Although pronouns are attached to affirmative commands (**cómalo**), they are placed before negative commands and conjugated verbs. (Pronouns are also attached to infinitives and present participles.)

—¿Qué quiere el agente de viajes?
—Quiere que **lo llamemos** mañana.
—Bueno, llámelo. Pero no lo llame muy temprano.

—*What does the travel agent want?*
—*He wants us to call him tomorrow.*
—*OK, call him. But don't call him too early.*

---

*Note that the **vosotros/as** form drops the **-e** of the **usted** command form.
[†]Recognition: **vos hablés, comás, escribás**
[‡]See Appendix 3 and the *Cuaderno de actividades,* **Capítulo 11,** for an explanation of spelling changes in the present subjunctive.

EJERCICIO 3

Raúl invita a Esteban a pasar la Navidad en México con su familia. Quiere que Esteban disfrute de su viaje. ¿Qué recomendaciones le hace Raúl a Esteban? Use estos verbos: *aprendas, comas, hables, saques, subas, veas, visites.*

MODELO: Quiero que *veas* los murales de Diego Rivera en el Palacio Nacional.

1. Esteban, quiero que _____ los platillos mexicanos que prepara mi abuela.
2. También quiero que _____ mucho español.
3. Quiero que _____ el Museo Nacional de Antropología.
4. También quiero que _____ las pirámides de Teotihuacán.
5. Quiero que _____ muchas fotos de tu viaje.
6. Quiero que _____ algo sobre la historia y cultura de México.

EJERCICIO 4

Aquí tiene usted algunas recomendaciones del agente de viajes de Rubén y Virginia Hernández. Ahora Virginia está repitiéndole la información a una vecina. Use el subjuntivo en todos los casos.

MODELO: Lleguen al aeropuerto con una hora de anticipación. →
Nuestro agente de viajes quiere que *lleguemos* al aeropuerto con una hora de anticipación.

1. Recojan sus boletos pronto.
2. Escriban una lista de lo que van a necesitar.
3. No lleven demasiadas cosas en las maletas.
4. Compren cheques de viajero.
5. Coman en restaurantes buenos; no coman en la calle.
6. Lleguen al aeropuerto temprano.
7. Beban refrescos o agua mineral; no beban el agua.

¡OJO!

Verbs in **Ej. 4** are all regular. (There are spelling changes in **recoger** and **llegar;** see *Cuaderno de actividades.*) Change verbs from third-person to first-person plural.

11.3 **Expressing Indefinite Future and the Present Subjunctive of Irregular Verbs**

GRAMÁTICA ILUSTRADA _____

Pedro y Andrea van a viajar a Europa cundo tengan suficiente dinero.

Cuando Pedro llegue al aeropuerto va a cambiar dinero.

A. When the action or state described in a clause that begins with **cuando** refers to a habitual action, the present indicative is used.

> **Cuando** papá llega a casa, cenamos todos juntos.
>
> Mis primos **siempre** van a la costa **cuando viajan.**

> When Dad gets home, we all eat dinner together.
>
> My cousins always go to the coast when they travel.

Subjunctive is used after **cuando** when referring to the future:
Cuando salga de viaje, voy a...
(When I leave on my trip, I'm going to . . .)

On the other hand, when the action or state described in a clause that begins with **cuando** refers to the future, the subjunctive form of the verb is used.

> Vamos a facturar el equipaje **cuando revisen** el boleto.
>
> Pedro va a hacer las reservaciones **cuando hable** con Andrea.
>
> **Cuando lleguemos** a Madrid, quiero ver el Museo del Prado.

> We are going to check in the bags when they check the ticket.
>
> Pedro is going to make the reservations when he speaks with Andrea.
>
> When we get to Madrid, I want to see the Prado Museum.

B. Verbs that have different stems in the **yo** forms of the present indicative have those same stems in the present subjunctive (as they do in the command forms).

The subjunctive takes a long time to acquire. You will hear it and read it extensively before you are able to produce it comfortably.

conocer	conozco	conozca, conozcas, conozca, conozcamos, conozcáis, conozcan
construir	construyo	construya, construyas, construya, construyamos, construyáis, construyan
decir	digo	diga, digas, diga, digamos, digáis, digan
hacer	hago	haga, hagas, haga, hagamos, hagáis, hagan
oír	oigo	oiga, oigas, oiga, oigamos, oigáis, oigan
poner	pongo	ponga, pongas, ponga, pongamos, pongáis, pongan
recoger	recojo	recoja, recojas, recoja, recojamos, recojáis, recojan
salir	salgo	salga, salgas, salga, salgamos, salgáis, salgan
tener	tengo	tenga, tengas, tenga, tengamos, tengáis, tengan
traer	traigo	traiga, traigas, traiga, traigamos, traigáis, traigan
venir	vengo	venga, vengas, venga, vengamos, vengáis, vengan
ver	veo	vea, veas, vea, veamos, veáis, vean

> Cuando **recojamos** los boletos, le vamos a preguntar al agente si necesitamos vacunas.

> When we pick up the tickets, we'll ask the agent if we need vaccinations.

C. Verbs that end in **-oy** in the **yo** form, as well as the verb **saber,** have irregular stems in the present subjunctive.*

dar	doy	dé, des, dé, demos, deis, den
estar	estoy	esté, estés, esté, estemos, estéis, estén
ir	voy	vaya, vayas, vaya, vayamos, vayáis, vayan
ser	soy	sea, seas, sea, seamos, seáis, sean
saber	sé	sepa, sepas, sepa, sepamos, sepáis, sepan

*Recognition: **vos des, estés, vayás, seás, sepás**

| Cuando **llegues** a Barcelona, quiero que me **llames**. | *When you arrive in Barcelona, I want you to call me.* |
| La profesora quiere que **hagamos** todos estos ejercicios para el martes. | *The professor wants us to do all these exercises by Tuesday.* |

D. The present subjunctive forms of stem-changing verbs are as follows.

Group I. Verbs with stem-vowel changes **e → ie** and **o → ue** in the present indicative keep those changes in the present subjunctive. The stems of verbs like **pensar** and **volver** always change except for the **nosotros/as** and **vosotros/as** forms.*

INDICATIVE	SUBJUNCTIVE	INDICATIVE	SUBJUNCTIVE
pienso	piense	vuelvo	vuelva
piensas	pienses	vuelves	vuelvas
piensa	piense	vuelve	vuelva
pensamos	pensemos	volvemos	volvamos
pensáis	penséis	volvéis	volváis
piensan	piensen	vuelven	vuelvan

| No quiero que tú **pienses** mal de mí. | *I don't want you to think badly of me.* |
| El presidente del Banco de Guadalajara quiere que sus empleados **vuelvan** al trabajo a las 2:00. | *The president of the Bank of Guadalajara wants his employees to return to work at 2:00.* |

Group II. Verbs like **pedir** and **servir,** whose stems show an **e → i** change in the present indicative (except for the **nosotros/as** and **vosotros/as** forms†), have the same stem-vowel change in *all* the present subjunctive forms.

INDICATIVE	SUBJUNCTIVE	INDICATIVE	SUBJUNCTIVE
pido	pida	sirvo	sirva
pides	pidas	sirves	sirvas
pide	pida	sirve	sirva
pedimos	pidamos	servimos	sirvamos
pedís	pidáis	servís	sirváis
piden	pidan	sirven	sirvan

*Recognition: **vos pensés, volvás**
†Recognition: **vos pidás, sirvás**

Use this section as a reference; don't try to memorize all these forms!

EL PARADOR DE ZAFRA

Cuenta la historia que en un castillo de la localidad de Zafra habitó Hernán Cortés antes de partir para conquistar Méjico. Hoy, ese castillo ofrece todo el encanto de un cómodo Parador Nacional disponible para todos los que, sin sentirse héroes de grandes hazañas, están dispuestos a trasladarse hasta el siglo XV y revivir glorias pasadas. El Parador Hernán Cortés está acondicionado con todo tipo de comodidades. Destaca su restaurante especializado en platos típicos de la zona. Por su situación privilegiada, es la base

FOTOS A GARRIDO

perfecta para recorrer los alrededores, que ofrecen pueblos medievales de gran interés cultural. Precio: 9.000 ptas habitación doble. Parador Hernán Cortés. Zafra, Badajoz.

Papá quiere que todos **pidamos**
un sándwich.

*Dad wants all of us to order
a sandwich.*

Cuando **se sirva** el pastel, vamos
a cantarle «Las Mañanitas» a
Andrea.

*When the cake is served, let's
sing "Happy Birthday" to
Andrea.*

Group III. Verbs like **divertirse,** which show an **e → ie** change in the present indicative as well as an **e → i** change in the preterite, and verbs like **dormir,** which show an **o → ue** change in the present indicative and an **o → u** change in the preterite, maintain *both* changes in the present subjunctive.*

INDICATIVE	SUBJUNCTIVE	INDICATIVE	SUBJUNCTIVE
me divierto	me divierta	duermo	duerma
te diviertes	te diviertas	duermes	duermas
se divierte	se divierta	duerme	duerma
nos divertimos	nos divirtamos	dormimos	durmamos
os divertís	os divirtáis	dormís	durmáis
se divierten	se diviertan	duermen	duerman

Todos quieren que **nos
divirtamos** mucho en el viaje.

*Everyone wants us to have a
lot of fun on the trip.*

Quiero que **duermas** ahora,
porque el viaje mañana va a
ser difícil.

*I want you to sleep now, because
the trip tomorrow is going to
be difficult.*

EJERCICIO 5

Escoja el verbo que mejor corresponda al contexto.

MODELO: Voy a darte tu boleto cuando *subamos/subimos* al avión.

1. Voy a mandarte una tarjeta postal cuando *llegue/llego* al hotel.
2. Cuando *viajemos/viajamos* a Argentina, siempre nos hospedamos en el Hotel Río Plata.
3. Todos los días la asistente de vuelo sirve las bebidas cuando los pasajeros *suban/suben* al avión.
4. Voy a saber más de los mayas cuando *lea/leo* estos libros sobre su cultura.
5. José y Pilar van a pagar en la caja cuando *terminen/terminan* de cenar.

tarjeta postal = *postcard*
caja = *cash register*

¡OJO!

Decide whether **cuando** signals a habitual action (present indicative) or a future action (present subjunctive) and choose the appropriate verb form. Watch out for habitual action markers such as *siempre, todos los días,* etc.

*Recognition: **vos te divirtás, te durmás**

EJERCICIO 6

Usted va a ir de excursión a México con un grupo de estudiantes de su clase de español. Su profesor(a) le ha hecho una lista de recomendaciones para el viaje. Ahora sus padres le repiten estas recomendaciones.

MODELO: No salga sin los boletos. →
Hijo/a, no queremos que *salgas sin los boletos*.

seguro = *safe*

1. Haga las maletas un día antes de la salida.
2. Duerma ocho horas la noche anterior a la salida.
3. Llévese ropa para ocho días.
4. Vaya directamente a la estación de autobuses.
5. Ponga el dinero en un lugar seguro.
6. Dele su pasaporte al profesor.
7. Vuelva con buenos recuerdos del viaje.
8. No pida comida norteamericana en los restaurantes.
9. Diviértase mucho y traiga regalos para toda la familia.
10. Dígale «Adiós» a su familia.

¡OJO!

Provide the correct subjunctive forms in both clauses and then match clauses logically to form sentences.

EJERCICIO 7

Primero escriba las formas apropiadas de los verbos indicados. Luego señale la frase que mejor complete cada oración.

MODELO: Mi profesora quiere que yo *me divierta* (divertirse) cuando *salga* (salir: yo) de vacaciones.

1. Mis padres quieren que los _____ (llamar: yo)…
2. Queremos que Juan, el mesero más guapo, nos _____ (servir)…
3. Quiero que _____ (oír: tú) mi nuevo disco…
4. Alberto quiere que nosotros le _____ (traer) regalos…
5. Quiero que _____ (sacar: tú) muchas fotos…

a. cuando _____ (estar: tú) en México.
b. cuando _____ (venir: tú) a visitarme.
c. cuando _____ (llegar: yo) a mi destino.
d. cuando _____ (ir: nosotros) al restaurante argentino.
e. cuando _____ (volver: nosotros) de Madrid.

11.4 Talking about Past Actions in Progress: The Imperfect Progressive

GRAMÁTICA ILUSTRADA

Ayer, a las 4:00 de la tarde,...

Andrea estaba descansando al lado de la piscina.

Pedro estaba escribiendo una carta.

Marisa y Clarisa estaban paseando en el parque con su abuela.

To describe an action that was taking place at some past moment, use the imperfect tense of **estar** (**estaba, estabas, estaba, estábamos, estabais, estaban**), followed by a present participle.

—¿Qué **estabas haciendo** a las 4:00?

—*What were you doing at 4:00?*

—Creo que **estaba viendo** la televisión.

—*I think I was watching television.*

—Rubén, ¿qué **estabas haciendo** ayer cuando te llamé?

—*Rubén, what were you doing yesterday when I called?*

—¡**Estaba durmiendo,** por supuesto!

—*I was sleeping, of course!*

> **¿RECUERDA?**
>
> In **Gramática 5.3** you learned how to use a present-tense form of **estar** with a present participle (the **-ando/-iendo** form of the verb) to talk about actions currently in progress. Review that section now, if necessary.

EJERCICIO 8

Usando el participio del presente de **asistir, dormir, estudiar, leer** y **ver**, diga qué estaba haciendo y qué no estaba haciendo usted ayer.

Ayer a las 4:00 de la tarde estaba...

		SÍ	NO
1.	_____ una siesta.	☐	☐
2.	_____ a una clase.	☐	☐
3.	_____ la televisión.	☐	☐
4.	_____ la lección de español.	☐	☐
5.	_____ el periódico.	☐	☐

Ahora diga qué estaban haciendo las siguientes personas. Use el verbo apropiado: **comer, dar, hacer, limpiar, preparar.**

6. Mi profesor(a) _____ la clase de español.

7. Mi mejor amigo/a _____ la tarea.

8. Dos compañeros de clase _____ en un restaurante.

9. Mis padres _____ la casa.

10. El presidente de los Estados Unidos _____ un discurso.

> **un discurso** = *a speech*

11.5 Telling What Was Happening: The Imperfect in Contrast to the Preterite

GRAMÁTICA ILUSTRADA _____

Era un día de primavera. Hacía sol y hacía un poco de fresco. Pedro y Andrea estaban sentados en un café de la Gran Vía cuando de repente Pedro vio a un viejo amigo de la universidad. Pedro se levantó, corrió hacia él, lo saludó y lo invitó a tomar un refresco con él y Andrea. Los tres tomaron refrescos y charlaron.

Some review:
preterite = action was completed
imperfect = action went on over time in past
imperfect progressive = action was going on at a particular time in the past

¿RECUERDA?

In **Gramática 11.4,** you learned that the imperfect progressive can be used to indicate that something was happening at a particular time in the past.

Although the imperfect and the preterite both describe past actions or states, their uses are not the same. As you know, the preterite is used with verbs of action to emphasize that a past event was completed.

—¿Qué **hiciste** ayer?
—**Visité** el Museo del Prado.

—What did you do yesterday?
—I visited the Prado Museum.

The imperfect, on the other hand, is chosen if the speaker wishes to emphasize that an action happened repeatedly in the past.

Cuando **íbamos** de vacaciones a Acapulco, siempre **nos quedábamos** en el Hotel Condesa del Mar.

When we were on vacation in Acapulco, we would always stay at the Condesa del Mar Hotel.

—¿Qué **estabas haciendo** cuando te llamé?
—**Estaba bañándome.**

—What were you doing when I called?
—I was taking a bath.

Similarly, you can use the simple imperfect to describe an action that was in progress in the past when something else interrupted it. The interrupting action is expressed in the preterite tense.

Caminaba por la calle cuando **vi** al agente de policía.	*I was walking down the street when I saw the policeman.*
Descansaba en mi cuarto cuando **sonó** el teléfono.	*I was resting in my room when the phone rang.*
Salía de la casa cuando me **gritó** la vecina.	*I was leaving (the house) when the neighbor yelled to me.*
Llegábamos a Madrid cuando **se descompuso** el motor.	*We were arriving in Madrid when the engine broke down.*

> **action in progress** = imperfect
> **interrupting action** = preterite

> Imperfect is used for past habitual action:
> **De joven, *vivía* en México.**
> or past action in progress:
> ***Caminaba* por la plaza cuando oí la música.**

EJERCICIO 9

Escriba la forma apropiada de los verbos entre paréntesis. Luego indique si eso le ha pasado a usted alguna vez.

MODELO: El profesor *hablaba* (hablar) cuando me dormí en clase.

	SÍ	NO
1. _____ (manejar: yo) en la autopista cuando dos carros chocaron.	☐	☐
2. _____ (ver: yo) mi programa favorito cuando sonó el teléfono y no contesté.	☐	☐
3. _____ (caminar: yo) por la calle cuando vi un accidente.	☐	☐
4. Mi profesor _____ (hablar) cuando entré tarde a la clase.	☐	☐
5. _____ (bañarse: yo) cuando entró un amiguito de mi hijo.	☐	☐

EJERCICIO 10

Pilar habla de sus vacaciones. Lea toda la historia primero y luego escoja entre el imperfecto o el pretérito, según el contexto.

Cuando *era/fui*[1] niña, todos los años mi familia y yo *íbamos/fuimos*[2] a las islas Baleares. Siempre *alquilábamos/alquilamos*[3] una casa con vista al mar. De día *buceábamos/buceamos*[4] y nos *bañábamos/bañamos*.[5] De noche *salíamos/salimos*[6] a cenar a un restaurante elegante y luego *caminábamos/caminamos*[7] por la plaza.

Una tarde de verano, cuando mi hermano menor, Felipe, *tenía/tuvo*[8] 8 años, él y yo *íbamos/fuimos*[9] solos a la playa. Nuestros padres *dormían/durmieron*[10] todavía. Mi hermanito *jugaba/jugó*[11] en el agua y yo *hablaba/hablé*[12] con unos chicos que ya *conocía/conocí*[13] de otros veranos. Después de unos minutos *miraba/miré*[14] hacia donde *jugaba/jugó*[15] mi hermanito y no lo *veía/vi*.[16] Mis amigos y yo nos *levantábamos/levantamos*[17] y *corríamos/corrimos*[18] al agua para buscarlo. No lo *encontrábamos/encontramos*.[19] Lo *buscábamos/buscamos*[20] por toda la playa y no lo *podíamos/pudimos*[21] encontrar. Yo *estaba/estuve*[22] desesperada. Por fin *regresábamos/regresamos*[23] adonde *teníamos/tuvimos*[24] las toallas... allí *estaba/estuvo*[25] mi hermanito, comiendo sandía. «¿Adónde *ibas/fuiste*?[26]» le *gritaba/grité*.[27] Él no me *contestaba/contestó*,[28] pero yo *estaba/estuve*[29] tan contenta de verlo que no me *enojaba/enojé*[30] demasiado con él.

Capítulo 12
La salud y las emergencias

El niño enfermo, por Pedro Lira (Chile)

M E T A S

In **Capítulo 12** you will talk about health-related situations, including keeping healthy and fit. You will also talk about experiences with illnesses and accidents.

Sobre el artista: Pedro Lira nació en Santiago en 1845. Estudió humanidades en el Instituto Nacional y más tarde se recibió de abogado. Viajó a Francia para ampliar sus conocimientos de la pintura europea. Organizó las primeras exposiciones de arte en Chile. Lira se considera uno de los grandes maestros de la pintura chilena.

Época precolombina
El pueblo mapuche ocupaba el territorio.

1818
Se proclamó la independencia.

Chile

1500

1800

1540
Pedro de Valdivia inició la colonizacion de la región.

1822
O'Higgins promulgó la primera constitución, pero la oligarquía criolla dominaba el gobierno.

Los amigos animados: Para repasar

Antes de comenzar este capítulo, mire los segmentos animados para repasar el capítulo anterior.

A. Una llamada al gerente. Adriana Bolini está pasando unos días en Bariloche, Argentina, con sus padres. Ahora su mamá llama a la recepción del hotel donde se hospedan.

B. Las discotecas madrileñas. Esta noche hay una fiesta en casa de las hermanas Pilar y Gloria Álvarez. Clara Martín conversa con Felipe Álvarez, el hermano menor de Gloria y Pilar.

En este capítulo...

ACTIVIDADES DE COMUNICACIÓN
- El cuerpo humano y la salud
- Las enfermedades y su tratamiento
- Las visitas al médico, a la farmacia y al hospital
- Los accidentes y las emergencias

EN RESUMEN

LECTURAS Y CULTURA
- **Ventanas culturales**
  Nuestra comunidad: Soraya, la música es su medicina
- **Ventanas al pasado**
  La medicina en la España árabe
- **Enlace literario**
  «El médico de los miércoles», por Gustavo Pérez Firmat
- **Lectura**
  El recetario de la abuela

GRAMÁTICA Y EJERCICIOS
12.1 Expressing Existence: **haber**
12.2 Expressing Changes in States: *become, get*
12.3 Making Requests: Indirect Object Pronouns with Commands and the Present Subjunctive
12.4 Relating Unplanned Occurrences: **se**
12.5 Narrating Past Experiences: The Present Perfect, Imperfect, and Preterite

---

1970 Fue electo el médico socialista Salvador Allende. Allende nacionalizó el cobre y los bancos, e impuso la reforma agraria.

1949 Sufragio femenino

1990 Nuevo presidente Patricio Aylwin designó la Comisión de Verdad y Reconciliación para investigar violaciones a derechos humanos.

2000 Ricardo Lagos del Partido por la Democracia fue electo presidente.

1900

2000

1925 Arturo Alessandri, presidente populista, intentó limitar el control del gobierno de los grupos sociales poderosos.

1973–1989 Dictadura de Pinochet caracterizada por represión política y social, y la desaparición de más de 3.000 personas.

1999–2000 Ex-dictador Pinochet fue detenido en Londres mientras España trataba de extraditarlo para luego juzgarlo por genocidio y terrorismo. Inglaterra decidió a favor de Pinochet.

Actividades de comunicación y lecturas

✳ El cuerpo humano y la salud

la cabeza
la frente
la mejilla
la nariz
la boca
el cuello
el pelo
el pecho
el brazo
el codo
el muslo
la pierna
la rodilla
la pantorrilla
el tobillo
el pie
los músculos

la uña
el dedo
la muñeca
el pulgar
la mano
la oreja
el oído
la ceja
el ojo
las pestañas
la lengua
las encías
los labios
los dientes
la muela
la garganta
el esqueleto
el hueso
la calavera
las costillas

el hombro
la espalda
la cintura
la cadera
las nalgas
el costado
el cerebro
los nervios
el corazón
el hígado
el estómago
las arterias
los pulmones
las venas
la sangre
los riñones
los órganos internos

REFRÁN

Ojos que no ven, corazón que no siente.

(*Out of sight, out of mind.* Literally, *The heart can't feel what the eyes can't see.*)

ACTIVIDAD 1   Asociaciones: Las funciones de las partes del cuerpo

¿Para qué usamos estas partes del cuerpo?

MODELO: E1: ¿Para qué usamos *la boca*? →
          E2: Usamos la boca *para comer* y *para hablar*.

1. los dientes	**a.** caminar
2. las piernas	**b.** tocar
3. los ojos	**c.** abrazar
4. los brazos	**d.** besar
5. los labios	**e.** oír
6. la nariz	**f.** ver
7. los oídos	**g.** oler
8. los dedos	**h.** morder

ACTIVIDAD 2   Definiciones: Los órganos internos

1. los pulmones	**a.** Órganos internos que se usan para respirar.
2. el cerebro	**b.** Parte interior del cuello.
3. el corazón	**c.** Órgano que se usa para hablar y comer.
4. la garganta	**d.** Lo que usamos para percibir los sonidos.
5. los músculos	**e.** Órgano del pensamiento que forma parte del sistema nervioso.
6. la sangre	**f.** Órgano principal de la circulación de la sangre.
7. los oídos	**g.** Sus contracciones permiten los movimientos del cuerpo.
8. la lengua	**h.** Líquido rojo que circula por las venas y las arterias.

ACTIVIDAD 3   Encuesta: ¿Es bueno para la salud?

Diga si estas actividades son beneficiosas para la salud y para mantenerse en buena condición física. Explique por qué.

¿Es beneficioso...

1. comer carne roja con frecuencia?
2. tomar el sol tres horas o más diariamente?
3. hacer ejercicio cada día?
4. trabajar diez horas al día?
5. tomar vino con la cena?
6. dormir siete horas o más cada noche?
7. tomar refrescos dietéticos?
8. tomar café todas las mañanas?
9. beber seis vasos de agua o más diariamente?
10. tomar muchas vitaminas?
11. comer comidas con mucha grasa?
12. ¿   ?

ACTIVIDAD 4 Del mundo hispano: Consejos para la salud

Lea los siguientes consejos de una revista hispana y luego hágale preguntas a un compañero / una compañera de clase. Las preguntas siguen en la próxima página.

Consejos...

Ejercicios: Los músculos fríos se lastiman con el estrés del ejercicio. Todas las investigaciones muestran que calentar los músculos antes de ejercitarse evita lesiones.

La regla de los 3/4: Ésta es la proporción de legumbres, granos y frutas que tiene que haber en su plato. El 1/4 restante debe dedicarlo a carne, pollo o pescado.

Dieta: Si ingiere más panes de granos enteros, arroces y pastas, consumirá más fibra y carbohidratos complejos, lo cual mejorará su dieta.

Legumbres verdes: ¿Sabía usted que mientras más oscuro sea el verde de las hojas de las legumbres, más nutritivas son? En este sentido, las espinacas, el berro, etcétera, resultan inmejorables.

Sueño: ¿Es malo dormir con la TV o la radio puestas toda la noche? Sí, el ruido puede hacer su sueño menos profundo y también interferir con las fases más relajadoras del sueño, de acuerdo con un estudio de la Universidad de Florida.

1. ¿Por qué se recomienda calentar los músculos antes de hacer ejercicio?
2. Según este artículo, ¿se recomienda dormir con la televisión y la radio puestas (encendidas)? Explique.
3. ¿Cómo se puede obtener más fibra en la dieta?
4. ¿A qué se refiere la regla de los ¾?
5. ¿Cuáles son las legumbres verdes que contienen más vitaminas y minerales?

PREGUNTAS PERSONALES

1. ¿Duermes con la radio o la televisión puesta (encendida)?
2. ¿Haces ejercicio todos los días? ¿Calientas los músculos antes de empezar?
3. ¿Observas la regla de los ¾? ¿Cuántas porciones de legumbres y frutas comes al día? ¿Qué frutas prefieres?
4. ¿Qué legumbres verdes (verduras) te gustan? ¿Las comes con frecuencia?
5. ¿Qué otros consejos tienes para mantener la salud?

✳ Las enfermedades y su tratamiento

Lea Gramática 12.1–12.2.

ACTIVIDAD 5   Preferencias: Cuando me siento mal...

Responda con **siempre, generalmente, a veces** o **nunca.**

1. Cuando tengo fiebre,...
   - **a.** me quedo en la cama.
   - **b.** tomo aspirinas.
   - **c.** consulto con el médico.
   - **d.** tomo muchos líquidos.
   - **e.** ¿ ?

2. Cuando tengo tos,...
   - **a.** tomo jarabe.
   - **b.** tomo té caliente.
   - **c.** corro.
   - **d.** voy al trabajo.
   - **e.** ¿ ?

3. Cuando tengo dolor de cabeza,…
  a. me acuesto y descanso.
  b. escucho música clásica.
  c. tomo aspirinas.
  d. me pongo algo frío en la frente.
  e. ¿ ?

4. Cuando tengo gripe,…
  a. tomo aspirinas y me acuesto.
  b. bebo muchos líquidos.
  c. tomo el sol en la playa.
  d. leo y descanso.
  e. ¿ ?

▶ Y TÚ, ¿QUÉ DICES?

| Yo también. | Yo prefiero… |
| Yo no. | Es mejor… |

ACTIVIDAD 6   Intercambios: Doctor, ¿qué debo hacer?

Trabaje con un compañero / una compañera. Uno de ustedes debe hacer el papel de paciente y el otro el de doctor(a). El doctor / La doctora debe escoger el consejo o remedio adecuado para los síntomas del / de la paciente.

MODELO: PACIENTE: Doctor(a), *tengo el tobillo hinchado.*
  DOCTOR: Si tiene el tobillo hinchado, *póngalo en agua fría.*

I. Tengo resfriado.
2. Tengo una herida en el brazo.
3. Me duele la cabeza.
4. Me corté el dedo.
5. Me duele la garganta.
6. Tengo la nariz tapada.
7. Tengo fiebre.
8. Tengo un esguince en el tobillo.
9. Tengo dolor de muelas.
10. Tengo diarrea.

a. beba muchos líquidos y descanse
b. póngase gotas
c. consulte con el dentista
d. póngase una curita
e. use muletas o no camine
f. póngase un vendaje
g. coma arroz y puré de manzana
h. haga gárgaras de agua con sal
i. tome aspirinas u otro analgésico
j. tome vitamina C
k. ¿ ?

REFRÁN

No hay mal que dure cien años, ni cuerpo que lo resista.

(*Nothing bad lasts forever.* Literally, *There is no ailment that can last a hundred years, nor body that can withstand it.*)

ACTIVIDAD 7   Encuesta: Los estados de ánimo

¿Es usted irritable? ¿tranquilo/a? Conteste estas preguntas.

	SÍ	NO	A VECES
I. Me pongo muy nervioso/a cuando tengo un examen.	☐	☐	☐
2. Me vuelvo loco/a con las presiones de la vida moderna.	☐	☐	☐
3. Me pongo molesto/a cuando mi familia quiere que haga algo que no quiero hacer.	☐	☐	☐

Es peor el remedio…
Sabemos lo recomendable de hervir el agua antes de beberla. El otro día, cuando mi hijo Eduardo (7 años) llegó corriendo y se fue a la llave a beber, le dije que no lo hiciera, que había que hervirla para matar los microbios. El puso una cara muy rara y me dijo: «Pues qué asco, beberse luego los microbios muertos.»

Estrella Serrano

	SÍ	NO	A VECES
4. Me enojo si pierdo algo valioso.	☐	☐	☐
5. Me pongo de mal humor cuando hay mucho tránsito y no puedo llegar a tiempo a una cita.	☐	☐	☐

VALOR DE SU RESPUESTA

sí = 2 puntos   **a veces** = 1 punto   **no** = 0 puntos

De 9 a 10 puntos = Usted es una persona extremadamente irritable. Tanta tensión es muy mala para la salud. ¡Contrólese!

De 7 a 8 puntos = Usted es una persona irritable. Esto afecta la salud.

De 5 a 6 puntos = Usted es una persona de un estado de ánimo normal.

De 3 a 4 puntos = Usted es una persona tranquila.

De 0 a 2 puntos = Usted es una persona demasiado calmada. ¡Sea más animado/a!

ACTIVIDAD 8   Entrevistas: La salud física y mental

LAS MEDICINAS Y LOS REMEDIOS

1. ¿Qué medicinas buenas hay para el dolor de cabeza? ¿para el dolor de estómago? ¿para la tos? ¿la gripe?

2. ¿Había medicinas buenas para estas dolencias hace 100 años?

3. ¿Crees que algún día va a haber una vacuna contra el VIH? ¿Hay algún tratamiento o medicina ahora para los que ya sufren del SIDA?

4. ¿Crees que los científicos van a descubrir un nuevo antibiótico? ¿Crees que es necesario tener más antibióticos? ¿Por qué?

LOS ESTADOS FÍSICOS Y ANÍMICOS

1. ¿Cuándo estás más contento/a? ¿Te sientes feliz cuando estás solo/a? Explica tus respuestas.

2. ¿Te sientes cansado/a frecuentemente? ¿Qué actividades te cansan?

3. ¿Te enojas con frecuencia? ¿Qué te hace enojar? ¿Qué cosas te entristecen? ¿Te entristeces fácilmente?

4. Cuando hay muchas presiones en tu vida, ¿qué síntomas tienes? ¿Sientes mareo? ¿comezón? ¿dolor de estómago?

VENTANAS CULTURALES Nuestra comunidad

Soraya, la música es su medicina

La cantante Soraya tiene un estilo muy personal. Su voz suave les canta a los amigos, al amor y a la vida. Esta joven colombiana compone todas sus canciones y produce muchos de sus discos. Entre sus compactos más populares están *Cuerpo y alma* (2000), *Soraya* (2003) y *El otro lado de mí* (2005). Los temas íntimos del disco *Soraya* reflejan una etapa muy difícil para la cantautora. La canción «Casi», por ejemplo, habla de la fe que necesitamos para sobrevivir situaciones dolorosas de la vida: en el año 2000, Soraya casi perdió la fe al descubrir que tenía cáncer de seno.

VOCABULARIO ÚTIL

compone	*composes*
la etapa	*phase*
la fe	*faith*
el cáncer de seno	*breast cancer*

Soraya fue al médico y recibió un tratamiento de quimioterapia y radiación. Luego la cantante compartió su historia con el mundo por medio del programa *Awareness Is Love* de Procter & Gamble y la Asociación Komen. Este programa se enfoca en mujeres latinas y es muy importante, opina Soraya, porque muchas de las mujeres hispanas diagnosticadas con cáncer de seno mueren de esta enfermedad. La mayoría no se hace mamografías regularmente. Por eso, Soraya participa en eventos de la Fundación Komen: canta y le lleva información importante a la comunidad hispana.

¿Cómo logró curarse Soraya? Con un tratamiento médico, por supuesto; pero también la ayudó su pasión por la vida, la fe, los buenos amigos y un buen sentido del humor. Así, hoy tenemos su testimonio en los hermosos temas del compacto *Soraya:* el sufrimiento de su crisis y su alegría de estar viva.

Ahora... ¡ustedes!

¿Qué hizo Soraya para curarse del cáncer? ¿Qué otras cosas ayudan en el tratamiento de una enfermedad? ¿Qué hace Soraya para ayudar a la comunidad hispana?

✳ Las visitas al médico, a la farmacia y al hospital

Lea Gramática 12.3.

La enfermera atiende a los pacientes.

El dentista le examina
los dientes a su paciente.

La farmacéutica surte
las recetas médicas.

El médico examina al enfermo.

La psiquiatra (psicóloga) cuida de la
salud mental de sus pacientes.

El cirujano opera a los pacientes.

El veterinario cuida a los animales.

ACTIVIDAD 9   Del mundo hispano: El médico recomienda...

Lea estas recomendaciones de un médico que aparecieron en una revista hispana. Con su compañero/a, conteste las preguntas a continuación y luego háganse las preguntas personales.

El médico recomienda

Resfriado	Tos	Fiebre del heno	Pulmonía
QUÉ HACER: • Tome aspirina o paracetamol para bajar la fiebre. • Utilice descongestionantes para reducir la inflamación y destapar la nariz. • Quédese en casa uno o dos días; esto le ayudará a recuperarse más rápidamente. • Cuide el resfriado. Si no, puede abrirle la puerta a una enfermedad más grave. **QUÉ NO HACER:** • No tome antibióticos, ya que no tienen efecto sobre el virus. • No les dé aspirinas a los niños menores de 6 años.	**QUÉ HACER:** • Insista en que los niños se suenen la nariz frecuentemente. • Beba gran cantidad de líquido. • Inhale vapor. • Acuda al doctor / a la doctora si las secreciones son verdes, si la tos provoca dolor en el pecho o si sube la fiebre. **QUÉ NO HACER:** • No fume. • No tome antibióticos si no hay infección bacteriana.	**QUÉ HACER:** • Consulte con el doctor / la doctora y aplíquese inyecciones preventivas. • Utilice descongestionantes por períodos breves. • Evite la exposición al polen. • Evite el contacto con la hierba recién cortada. **QUÉ NO HACER:** • No use los descongestionantes por períodos prolongados (mucho tiempo).	**QUÉ HACER:** • Acuda al doctor / a la doctora para que le haga un diagnóstico con la ayuda de radiografías. • Tome antibióticos en caso de infección bacteriana. • Beba grandes cantidades de líquidos para evitar la deshidratación. • Haga inhalaciones de vapor. • Quédese en cama una semana o más. **QUÉ NO HACER:** • No impida la tos; es aconsejable que se expulsen libremente las secreciones. • No fume.

1. ¿Se debe tomar antibióticos si uno tiene tos o resfriado? ¿Por qué? Explica tu respuesta.
2. ¿Por qué es recomendable cuidar un resfriado (resfrío)?
3. Si uno tiene tos, ¿qué síntomas indican que uno debe ir al médico / a la doctora?
4. ¿Para qué se recomienda el uso de descongestionantes?
5. Si uno tiene fiebre del heno, ¿qué debe evitar?
6. ¿Es recomendable tomar antibióticos para la pulmonía?
7. ¿Para qué enfermedades se recomienda la inhalación de vapor?

PREGUNTAS PERSONALES

1. ¿Te resfrías con frecuencia? ¿Cuáles de estas recomendaciones sigues?
2. ¿Cuándo tomas antibióticos?
3. ¿Consultas siempre al médico / a la doctora si estás enfermo/a?
4. ¿Padeces de fiebre del heno? ¿Qué síntomas tienes? ¿Vas a un médico / una doctora alergista?
5. ¿Has tenido pulmonía alguna vez? ¿Fuiste al médico / a la doctora? ¿Te dolían los pulmones? ¿Cuánto tiempo tardaste en recuperarte?

VENTANAS AL PASADO

La medicina en la España árabe

Los árabes gobernaron la mayor parte de España durante casi ocho siglos. Ellos tradujeron muchas de las grandes obras de filosofía y ciencias griegas —Aristóteles, Galeno, Hipócrates—, y así las preservaron para futuros científicos. Pero los árabes no sólo se basaban en las obras de los antiguos griegos: varios hispanoárabes escribieron sus propios textos médicos. Ibn Wafid, nacido en Toledo en 1008, abogó por tratamientos con dietas, en vez de drogas. Avenzoar, nacido en Sevilla en 1092, escribió sobre el uso de agua fría para bajar la fiebre y recomendó usar siempre la más pequeña dosis efectiva de un medicamento. El nombre más célebre entre los médicos hispanoárabes es el de Averroes. Nació en Córdoba en 1126 y escribió varios textos dedicados a la anatomía, la fisiología y la higiene.

El español heredó del idioma árabe muchas palabras que están relacionadas con la ciencia o la medicina; entre otras: alcohol de *al kohól,* alcanfor de *al kafûr,* jarra de *yárra,* jarabe de *sharâb,* algodón de *al qutn,* álgebra de *al yebr,* almanaque de *al manâh.* Otra de las palabras de origen árabe usadas en español es ojalá, la cual se refiere a Alá, nombre que dan los musulmanes a Dios. La palabra *ojalá* viene del árabe *wa sha llâh,* que en español quiere decir «Y Dios quiera». Hoy en día, «ojalá» no tiene significado religioso. Si un amigo está enfermo podemos decirle «¡Ojalá que te mejores pronto!»

VOCABULARIO ÚTIL

gobernaron	*governed*
tradujeron	*translated*
abogó	*advocated*
heredó	*inherited*
el alcanfor	*camphor*
el algodón	*cotton*
ojalá	*I really hope*
Y Dios quiera…	*May God grant . . .*
Hoy en día	*Nowadays*
¡Ojalá que te mejores pronto!	*I hope you get well soon!*

Ahora... ¡ustedes!

Las palabras árabes *al birká, al mihádda, al súkkar, al barqûq,* y *al zeit* también se utilizan en el español. Emparejen estas palabras árabes con la versión moderna en español: **azúcar, almohada, aceite, alberca, albaricoque.**

ACTIVIDAD 10   Narración: Silvia tiene bronquitis

LOS SÍNTOMAS

ESE MISMO DÍA

AL DÍA SIGUIENTE

ACTIVIDAD 11   Entrevista: Historial clínico

1. De niño/a, ¿te enfermabas con frecuencia? ¿Cuáles de estas enfermedades tuviste: las paperas, la varicela, el sarampión, gripe o resfriados, infecciones de los oídos?
2. ¿Tenías miedo de ir al médico cuando eras niño/a? Cuenta alguna experiencia cómica o interesante relacionada con el consultorio del médico o con el hospital.
3. ¿Tienes miedo ahora cuando te ponen una inyección? ¿Y cuando te sacan sangre para un análisis?
4. ¿Has estado internado alguna vez en un hospital? (Si nunca has estado internado, describe la experiencia de un amigo / una amiga, o un/a pariente.) ¿Qué tenías? ¿Cuánto tiempo estuviste allí? ¿Fue una experiencia desagradable? ¿Tenías seguro médico o tuviste que pagar la cuenta?

¡OJO!

En muchos países hispanos —México y Guatemala, por ejemplo— los estudiantes de medicina pasan un año trabajando en zonas rurales. Este trabajo es parte de su entrenamiento y de su servicio social.

ENLACE LITERARIO

«El médico de los miércoles»,

por Gustavo Pérez Firmat

Selección de su libro *Bilingual Blues* (1995)

Gustavo Pérez Firmat (1949) es una de las figuras más importantes de la literatura cubanoamericana. Poeta y ensayista, Pérez Firmat es también profesor de literatura en la Universidad de Columbia. Ha publicado varios libros de ensayos y tres colecciones de poesía: *Carolina Cuban* (1987), *Equivocaciones* (1989) y *Bilingual Blues* (1995). Uno de los temas que apasionan a Pérez Firmat es su identidad bilingüe y bicultural. El poema que aquí incluimos habla del encuentro semanal que tiene el poeta con su psiquiatra.

El médico de los miércoles

El médico de los miércoles
se interesa en mis sueños
y me tilda de psicológico[1]
cuando interpreto los de David[2]
(el oso[3] soy yo)

Habla poco y bajito
sonríe magnánimamente
como un canguro
y no receta[4] valium.

Impaciente el paciente
me voy con mi salsa para otra parte
donde la neura
cueste menos y rinda más.[5]

Actividad creativa: Un informe médico

¿Qué opina el poeta de su doctor de los miércoles? ¿Le parece bueno? Imagínese que usted es psiquiatra. Escriba un breve informe médico sobre un amigo / una amiga o una persona famosa.

MODELO: El paciente de los *día de la semana* se llama *nombre*. Se interesa en _____. Habla _____ y sonríe como _____. Para curarse yo le recomiendo _____.

[1]me... *accuses me of being psychological*   [2]David es el hijo del poeta.   [3]*bear*   [4]no... *he doesn't prescribe*
[5]donde... *where neurosis costs less and yields more*

✳ Los accidentes y las emergencias

Lea Gramática 12.4–12.5.

Esteban subía la escalera cuando tropezó y se le cayeron los lentes.

—Sí, señor, iba despacio, pero se me descompusieron los frenos y no pude detener el coche.

—¿Tomaste la medicina esta mañana?
—¡Ay! Se me olvidó en casa. La voy a tomar cuando vuelva esta tarde.

Andrea se siente muy frustrada. Se le perdió una medicina. La ha buscado por todas partes, pero no la encuentra.

Nora iba a esquiar con sus amigos este fin de semana, pero no pudo porque se le rompieron los esquíes.

ACTIVIDAD 12   Descripción de dibujos: Los accidentes

Escuche a su profesor(a) mientras describe los siguientes dibujos. Señale el dibujo que mejor corresponda a cada descripción.

UN CHISTE

Un señor está tosiendo mucho. Un amigo le dice:
—¡Oye, quieres jarabe para la tos?
—No, no. ¡Ya tengo tos!

ACTIVIDAD 13   Narración: El accidente de Guillermo

▶ **PALABRAS ÚTILES**

primero	más tarde	también
luego	(poco) después	por fin

ACTIVIDAD 14   Conversación: Las confesiones

MODELO: Una vez, en un restaurante de servicio rápido, mientras esperaba con mi padre para pedir la comida, se me cayeron los pantalones. Sentí mucha vergüenza.

1. Una vez, en la escuela primaria…
2. Una vez, en la escuela secundaria…
3. Una vez, en un restaurante…
4. Una vez, en una fiesta…
5. Una vez, cuando estaba de vacaciones…

ACTIVIDAD 15   Entrevista: Los accidentes

1. ¿Se te ha descompuesto el carro en la autopista alguna vez? ¿Tuviste miedo? ¿Qué hiciste?
2. ¿Se te ha perdido algo valioso? ¿Qué se te perdió? ¿Lo encontraste?
3. ¿Cuántas veces has ido a la sala de emergencias? ¿Cuándo fue la última vez? ¿Qué te pasó? ¿Fue grave? ¿Te atendieron rápidamente?
4. ¿Has sufrido un accidente automovilístico alguna vez? ¿Fue serio? ¿Cómo ocurrió? ¿Quién tuvo la culpa?

En resumen

De todo un poco

Cuadros de preferencia

Aquí tiene algunos remedios del libro *Las hierbas medicinales de más eficacia,* publicado en Barcelona, España. Complete el siguiente cuadro según las costumbres de su familia.

DOLENCIA	REMEDIO CASERO	REMEDIO QUE USA MI FAMILIA
el dolor de estómago	tomar té de manzanilla	
el dolor de garganta	hacer gárgaras de agua con sal	
el dolor de muelas	masticar un clavo de olor	
la quemadura	aplicarse un ungüento de áloe	
la sinusitis	inhalar vapores de eucalipto o pino	
la tos	tomar té caliente con miel y limón	
los vómitos	tomar té de albahaca, menta y canela	

¡OJO!

- La lesión más frecuente entre los deportistas es el esguince en el tobillo.
- La condición médica más común es el dolor de garganta. La segunda condición más común es el dolor de espalda.
- Los tres objetos que causan más accidentes son las bicicletas, las pelotas de fútbol americano y las escaleras.
- Los seres humanos tienen sesenta y seis libras de músculo, cuarenta libras de hueso, ¡y solamente 3,25 libras de cerebro!

Ahora charle con un compañero / una compañera sobre sus remedios preferidos.

> E1: ¿Qué usa tu familia para el dolor de estómago?
> E2: En mi casa usamos/tomamos _____.
> E1: ¿Y para la quemadura?
> E2: Preferimos ponernos _____.

¡Dígalo por escrito!

Los recuerdos

Describa un accidente que usted tuvo o una situación en la cual usted sintió mucho miedo. Si describe un accidente, hable de los daños y de quién tuvo la culpa. Si habla de una situación que le dio miedo, describa el lugar y cómo reaccionó usted.

MODELO: Recuerdo que una vez, cuando tenía _____ años, yo iba a _____ cuando de repente _____.

¡Cuéntenos usted!

Cuéntenos de una experiencia suya en el hospital o cuéntenos de una enfermedad infantil. ¿Cuántos años tenía? ¿Tuvo una enfermedad o sufrió un accidente?

✦ Conexión a la comunidad

Averigüe si hay una clínica u hospital en su ciudad o condado que atienda a mucha gente hispana. Ofrézcase de voluntario/a.

PISTAS PARA LEER
Descubra aquí todo tipo de información sobre las plantas medicinales y los remedios naturales. Cada párrafo tiene un tema específico. Por ejemplo, el tema del primero es la medicina natural. Después de leer toda la **Lectura,** apunte el tema de cada párrafo y subraye las palabras que correspondan a ese tema.

 LECTURA

El recetario de la abuela

El uso de la medicina natural es un aspecto esencial de la cultura hispana; en este contexto, la palabra «natural» se refiere a los medicamentos obtenidos directamente de la naturaleza: todos preparados con una variedad de hierbas. En general, estos remedios deben combinarse con un tratamiento médico. Pero hay hispanos que prefieren curarse con el «recetario de su abuela» exclusivamente. La frase se refiere a las «recetas» que pasan de generación a generación: de las abuelas a sus nietos, por ejemplo. Para estas personas, las curas tradicionales son más eficaces que la medicina moderna.

Dos de las regiones hispanas más ricas en el cultivo de remedios naturales son el sur y el sureste de México. Las culturas que se desarrollaron en esa zona —la olmeca, la maya, la mixteca y la zapoteca— tienen prácticas médicas avanzadas. Entre los médicos indígenas están los hierberos, que conocen la flora medicinal de la región, y las parteras, que ayudan a las mujeres embarazadas con el cuidado de su *embarazo* y también supervisan el parto: por eso se les llama *parteras*.

Durante largo tiempo, los métodos naturales de curación no fueron reconocidos por la institución médica: se les consideraba parte del pasado. Pero la opinión oficial está cambiando. En los Estados Unidos, un 25 % de los medicamentos recetados contienen ingredientes basados en plantas; muchos estadounidenses están utilizando derivados de hierbas en vez de medicinas sintéticas. En todo el mundo está aumentando el número de personas que se cura con remedios naturales. De hecho, las plantas medicinales son los medicamentos principales de dos tercios ($\frac{2}{3}$) de la población mundial.

Entre las plantas medicinales más populares en los Estados Unidos está la equinacia, que fortalece el sistema inmunológico. La equinacia ayuda a prevenir los resfríos y a aliviar los síntomas de la gripe y las alergias. ¿Conoce usted otras plantas con poder curativo? Hay muchas: el jengibre, por ejemplo, es ideal para el mareo y el vértigo; la pasiflora sirve para quitar el insomnio; la planta áloe se usa para las quemaduras de primer y segundo grados; y el pimiento puede eliminar los dolores musculares.

No debemos recomendar el uso exclusivo de esas plantas u otros remedios naturales. Lo ideal es consultar con un doctor, combinando la información científica con el «recetario de la abuela». En todo caso, la naturaleza nos ofrece una abundancia de medicinas.

VOCABULARIO ÚTIL	
el recetario	*recipe book*
eficaces	*efficient*
se desarrollaron	*developed*
embarazada	*pregnant*
el parto	*childbirth*
fortalece	*strengthens*
el poder curativo	*healing power*
el jengibre	*ginger*

Comprensión

Busque la definición de las siguientes palabras.

1. la partera
2. los hierberos
3. la equinacia
4. el sur y el sureste de México
5. el jengibre
6. la medicina natural

a. Región que tiene una rica tradición relacionada con los remedios naturales.
b. Planta que se usa en casos de gripe o resfrío.
c. Ayuda a las mujeres embarazadas durante el parto.
d. Esta planta alivia el mareo.
e. Es una hierba que cura el dolor de garganta.
f. Estas personas conocen las plantas medicinales de su región.
g. Remedios obtenidos directamente de la naturaleza.

Un paso más... ¡a conversar!

1. ¿Prefiere curarse solamente con los medicamentos que le receta su doctor(a)? ¿Utiliza también remedios naturales cuando se enferma? Si los utiliza, diga cuáles son. ¿Para qué sirven?
2. ¿Cree usted que debemos saber más acerca de los remedios naturales en nuestra sociedad? Explique.

ocabulario

- **El cuerpo humano** — The Human Body

la cadera	hip
la calavera	skull
la ceja	eyebrow
el cerebro	brain
la cintura	waist
el codo	elbow
el corazón	heart
el costado	side
la costilla	rib
el dedo	finger
el diente	tooth
las encías	gums
la frente	forehead
la garganta	throat
el hueso	bone
el labio	lip
la lengua	tongue
la mejilla	cheek
la muela	molar (tooth)
la muñeca	wrist
el muslo	thigh
la nalga	buttock
el oído	(inner) ear
la pantorrilla	calf
el pecho	chest
la pestaña	eyelash
el pulgar	thumb
el pulmón	lung
el riñón	kidney
la rodilla	knee
la sangre	blood
el tobillo	ankle
la uña	fingernail

PALABRAS SEMEJANTES: la arteria, el esqueleto, el músculo, el nervio, el órgano interno, la vena
REPASO: la boca, el brazo, la cabeza, la cara, el cuello, la espalda, el estómago, el hígado, los hombros, las manos, la nariz, los ojos, las orejas, el pelo, las piernas, los pies

- **Las enfermedades y las dolencias** — Illnesses and Ailments

el ataque al corazón	heart attack
la comezón	rash, itch
el estornudo	sneeze
la fiebre del heno	hay fever
el infarto	heart attack
el mareo	nausea, seasickness
las paperas	mumps
la pulmonía	pneumonia
el resfriado	cold
el resfrío	cold
el sarampión	measles
el **SIDA**	AIDS
la varicela	chicken pox
el **VIH**	HIV

PALABRAS SEMEJANTES: la alergia, la bronquitis, el cáncer

- **Los síntomas y los estados físicos** — Symptoms and Physical States

¿Cómo se siente?	How are you (*pol. sing.*) feeling?
estar...	to be . . .
embarazada	pregnant
hinchado/a	swollen
internado/a (en el hospital)	hospitalized
mareado/a	dizzy, seasick, nauseous
estar resfriado/a	to have a cold
me/le duele *la espalda*	My/Your/His/Her *back* hurts
tener...	to have . . .
calentura	a fever
catarro	a cold
diarrea	diarrhea
fiebre	a fever
gripe	the flu
la nariz tapada	a stuffy nose
tos	a cough
tener dolor de	to have a . . .
cabeza	headache
estómago	stomachache
garganta	sore throat
muela	toothache
tener náuseas	to be nauseous

- **La salud, las medicinas y los remedios** — Health, Medicines, and Remedies

el agua con sal	salt water
la curita	Band-Aid
las gotas (para la nariz)	(nose) drops

el jarabe (para la tos)	(cough) syrup
la píldora	pill
el puré de manzana	apple sauce
la receta (médica)	prescription
el remedio casero	household remedy
el tratamiento	treatment
el vendaje	bandage

PALABRAS SEMEJANTES: el analgésico, el análisis, el antibiótico, la aspirina, la inhalación de vapor, la inyección

• Las profesiones médicas — Medical Professions

el cirujano / la cirujana	surgeon
el/la socorrista	paramedic, emergency responder

PALABRAS SEMEJANTES: el/la alergista, el farmacéutico / la farmacéutica, el/la psiquiatra, el/la veterinario
REPASO: el/la dentista, el doctor / la doctora, el enfermero / la enfermera, el médico, el/la paciente, el psicólogo / la psicóloga

• Los accidentes y las emergencias — Accidents and Emergencies

atropellar	to run over with a car
la camilla	gurney
el choque	crash
la cicatriz (las cicatrices)	scar
detener(se)	to stop (oneself)
el esguince	sprain
la herida	wound
el herido	wounded (person)
la lesión	injury
la muleta	crutch
la quemadura	burn
los rayos equis	X-rays
la sala de emergencias	emergency room
¡Socorro!	Help!
sobrevivir	to survive
el/la testigo	witness

PALABRA SEMEJANTE: ambulancia
REPASO: ¡Auxilio!, la clínica

• Los verbos — Verbs

abrazar	to hug, to embrace
aplicarse un ungüento	to apply (put on) ointment
atender (ie)	to assist
besar	to kiss
cansar	to make tired
cansarse	to get tired

consultar con	to consult
cortarse	to cut oneself
desmayarse	to faint
doler (ue)	to hurt, ache
enojar	to make angry
entristecerse	to become sad
estornudar	to sneeze
evitar	to avoid
haber	to be (to exist)
había	there was/were
habrá (va a haber)	there will be
hay	there is, are
haya	there might be
hacer el papel (de)	to play the role (of)
hacer gárgaras	to gargle
mandar	to send; to order
mantenerse	to maintain oneself
masticar	to chew
morder (ue)	to bite
mover	to move
oír	to hear
oler (ue)	to smell
huele/huela	it smells / smell (command)
padecer	to suffer
percibir	to perceive
recetar	to prescribe
resfriarse	to catch a cold
respirar	to breathe
surtir (una receta)	to fill (a prescription)
tardar	to take time
tener la culpa	to be guilty, to be to blame
tocar	to touch
torcerse	to twist, sprain
toser	to cough
tragar	to swallow
tropezar (ie)	to trip
volverse (ue) loco/a	to go crazy

PALABRAS SEMEJANTES: circular, controlarse, indicar, inhalar, operar, reaccionar, recuperarse, responder, sufrir
REPASO: chocar, enfermarse, enojarse, ponerse (+ *adj.*), sentirse (ie, i)

• Accidentes y casos imprevistos — Accidents and Unforeseen Occurrences

caerse	to fall down
se le cayó/cayeron	[*something (sing. or pl.)*] fell (from your/his/her hands)
se me cayó/cayeron	[*something (sing. or pl.)*] fell (from my hands)

descomponerse — to break down [*something* (*sing.* or *pl.*)]
  se me/le descompuso/ — broke down (on me/you/
  descompusieron — him/her)

escaparse — to escape, run away
  se me/le escapó/ — [*something/someone*
  escaparon — (*sing.* or *pl.*)] escaped
  — (from me/you/him/her)

olvidarse — to forget
  se me/le olvidó/ — [*something* (*sing.* or *pl.*)]
  olvidaron — slipped my/your/his/her
  — mind

perderse (ie) — to get lost
  se me/le perdió/ — I/you/he/she lost
  perdieron — [*something* (*sing.* or *pl.*)]

quedarse — to stay, remain, to get left
  — behind
  se me/le quedó/ — I/you/he/she left
  quedaron — [*something* (*sing.* or *pl.*)]
  — behind

romperse — to break
  se me/le rompió/ — [*something* (*sing.* or *pl.*)]
  rompieron — broke (on me/you/him/her)

• Los sustantivos   Nouns

la bocacalle — intersection
la cita — appointment; date
la cruz — cross
el dolor — pain
la fibra — fiber
el florero — flower vase
el historial clínico — medical history
la llave — key
la regla — rule; ruler (measurement)
la salud (mental) — (mental) health
el seguro médico — medical insurance
el sonido — sound

el suelo — ground
el valor — value

PALABRAS SEMEJANTES: la comunidad, la conexión, la contracción, el descongestionante, la dieta, la función, la infección, el movimiento, el narcótico, la presión, el pulso
REPASO: el consejo, el globo

• Los adjetivos   Adjectives

adolorido/a — painful
animado/a — cheerful
calmado/a — calm
débil — weak
enyesado/a — in a cast
feliz — happy
inconsciente — unconscious
molesto/a — upset
puesto/a — turned on (*appliance*)
torcido/a — twisted, sprained
valioso/a — valuable

PALABRAS SEMEJANTES: adecuado/a, alérgico/a, beneficioso/a, congestionado/a, dietético/a, frustrado/a, grave, interior, irritable, tranquilo/a

• Palabras y expresiones útiles   Words and Useful Expressions

al día siguiente — on the next day
de repente — suddenly
iba a (+ *verb*) — I (You [*pol. sing.*], He/She) was (were) going to (+ *verb*)

por lo menos — at least
por todas partes — everywhere
tener vergüenza — to be ashamed; embarrassed
¡Salud! — To your health!; Bless you!

Gramática y ejercicios

12.1 Expressing Existence: *haber*

The verb that signals existence in Spanish is **haber** (see **Gramática B.2**). It has only singular forms when used in this manner.

hay	there is/are
hubo, había	there was/were
va a haber	there is/are going to be
tiene que haber	there has/have to be
cuando haya	when there is/are

Hay 118 pacientes en el hospital.

Ayer **hubo** un accidente en la calle Octava.

¿**Había** mucha gente allí cuando llegaste?

¿**Va a haber** mucha gente en el consultorio?

Tiene que haber varios médicos, no uno sólo.

Avíseme **cuando haya** una enfermera disponible.

There are 118 patients in the hospital.

Yesterday there was an accident on Eighth Street.

Were there many people there when you arrived?

Are there going to be many people at the doctor's office?

There have to be several doctors, not just one.

Let me know when there is a nurse available.

hay = *there is/are*
Hay cien centavos en un dólar. (*There are a hundred cents in a dollar.*)

hubo = *there was/were*
Ayer hubo un terremoto en Chile. (*Yesterday there was an earthquake in Chile.*)

había = *there was/were*
Después del terremoto, había mucha gente en las calles. (*After the earthquake, there were a lot of people in the streets.*)

va a haber = *there is/are going to be*
Mañana va a haber una conferencia sobre el SIDA. (*There is going to be a conference on AIDS tomorrow.*)

haya = *there might be*
Llámeme cuando haya una camilla disponible. (*Let me know when there is [might be] a gurney available.*)

EJERCICIO 1

Complete lo siguiente con **hay, tiene que haber, había, haya** o **va a haber.**

1. Ayer me sentía mal. A las 11:30 hablé con la recepcionista de la doctora Estrada y le dije: «Señorita, me siento muy mal. ¡_____ una buena medicina para mis dolores!»

2. Ella me dijo: «Necesita ver a la doctora. _____ una hora libre esta tarde, de las 2:00 a las 3:00.»

3. Yo le dije que por la tarde no podía ir. Luego le pregunté si _____ muchos pacientes esperando en este momento.

4. Ella me contestó: «No, solamente _____ dos ahora, pero seguramente _____ más a la hora del almuerzo. ¡_____ una epidemia de gripe!»

5. Yo tosía y me quejaba. Entonces ella me dijo que la doctora podía verme esa mañana, que los casos de gripe no toman mucho tiempo. Yo le dije: «Vivo muy cerca del consultorio. Por favor llámeme cuando no _____ nadie esperando.»

12.2 Expressing Changes in States: *become, get*

GRAMÁTICA ILUSTRADA

Esteban se puso nervioso cuando daba un informe en su clase de historia.

Después de muchos años de estudios, Luis Ventura se hizo médico.

Mamá, ¿dónde están mis pantalones negros?

Mamá, ayúdame, por favor. No comprendo la lección de matemáticas.

Mami, ¿qué hay de comer?

A veces Estela se vuelve loca con todas las presiones de los niños y la casa.

A. Ponerse, hacerse, and **volverse** describe changes in states when followed by adjectives and certain nouns.

Use **ponerse** with	most adjectives, such as **contento/a, de mal (buen) humor, furioso/a, molesto/a, nervioso/a, serio/a, triste,** and so on.
Use **hacerse** with	**bueno/a, malo/a, rico/a;** all professions (**abogado/a** and so on); religions and political affiliations (**católico/a** and so on).
Use **volverse** with	**antipático/a, desobediente, loco/a**

Me puse muy contenta cuando leí tu carta.
I became very happy when I read your letter.

Adela estudió mucho y **se hizo profesora** en tres años.
Adela studied a lot and became a professor in three years.

Alberto va a **volverse loco** con todo el trabajo que tiene.
Alberto is going to go crazy with all the work that he has.

---

ponerse: *signals a change in condition*
hacerse: *signals a more permanent change of being*
Use **volverse** *with* **antipático/a, desobediente, loco/a.**

Al oír la mala noticia, se puso triste. (*On hearing the bad news, he became sad.*)

Después de tres años de estudios, se hizo abogada. (*After three years of study, she became a lawyer.*)

A los trece años, mi hija se volvió muy desobediente. (*At the age of thirteen, my daughter became very unruly.*)

B. Some adjectives have corresponding verb forms that express *become* + the adjective. In these cases, either the verb form or the expressions **ponerse** + adjective can be used.

ponerse alegre = alegrarse	ponerse enojado/a = enojarse
ponerse delgado/a = adelgazar	ponerse gordo/a = engordar
ponerse enfermo/a = enfermarse	ponerse triste = entristecerse

Cuando Estela leyó la noticia de la muerte de su primo, **se entristeció.**	*When Estela read the news of her cousin's death, she became sad.*
Ernesto **se enojó** cuando le contaron la historia del accidente.	*Ernesto got angry when they told him the story of the accident.*
Diego **engordó** mucho el verano pasado porque no hizo bastante ejercicio.	*Diego became very fat last summer because he didn't exercise enough.*

EJERCICIO 2

Indique la respuesta lógica.

MODELO: Ayer cuando salió el sol,...
  a. nos pusimos de buen humor.
  b. nos enfermamos.
  c. nos hicimos médicos. →
  Ayer cuando salió el sol, nos pusimos de buen humor.

1. Después de muchos años de estudio, Esteban...
   a. se puso muy nervioso.
   b. se hizo veterinario.
   c. se entristeció.
2. Cuando supieron los detalles del accidente de Amanda con el coche nuevo, sus padres...
   a. se pusieron molestos.
   b. se hicieron republicanos.
   c. se alegraron.
3. Cuando el héroe murió al final de la película, Graciela...
   a. se volvió loca.
   b. se puso triste.
   c. se hizo actriz.

4. Con tantos exámenes la semana pasada, los estudiantes...
   a. se volvieron locos.
   b. se pusieron contentos.
   c. se hicieron católicos.
5. Después de caminar algunos kilómetros bajo la lluvia, don Eduardo...
   a. se puso enfermo.
   b. se hizo rico.
   c. se puso alegre.

12.3 Making Requests: Indirect Object Pronouns with Commands and the Present Subjunctive

¿RECUERDA?

As you know from **Gramática 11.1** and **11.2,** object pronouns follow and are attached to affirmative commands but precede negative ones.

Muéstre**me** dónde le duele.	*Show me where it hurts (you).*
No **le** lleve la medicina al señor Ruiz hasta mañana.	*Don't take the medicine to Mr. Ruiz until tomorrow.*

Object pronouns also precede subjunctive verb forms.

El médico quiere que **le** ponga a la señora Silva una inyección de antibióticos.	*The doctor wants you to give Mrs. Silva an injection of antibiotics.*
Voy a comprar la medicina cuando mi esposo **me** dé el dinero.	*I'm going to buy the medicine when my husband gives me the money.*

Here are four additional verbs that can be used like **querer** to give "softened" commands. It is necessary to use an indirect object pronoun with these verbs to point out to whom the command is given, even when the person or persons receiving the action are mentioned.

aconsejar   *to advise* (*someone to do something*)
decir   *to tell* (*someone to do something*)
pedir (i)   *to ask* (*that someone do something*)
recomendar (ie)   *to recommend* (*that someone do something*)

Los médicos siempre **les recomiendan** a los niños que no **coman** muchos dulces.	*Doctors always recommend to children that they not eat a lot of candy.*
Voy a **pedirles** a las enfermeras que **estén** aquí a las 4:00.	*I am going to ask the nurses to be here at 4:00.*
Mi papá siempre **me dice** que **tenga** mucho cuidado en la autopista.	*My dad always tells me to be very careful on the freeway.*
El psiquiatra **les aconseja** a muchos de sus pacientes que **tomen** unas vacaciones.	*The psychiatrist advises many of his patients to take a vacation.*

EJERCICIO 3

Usted no está de acuerdo. Haga negativos estos mandatos afirmativos.

MODELO: Hágale las preguntas a la dentista. →
No le haga las preguntas.

1. Muéstrele su pierna a la enfermera.
2. Dígame si le duele mucho.

3. Llévele estos papeles a la recepcionista.
4. Tráigale la comida al paciente.
5. Déle la receta al farmacéutico.

EJERCICIO 4

Cambie estos mandatos negativos por mandatos afirmativos.

MODELO: No le muestre la herida a la enfermera. →
Muéstrele la herida a la enfermera.

1. No me llame el miércoles.
2. No nos traiga la medicina.
3. No le diga su nombre al médico.
4. No les lleve la receta a los pacientes.
5. No me dé la información.

> In negative commands and subjective forms, object pronouns precede the verb.
> **No le ponga la inyección ahora.** (*Don't give him/her the shot now.*)
> **El médico recomienda que Andrea les dé la medicina a las niñas antes de la cena.** (*The doctor recommends that Andrea give the girls their medicine before dinner.*)

EJERCICIO 5

¿Qué les recomienda el doctor Sánchez a estas personas?

MODELO: Al paciente: Explíqueme sus síntomas. →
El doctor Sánchez le recomienda al paciente que *le explique* sus síntomas.

1. A la enfermera: Póngale la inyección a la paciente del cuarto número 408.
2. Al paciente: Llámeme mañana para pedir los resultados del análisis de sangre.
3. A la enfermera: Explíquele los síntomas de la gripe a la señora López.
4. A la recepcionista: Lléveles a los señores Gómez estos papeles del seguro médico.
5. Al paciente: Cuéntele a la enfermera cómo ocurrió el accidente.

> **¡OJO!**
> Use both the indirect object pronoun and a prepositional phrase. Remember that object pronouns must precede conjugated verbs.

12.4 Relating Unplanned Occurrences: *se*

Use the pronoun **se** + a verb to describe unplanned occurrences such as forgetting, dropping, leaving behind, and breaking.

—¿Qué le pasó al coche?　　—*What happened to the car?*
—**Se** descompuso.　　—*It broke down.*
—¿Qué le pasó a la botella?　　—*What happened to the bottle?*
—**Se** cayó y **se** rompió.　　—*It fell and broke.*

If a person is involved, he or she is referred to with an indirect object pronoun: **me, te, le, nos, os,** or **les.**

Se me olvidó la medicina.　　*I forgot the medicine.*
A Ernestito **se le** perdió el dinero.　　*Ernestito lost the money.*

If the object involved is plural, the verb must also be plural.

Se me **quedaron los libros** en casa.　　*I left my books at home.*

> This **se** construction will take some time to acquire, but it is very common. You will read and hear it often.

EJERCICIO 6

Mire los dibujos y diga qué les pasó a estos objetos.

MODELO: —¿Qué le pasó al cajero automático?
　　　　—¡Se descompuso!

1. —¿Qué le pasó al perrito?

2. —¿Qué les pasó a los lentes?

3. —¿Qué le pasó al cuadro?

4. —¿Qué le pasó a la máquina de los refrescos?

EJERCICIO 7

¿Qué les pasó a estas personas? Describa las escenas. (Note: Los dibujos siguen en la página siguiente.)

MODELO: romper / botella de jarabe para la tos / el médico →
　　　　Al médico *se le rompió* la botella de jarabe para la tos.

1. descomponer / carro / Lan

2. caer / espejo / dentista

3. olvidar / estetoscopio / en su coche / doctor Rocha

4. quedar dentro de la casa / llave / Ernesto y Estela

5. perder / vendajes / las enfermeras

12.5 Narrating Past Experiences: The Present Perfect, Imperfect, and Preterite

GRAMÁTICA ILUSTRADA

1. Cuando el paciente llegó al consultorio del doctor Eloy Ovando, ya había tres pacientes. Todos esperaban con paciencia. Pero él no quería esperar.

2. Habló con la recepcionista y ella le dijo que el doctor no podía atenderlo porque no tenía cita y había muchos pacientes esperando. El paciente se puso furioso y dijo: —Siempre he venido sin hacer cita y el doctor siempre me ha atendido inmediatamente. ¡Eloy es mi mejor amigo!

3. El doctor salió a ver quién gritaba tanto. La recepcionista le dijo que un paciente insistía en entrar inmediatamente, pero que había llegado después de todos y no tenía cita.

4. Al ver al paciente, el doctor lo saludó cortésmente y le preguntó: —¿Se siente mal? ¿Tiene cita hoy? —Los pacientes y la recepcionista se pusieron contentos. Pero el paciente se puso más furioso todavía.

> Tenses and examples:
> present perfect: (**yo**) **he hablado** (*I have spoken*)
> imperfect: (**yo**) **hablaba** (*I used to speak, was speaking*)
> preterite: (**yo**) **hablé** (*I spoke* [completed event])

A. English and Spanish each have several verb forms to choose from that relate past experiences. For example, the verb *to go* has the following past forms in English: *went, used to go, was going,* and *have gone.* Here are some guidelines to help you choose the Spanish form that will best convey the information you want to express.

PRESENT PERFECT

(See **Gramática 10.1.**) This tense is used to ask and answer a *Have you ever . . . ?* question. It has no reference to the specific time in the past when an event occurred.

—¿**Has escalado** una montaña alguna vez en tu vida?
—Sí, **he escalado** muchas montañas.

—*Have you ever in your life climbed a mountain?*
—*Yes, I've climbed many mountains.*

It also describes something you *have* or *have not yet* done.

> **Nunca he hablado con el presidente.** (*I've never spoken with the president.*)
> **De niña, hablaba mucho en clase.** (*As a child, I talked a lot in class.*)
> **Ayer hablé con mi vecino.** (*Yesterday I talked with my neighbor.*)

Nunca **he montado** a caballo, pero mañana voy a aprender.

I have never ridden a horse, but tomorrow I am going to learn.

IMPERFECT

(See **Gramática 9.3–9.5.**) The imperfect tense describes things you *used to do* or *would always do.*

De niña, siempre **jugaba** con mis muñecas en el patio.

As a little girl, I used to play with my dolls on the patio.

It commonly describes states in the past.

En el kínder, yo **era** una niña muy curiosa y nunca **tenía** miedo de nada.

In kindergarten, I was a very curious little girl and was never afraid of anything.

It also describes what someone was doing or what was happening when something else interrupted the action.

Caminaba tranquilamente por la calle cuando oí los gritos.

I was walking peacefully down the street when I heard the screams.

PRETERITE

(See **Gramática 6.3; 7.1–7.3.**) The preterite (simple past tense) is used to describe *completed events* that are isolated in the past.

Anoche **fui** al cine con mis amigos. **Vimos** una película muy aburrida. Después **comimos** pizza en un restaurante italiano.

Last night I went to the movies with my friends. We saw a very boring movie. Afterward we ate pizza in an Italian restaurant.

B. To tell a story or relate past events, the preterite forms are most frequently used: **fui, comí, salí, bailé, me divertí, dormí,** and so on. Imperfect forms usually describe the background or set the stage for the story: **vivía, jugaba, llovía, hacía calor.** In the following examples, the tenses in parentheses indicate what tense the corresponding Spanish verb would be in.

> To tell the action of a story, use the preterite: **fui, salió, comieron, bailaste, nos divertimos.**

One night I was waiting (*imperfect*) at the bus stop on my way home from work. It was raining (*imperfect*) very hard, and I was (*imperfect*) very tired after a long, difficult day at work.

In most stories after the stage has been set with the imperfect, as in the preceding example, the story line is developed with the preterite.

> To set the scene or describe the background for a story, use the imperfect: **Hacía sol... , Eran las 2:30... , Todos dormían...**

Suddenly, I saw (*preterite*) the familiar face of my friend Ralph speed by in a new car. I waved (*preterite*) to him, but he didn't stop (*preterite*). He sped (*preterite*) on by without even a glance toward me. The bus arrived (*preterite*) within a few minutes, and I boarded (*preterite*).

Often in a story, description and narration of the main events are intermixed, so the tenses are, too.

I immediately noticed (*preterite*) that the bus was (*imperfect*) full and that I had to (*imperfect*) stand. Many other people were standing (*imperfect*), too. Buses were (*imperfect*) always so crowded during rush hour in San Francisco.

The preterite is often used to narrate the outcome of a story.

Finally we arrived (*preterite*) at my stop. I quickly got off (*preterite*) and walked (*preterite*) home. The house was (*imperfect*) dark, but when I opened (*preterite*) the door about fifty people, including Ralph, shouted (*preterite*) "Happy Birthday!" It turned out (*preterite*) to be a very good day indeed!

EJERCICIO 8

En cada uno de los dibujos a continuación hay dos actividades: una interrumpe la otra. Describa cada dibujo, siguiendo el modelo.

MODELO: Amanda y Graciela *caminaban* por el parque cuando don Eduardo *tuvo* un infarto (ataque al corazón).

> ### ¡OJO!
>
> For number 4 use **atravesar** (to cross) and **atropellar** (to run over); for number 6 use **terremoto** (earthquake).

1. Estela y Ernesto

2. Ramón y Amanda

3. Andrea y Pedro

4. Ernesto

5. Ernestito y sus amigos

6. Ernesto y Estela

EJERCICIO 9

Aquí tiene usted lo que Paula le contó a su hermana Andrea anoche. Escoja la forma correcta de los verbos en letra cursiva.

Ayer *trabajé/trabajaba*[1] hasta las ocho de la noche. *Salí/Salía*[2] como de costumbre de mi oficina y *caminé/caminaba*[3] hasta la parada del autobús. *Hubo/Había*[4] poca gente que *esperó/esperaba*[5] porque ya *fue/era*[6] muy tarde. *Pensé/Pensaba*[7] en el proyecto para el día siguiente, cuando *vi/veía*[8] a una señora muy vieja que *caminó/ caminaba*[9] por la calle directamente enfrente de la parada donde yo *estuve/estaba*.[10] De repente, *llegó/llegaba*[11] un hombre, muy joven, y por supuesto, mucho más grande que la viejita, y le *robó/ robaba*[12] la bolsa a la señora. Ella *empezó/empezaba*[13] a gritar. El ladrón *desapareció/desaparecía*[14] rápidamente, pero cuando *llegó/ llegaba*[15] el policía, yo le *di/daba*[16] una descripción muy detallada del hombre y de su ropa. Por fin *llegó/llegaba*[17] el autobús y *llegué/llegaba*[18] a casa un poco antes de las diez.

Bogotá, Colombia: Este doctor especialista en pediatría revisa el aparato de oxígeno de su pequeño paciente.

Capítulo 13

De compras

METAS

In **Capítulo 13** you will talk about manufactured goods. You will also use numbers in the thousands and millions to describe buying and selling.

Sobre la artista: Mihra es el seudónimo de Haydée Mendizábal. Esta artista nació en Lima, Perú, en 1948. Empezó sus estudios en la Escuela de Artes Plásticas en Lima en 1976. También estudió en Brasil y en los Estados Unidos. Sus obras reflejan la diversidad cultural que es Perú y se transmiten por medio de una paleta colorida y espontánea.

Domingo en la mañana, por Mihra (Haydée Mendizábal) (Perú)

1531
Francisco Pizarro desembarcó en la costa peruana y en 1535 fundó la ciudad de Lima.

Perú

1827
El congreso constituyente independizó a Perú, con José de la Mar como presidente.

1824
Sucre derrotó definitivamente a los españoles en Ayacucho.

1500 **1750** **1800**

1780–1783
Revuelta indígena dirigida por Túpac Amaru, quien fue ejecutado.

Los amigos animados: Para repasar

Antes de comenzar este capítulo, mire los segmentos animados para repasar el capítulo anterior.

A. Vitaminas Vida. Y ahora escuchemos un mensaje comercial de vitaminas Vida.

B. Más preguntas sobre la salud. En KSUN, la doctora Virginia Béjar contesta preguntas de los radioyentes.

En este capítulo...

ACTIVIDADES DE COMUNICACIÓN

• Los productos y los materiales
• Los precios
• Comprando ropa
• Las compras y el regateo

EN RESUMEN

LECTURAS Y CULTURA

• **Ventanas al pasado**
  Los taínos
• **Enlace literario**
  «Nada más», por María Elena Walsh
• **Ventanas culturales**
  Las costumbres: El nuevo flamenco: una fusión de estilos
• **Lectura**
  «El potro del señor cura», por Armando Palacio Valdés

GRAMÁTICA Y EJERCICIOS

13.1 Describing People and Things: Adjectives Used as Nouns
13.2 Indicating Which One(s): Demonstrative Pronouns
13.3 Talking about Price, Beneficiary, and Purpose: *por* and *para* (Part 2)
13.4 Exchanging Items: Indirect Object Pronouns
13.5 Referring to People and Things Already Mentioned: Using Indirect and Direct Object Pronouns Together

1902
Se formó la compañía Cerro de Pasco, de capital estadounidense, para explotar el cobre peruano.

1972 Un cambio de corrientes marinas arruinó la industria pesquera.

1989 Alberto Fujimori fue electo presidente; en 1990 adoptó un severo programa anti-inflacionario y aceleró el empobrecimiento de la población peruana.

1900

2000

1895
Inició un periodo de 24 años de gobiernos civiles.

1948 y 1968
Hubo varios golpes de estado.

2000
Fujimori abandonó la presidencia tras una década de gobierno autoritario y corrupto, y se refugió en Japón.

ctividades de comunicación y lecturas

❋ Los productos y los materiales

Lea Gramática 13.1–13.2.

Las tijeras son de acero.

El hilo es de algodón.

La caja es de cartón.

Los pantalones vaqueros son de mezclilla.

Las botas son de cuero.

El anillo es de diamantes.

Los suecos están hechos de goma.

La sartén es de hierro.

Las herramientas son de acero.

La chimenea es de ladrillo.

El suéter es de lana.

La mecedora es de madera.

El abrelatas está hecho de plástico.

Las joyas son de oro y plata.

La tabla es de fibra de vidrio.

ACTIVIDAD I   Definiciones: Los materiales

Lea las seis definiciones siguientes y diga qué material corresponde a cada descripción.

1. Es una piedra preciosa translúcida y muy valiosa. Sudáfrica exporta muchas de estas piedras.
2. Es la piel de un animal que se usa en la fabricación de botas, cinturones, bolsas y maletas.
3. Este material es como el papel, pero es más resistente. Se utiliza en la fabricación de cajas.
4. Este material se deriva del petróleo. Se usa para fabricar envases, botellas, bolígrafos, cepillos, aparatos domésticos y muchas cosas más.

5. Éstos son de un material derivado de la tierra. Vienen en varios colores naturales como rojo, café o beige. Se usan mucho en la construcción de edificios, chimeneas, asadores y patios.

6. Es una materia prima que viene de los árboles. Se usa en la construcción de casas y para fabricar muebles.

ACTIVIDAD 2   Intercambios: Los productos, los materiales y sus usos

Diga para qué se usan estas cosas o materiales.

MODELOS: E1: ¿Para qué se usa *una computadora*?
E2: Se usa para *escribir cartas y para navegar por el Internet.*

E1: ¿Para qué se usa *la plata*?
E2: Se usa para *hacer anillos y otras joyas.*

1. una caja de cartón	**5.** una licuadora	**8.** la lana
2. las herramientas	**6.** el acero	**9.** el vidrio
3. un asador	**7.** el algodón	**10.** la impresora
4. un abrelatas		

¿De qué están hechos los siguientes objetos?

MODELOS: E1: ¿De qué está hecha la mecedora?
E2: Está hecha de madera.

E1: ¿De qué están hechos los lentes?
E2: Están hechos de vidrio, plástico y metal.

1. la mesa	**3.** el anillo	**5.** los zapatos
2. las tijeras	**4.** el martillo	**6.** las llantas

ACTIVIDAD 3   Intercambios: Las preferencias

Usted necesita comprar varios artículos para su casa. El dependiente / La dependienta (su compañero/a) le ha mostrado varios objetos de diferentes estilos. Diga cuál prefiere y por qué.

▶ PALABRAS ÚTILES

más elegante(s)	más bonito(s)/a(s)
más práctico(s)/a(s)	más durable(s)

MODELO: DEPENDIENTE/A: ¿Prefiere usted el suéter grueso o el ligero?
USTED: Prefiero el grueso porque es de lana.

1. la sartén de hierro o la de aluminio	**4.** la mesa de madera o la de vidrio
2. las tijeras de acero o las de plástico	**5.** el abrelatas eléctrico o el manual
3. la calculadora pequeña o la grande	**6.** los vasos de vidrio o los de plástico

REVISE SU CAMBIO ANTES DE SALIR

VENTANAS AL PASADO

Los taínos

La primera isla colonizada por los españoles en el Nuevo Mundo fue La Hispaniola, que hoy comparten Haití y la República Dominicana. Allí vivían varias tribus indígenas: los taínos, los caribes, los arawakos y los siboney. Los taínos eran gente pacífica. Tenían varios rituales; se pintaban con tinturas sacadas de la tierra y se adornaban con conchas y metales. El arte era esencial para ellos; muchos se dedicaban a la artesanía. Hacían esculturas de piedra y cerámica, y también joyería de coral, concha y piedra. Los taínos fabricaban sillas de madera llamadas *duhos*. Los duhos ceremoniales se decoraban con oro y piedras semipreciosas.

VOCABULARIO ÚTIL

las tinturas	*dyes*
las conchas	*seashells*
las esculturas	*sculptures*

Si usted viaja a la República Dominicana, trate de visitar el Museo del Hombre Dominicano, que se encuentra en la Plaza de la Cultura de la ciudad de Santo Domingo. Este museo conserva una de las más grandes colecciones de arte taíno. Esta colección demuestra la riqueza de la cultura indígena del Caribe.

El final de los taínos fue trágico. Todos murieron durante la colonización española a causa del duro trabajo y las enfermedades que trajeron los europeos. Pero por suerte nos queda su arte, una hermosa obra que muestra la armonía y la fuerza espiritual del mundo taíno.

Ahora... ¡ustedes!

¿Crees que el arte es importante en la sociedad contemporánea? ¿Cuáles son los elementos artísticos que puedes observar en el mundo moderno? ¿Qué otros aspectos de la cultura popular predominan más que el arte hoy en día?

✳ Los precios

Lea Gramática 13.3.

—¿Cuánto valen estas playeras?
—Pido sólo $115.00 pesos por cada una.
—¡Qué ganga!

—¿Cuánto cuesta esta chamarra de cuero?
—Cuesta $975.00 pesos, señorita.
—¡Qué lástima! Sólo tengo $725.00.

—Compré una playera y una chamarra muy lindas hoy.
—¿Cuánto pagaste por la chamarra?
—Pagué $725.00 pesos ¡y ahora no tengo ni un centavo!

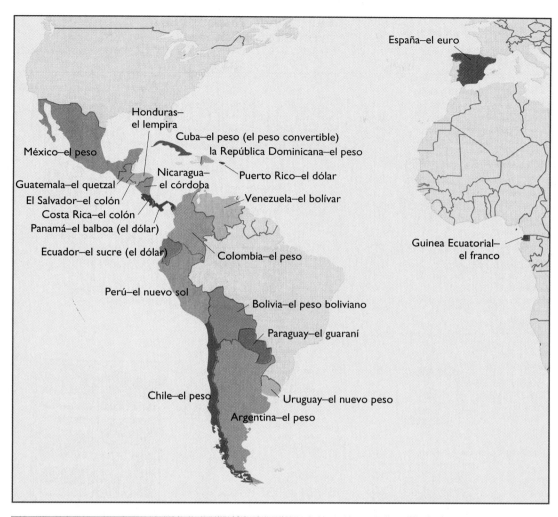

1000	mil	230.000	doscientos treinta mil
2000	dos mil	500.000	quinientos mil
10.000	diez mil	1.000.000	un millón (de)
26.000	veintiséis mil	3.700.000	tres millones, setecientos mil
100.000	cien mil	150.000.000	ciento cincuenta millones (de)

ACTIVIDAD 4   Asociaciones: ¿Cuánto cuestan?

¿Cuánto cuestan los siguientes aparatos en los Estados Unidos? Haga una lista, empezando con el artículo más caro y terminando con el más barato. Luego decida cuáles considera usted más útiles y necesarios y explique por qué.

GRUPO A

1. un televisor en colores
2. un abrelatas eléctrico
3. una calculadora de bolsillo
4. un horno de microondas
5. un aparato de discos compactos

GRUPO B

1. un radio-reloj despertador
2. un diccionario electrónico
3. una sartén eléctrica
4. una computadora con impresora a colores
5. un aparato de DVD

ACTIVIDAD 5 **Del mundo hispano: Los artefactos del hogar**

Discman Coby
Precio normal: Bs. 216.200
En oferta: Bs. 190.256. IVA incluido
Tapa transparente azul
Garantía oficial: 6 meses

suartefacto.com
servicio electrónico de Artelectra, C.A

Teléfono inalámbrico Bell Phones

Precio normal: Bs. 294.400
En oferta: Bs. 259.072. IVA incluido
Color: Plateado y negro
Garantía oficial: 6 meses

Exprimidor de cítricos marca Oster

Precio normal: Bs. 43.700
En oferta: Bs. 38.456. IVA incluido
Garantía oficial: 12 meses

Aspiradora 1200W con bolsa de 3 litros

Precio normal: Bs. 400.200
En oferta: Bs. 352.176. IVA incluido
Garantía oficial: 12 meses
Cierre de seguridad. Enrollado automático de cable 9.5 mts.
Alto poder de succión
Soporte para enrollar el cable en la base de 9.5 mts

Televisor Sharp de pantalla plana, 20"
Cristal líquido
Precio normal: Bs. 4.622.747
En oferta: Bs. 4.068.017
Nuevo panel de LCD negro
Garantía oficial: 12 meses

Arrocera Oster de 1.8 litros

Precio normal: Bs. 98.900
En oferta: Bs. 87.032. IVA incluido
Garantía oficial: 12 meses
Color: Blanco

Nevera ejecutiva de 8.5 pies cúbicos

Marca LG
Precio normal: Bs. 1.145.400
En oferta: Bs.1.007.952. IVA incluido
Color: blanco
Sin escarcha
Garantía oficial: 12 meses

Horno de microondas Frigidaire de 1.8 pies cúbicos

Precio normal: Bs. 1.361.600
En oferta: Bs. 1.198.208. IVA incluido
Hecho de acero inoxidable
Garantía oficial: 12 meses

suartefacto.com
Pago del flete en destino

Trabajen en grupos de tres estudiantes. Miren los artefactos que se venden en **suartefacto.com,** un sitio Web de Venezuela, y conversen usando las siguientes preguntas como guía.

EL ARTEFACTO MÁS ÚTIL
1. En tu opinión, ¿cuál es el artefacto más útil?
2. ¿Cuánto cuesta en oferta? ¿Te ahorras mucho?
3. ¿Cómo es? ¿Por qué es el más útil?
4. ¿Necesitas comprarlo o ya tienes uno?

EL ARTEFACTO MENOS ÚTIL
1. ¿Cuál es el artefacto menos útil para ti?
2. ¿Cómo es el artefacto? ¿Por qué es el menos útil para ti?
3. ¿Cuál es su precio normal? ¿Te ahorras mucho si lo compras ahora?
4. ¿Has comprado algo que no necesitabas solamente porque estaba en oferta?

ACTIVIDAD 6   Intercambios: El precio de una casa

Pregúntele a su compañero/a cuánto cuestan estas casas y luego dígale qué casa prefiere usted y por qué.

Viña del Mar, Chile

Villa estilo suizo, vista a la bahía
• 4 dormitorios • 3 baños •
cocina amplia • jardín grande
$535,658,000 pesos chilenos

Patagonia, Chile

Chalet pequeño en zona boscosa,
3 acres • dos dormitorios • un
baño • chimenea • cocina nueva
y amplia • sala mediana
$239,020,000 pesos chilenos

Región de los lagos, Chile

Casi mil acres, bosque • casa
pequeña, dos dormitorios • un
baño • cocina y sala medianas
• chimenea
$396,270,000 pesos chilenos

Marbella, España

Villa Tranquila • parcialmente
amueblada • 4 dormitorios • 3
baños • jardín grande • calefacción central • chimenea • cocina
amplia y comedor • terraza en la
azotea
485,000€

Fuengirola, España

Villa estilo mediterráneo • cerca
del mar • garaje para dos autos •
piscina • 5 dormitorios • dos
baños • cocina renovada •
chimenea
395,000€

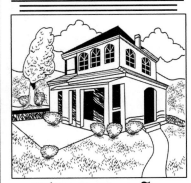

Málaga, España

Villa en zona tranquila • 4
dormitorios • 3 baños •
garaje para 3 autos •
cocina con mucha luz •
hermosa vista al mar
514,850€

ENLACE LITERARIO

«Nada más», por María Elena Walsh

Selección de su libro *Tutú Marambá* (1996)

La escritora argentina María Elena Walsh (1930) es poeta, actriz y cantautora, y escribe también teatro para niños. Walsh se enfoca en temas universales, pero también en cuestiones específicas de su país. Publicó su primer libro de poesía, *Otoño imperdonable,* a la edad de 17 años. Entre sus otras obras se encuentra el libro de poemas *Baladas con Ángel* (1952) y los ensayos *Desventuras en el País Jardín-de-Infantes* (1993). En el hermoso poema que aquí incluimos, Walsh nos habla de las cosas que no podemos comprar con dinero.

Nada más

Con esta moneda
me voy a comprar
un ramo[1] de cielo
y un metro de mar,
un pico[2] de estrella,
un sol de verdad,
un kilo de viento,
y nada más.

Actividad creativa: Una moneda mágica

Usted tiene una moneda mágica con la que puede comprar cualquier cosa de la naturaleza. ¿Qué va a comprar? ¿Por qué? Escriba un poema para describir su compra.

[1]*a piece (of sky);* lit., *a bouquet*   [2]*point*

SE VENDE

INFORMES:

_____

REFRÁN

Lo barato cuesta caro.

(*You get what you pay for.* Literally, *What seems cheap costs more.*)

✳ Comprando ropa

COOPERE CON EL ASEO

PONGA LA BASURA EN SU LUGAR

¡OJO!

En gran parte del mundo hispano los vecindarios son mixtos: Hay residencias y negocios en la misma zona. Así en vez de usar el carro, la gente camina para hacer las compras. Además, en las tiendas no les dan bolsas de papel o plástico a los clientes. Para hacer las compras es necesario que uno lleve su propia bolsa de lona, plástico u otro material.

ACTIVIDAD 7   Definiciones: La ropa

1. la bufanda
2. el pijama
3. los calcetines
4. el cinturón
5. los guantes
6. la bata
7. la guayabera
8. el paraguas
9. las zapatillas
10. los aretes

a. Las mujeres y algunos hombres los llevan en las orejas.
b. Se usa después de bañarse.
c. Los hombres la llevan en los países tropicales.
d. Se usa para protegernos de la lluvia.
e. Se pone en el cuello cuando hace frío.
f. Se usa para sujetar los pantalones.
g. Se ponen en las manos cuando hace frío.
h. Se usa para dormir.
i. Se ponen en los pies, antes de ponernos los zapatos.
j. Las usamos para andar en casa, en vez de zapatos.

ACTIVIDAD 8   Intercambios: Una venta

deTodo

San Francisco esquina Félix Cuevas

GRANDES OFERTAS

Para niñas

Camisetas de tirantes, de algodón y en los colores de la temporada. Tallas para niñas de 10 a 14 años.
De $95.00 a **$75.00**

Juego de falda y blusa, algodón, de Polo Ralph Lauren. Blusa blanca sin mangas, falda de varios colores. Tallas infantiles 8–16.
De $450.00 a **$399.00**

Para damas

Saco tres cuartos, en colores de moda; cinturón. Gabardina de lana, Calvin Klein. Tallas 6–14.
De $3.000.00 a **$2.599.99**

Bolsas estilo Prada con hebillas y bolsas pequeñas a los lados en los colores de moda.
De $900.50 a **$800.00**

Para niños

Mochilas Quicksilver en dos colores. Perfectas para actividades escolares; varios compartimientos.
De $500.00 a **$420.00**

Pantalón largo de niño para actividades deportivas; bolsillos laterales y cintura elástica.
De $320.00 a **$298.50**

Para caballeros

Camisa blanca estampada de manga larga. Muy fresca, en seda de la mejor calidad.
De $220.00 a **$189.99**

Bermudas de algodón marca Dustin disponibles en tres colores: beige, kaki y tostado, con bolsillos laterales y en la parte trasera.
De $500.00 a **$395.00**

deTodo *tiene* de todo
PARA TODA LA FAMILIA

MODELOS: E1: ¿Cuánto cuestan las mochilas?
E2: Cuestan cuatrocientos veinte pesos.

E1: ¿Cuánto costaban las camisetas de tirantes?
E2: Costaban noventa y cinco pesos.

E1: ¿Cuánto ahorras si compras la camisa blanca?
E2: Ahorro 30 pesos y un centavo.

> **NO USE EL ASCENSOR EN CASO DE TERREMOTO**

ACTIVIDAD 9   Intercambios: De compras

Trabaje con su compañero/a. Imagínese que usted acaba de ir de compras a varias tiendas de ropa en México, D.F. Su compañero/a le pregunta qué cosas compró usted, dónde las compró, cuánto le costaron y de qué material son.

MODELO: E1: ¿Qué compraste?
E2: *Una guayabera azul.*
E1: ¿Cuánto te costó?
E2: *Estaba rebajada a $350.00.*
E1: ¡Qué *barata*! ¿De qué material es?
E2: *Es de algodón.*
E1: ¿Dónde *la* compraste?
E2: *En el Bazar de San Ángel.*

PRENDAS

un suéter de lana ($465.50)
una bufanda de seda ($220.00)
un par de guantes de piel ($392.00)
una cartera de cuero ($440.00)
un pijama de seda ($644.00)
una bata de algodón ($288.00)
un sombrero color caqui ($528.75)
un vestido de lino ($976.00)
un anillo de plata ($120.00)
un pantalón de mezclilla ($360.00)
¿ ? ($_____)

TIENDAS

El Palacio de Hierro
El Correo Francés
Safari Europeo
Sanborn's
el Bazar de San Ángel
Milano: Ropa para Caballero
la Zapatería Tres Estrellas
Trajes Suárez
Mercado de Artesanías
El Puerto de Liverpool

ACTIVIDAD 10   Situación: De compras en San Juan

Imagínese que usted está de vacaciones en San Juan, Puerto Rico, y entra a una tienda donde hay ropa muy original, de colores vivos. Todo le gusta; quiere comprar algo. Pruébese varias cosas y comente cómo le quedan. Trabaje con un compañero / una compañera. Uno de ustedes debe hacer el papel de dependiente/a y la otra persona, el de turista.

DEPENDIENTE/A: ¿En qué puedo servirle?
TURISTA: Quisiera probarme un(a) _____.
DEPENDIENTE/A: ¿Qué talla usa?
TURISTA: ¿Talla? Pues, creo que _____.
DEPENDIENTE/A: Aquí están los probadores. ¿Por qué no se prueba éste/a? Creo que le va a quedar bien.
TURISTA: A ver… Pues,… creo que me queda _____.
DEPENDIENTE/A: Entonces, pruébese éste/a.
TURISTA: …

▶ **EXPRESIONES ÚTILES**

(No) Me queda(n):
bien, apretado/a(s),
suelto/a(s),
grande(s),
pequeño/a(s),
largo/a(s),
corto/a(s)

✳ Las compras y el regateo

Lea Gramática 13.4–13.5.

ACTIVIDAD 11   Asociaciones: Las tiendas en el mundo hispano

¿Dónde se compran estas cosas?

MODELO: el helado → El helado se compra *en la heladería.*

1. la fruta	**5.** el pan	**9.** los muebles
2. la carne	**6.** las tortillas	**10.** los juguetes
3. un anillo (joya)	**7.** un reloj	**11.** las flores
4. los zapatos	**8.** un libro	**12.** los dulces

Ahora, entreviste a un compañero / una compañera.

1. ¿Cómo se llama tu zapatería favorita? ¿Por qué te gusta comprar los zapatos allí?
2. ¿Hay muchas librerías en tu ciudad? ¿Cuál prefieres? ¿Vas allí con frecuencia?
3. ¿Vas con frecuencia a las tiendas de discos o a los videocentros? ¿Compras algo o solamente vas para alquilar películas?
4. ¿Te gustan los dulces y los chocolates? ¿Cómo se llama la dulcería más famosa de tu ciudad?
5. ¿Compras el pan en el supermercado o vas a una panadería? ¿Hay una panadería buena en tu barrio? ¿Cómo se llama?

ACTIVIDAD 12   Narración: Un día de compras

¿Qué hizo Amanda y qué compró? Narre las experiencias de Amanda en su día de compras.

▶ **PALABRAS ÚTILES**

primero	más tarde	también
luego	después	por fin

ACTIVIDAD 13   Intercambios: Entre amigos

Usted vive en un apartamento y su amigo/a vive al lado. Él/Ella siempre le pide cosas prestadas. Trabaje con un compañero/a en esta situación.

▶ **EXPRESIONES ÚTILES**

¿Me prestas… ?	Con mucho gusto, te lo/la/los/las presto.
Lo siento, pero no tengo.	Lo siento, pero lo/la/los/las necesito hoy.

▶ **PALABRAS ÚTILES**

la cámara digital	el asador	el carro
el televisor	la sartén eléctrica	el diccionario electrónico

MODELO: E1: Se me descompuso el abrelatas. ¿Me prestas uno?
          E2: Sí, con mucho gusto te lo presto.

1. Quiero hacer una carne asada.
2. Mis amigos y yo queremos ver la Copa Mundial de Fútbol.
3. No encuentro mi diccionario y tengo que escribir una composición.
4. Se me descompuso el carro y tengo que ir a trabajar.
5. Salgo esta tarde para las montañas.
6. Mi estufa de gas no funciona.

HAGA COLA AQUÍ

HAGA SU APARTADO NAVIDEÑO

VENTANAS CULTURALES   Las costumbres

El nuevo flamenco: una fusión de estilos

Al hablar de flamenco mucha gente piensa en bailarinas de hermoso traje, vivo taconeo y palmadas; también en canciones que culminan con el grito de «¡Olé!», popularizadas por los Gypsy Kings y versiones pop como «La Macarena». Pero en España el flamenco tiene una larga tradición de músicos serios y dedicados. Esta emocionante música nació en la región de Andalucía, al sur de España, con base en la cultura de los moros y los gitanos. En las ciudades andaluzas —Cádiz, Sevilla, Granada— la gente tiene una manera musical y poética de expresarse. Su canto también expresa dolor y sentimiento: la queja de los gitanos, gente pobre y perseguida.

Hay artistas de flamenco muy famosos, como Paco de Lucía y la cantante Estrella Morente, y festivales internacionales de esta música, como los de Nueva York y Londres. Hoy el flamenco está cambiando, pues integra influencias de otros estilos musicales. Es por eso que hablamos del «nuevo flamenco». Por ejemplo, en su disco *Barí*, el grupo Ojos de Brujo combina hip-hop, salsa y fusión con ritmos flamencos. Uno de los duetos más populares del momento es el del pianista cubano Bebo Valdés, de 85 años, y el joven cantante gitano Diego El Cigala. Hay también talentosas bailarinas de otros países que viven en España. Una de las más reconocidas es María Bermúdez, mexicoamericana de Los Ángeles quien lleva quince años de trabajo y triunfos en España, transformando con su cultura la tradicional música andaluza.

Si usted prefiere escuchar una música flamenca pura y típica, puede encontrarla en el sur de España; allí, la rica tradición musical de los gitanos sigue viva.

VOCABULARIO ÚTIL

el taconeo	*heel tapping*
las palmadas	*clapping*
los moros	*Moors*
los gitanos	*Gypsies*
la queja	*protest, cry*
perseguida	*persecuted*

Ahora... ¡ustedes!

¿Te gusta el estilo flamenco? Cuando quieres escuchar música, ¿compras discos compactos? ¿Tienes discos de música latina? ¿Qué cantantes hispanos te gustan? ¿Quiénes son los más populares en los Estados Unidos?

n resumen

De todo un poco

Traiga a clase dos o tres fotos de diferentes objetos (puede recortarlas de un periódico o revista, o sacarlas de Internet). En grupos de 3, escriban 2 ó 3 anuncios comerciales para varias tiendas. Use las fotos para ilustrar la mercancía de estas tiendas. Incluya mandatos, los precios, los materiales u otra información pertinente. Luego compartan sus anuncios con la clase.

> **SOLICITE SU TARJETA DE CRÉDITO Y RECIBA UN DESCUENTO DEL 10% EN SU COMPRA DE HOY**

▶ VOCABULARIO Y EXPRESIONES ÚTILES

frases: Está(n) a $_____. Está(n) rebajado/a(s) a $_____.
otras palabras: en oferta, especial, ganga, liquidación, venta
mandatos: aproveche, compre, dé, disfrute, muestre, vea, venga
materiales: acero, algodón, bronce, cartón, cristal, cuero, hierro, lino, madera, nilón, oro, plástico, plata, seda

¡Dígalo por escrito!

A. Diseñe el plano para un pequeño centro comercial en una comunidad. Incluya diez tiendas; póngales nombre y describa su mercancía. Sugerencias: un restaurante o café, una librería, un lugar para descansar, una tienda de ropa o un almacén, una zapatería, una joyería, etcétera.

B. Escoja tres de estas tiendas y haga una lista de algunos de sus productos, de qué materiales son y cuál es el precio de cada uno.

MODELO: En la mueblería «La Silla de Oro» hay sofás de cuero a $2.000,00. Hay estantes de madera para libros a $800.00. También hay lámparas de bronce muy elegantes a $175.00 y...

¡Cuéntenos usted!

Describa una tienda que le gusta mucho. ¿Qué vende esa tienda? ¿Es grande o pequeña? ¿Cómo son los dueños/dependientes en esa tienda? ¿Es una tienda de Internet? ¿Son módicos los precios?

 Conexión a la comunidad

Averigüe si hay un programa para ancianos para ayudarles con las compras: recogerlos en el carro y acompañarlos a varias tiendas. Llame y ofrézcase para ayudar a una persona de habla hispana.

LECTURA «El potro del señor cura», por Armando Palacio Valdés (1853–1938)

PISTAS PARA LEER
El novelista español Armando Palacio Valdés escribía sobre las costumbres populares de Asturias, España. En este cuento, Valdés narra la historia de don Pedro, un cura que tenía un caballo muy viejo. Un día don Pedro vendió su caballo y compró otro más joven. ¡Entonces se llevó una tremenda sorpresa! Después de leer cada parte, haga un resumen. Luego narre todo el cuento.

Parte 1

Don Pedro era el cura de un pueblo pequeño. Tenía dos animales, un perro y un caballo. Hacía más de veinte años que tenía el caballo. Quería mucho a su caballo porque era noble, paciente y muy inteligente. El caballo se llamaba Pichón porque era blanco. Tenía una memoria prodigiosa: sabía siempre hacia dónde

iban y llevaba al señor cura por todos los caminos. El señor cura no tenía que dirigirlo. Además, cuando llegaban a un lugar, el caballo se paraba a la puerta y, cuando bajaba el señor cura, él solo se iba a la cuadra.

El señor cura estaba muy contento con su caballo pero la gente del pueblo pensaba que el caballo ya estaba muy viejo. Se burlaban del pobre Pichón; lo llamaban «el potro». Un día el señor cura, cansado de escucharlos, decidió venderlo. Muy triste fue a la feria.

En la feria los caballos estaban muy baratos y Pichón era tan viejo que nadie quería comprarlo. Finalmente un hombre le ofreció setenta y cinco pesetas por él. El cura lo vendió por ese precio. Luego regresó muy triste a su casa.

Pronto se dio cuenta que necesitaba otro caballo porque no podía caminar tanto. Dos semanas después, volvió a la feria, pero ahora los caballos estaban muy caros. El señor cura pasó muchas horas buscando un caballo barato, regateando aquí y allá, pero no encontraba nada. Finalmente encontró un caballo joven y barato. Era de color tabaco y tenía ojos muy inteligentes. Costaba sólo trescientas pesetas. Al señor cura le pareció una ganga y lo compró. Regresó a su casa montado en él. Estaba contento con su compra y muy pronto se puso más contento. El caballo conocía perfectamente el camino a su casa. Al pasar por casa de su hermana, el caballo inmediatamente se paró. El cura, sorprendido, decidió saludar a su hermana. Se bajó y el caballo se fue a la cuadra. El cura dijo: —¡Qué inteligente es este animal!

Se quedó varias horas charlando con su hermana. Cuando salió, decidió regresar directamente a su casa, pero el caballo paró en casa de un amigo a quien el cura visitaba siempre que visitaba a su hermana.

—Prodigioso —dijo el cura y bajó para saludar a su amigo. El caballo se fue solo a la cuadra.

Parte 2

Llegó al pueblo de noche. Al siguiente día toda la gente del pueblo fue a ver al caballo nuevo en el establo. El señor cura lo presentó diciendo que se llamaba León, por su color tabaco. Todos declararon que era un bello animal y lo felicitaron por su compra.

Por cinco o seis días no necesitó montar su nuevo caballo. Pero al séptimo, mandó al criado a limpiarlo pues pensaba salir y el animal tenía un poco de polvo. El criado lo llamó unos minutos después y le dijo:

VOCABULARIO ÚTIL

el cura	*priest*
prodigioso/a	*excellent, wondrous*
la cuadra	*stable*
Se burlaban	*They made fun*
el potro	*colt*
siempre que	*whenever*
lo felicitaron	*they congratulated him*
el criado	*servant*

—¿Sabe, señor cura? León tiene unas manchas blancas que no desaparecen.

—Límpialo bien —dijo el señor cura.

El criado lo limpió y lo limpió, pero las manchas no sólo no desaparecían sino que se hacían cada vez mayores.

—A ver, trae agua caliente y jabón —dijo el cura, cansado.

El agua quedó teñida de rojo inmediatamente y las manchas se extendieron hasta que casi le cubrían todo el cuerpo. El cura lo limpió tanto que en media hora había desaparecido el caballo color de tabaco y había aparecido uno blanco. El criado, sorprendido, exclamó:

—¡Caramba! ¡Es el Pichón!

El cura no podía creerlo pero, sí, ¡era su viejo caballo!

La gente empezó a llegar y a reírse del cura y de su «potro». Entonces el señor cura, enojado, les dijo: —¡Qué bien merezco todo esto por hacerles caso a unos tontos como ustedes! Si alguien se ríe otra vez de mi caballo o lo llama potro... ¡Voy a romperle los huesos!

Todos comprendieron que el cura tenía razón y se fueron en silencio a su casa. El cura entonces se acercó, feliz, a su caballo y le dijo: —¡Bienvenido a tu casa, Pichón!

VOCABULARIO ÚTIL	
las manchas	stains
quedó teñida de rojo	was tinted red
merezco	I deserve
por hacerles caso	for paying attention
romperle los huesos	break his bones
tenía razón	he was right

Comprensión A

Narre el cuento con sus propias palabras, tomando en cuenta las siguientes sugerencias.

Parte 1: la descripción de don Pedro y Pichón, la decisión del cura, la feria, el nuevo caballo
Parte 2: la reacción de la gente del pueblo hacia el «nuevo» caballo, el séptimo día, la limpieza de León, la sorpresa

Comprensión B

1. ¿Piensa que hay un mensaje o una moraleja en este cuento? Explique.
2. ¿Cree usted que el señor cura aprendió una lección? ¿Cuál fue? ¿Fue una lección valiosa?

Un paso más... ¡a escribir!

¿Tiene usted una mascota que quiere mucho? ¿La vendería? Imagínese que alguien quiere comprarle su animal doméstico. Explíquele por escrito a esa persona por qué no puede vendérselo. O quizá usted decida vender su mascota por cierto precio...

ocabulario

• Los materiales — Materials

el acero (inoxidable)	(stainless) steel
el algodón	cotton
el cuero	leather
la fibra de vidrio	fiberglass
la goma	rubber
el hierro	iron
el hilo	thread; linen
el ladrillo	brick
la lana	wool
el lino	linen
la madera	wood
la materia prima	raw material
la mezclilla	denim
el oro	gold
la piedra (preciosa)	(gem) stone
la piel	skin, leather
la plata	silver
la seda	silk

PALABRAS SEMEJANTES: el aluminio, el bronce, el cristal, el diamante, el elástico, el gas, el metal
REPASO: el cartón, el plástico, el poliestireno, el vidrio

• Las prendas de vestir y las joyas — Articles of Clothing and Jewelry

el anillo	ring
la bata	(bath) robe
la bolsa	purse
el bolsillo	pocket
la bufanda	scarf
los calcetines	socks
los calzoncillos	(men's) underwear
el camisón	nightgown
la cartera	wallet
la chamarra	jacket
el cinturón	belt
la combinación	(women's) slip
la gorra	cap
los guantes	gloves
la guayabera	*embroidered lightweight shirt worn in tropical climates*
la manga	sleeve
las medias	stockings
la moda	fashion
las pantaletas	women's underpants
los pantalones vaqueros	jeans
las pantimedias	pantyhose
un par de...	a pair of . . .
el paraguas	umbrella
la playera	T-shirt (*Mex.*)
la ropa interior	underwear
el sostén	bra
los suecos	clogs
la tela	cloth, fabric
las zapatillas	slippers
los zapatos de tacón alto	high-heeled shoes

REPASO: la camiseta, el pijama, el saco

• De compras — Shopping

la calidad	quality
dárselo(s)/la(s) en: Se lo(s)/la(s) doy en...	I'll let you have it/them for . . .
¿De qué (material) es? Es de...	What (material) is it made of? It's (made) of . . .
¿De qué está hecho/a? Está hecho/a de...	What is it made of? It's made of . . .
dejárselo(s)/la(s) en: Se lo(s)/la(s) dejo en...	I'll let you have it/them for . . .
devolver (ue)	to return (*something*)
en oferta	on sale
¿En qué puedo servirle?	May I help you?
envolver (ue)	to wrap
¿Se lo/la/los/las envuelvo?	Shall I wrap it/them for you?
la fabricación	making, manufacture
fabricar	to manufacture, make
gastar	to spend (*money*)
hecho/a a mano	handmade
la liquidación	closing sale
llevarse	to take away
me lo/la llevo	I'll take (buy) it
la mercancía	merchandise
mostrar (ue)	to show
no tener ni un centavo	to be broke
el probador	dressing room
probarse (ue)	to try on
Pruébeselo/la/los/las.	Try it/them on.
el puesto	market stall, small shop
¡Qué ganga!	What a bargain!
¿Qué talla usa?	What size do you wear?
quedarle apretado/suelto	to fit tightly/loosely
Me quedan apretados estos pantalones.	These jeans are tight on me.
quedarle bien/mal	to look nice/bad on one
quedarle grande/pequeño	to be too big/small
Le queda muy grande ese abrigo.	That coat is big on him/her.

quedarle una cantidad de algo — to have a quantity of something left

  Me quedan sólo cinco dólares. — I have only five dollars left.

rebajado/a — reduced (*price*)
rebajar (tanto) — to lower the price (so much)
regatear — to bargain
el regateo — bargaining
valer — to be worth
  ¿Cuánto vale? — How much is this (worth)?
la venta — sale

REPASO: el centro comercial, comprar, dinero (en efectivo), ofrecer, vender

• Los verbos — Verbs

aprovechar — to take advantage of
derivarse — to be derived from
entrar — to enter
funcionar — to work, function
imprimir — to print
licuar — to blend, liquefy
mezclar — to mix
pedir prestado/a(s) — to borrow
prestar — to lend
recortar — to cut out
sujetar — to hold up, to attach

PALABRAS SEMEJANTES: aceptar, exportar, ilustrar, utilizar

• Las personas — People

el caballero — gentleman
la dama — lady
el vendedor / la vendedora — salesman/saleswoman

• Los lugares — Places

la carnicería — meat market
la dulcería — candy store
la frutería — fruit store
la heladería — ice cream parlor
la joyería — jewelry store
el mercado al aire libre — open-air market

REPASO: la cafetería, la panadería, la papelería, la tienda de discos, el videocentro, la zapatería

• Los aparatos domésticos — Household Appliances

el abrelatas — can opener
el asador — barbecue grill
la calefacción — heat(ing) system
el exprimidor — juicer
la licuadora — blender

la pantalla — screen
el radio-reloj despertador — clock radio

REPASO: la aspiradora, la calculadora, la impresora, la sartén, el televisor en colores

• Los sustantivos — Nouns

el anuncio comercial — advertisement
la caja — box
la Copa Mundial — World Cup
los dulces — candy; sweets
las herramientas — tools
el hogar — home; hearth
el juego de — set of (*items*)
el martillo — hammer
la mecedora — rocking chair
el tamaño — size
las tijeras — scissors

PALABRAS SEMEJANTES: el artefacto, la cerámica, la construcción, el documento, el estilo, la garantía, la vista

• Los adjetivos — Adjectives

color caqui — khaki
(color) vivo — bright (color)
de cuadros — checkered, plaid
de lunares — polka-dotted
de moda — fashionable
de rayas — striped
estrecho/a — tight
grueso/a — thick, heavy
inalámbrico/a — wireless; cordless
mediano/a — medium
plano/a — flat
renovado/a — remodeled

PALABRAS SEMEJANTES: derivado/a, durable, electrónico/a, enorme, manual, nilón, original, pertinente, resistente, translúcido/a
REPASO: cómodo/a, lleno/a

• Palabras y expresiones útiles — Useful Words and Expressions

A ver — Let's see
lo siento — I'm sorry
¡Qué lástima! — That's too bad!
solamente — only

• Los números — Numbers

un millón (de) — a million (*of something*)
veintidós millones de pesos — twenty-two million pesos

Gramática y ejercicios

13.1 Describing People and Things: Adjectives Used as Nouns

A. In English and Spanish, adjectives can be nominalized (used as nouns). To nominalize an adjective in Spanish, delete the noun to which it refers and use a definite or indefinite article before the adjective.

—¿Te gusta esta **blusa**?
—Sí, pero prefiero **la roja.**

—¿Quieres una **ensalada** grande o **una pequeña**?
—**Una grande,** por favor.

—*Do you like this blouse?*
—*Yes, but I prefer the red one.*

—*Do you want a large salad or a small one?*
—*A large one, please.*

> **¿Cuál prefieres, la chaqueta roja o la amarilla?** (*Which do you prefer, the red jacket or the yellow one?*)
> **Prefiero la roja.** (*I prefer the red one.*)

Note that **uno** rather than **un** is used in nominalizations before masculine singular adjectives.

—¿Tienes un **coche** viejo o **uno nuevo**?
—Tengo **uno** muy **viejo.**

—*Do you have an old car or a new one?*
—*I have a very old one.*

B. The nominalization of adjectives is also possible in sentences that contain adjectival phrases using **de.**

Me gustan más los muebles de madera que **los de plástico.**
Carmen se compró una blusa de seda, pero yo me compré **una de algodón.**

I like wood furniture more than plastic (furniture).
Carmen bought herself a silk blouse, but I bought myself a cotton one.

> **Cuando compro ropa, nunca compro la de poliéster.** (*When I buy clothes, I never buy polyester.*)

C. To express an abstract idea using a nominalized adjective, use **lo** before the masculine singular form of the adjective: **lo atractivo, lo bueno, lo difícil, lo divertido, lo increíble, lo moderno, lo malo,** and so on.*

Hay muchas novelas buenas. **Lo difícil** es encontrar tiempo para leerlas.
Lo malo es que él nunca comprendió lo que hizo.
¡Qué mercado más lleno de gente! **Lo bueno** es que pudimos regatear y comprar varias cosas a precios bajos.

There are many good novels. The hard part is finding time to read them.
The bad part (thing) is that he never understood what he did.
What a crowded market! The good thing is that we were able to bargain and buy some things at low prices.

> **Lo difícil es hacer paella; lo bueno es comérsela.** (*The hard part is making paella; the good part is eating it.*)

EJERCICIO 1

Los estudiantes de la clase de español van a una fiesta, pero sus parientes no están de acuerdo con la ropa que ellos quieren llevar. Diga lo que prefiere cada persona.

---

*__Lo que__ corresponds to *what* (*that which*) in English.
  Rafael no sabe **lo que** quiere.
  Lo bueno es que Amanda nunca supo **lo que** pasó.

  Rafael doesn't know what (that which) he wants.
  The good thing is that Amanda never found out what (that which) happened.

MODELO: Carmen / las botas largas; su madre / las botas cortas
Carmen quiere llevar las botas largas, pero su madre prefiere las cortas.

1. Nora / el vestido corto; su hermana / el vestido largo
2. Alberto / el abrigo de cuero; su hermano / el abrigo de lana
3. Pablo / el suéter ligero; su padre / el suéter grueso
4. Carmen / la falda vieja; su prima / la falda nueva
5. Esteban / la camisa de seda; su novia / la camisa de algodón

EJERCICIO 2

Paula Saucedo y Armando, su novio, van a comprar cosas para su futura casa, pero no están de acuerdo en nada. Exprese lo que cada uno quiere/prefiere.

MODELO: Paula / una licuadora blanca; Armando / una licuadora negra
Paula quiere una licuadora blanca, pero su novio, Armando, prefiere una negra.

1. Paula / un abrelatas manual; Armando / un abrelatas eléctrico
2. Paula / un asador pequeño; Armando / un asador grande
3. Paula / unos vasos de vidrio; Armando / unos vasos de plástico
4. Paula / unos muebles modernos para la sala; Armando / unos muebles antiguos
5. Paula / una computadora IBM; Armando / una computadora Macintosh

13.2 Indicating Which One(s): Demonstrative Pronouns

When a demonstrative adjective (**este, ese, aquel**) functions as a noun, it is called a *demonstrative pronoun.** As you saw in **Gramática 2.5,** there are three different demonstrative adjectives/pronouns to indicate distance from the speaker. Often you will hear these used in conjunction with adverbs of place that further clarify distance from the speaker.

este/a, estos/as... aquí (*nearest*)	ese/a, esos/as... allí	aquel/aquella, aquellos/as... allá (*farthest*)

—¿Quieres este reloj o **ése**?

—Prefiero **éste.**

—Estos vestidos son muy caros.

—Sí, pero **aquéllos** no.

—*Do you want this watch or that one?*

—*I prefer this one.*

—*These dresses are very expensive.*

—*Yes, but those aren't.*

---

*In *Dos mundos* and many other books you will see an accent on these pronouns because, until recently, they were always written with an accent mark to distinguish them from demonstrative adjectives. Up-to-date usage suggests that the accent mark may be omitted when context makes the meaning clear. Obviously, all books published before the rule was changed have accents on demonstrative pronouns.

EJERCICIO 3

Estas personas están tratando de decidir lo que quieren comprar. Mire los dibujos y use el adjetivo o el pronombre demostrativo en cada caso.

MODELO: Ayer me gustó *esta* blusa, pero ahora prefiero *ésa* que está allí.

1. Me gusta _____ bata, pero voy a comprar _____, la rosada.
2. No me gustan _____ guantes amarillos. Quiero comprar _____, los negros.
3. Creo que _____ tijeras funcionan bien, pero por favor muéstreme _____, las que cuestan más.
4. No me dé _____ martillo; es demasiado pequeño. Déme _____ que está aquí.
5. _____ pijama es caro. Prefiero comprar _____ de lunares porque tiene el precio rebajado.

¡OJO!

Pay attention to the distance of objects from the speaker. If there are only two objects, choose between **este/esta** and **ese/esa**.

13.3 Talking about Price, Beneficiary, and Purpose: *por* and *para* (Part 2)

A. You already know from **Gramática 10.3** that **por** is used as an equivalent for *through, by,* and *along* (**Caminamos por el río.**) and with time (**Esperamos por diez minutos.**). **Por** is also used with quantities and prices and corresponds to English (*in exchange*) *for.*

—Raúl, ¿cuánto pagaste **por** el suéter?

—Lo compré **por** sesenta pesos.

—*Raúl, how much did you pay for the sweater?*

—*I bought it for sixty pesos.*

If a number is involved when you are choosing between **por** and **para** to express *for,* **por** is usually correct:

por 10 kilómetros
por 250 pesos
por 3 horas
por 8 meses

para = *in order to, for* (recipient)

B. In addition to indicating destination (**Mañana salgo para Madrid.**) and deadlines (**La tarea es para el lunes.**), **para** can be followed by an infinitive to indicate function or purpose. In such cases **para** corresponds to English (*in order*) *to*.

—¿**Para qué** usan estos trapos?	—*What do you use these rags for?*
—**Para** limpiar las ventanas.	—*To clean the windows.*
Para coser su propia ropa, uno necesita mucha paciencia.	*In order to make your own clothes, you need a lot of patience.*

Para is also used to indicate the beneficiary or recipient of something.

—¿**Para** quién es este regalo?	—*For whom is this gift?*
—Es **para** mi esposa.	—*It's for my wife.*

EJERCICIO 4

Indique la respuesta más lógica.

MODELO: ¿Para qué haces ejercicio? →
Para mantenerme en buena condición física.

1. ¿Para qué vas a la biblioteca?
2. ¿Para qué estás limpiando tu cuarto ahora?
3. ¿Para qué vas a usar la aspiradora?
4. ¿Para qué trajiste las herramientas?
5. ¿Para qué compraste el mantel rojo?

a. para limpiar la alfombra de la sala
b. para reparar el coche
c. para buscar un libro que necesito para una clase
d. para usarlo en la fiesta esta noche
e. para no tener que limpiarlo después

EJERCICIO 5

Complete los diálogos entre Pilar y Clara con **por** o **para**.

—Mira, ¡qué blusa más bonita! Y la compré _____[1] solamente 30 euros.

—¿_____[2] quién es?

—Es_____[3] mi hermana, pero me gustaría comprar una _____[4] mí también.

—En El Corte Inglés vi unos pantalones Levi _____[5] 45,30 euros.

—Eso es un poco caro. Los míos los compré _____[6] 39,50.

—Acabo de comprar una bufanda de lana _____[7] 15,25 euros.

—¿_____[8] quién es?

—Es _____[9] mi abuela.

—Yo vi unas bufandas de seda muy lindas en Juvenil Cortefiel _____[10] solamente 10 euros.

—¿Bufandas de seda? ¿A ese precio? ¡Es una ganga! Tal vez compre una _____[11] mi mamá también.

13.4 Exchanging Items: Indirect Object Pronouns

Certain verbs describe the exchange of items between persons: **dar** (*to give* [*something to someone*]), **traer** (*to bring* [*something to someone*]), **llevar** (*to carry, take* [*something to someone*]), **prestar** (*to lend* [*something to some-one*]), **devolver** (*to give* [*something*] *back* [*to someone*]), **regalar** (*to give* [*something*] *as a gift* [*to someone*]), and so forth.

Amanda me va a **traer** el disco compacto que le **presté**.	*Amanda is going to bring me the CD that I lent her.*
Guillermo me **devolvió** el dinero que me debía.	*Guillermo returned (to me) the money that he owed me.*

Normally these verbs are accompanied by indirect object pronouns (**me, te, le, nos, os,** and **les**) even when the person involved is specifically mentioned.

Le di el dinero **a mi hermano Guillermo.**	*I gave the money to my brother Guillermo.*
Ramón, ¿**le** llevaste **a tu novia** las flores que le prometiste?	*Ramón, did you take your girlfriend the flowers you promised her?*
Amanda, ¿qué **le** vas a regalar **a tu novio** para Navidad?	*Amanda, what are you going to give (to) your boyfriend for Christmas?*

EJERCICIO 6

Llene cada espacio en blanco con el pronombre apropiado y luego indique la(s) respuesta(s) lógica(s).

MODELO: Este año mis padres *me* (a mí)…
  (a.) prestaron dinero.
  (b.) regalaron ropa nueva.
  (c.) trajeron comida cuando estaba enfermo/a.
  d. dieron una F en la clase de matemáticas.

1. La semana pasada la profesora _____ (a nosotros)…
   a. hizo muchas preguntas.
   b. dio buenas notas.
   c. explicó el subjuntivo muy bien.
   d. regaló carros nuevos.
2. La semana pasada yo _____ (a mi mejor amigo/a)…
   a. conté mis secretos.
   b. ofrecí un café.
   c. hice un regalo barato y feo.
   d. compré una casa en las Bahamas.
3. En la última clase de español yo _____ (a mis compañeros)…
   a. dije: —¡Hola!
   b. regalé camisetas viejas.
   c. contesté las preguntas de las entrevistas.
   d. presté mis herramientas para hacer la tarea.
4. Ayer, cuando fui de compras, la dependienta _____ (a mí)…
   a. atendió muy bien.
   b. sirvió la cena rápidamente.

    c. llevó ropa de mi talla al probador.

    d. preguntó: —¿En qué puedo servirle?

5. La última vez que yo fui al cine contigo _____ (a ti)…

    a. compré palomitas.

    b. presté mi diccionario.

    c. conté toda la historia de la película antes.

    d. pagué $1.000.00 por tu suéter favorito.

13.5 Referring to People and Things Already Mentioned: Using Indirect and Direct Object Pronouns Together

GRAMÁTICA ILUSTRADA

A. Sometimes there is more than one object pronoun in a sentence. This is common if you want to *do something for someone, take something to someone, fix something for someone, buy something for someone,* and so forth. The indirect object (**me, te, le, nos, os,** or **les**) is usually the person *for whom* you are doing something, and the direct object (**lo, la, los,** or **las**) is the thing involved.

—¿Me compraste las pantimedias ayer?　—*Did you buy me the pantyhose yesterday?*

—Sí, **te las** compré por la tarde.　—*Yes, I bought them for you in the afternoon.*

—¿Quiere usted **el postre** ahora?　—*Do you want the dessert now?*

—Sí, tráiga**melo,** por favor.　—*Yes, bring it to me, please.*

B. Note the following possible combinations with **me, te, nos,** and **os.**

me lo(s) }
me la(s) } *it/them to me*

nos lo(s) }
nos la(s) } *it/them to us*

te lo(s) } *it/them to you*
te la(s) } *(inf. sing.)*

os lo(s) } *it/them to you*
os la(s) } *(inf. pl.)*

Pedro, si **te** falta **dinero,** puedo prestár**telo.**　*Pedro, if you need money, I can lend it to you.*

—¿**Me** lavaste las **c**amisetas el sábado?　—*Did you wash my T-shirts on Saturday?*

—Sí, **te las** lavé; aquí están.　—*Yes, I washed them for you; here they are.*

—Señores, ¿**les** preparo **la cena** ahora?　—*Gentlemen, should I prepare dinner for you now?*

—No, por favor, prepáre**nosla** más tarde.　—*No, please prepare it for us later.*

C. The indirect object pronouns **le** and **les** change to **se** when used together with the direct object pronouns **lo, la, los,** and **las.**

se lo　*it (m.) to you (pol. sing. or pl.), him, her, them*
se la　*it (f.) to you (pol. sing. or pl.), him, her, them*
se los　*them (m.) to you (pol. sing. or pl.), him, her, them*
se las　*them (f.) to you (pol. sing. or pl.), him, her, them*

All these combinations may look confusing in abstract sentences, but in the context of real conversations you will generally know to whom and to what the pronouns refer.

—Ernestito, ¿**le** llevaste a **papá** sus zapatillas?　—*Ernestito, did you take Dad his slippers?*

—Sí, ya **se las** llevé.　—*Yes, I already took them to him.*

—Mamá, ¿**le** compraste una camisa nueva a **papá**?　—*Mom, did you buy Dad a new shirt?*

—Sí, **se la** compré hoy.　—*Yes, I bought it for him today.*

When the context is clear, you will be able to understand speech with two object pronouns, but you may not be able to produce such sentences for a while.

Indirect object pronoun (**me, te, le, nos, os, les**) = person to or for whom you are doing something

Direct object pronoun (**lo, la, los, las**) = the thing involved

When two object pronouns are used together, the indirect object pronoun always precedes the direct object pronoun.
*   ***Me las* compró ayer.**
    (*He bought them for me yesterday.*)

The correct order of pronouns in a sentence is *indirect object + direct object.*
Object pronouns:
1. are usually placed immediately before the verb.
2. may optionally be attached to the end of infinitives and present participles.
3. *must* be attached to the end of affirmative commands.

Le and **les** become **se** when they precede **lo, la, los,** or **las.**

—Guillermo, ¿**les** diste los discos compactos a las amigas de Amanda?	—*Guillermo, did you give the CDs to Amanda's friends?*
—Sí, **se los** di esta mañana.	—*Yes, I gave them to them this morning.*
—Señor Saucedo, ¿**le** entregó usted las llaves al **gerente**?	—*Mr. Saucedo, did you hand in the keys to the manager?*
—Sí, **se las** entregué ayer.	—*Yes, I handed them in to him yesterday.*

D. Remember that object pronouns can be attached to infinitives and present participles and are always attached to affirmative commands. When the verb form and the object pronouns are written together as one word, you must place an accent mark on the stressed syllable.

—Señorita López, en cuanto al informe para la señorita Saucedo, ¿va usted a **entregárselo** ahora?	—*Miss López, about that report for Miss Saucedo, are you going to give it to her now?*
—No, ya **se lo entregué** esta mañana.	—*No, I already turned it in to her this morning.*
—Adriana, necesito las listas de los clientes. ¿Vas a **preparármelas** esta tarde?	—*Adriana, I need the lists of clients. Are you going to get them ready for me this afternoon?*
—No, estoy **preparándotelas** ahora mismo.	—*No, I'm getting them ready for you right now.*

¡OJO!

Ej. 7. Note that the verb in the answer is always a first-person form (**yo**) and that in items 1–5 the indirect object (**se**) is invariable: Only the direct object changes. In items 1–5 the past is used: in items 6–10 the informal future.

EJERCICIO 7

Hoy Ernestito le hace muchas preguntas a Guillermo. Conteste por Guillermo según el modelo.

MODELO: ERNESTITO: ¿Ya le diste la revista a mamá? →
GUILLERMO: Sí, *se la di* ayer.

1. ¿Ya le entregaste la tarea de biología a la profesora?
2. ¿Ya le vendiste el disco compacto de Shakira a Ramón?
3. ¿Ya le diste la carta a Amanda?
4. ¿Ya le prestaste la calculadora a Diego?
5. ¿Ya les llevaste la muñeca a las niñas?

Ahora Guillermo le hace a Ernestito algunas preguntas. Haga el papel de Ernestito y conteste según el modelo.

MODELO: GUILLERMO: ¿Cuándo me vas a mostrar tu nuevo aparato de DVD? →
ERNESTITO: Voy a *mostrártelo* mañana.

6. ¿Cuándo vas a prestarme las herramientas para reparar mi bicicleta?
7. ¿Cuándo vas a devolverme el suéter que te presté la semana pasada?

8. ¿Cuándo vas a traerme el disco compacto de Christina Aguilera que me prometiste?
9. ¿Cuándo vas a darme la carta que me escribió Raúl?
10. ¿Cuándo vas a mostrarme tus libros nuevos?

EJERCICIO 8

La madre de Guillermo le hace algunas preguntas sobre lo que él va a hacer. Conteste por él, según el modelo.

MODELO: MADRE: ¿Les vas a mostrar tu nuevo teléfono celular a tus amigos? →
GUILLERMO: Sí, voy a *mostrárselo* mañana.

1. ¿Le vas a pedir dinero a tu padre?
2. ¿Les vas a prestar los juegos de video a Ernestito y a sus amiguitos?
3. ¿Le vas a llevar las fotos a tu abuelita?
4. ¿Les vas a devolver las herramientas a tus tíos?
5. ¿Le vas a regalar un disco compacto a Graciela?

> **¡OJO!**
>
> **Ej. 8.** Although the indirect object in the question is sometimes **le** and sometimes **les,** the answer is invariable: **se.**

EJERCICIO 9

Estela tiene mucha prisa y por eso le pide a Ernesto que haga algunas cosas. Conteste las preguntas, haciendo el papel de Ernesto.

MODELO: ESTELA: Sírveme el desayuno, por favor. →
ERNESTO: *Te lo estoy sirviendo* ahora mismo.

1. ¿Puedes darme una servilleta, por favor?
2. No voy a tener tiempo de salir a almorzar. ¿Puedes prepararme unas tortas de jamón?
3. Ernesto, quiero ponerme una blusa limpia. ¿Puedes planchármela?
4. Ay, tengo prisa y no encuentro mi cinturón. ¿Puedes buscármelo?
5. Hoy trabajé mucho y estoy muy cansada. ¿Puedes buscarme las pantuflas (zapatillas)?

EJERCICIO 10

Ernesto Saucedo le hace a Amanda varias preguntas sobre lo que van a hacer sus amigos, vecinos y familiares. Haga el papel de Amanda y conteste según el modelo.

MODELO: ERNESTO: ¿Te va a reparar Ramón tu cámara digital? →
AMANDA: Ya *me la reparó* la semana pasada.

1. ¿Te va a regalar tu abuela una blusa nueva para tu cumpleaños?
2. ¿Te va a comprar Graciela un regalo para tu cumpleaños?
3. ¿Te va a prestar Guillermo su bicicleta para este fin de semana?
4. ¿Te va a traer Diego los libros de la escuela?
5. ¿Te va a dar tu madre el dinero para el cine?

> **¡OJO!**
>
> **Ej. 10.** The verb form in the answers will always be third-person singular (**él/ella**).

Capítulo 14
La familia y los consejos

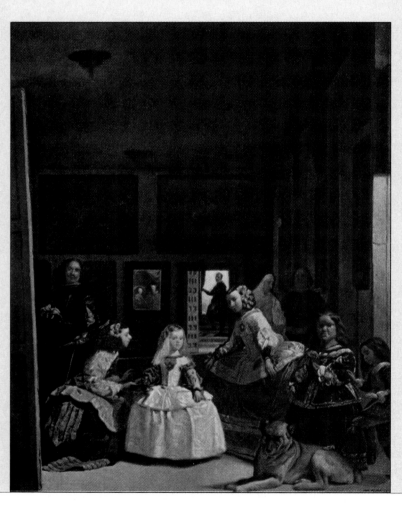

METAS

In **Capítulo 14** you will have an opportunity to share your views on relationships, as well as on your own personal values. You will practice persuading others by giving commands, offering advice, and making suggestions. You will also talk about child rearing and social behavior.

Sobre el artista: El pintor español Diego Rodríguez de Silva y Velázquez nació en Sevilla en 1599 y murió en 1660.

Desde 1623 fue retratista de los reyes de España. Pintó *Las meninas* en 1656. Esta obra compleja es como una instantánea fotográfica. El espectador parece estar en el frente, pero dándole la espalda a los reyes, que se ven reflejados en el espejo.

Las meninas, por Diego Velázquez (España)

España

2000 a.C. Llegaron los iberos desde el norte de África.	**206 a.C.** Hispania se convirtió en provincia romana hasta la invasión de los visigodos en 409.		**1834** Se abolió la Inquisición.

1492 Se unificó España con el matrimonio de Fernando de Aragón e Isabel de Castilla. Los católicos expulsaron a los musulmanes de Granada. Cristóbal Colón llegó a las Américas.

1500   **1800**

711 Los árabes conquistaron la península y durante 750 años gobernaron Al-Andalus (nombre árabe para España).

1808 Napoleón invadió España y puso a su hermano José en el trono.

1100 a.C.
Llegaron los fenicios y los griegos.

Los amigos animados: Para repasar

Antes de comenzar este capítulo, mire los segmentos animados para repasar el capítulo anterior.

A. El nuevo vestido de Amanda. Amanda conversa con su madre sobre una compra que la joven hizo hoy.

B. ¡Qué rápido aprendes! Clara conversa con Gloria Álvarez, la hermana de Pilar, sobre una compra reciente que hizo.

En este capítulo...

ACTIVIDADES DE COMUNICACIÓN

• La familia, las amistades y el matrimonio
• Las instrucciones y los mandatos
• Las órdenes, los consejos y las sugerencias
• La crianza y el comportamiento

EN RESUMEN

LECTURAS Y CULTURA

• **Ventanas al pasado**
Los logros de la mujer hispana
• **Enlace literario**
«Kinsey Report No. 6», por Rosario Castellanos
• **Ventanas culturales**
Nuestra comunidad: Amalia Hernández y el Ballet Folklórico de México: Un proyecto de familia
• **Lecturas**
Los refranes
«Lazarillo y el ciego»

GRAMÁTICA Y EJERCICIOS

14.1 Expressing *each other*: Reciprocal Pronouns
14.2 Describing: **ser** and **estar**
14.3 Giving Direct Commands: Polite and Informal
14.4 Using Softened Commands: The Subjunctive Mood
14.5 More Uses of the Subjunctive: Saying *Have someone else do it!*: **Que** + Subjunctive and Expressing *Let's* . . .

1898 España perdió sus últimas colonias cuando perdió la Guerra Hispanoestadounidense.

1975 Franco murió y Juan Carlos de Borbón se hizo rey. Primeras elecciones democráticas en 44 años.

1982 Felipe González, del partido socialista, fue electo primer ministro.

1986 España se integró a la Comunidad Europea.

1996 José María Aznar, del partido de la derecha, fue electo primer ministro.

1900

2000

1936–1939 Guerra civil entre los republicanos y los conservadores. El dictador Francisco Franco asumió el poder del país.

2004 Ocurrieron varios ataques terroristas en los trenes de Madrid e inmediatamente después José Luis Rodríguez Zapatero, del partido socialista, fue electo primer ministro.

Actividades de comunicación y lecturas

✳ La familia, las amistades y el matrimonio

Lea Gramática 14.1–14.2.

Dora Muñoz de Saucedo y
Javier Saucedo González
participan a usted
el enlace matrimonial de su hija
Andrea
con el señor
Pedro Ruiz Galván

Y tienen el honor de invitarle
a la ceremonia religiosa
que se llevará a cabo
el 29 de junio a las 14:00
en la Iglesia San Bonifacio
Parroquia de San Agustín
Horacio 921, Colonia Polanco

Recepción en el Casino Español
Calle Isabel la Católica, Nº 4385
Comida 17:30–18:30
Baile 17:30–23:30

Padrinos		Madrinas
Ernesto Saucedo	Velación	Estela de Saucedo
José Ortega	Anillos	Paula Saucedo Muñoz
Alejandro Estrada	Arras	Araceli Estrada
Benjamín Román	Copas	Blanca Velásquez
Manuel Muñoz	Cojines	Graciela Muñoz
Víctor Trujillo	Lazo	Leticia Saucedo
Joaquín Jiménez	Libro	Ángela Chávez
Ricardo Rubalcava	Pastel	Vanesa Zamora
Reynaldo Carrillo	Brindis	Julieta Quijada

REFRÁN

Antes que te cases, mira lo que haces.

(*Look before you leap.* Literally, *Before you get married, look at what you are doing.*)

ACTIVIDAD 1 Definiciones: La familia y las amistades

1. el noviazgo
2. el compadre
3. la amistad
4. el bautizo
5. la hermanastra
6. el ahijado
7. el cura
8. la madrina

a. el hijo de un amigo de la familia, a quien usted lleva a bautizar; usted es responsable del bienestar del niño en caso de que los padres de él se mueran

b. dirige la ceremonia del matrimonio

c. el padrino de su hijo

d. la relación entre dos personas que están comprometidas para casarse

e. una amiga de la familia presente en el bautizo que debe criar al niño / a la niña si la madre no está

f. la hija de su madrastra o padrastro

g. la relación entre amigos

h. una ceremonia religiosa en la cual se le da un nombre al niño recién nacido / a la niña recién nacida

ACTIVIDAD 2 Intercambios: La boda de Andrea

Mire la invitación a la boda de Andrea en la página anterior y, con su compañero/a, contesten las siguientes preguntas.

1. ¿Dónde tuvo lugar la boda de Andrea?
2. Según la invitación, ¿crees que fue una boda formal o informal?
3. ¿Cómo se llamaban los padrinos de arras?
4. ¿Cómo se llamaba la madrina de *velación*?
5. ¿Cómo se llamaba el padrino de *brindis*?
6. ¿A que hora comenzó el baile?

▶ **S U G E R E N C I A S**

abrazarse,
ayudarse,
besarse,
casarse,
comprenderse,
comunicarse,
darse la mano,
echarse de menos,
enojarse,
enviarse mensajes
  electrónicos,
golpearse,
gritarse,
hablarse todas
  las noches
  por celular,
insultarse,
pedirse perdón,
pelearse,
verse.

ACTIVIDAD 3   Asociaciones: Las relaciones personales

Trabaje con un compañero / una compañera para llenar los espacios en blanco.

1. Los señores Saucedo se llevan bien: *se abrazan,* _____ y _____.
2. Últimamente Nora y su novio no se llevan bien: _____, _____ y _____.
3. Marisa y Clarisa son hermanas; como todas las hermanitas, a veces _____ o _____.
4. Raúl estudia en la Universidad de Texas en San Antonio y su novia estudia en la Universidad Autónoma de México en el D.F. Ellos _____ y _____.
5. Ernesto y su compañero de trabajo han tenido problemas, pero ahora quieren resolverlos. Ellos _____ y _____.

Ahora hable de las relaciones entre usted y su novio/a, su esposo/a, su hermano/a o un compañero / una compañera.

Mi *novio/a* (*esposo/a*) y yo (no) nos llevamos bien; por eso siempre _____ y _____.

Mi *hermano/a* y yo (no) nos llevamos muy bien. Nosotros _____ y _____.

Un compañero / Una compañera de trabajo y yo (no) nos llevamos muy bien y por eso _____ y _____.

ACTIVIDAD 4   Del mundo hispano: Familia numerosa, artículo de la revista española *Mía*.

SI O NO

Familia numerosa

Hace años, tener familia numerosa era un síntoma de prosperidad. Ahora, que los tiempos han cambiado, la gente se piensa un poco más eso de[1] tener hijos y más hijos, para lograr un premio de natalidad. ¿Es, pues, un beneficio o una desventaja la familia numerosa?

★★★★★ Félix Tabernero, médico: Estoy a favor de la familia numerosa, y de hecho yo tengo seis hijos. Sabiéndose administrar, uno no encuentra excesivos problemas para vivir desahogadamente.[2] Pero soy

consciente de que al tener tantos hijos hay que estar dispuesto a renunciar[3] a muchas cosas, como salidas con los amigos, vicios mayores...

★★★★★ Ana Mérida, estudiante: No soy partidaria de[4] familias numerosas, tal y como funciona la sociedad española de hoy día. Ya es difícil sacar adelante[5] a un par de hijos, como para tener seis o siete.

[1]eso... *the idea of* [2]confortablemente [3]*give up*
[4]partidaria... *in favor of* [5]sacar... *to raise*

COMPRENSIÓN

1. En el pasado, ¿de qué era símbolo el tener muchos hijos?
2. Según Félix Tabernero, ¿a qué deben estar dispuestos los padres que quieren tener muchos hijos?
3. ¿Está a favor o en contra de una familia numerosa Ana Mérida? ¿Por qué?

ENTREVISTA

4. ¿Con quién estás de acuerdo, con Félix o con Ana? ¿Por qué?

5. ¿Crees que es mejor para un niño criarse en una familia numerosa o en una de dos hijos? ¿Por qué?

6. ¿Qué opinas de la situación de un hijo único? ¿Qué ventajas o desventajas tiene?

7. ¿Qué oportunidades que tú no tuviste quieres darles a tus hijos?

> ## ¡OJO!
>
> Muchas familias hispanas se reúnen los domingos y los días de fiesta, aun en estos tiempos en que el cine, la televisión y las computadoras han cambiado muchas costumbres tradicionales. Los familiares comparten experiencias, cuentos, anécdotas. En estas reuniones todos se divierten juntos.

ACTIVIDAD 5   Entrevista: El buen carácter

1. ¿Qué características va tener tu pareja? (¿Qué características valoras más en tu pareja?)

2. El 50 % de los matrimonios en los Estados Unidos termina en divorcio. En tu opinión, ¿qué factores contribuyen al fracaso de tantos matrimonios?

3. ¿Qué características quieres que tengan tus amigos? ¿Cuál de estas cualidades son más importantes en los buenos amigos: la lealtad, la inteligencia, la comprensión o la ayuda incondicional? ¿Cuáles de estas cualidades les ofreces tú a tus amigos?

4. ¿Quiénes son más importantes en tu vida: tus amigos íntimos o los miembros de tu familia? ¿Por qué?

VENTANAS AL PASADO

Los logros de la mujer hispana

El papel de la mujer hispana en la sociedad ha cambiado mucho. En el mundo hispano cada día hay menos resistencia al cambio y más igualdad entre hombres y mujeres. Ahora la mujer participa cada día más en lo que antes era dominio exclusivo del hombre. Las últimas décadas del siglo XX y el principio del XXI han sido favorables a las aspiraciones femeninas. En el ámbito político hay incluso dos presidentas: Violeta Chamorro fue presidenta de Nicaragua de 1990 a 1996; Mireya Moscoso gobernó Panamá desde 1999 a 2004. Hay también un buen

VOCABULARIO ÚTIL	
el logro	*achievement*
el papel	*role*
el ámbito	*field*
la alcadesa	*female mayor*
No obstante	*Nevertheless*
semejante	*similar*

número de embajadoras, gobernadoras, alcaldesas, diputadas, ministras y senadoras en España y Latinoamérica, muchas más que en los Estados Unidos.

El progreso de la mujer es también evidente en la educación superior, en los negocios, en el servicio militar, en los deportes y en todas las profesiones, incluso las que son tradicionalmente masculinas. Hay doctoras, ingenieras, arquitectas, abogadas, escritoras y grandes deportistas. No obstante, falta mucho para que exista una verdadera igualdad. La mujer no está ya relegada al trabajo doméstico, pero todavía no tiene las mismas prerrogativas y privilegios que tiene el hombre. Otro problema: aún en el siglo XXI, y hasta en países desarrollados como España, la mujer gana alrededor de un 25 % menos que el hombre. Sin embargo, si lo vemos de manera global, tanto los logros de la mujer hispana como las dificultades a las que todavía se enfrenta son muy semejantes a las de sus hermanas en todo el mundo.

Ahora... ¡ustedes!

¿Te sorprende que Nicaragua y Panamá tuvieron ya presidentas y los Estados Unidos todavía no? ¿Crees que algún día vamos a tener una presidenta en los Estados Unidos? De las mujeres prominentes en la política, ¿quién crees que pueda ser presidenta?

ACTIVIDAD 6 Del mundo hispano: Los recuerdos familiares

Trabaje con un compañero / una compañera. Lean el poema en voz alta, alternando estrofas. Luego háganse las preguntas que siguen.

**«Las canciones de mi abuela»,
por Francisco Alarcón
(del libro *Jitomates risueños*)**

compartían
el ritmo
de la lavadora

transformaban
la cocina
en una pista de baile[1]

consolaban
las sillas
patas arriba[2]

alegraban
los retratos colgados[3]
de la familia

arrullaban[4]
las sábanas[5]
en el tendedero[6]

les daban sabor
a los frijoles
de olla[7]

las canciones
que cantaba
mi abuela

eran capaces[8]
de hacer salir
a las estrellas

convertir
a mi abuela
en una joven

que de nuevo
iba por agua
al río

y hacerla
reír y llorar
a la vez

[1]pista... *dance floor* [2]patas... *placed upside down* [3]retratos... *hanging portraits* [4]*lulled to sleep* [5]*sheets* [6]*clothesline* [7]*cooking pot* [8]*capable*

1. ¿Dónde estaba la abuela cuando el poeta la recuerda en este poema?
2. ¿Qué efecto tenían las canciones de la abuela en la cocina? (Por ejemplo, las canciones de la abuela les daban sabor a los frijoles.)
3. ¿Qué otros efectos mágicos tenían las canciones de la abuela?
4. Mencione los quehaceres domésticos que hacía la abuela mientras cantaba.
5. ¿Por qué las canciones convertían a la abuela en una joven?

Ahora comparta con su compañero/a algunos de sus buenos recuerdos de un abuelo, una abuela, un(a) tío/a o su madre o padre.

Me acuerdo que mi *abuela* siempre...
Nunca voy a olvidar a mi *tío,* porque...
Mi *madre* era *la mujer* más...

ENLACE LITERARIO

«Kinsey Report No. 6», por Rosario Castellanos

Selección de su libro *Poesía no eres tú: Obra poética*

(*1948–1971*)

Rosario Castellanos (1925–1974) fue una escritora mexicana de una obra muy rica y diversa. Castellanos exploró todos los géneros literarios: poesía, cuento, novela, ensayo y teatro. Recibió varios premios prestigiosos. Además de escritora, Castellanos fue profesora y embajadora de México en Israel. Entre sus publicaciones se destacan la novela *Oficio de tinieblas* (1962), el libro de poemas *Álbum de familia* (1971) y la obra de teatro *El eterno femenino* (1975). En el interesante poema aquí incluido, habla una mujer que sueña con un «príncipe azul».

Kinsey Report No. 6

Señorita. Sí, insisto, Señorita.

Soy joven. Dicen que no fea. Carácter
llevadero.[1] Y un día
vendrá el Príncipe Azul,[2] porque se lo he rogado[3]
como un milagro[4] a San Antonio.[5] Entonces
vamos a ser felices. Enamorados siempre.

¡Qué importa la pobreza! Y si es borracho[6]
lo quitaré del vicio. Si es un mujeriego[7]
yo voy a mantenerme siempre tan atractiva,
tan atenta a sus gustos, tan buena ama de casa,
tan prolífica madre
y tan extraordinaria cocinera
que se volverá fiel[8] como premio a mis méritos
entre los que, el mayor, es la paciencia.

Lo mismo que mis padres y los de mi marido
celebraremos nuestras bodas de oro
con gran misa solemne.

No, no he tenido novio. No, ninguno
todavía. Mañana.

Actividad creativa: Carta a la señorita

En este poema hay una señorita que se describe a sí misma y describe su deseo de encontrar un «príncipe azul». Esta mujer quiere un matrimonio tradicional. ¿Qué le parecen a usted estos deseos? Imagínese que puede responder a la señorita del poema. Escríbale una carta breve dándole su opinión.

[1]*easy going*   [2]Príncipe… *Prince Charming*   [3]se… *I have prayed for it*   [4]*miracle*   [5]santo que ayuda a las mujeres a encontrar esposo   [6]*drunk*   [7]*womanizer*   [8]*faithful*

✳ Las instrucciones y los mandatos

Lea Gramática 14.3.

Los mandatos de los vecinos mexicanos

ACTIVIDAD 7 Identificaciones: Mandatos para Ernestito

Si usted piensa un poco en su niñez, va a recordar que los niños pasan mucho tiempo escuchando órdenes. Ernestito tiene 8 años. ¿Quién le da los siguientes mandatos: la prima, la madre o la maestra?

	LA PRIMA	LA MADRE	LA MAESTRA
1. Haz la tarea antes de acostarte.	☐	☐	☐
2. Entrega la tarea a tiempo.	☐	☐	☐
3. Sal de mi cuarto.	☐	☐	☐
4. No toques mi muñeca.	☐	☐	☐
5. No grites; estoy hablando por teléfono.	☐	☐	☐
6. No escribas en tu pupitre.	☐	☐	☐
7. Juega conmigo, por favor.	☐	☐	☐
8. No me jales el pelo.	☐	☐	☐
9. Escribe las respuestas en la pizarra.	☐	☐	☐
10. Báñate y lávate los dientes.	☐	☐	☐

ACTIVIDAD 8   Del mundo hispano: Consejos del veterinario

Lea esta columna y luego empareje a las amas con las recomendaciones del veterinario.

Consejos del veterinario

problema bacteriano o de hongos. Llévala al veterinario para que le haga un cultivo.

■ **Cambié a mi tortuga de hábitat y desde entonces casi ha dejado de comer, incluso después de regresarla a su lugar. ¿Por qué?**
Patricia Pidrahita
Las tortugas tienen menos apetito ahora porque están medio invernando. Vigila la temperatura (22º y 28º) y si pasado un tiempo no reacciona llévala al veterinario.

■ Mi perra de 13 años se fracturó la cadera, ¿debo sacrificarla?
Ma. del Pilar Ansa
Depende de la fractura y su reparación. En principio es operable, pero hay que estudiar los riesgos de una operación en un animal tan mayor.

■ A mi gata le salieron unas heridas, con caída de pelo, alrededor del cuello, ¿qué le pasa?
Marisol Briviesca
Seguramente se trata de un

■ **Me gustaría saber por qué no crían mis dos parejas de periquitos.**
Rosario Pérez
Observa qué parejas se llevan mejor y júntalos en época de cría -primavera- en las mejores condiciones: un nido, tranquilidad, buena temperatura etc. Los periquitos son monógamos y tienen que "gustarse" para reproducirse.

ENVIA TUS CARTAS A:
"Consejos del Veterinario"
Revista *Clara*, Mier y Pesado 126, Col. del Valle. C.P. 03100.

1. al ama de la perra
2. al ama de los periquitos
3. al ama de la tortuga
4. al ama de la gata

a. «Cuida bien la temperatura.»
b. «Llévala al veterinario.»
c. «Obsérvalos bien. Si se llevan bien, ponlos juntos.»
d. «Opérale sólo si no hay muchos riesgos.»

Ahora, trabaje con un compañero / una compañera para inventar uno o dos problemas más que suelen tener los amos de las mascotas. Léanselos al resto de la clase para que los demás estudiantes respondan con unas recomendaciones lógicas.

ACTIVIDAD 9 Descripción de dibujos: Mandatos para los muchachos Saucedo

Interprete los mandatos que sus padres y maestros les dan a Amanda, a Guillermo y a Ernestito.

ACTIVIDAD 10 Intercambios: Consejos para los amigos

Con su compañero/a, piensen en dos o tres buenos consejos para las siguientes personas. Luego, coméntenlos con el resto de la clase.

1. Un compañero: siempre llega tarde a clase.
2. Una estudiante en su clase de español: quiere sacar buenas notas.
3. Su hermana menor: tiene muchos problemas con sus padres; usted no fue un «ángel», pero nunca tuvo problemas con ellos.
4. Un amigo: tiene una ex-novia que a él ya no le gusta, pero ella es muy insistente.
5. Una amiga: va a salir con un chico a quien no conoce.
6. Su papá/mamá: está preocupado/a por el precio de la matrícula de la universidad.

Jugetes sencillos para los bebés

Los bebés tratan de imitar todas las actividades que observan. Como ven a sus padres «jugando» con varios artículos domésticos, muchas veces ellos prefieren éstos a los juguetes caros. A continuación unas sugerencias para los bebés de 5 a 15 meses:

- Pelota de playa
- Sombreros
- Cucharas de plástico para medir
- Cucharas de madera
- Vasijas de plástico de varios tamaños y colores
- Botellas de plástico vacías
- Cartones de huevos
- Envases de plástico con etiquetas de colores y objetos que puedan colocar adentro

✳ Las órdenes, los consejos y las sugerencias

Lea Gramática 14.4.

Los consejos

ACTIVIDAD 11   Conversación: Consejos para una vida feliz

¿Qué importancia tienen estos consejos para tener una vida feliz?

Para vivir feliz, es indispensable que uno… porque…
es importante que uno… porque…
no es necesario que uno… porque…

1. tenga paciencia
2. cuide su salud
3. visite a la familia y a los amigos con frecuencia
4. trabaje por el gusto de trabajar y no solamente para ganar dinero
5. duerma ocho horas diariamente
6. se case con una persona físicamente atractiva
7. no abuse de las drogas

© Joaquín Salvador Lavado, QUINO, TODA MAFALDA, Ediciones de La Flor, 1993

ACTIVIDAD 12   Descripción de dibujos: ¿Qué les aconseja?

¿Qué les aconseja usted a estos compañeros de la clase de la profesora Martínez?

MODELO: Le aconsejo / Le recomiendo *que llegue a clase a tiempo.*

ACTIVIDAD 13   Entrevista: Los consejos

1. ¿Qué le aconsejas a un estudiante que no tiene dinero para comprar los libros para las clases de la universidad, pero va a comprar un coche nuevo?
2. ¿Qué le recomiendas a una estudiante de 18 años que quiere casarse en vez de seguir sus estudios?
3. ¿Qué le sugieres a un amigo que quiere dejar de fumar?
4. Un profesor está enojado porque los estudiantes siempre llegan tarde a clase. ¿Qué le recomiendas al profesor?
5. Un amigo tiene ya seis hijas, pero quiere un varón. ¿Qué le aconsejas?

✳ La crianza y el comportamiento

Lea Gramática 14.5.

ACTIVIDAD 14   Asociaciones: Problemas y consejos

Trabaje con un compañero / una compañera para emparejar los deseos de los padres con los consejos del / de la pediatra. Después, inventen otros problemas y otras soluciones.

MODELO: —No queremos que nuestros hijos sean racistas.
        —Les recomiendo que nunca hagan comentarios racistas delante de ellos.

<table>
<tr><td>

LOS PADRES

1. Queremos que nuestro hijo sepa leer bien.
2. Queremos que a los niños les guste comer comidas variadas.
3. No queremos que nuestro hijo sea violento.
4. Nuestro hijo llora mucho. No queremos que llore sin motivo.
5. Nuestra hija atormenta a su hermanita menor.
6. En el kínder hay un niño que muerde a mi hija.
7. Mi hijo de 8 años se chupa el dedo constantemente.
8. ¿ ?

</td><td>

EL/LA PEDIATRA

a. Les aconsejo que hablen con la maestra inmediatamente.
b. Les recomiendo que no le permitan ver programas violentos en la televisión.
c. Es necesario que vean a un psiquiatra lo más pronto posible.
d. Les sugiero que hablen con su hija y le pregunten por qué es tan cruel con su hermana.
e. Les aconsejo que le compren muchos libros y que lo lleven a la biblioteca pública.
f. Es importante que preparen comidas variadas en casa y que cuando ustedes salgan a cenar, lleven a los niños.
g. Les sugiero que hablen con el niño y le pregunten qué le pasa.
h. ¿ ?

</td></tr>
</table>

ACTIVIDAD 15   Descripción de dibujos: La crianza de los niños

¿Qué les recomienda usted a estos niños y jóvenes?

MODELOS: Le aconsejo que *limpie su cuarto.* Le recomiendo que *recoja sus juguetes y sus libros.*

viernes por la noche

1.

2.

martes por la noche

3.

lunes por la tarde

... pero Papá, no tengo tarea hoy.

4.

Graciela, 16 años

Felipe, 24 años

5.

6.

Amalia Hernández y el Ballet Folklórico de México: un proyecto de familia

VOCABULARIO ÚTIL	
la coreógrafa	*choreographer*
perdura	*endures*
ha gozado	*has enjoyed*
el festejo	*celebration*
el legado	*legacy*
heredaron	*inherited*

La gran coreógrafa mexicana Amalia Hernández murió en el año 2000 a la edad de 83 años, pero su visión artística perdura gracias a su familia. Fundadora del Ballet Folklórico de México en 1952, Hernández llevó su hermoso repertorio de danza por todo el mundo; desde 1961, su compañía ha gozado de fama internacional. El Ballet Folklórico es un festejo de movimiento y música que incorpora la rica tradición cultural de México. En sus danzas se combinan rituales indígenas con episodios del pasado mexicano y elementos de un folclor muy diverso. Y es que, como dijo Hernández, la cultura de México está hecha con sangre indígena, africana y europea.

Esta famosa compañía de ballet es un proyecto de familia. Las hijas de Amalia —Norma López y Viviana Hernández—, como también su nieto, Salvador López, han logrado mantener vivo el arte de la fundadora. Norma es la directora artística de la compañía; Viviana dirige su escuela; Salvador es su director ejecutivo. Desde la muerte de Amalia Hernández, sus hijas y nieto han coreografeado parte de su repertorio, produciendo numerosas obras en el Palacio de Bellas Artes de la ciudad de México y haciendo giras internacionales.

El talento de Amalia Hernández es un valioso legado de la gran coreógrafa. Sus descendientes heredaron la visión artística de Amalia, aunque ellos también reflejan la cultura mexicana del momento presente. Gracias a esta familia, el Ballet Folklórico de México seguirá representando a su país por muchos años.

Ahora... ¡ustedes!

¿Qué aspectos de la personalidad de tus padres valoras más? ¿Cuáles piensas que heredaste? ¿Hay alguna tradición en tu familia que te gustaría conservar? ¿cuál? ¿Por qué te parece importante que esa tradición continúe?

ACTIVIDAD 16   Conversación: El comportamiento social de sus hijos

Imagínese que usted es la madre o el padre de un niño / una niña de 4 años. ¿Qué hace o dice usted en las siguientes situaciones?

1. Su hijo/a no quiere jugar con el hijo / la hija de un amigo que ha llegado de visita.
2. Su hijo/a le pregunta si de veras existe Papá Noel. Sólo faltan seis semanas para la Navidad.

Ahora su hijo tiene 14 años. ¿Qué hace o dice usted en estas situaciones?

3. Su hijo/a está enamorado/a y pasa entre 4 y 5 horas cada noche conversando por Internet con el novio / la novia.
4. Su hijo/a quiere hacerse un tatuaje de su grupo musical favorito.

¡OJO!

En la cultura hispana la celebración más importante para las muchachas es la fiesta de los quince años, que también se conoce como «la fiesta rosa». Este festejo representa la transición entre la vida de una niña y el mundo de una mujer. La quinceañera[1] tradicional lleva un vestido blanco o color de rosa elegante. La chica va acompañada de catorce amigas, que son sus «damas», y catorce muchachos, los «chambelanes». El padre de la novia baila el primer vals con su hija, presentándola así en la sociedad. La música sigue hasta tarde en la noche, y nunca faltan la comida rica y los regalos para la quinceañera.

[1] *girl turning 15*

En resumen

De todo un poco

A continuación tiene las opiniones de dos expertos en el campo de la psicología infantil sobre el uso del castigo corporal. Lea sus opiniones y luego hágale preguntas a un compañero / una compañera.

DOCTOR ÁLVARO URIBE SAENZ, PSICÓLOGO DE LA UNIVERSIDAD DE SANTIAGO EN CHILE	DOCTORA NATALIA TEVEZ BELTRÉ, PEDIATRA DE MONTEVIDEO, URUGUAY
• La violencia física nunca resuelve el mal comportamiento de un niño. • El castigo[1] corporal[2] muchas veces provoca acciones violentas por parte del niño. • Le recomiendo que mande a su hijo/a a su cuarto hasta que los dos se hayan calmado y usted le pueda hablar lógicamente sobre sus acciones. • En vez de golpear a su hijo, prívele[3] de sus actividades o cosas favoritas. • Recuerde que el mal comportamiento de su hijo siempre debe tener consecuencias; los niños quieren que los padres le pongan límites a su comportamiento.	• A veces es lo único que le hace poner atención al niño. • Les recomiendo a los padres que no les peguen[4] a sus hijos nunca en un momento de enojo; esperen hasta sentirse calmados. • Golpee[5] únicamente en las nalgas, nunca en las piernas, en la cabeza o en la espalda. • Después de la nalgada,[6] le aconsejo que mande a su hijo/a directamente a su cuarto para que piense en lo que él/ella hizo. • Después de una media hora, le sugiero que hable con su hijo y que le repita sus expectativas para el comportamiento de él/ella.

[1]*punishment*   [2]*physical*   [3]*deprive him/her*   [4]*hit*   [5]*Strike*   [6]*spanking*

Preguntas sobre la lectura

1. ¿Dónde y cuándo dice la doctora Tevez que se debe de golpear al niño?
2. ¿Qué nos recomienda el doctor Uribe en vez de las nalgadas?
3. ¿Qué nos aconseja la doctora Tevez para después de las nalgadas?
4. Según el doctor Uribe, ¿es mejor no hacerle caso al niño cuando no se comporta bien?

Preguntas personales

1. ¿Con cuál de los dos expertos estás de acuerdo?
2. De niño/a, ¿te daban nalgadas tus padres?
3. ¿Golpeas a tus hijos? Si no tienes hijos ahora, ¿piensas golpear a tus hijos cuando los tengas?
4. ¿Estás de acuerdo con que la violencia física de parte de los padres provoca acciones violentas en los niños?

¡Dígalo por escrito!

Cartas a la pediatra Elsa Ríos

Lea las dos cartas que ha recibido la doctora Ríos. Luego, trabaje solo/a o con un compañero / una compañera o con un grupo. Haga(n) el papel de la pediatra y conteste(n) una de las cartas de los padres, dándoles consejos para resolver su problema. Recuerde(n) que debe(n) usar el subjuntivo después de frases como **le(s) recomiendo que, le(s) sugiero que, le(s) aconsejo que; es importante que, es necesario que.**

1. *Querida doctora Ríos:*

Mi hijo Toño tiene cinco años. Mi esposo y yo creíamos que iba a ser hijo único pero, para nuestra sorpresa, estoy embarazada. Últimamente Toño, que antes era un niño alegre y obediente, literalmente un ángel, se ha vuelto un niño egoísta que siempre está de mal humor y llora por nada. ¿Qué podemos hacer para que Toño sea nuestro angelito otra vez?

Padres preocupados

2. *Estimada doctora Ríos:*

¡Por favor ayúdenos! Mi esposo y yo ya no sabemos qué hacer. Tenemos dos hijas, una de seis años y una de cinco años. Se parecen mucho físicamente pero su personalidad es 100 por ciento distinta. Lilia, la de seis años, es una niña callada y tímida, pero obediente y estudiosa. Sus maestros la quieren mucho y siempre la ponen de ejemplo.

Su hermana Clarita es todo lo opuesto, sobre todo en la escuela. Todos los días recibimos quejas. En la escuela disfruta peleando con todos los niños y en casa atormenta a Lilia. Ya estamos cansados de decirle que debe ser como su hermanita. Ella sólo se enoja más y dice que preferimos a Lilia, que a ella no la queremos. Nada es eficaz: ni regaños ni castigos. ¿Qué nos aconseja? ¿Cómo podemos resolver este problema tan tremendo?

Padres frustrados y tristes

¡Cuéntenos usted!

Cuéntenos sobre un pariente con quien usted no se lleva muy bien. ¿Cuál es su parentesco? ¿Cómo se llama? ¿Dónde vive? ¿Cuántos años tiene? ¿Cómo es? ¿Por qué no se llevan bien?

Conexión a la comunidad

Ofrézcase de voluntario/a en una escuela primaria o una guardería infantil a la cual asisten muchos niños de habla hispana. Léales un cuento en español o ayúdeles con algún proyecto.

LECTURA Los refranes

Los refranes son una parte esencial de todo idioma. El origen de muchas de estas expresiones se encuentra en la literatura y el folclor. Estas frases populares expresan la actitud de los seres humanos hacia la vida y reflejan su cultura. Cuando una persona tiene un dilema difícil de resolver, por ejemplo, decimos que está «entre la espada y la pared». Si alguien ofrece su opinión abiertamente, con honestidad, esa persona llama «al pan, pan y al vino, vino»; o sea, que expresa la verdad. Y cuando se dice que una persona «pasó a mejor vida», quiere decir que murió.

La gente que se levanta muy temprano, tiene buena suerte. La razón es que «al que madruga, Dios lo ayuda». Si usted se enfrenta a una situación misteriosa, o si piensa que alguien oculta algo, puede comentar que «hay gato encerrado». Cuando una persona tiene un problema pero no se da cuenta de que lo tiene, entonces el problema no existe. Porque «ojos que no ven, corazón que no siente». ¿Es verdad que las cosas que no vemos no pueden afectarnos?

Muchos refranes expresan una sabiduría popular. Los siguientes dichos, por ejemplo, ofrecen algún tipo de consejo. Algunos son muy útiles.

«Más vale solo que mal acompañado»: es mejor estar solo que tener amigos malos. «Hay que consultarlo con la almohada»: es necesario pensarlo bien; siempre es mejor considerar las decisiones importantes y los problemas con calma, cuando uno se acuesta. «Perro que ladra no muerde»: esto se dice de alguien que amenaza mucho, pero no cumple sus amenazas; es decir, que habla pero no hace nada. «Más vale pájaro en mano que cien volando»: no corra riesgos; lo más seguro es lo que tiene ahora, no importa que sea poco; debemos estar contentos con lo que tenemos. «El martes, ni te cases ni te embarques»: El martes es un día de mala suerte, como el viernes 13 en los Estados Unidos; no se debe hacer nada importante ese día. «Más sabe el diablo por viejo que por diablo»: escuche los consejos de las personas mayores; éstas tienen mucha experiencia del mundo. «Entre más tienes, más quieres»: este refrán nos aconseja que no vivamos sólo para acumular riqueza, pues la ambición puede convertirse en una adicción destructiva. «Quien no se arriesga, no gana»: si queremos triunfar en la vida, debemos buscar y aceptar los desafíos. Éste es uno de los consejos más útiles, ¿no cree usted?

¡NOOOOO!

VOCABULARIO ÚTIL

la espada	sword
madruga	wakes up early
oculta	hides
se da cuenta	realizes
la sabiduría	wisdom
los dichos	sayings
ladra	barks
muerde	bites
amenaza	threatens
cumple	follows through
te embarques	embark on a journey
el diablo	the devil
la riqueza	wealth
se arriesga	takes a chance
el desafío	challenge

Comprensión

Busque el equivalente en inglés de cada refrán.

1. _____ Cada loco con su tema.
2. _____ Al que le venga el saco, que se lo ponga.
3. _____ Dime con quién andas y te diré quién eres.
4. _____ Agua que no has de beber, déjala correr.
5. _____ Aunque la mona se vista de seda, mona se queda.
6. _____ Estar entre la espada y la pared.
7. _____ La mentira tiene las piernas cortas.
8. _____ Perro que ladra, no muerde.
9. _____ Llamar al pan, pan y al vino, vino.

a. *If the shoe fits, wear it.*
b. *Birds of a feather flock together.*
c. *Live and let live.*
d. *To each his own.*
e. *His bark is worse than his bite.*
f. *Oh, what a tangled web we weave…*
g. *Call a spade a spade.*
h. *You can't make a silk purse out of a sow's ear.*
i. *Between a rock and a hard place.*

Un paso más... ¡a escribir!

Imagínese que usted va a enseñarle un refrán o expresión coloquial de su idioma a un estudiante hispano o una estudiante hispana. Escriba un diálogo explicándole a esa persona lo que significa el refrán. Luego trate de darle un equivalente en español. Si quiere, puede ilustrar su refrán con un dibujo.

PISTAS PARA LEER
Lazarillo de Tormes es una novela española de autor anónimo. Su protagonista es un niño pobre y huérfano que tiene aventuras humorísticas. La novela también contiene mensajes importantes. Lazarillo es un pícaro: personaje recurrente en la literatura española. Aquí el pícaro cuenta un episodio de su vida con el ciego, uno de sus amos. Visualice las acciones de los personajes.

LECTURA **«Lazarillo y el ciego»** **Selección de *Lazarillo de Tormes* (1554)**

Un campesino le dio al ciego un racimo de uvas y el ciego decidió compartirlas conmigo. Nos sentamos entonces a disfrutar del banquete. ¡Teníamos tanta hambre! Pero antes de empezar a comer, mi amo me dijo:

—Quiero que los dos nos comamos este racimo y que tú comas tantas uvas como yo. Tú tomarás una y yo otra. Pero debes prometerme que no vas a tomar más de una uva cada vez. Yo voy a hacer lo mismo, hasta que acabemos el racimo y de esa manera no habrá engaño.

Hecho así el acuerdo, comenzamos a comer. Pero entonces el ciego empezó a tomar uvas de dos en dos. Como vi que él rompía nuestro trato, decidí hacer lo mismo que él. Pero no me contenté con tomar sólo dos uvas. ¡Empecé a tomarlas de tres en tres y a veces hasta más!

Cuando terminamos el racimo, el ciego levantó su bastón y, moviendo la cabeza, dijo:

—Lázaro, ¡me has engañado!

—¿Yo? ¡No, señor! —le respondí.

—Estoy seguro que tomaste tres uvas cada vez. ¡Y a veces más!

—No es verdad. ¿Por qué sospecha eso? —le pregunté.

Y el ciego astuto respondió:

—¿Sabes cómo lo sé? Porque cuando yo tomaba dos, tú no decías nada.

VOCABULARIO ÚTIL	
el pícaro	rogue
el ciego	blind man
el racimo	bunch
el banquete	feast
el amo	master
el engaño	trick
de dos en dos	by twos
el trato	agreement
el bastón	cane
¡me has engañado!	you deceived me!
astuto	astute, clever

Comprensión

1. ¿En qué consiste el acuerdo que propone el ciego?

2. ¿Quién rompió el acuerdo primero?

3. ¿Por qué empezó Lazarillo a tomar varias uvas a la vez?

Un paso más... ¡a escribir!

A. Narre el episodio tomando en cuenta los siguientes pasos:

1. el racimo de uvas

2. el trato (o acuerdo)

3. el banquete

4. el engaño

B. Escriba otro final para este episodio de *Lazarillo de Tormes* usando las siguientes preguntas como guía.

1. ¿Qué hace el ciego después de saber que Lazarillo lo engañó?

2. ¿Cómo reacciona Lazarillo?

3. ¿Serán amigos los dos después de este episodio?

"Nuestro matrimonio es un dar y tomar. Si no le doy a Enriqueta lo que quiere, ella lo toma"

ocabulario

• La familia, las amistades y el matrimonio

Family, Friends, and Marriage

el ahijado / la ahijada	godson/goddaughter
el amigo íntimo / la amiga íntima	close friend
la amistad	friendship
las arras	*coins given by a bridegroom to a bride as a token of his ability to provide*
el bautizo	baptism
la boda	wedding
el bisabuelo / la bisabuela	great-grandfather/great-grandmother
el brindis	toast (drink or speech)
el compadre / la comadre	*what a child's parents and godparents call each other*
el cura	priest
el enlace	union, marriage; link
estar comprometido/a	to be engaged
el lazo	tie, bond
la luna de miel	honeymoon
la madrina	godmother; bridesmaid
la novia	bride
el noviazgo	courtship; engagement
el novio	groom
el padrino	godfather; best man in wedding
la velación	*ceremonial covering of the bride and groom with a veil during the nuptial mass*

REPASO: el hermanastro / la hermanastra, el hijo único / la hija única, la madrastra, los nietos, el padrastro, los primos, los sobrinos, los tíos

• Acciones recíprocas (verbos)

Reciprocal Actions (Verbs)

abrazarse	to hug each other
besarse	to kiss each other
conocerse	to meet each other
darse la mano	to shake hands with each other
echarse de menos	to miss each other
enamorarse	to fall in love (with each other)
quererse (ie)	to love each other

PALABRAS SEMEJANTES: comunicarse, divorciarse, insultarse
REPASO: ayudarse, casarse, comprenderse, enojarse, gritarse, parecerse, pedirse perdón, pelearse

• Los verbos

Verbs

aconsejar	to advise
acordarse (de) (ue)	to remember (*something/someone*)
atormentar	to torment
bajarse	to get down
bautizar	to baptize
borrar	to erase
chuparse el dedo	to suck one's thumb (*finger*)
comenzar (ie)	to begin, commence
comportarse	to behave
criarse	to be brought up, to grow up
dejar de (+ *infin.*)	to stop (*doing something*)
dirigir	to direct
enviar	to send
estar dispuesto/a a (+ *infin.*)	to be willing (*to do something*)
faltar... para... Faltan tres días para la boda	The . . . is in . . . The wedding is in three days
golpear	to beat, hit
hacer caso a	to pay attention to
jalar	to pull
opinar	to have an opinion about
pegar	to hit
poner atención	to pay attention, be alert
rogar (ue)	to beg
sacudir	to dust, to shake off
sentarse (ie)	to sit down, take a seat
soler (ue) (+ *infin.*)	to be accustomed to (*doing something*)
sugerir (ie, i)	to suggest
tener lugar	to take place
valorar	to value

PALABRAS SEMEJANTES: abusar de, calmarse, conservar, contribuir, existir, interpretar, prohibir, provocar, repetir, respetar
REPASO: compartir, consultar, cuidar, entregar, estar de acuerdo, morir, olvidar, recordar (ue)

• Las personas — People

el amo / el ama	master/mistress
(el) Papá Noel	Santa Claus
el/la pediatra	pediatrician
el recién nacido / la recien nacida	newborn baby
el varón	male infant, male child

PALABRAS SEMEJANTES: el/la adolescente, el ángel

• Los sustantivos — Nouns

el bienestar	well–being
el cariño	love
el castigo	punishment
el comportamiento	behavior
la comprensión	understanding, compassion
la crianza	upbringing
la cualidad	quality, trait
el enojo	anger
los estudios	studies
la expectativa	expectation
el fracaso	failure
el gasto	expense, waste
la lealtad	loyalty
la matrícula	(school) registration fees
el riesgo	risk
el ruido	noise
el sentido del humor	sense of humor
la sugerencia	suggestion
el tatuaje	tattoo
en voz (alta / baja)	in a (loud/soft) voice

PALABRAS SEMEJANTES: la acción, el carácter, la característica, el comentario, el divorcio, la droga, el efecto, el factor, la inteligencia, el kínder, el límite, el momento, el motivo, la oportunidad, las órdenes, el por ciento, el proyecto, las relaciones, el símbolo, la violencia

• Los adjetivos — Adjectives

infantil	relating to children or childhood
recién casado/a	newlywed
tantos/as	so many

PALABRAS SEMEJANTES: cruel, incondicional, insistente, numeroso/a, racista, responsable, social

• Los adverbios — Adverbs

ahora mismo	right now
únicamente	solely

PALABRAS SEMEJANTES: constantemente, directamente, físicamente

• Frases impersonales — Impersonal Expressions

Es importante que… (+ *subjunctive*)	It's important that . . .
Es indispensable que… (+ *subjunctive*)	It's absolutely necessary that . . .
Es mejor que… (+ *subjunctive*)	It is better that . . .

REPASO: Es necesario que… (+ *subjunctive*), Es recomendable que… (+ *subjunctive*)

• Palabras y expresiones útiles — Useful Words and Expressions

delante de	in front of, in the presence of
entre semana	on weekdays, during the week
por ejemplo	for example
por eso	for that reason, therefore

Gramática y ejercicios

14.1 Expressing *each other*: Reciprocal Pronouns

GRAMÁTICA ILUSTRADA

Se besaron.

Se abrazaron.

Se dieron la mano.

Se despidieron.

---

reciprocal (*each other*) = (same form as reflexive; see **Gramática 4.3**)

$$\left\{ \begin{array}{l} \textbf{nos} \\ \textbf{os} \\ \textbf{se} \end{array} \right\} + verb$$

Se besaron. (*They kissed each other.*)
Nos escribimos. (*We write [to] each other.*)

Reciprocal actions are expressed in Spanish with reflexive pronouns.

Los novios **se abrazaron** y luego **se besaron.**
The bride and groom embraced (each other) and then kissed (each other).

Nos vemos mañana en el bautizo de tu sobrino.
We'll see each other tomorrow at the christening of your nephew.

Context usually indicates whether the pronoun is reflexive (*self*) or reciprocal (*each other*).

Tenemos que **vestirnos** antes de ir a la boda.
We have to get dressed before going to the wedding.

Don Eduardo y don Anselmo **se reconocieron** en seguida y **se dieron** la mano.
Don Eduardo and don Anselmo recognized each other at once and shook hands with each other.

Some common reciprocal verbs:

abrazarse	darse la mano	quererse
besarse	divorciarse	reconocerse
comprenderse	mirarse	respetarse
conocerse	parecerse	verse

EJERCICIO I

Exprese las acciones recíprocas según el modelo.

MODELO: Yo quiero a mi esposo y mi esposo me quiere mucho también. →
Mi esposo y yo *nos queremos* mucho.

1. El señor Ruiz llamó a su suegra por teléfono y su suegra lo llamó a él también.
2. Mi ahijada me escribe a mí y yo le escribo a ella a menudo.
3. Amanda habla con su novio y él habla con Amanda todos los días.
4. Mi madre respeta mucho a mi padre y mi padre respeta mucho a mi madre.
5. El abuelo de Guillermo me conoce y yo lo conozco a él muy bien.

¡OJO!

Ej. 1. New word:
quererse = *to love each other*

14.2 Describing: *ser* and *estar*

GRAMÁTICA ILUSTRADA

ser = inherent quality
estar = transitory state

¿Quién es... ? (*Who is . . . ?*)

¿Dónde está... ? (*Where is . . . [a person or thing]?*)
¿Dónde es... ? (*Where is . . . [an event]?*)

¿Cómo es? (*What is [someone or something] like?*)
¿Cómo está? (*How is [someone or something] feeling?*)

1. Paula Saucedo es una mujer muy activa.
2. Esta semana Paula tuvo que trabajar horas extra y hoy está muy cansada.

1. Ernesto es un hombre muy feliz.
2. Hoy está deprimido porque no le aumentaron el sueldo.

A. To identify someone or something, use the verb **ser** followed by a noun.

—¿Quién **es** ese **muchacho**?　　　—*Who is that guy?*
—**Es Guillermo,** el primo de　　　—*That's Guillermo, Marisa's*
Marisa.　　　　　　　　　　　　　*cousin.*
—¿Y este vestido?　　　　　　　　—*And this dress?*
—**Es** el **vestido** de novia que　　—*It's the wedding dress that my*
llevó mi abuelita.　　　　　　　　*grandmother wore.*

B. To form the progressive tenses, use **estar** with a present participle.

—¿Qué **estaban haciendo** el　　　—*What were the best man and*
padrino y la madrina?　　　　　　*maid of honor doing?*
—**Estaban saludando** a los　　　　—*They were greeting the guests*
invitados que llegaban.　　　　　　*who were arriving.*

C. Use the verb **estar** to give the location of people or things.

—¿Dónde **está** el novio?　　　　　—*Where is the groom?*
—Creo que **está** en el baño.　　　—*I think he is in the bathroom.*

Use the verb **ser** to tell the location of an event.

—¿Dónde va a **ser** la ceremonia?　—*Where is the ceremony going*
　　　　　　　　　　　　　　　　to be (held)?
—En la capilla.　　　　　　　　　—*In the chapel.*

—¿Dónde **es** la conferencia?　　　—*Where is the lecture?*
—En el salón 450.　　　　　　　　—*In room 450.*

D. Although **ser** and **estar** are both used with adjectives to describe nouns, they are used in different situations. An adjective with **ser** tells what someone or something is like.

La novia **es** muy hermosa. **Es**　*The bride is very beautiful. She*
alta, de pelo negro y **es** joven.　*is tall, has black hair, and is*
　　　　　　　　　　　　　　　　young.

An adjective with **estar** describes the condition of someone or something at a particular moment.

La clase de historia normalmente es aburrida, pero hoy está interesante. (*History class is usually boring, but today it's interesting.*)	—¿Cómo **está** la novia?　　　　—*How is the bride?* —Ahora mismo **está** un poco　—*Right now she's a bit nervous* nerviosa y cansada.　　　　　*and tired.*

In the following example, note that **ser** and **estar** can convey different meanings even when used with the same adjective. **Ser** emphasizes identification or normal characteristics; **estar** emphasizes the state of someone or something at a certain point in time.

—¿**Es** delgada la madre de la　　—*Is the bride's mother slender?*
novia?
—Sí, pero hoy parece que **está**　—*Yes, but today she looks even*
aún más delgada porque estuvo　*more slender because she was*
enferma hace poco.　　　　　　*ill a short time ago.*

By using **estar** with an adjective usually associated with **ser,** we can emphasize how something is or looks *right now,* rather than how it is normally. Thus, the choice between **ser** + adjective and **estar** + adjective emphasizes the difference between the norm and variation from the norm.

<table>
<tr><td>

Te juro que **generalmente** el mar aquí **es** tranquilo y limpio y las olas **son** pequeñas. Pero **hoy está** todo muy feo. Las olas **están** muy grandes y el mar **está** muy sucio por la tormenta de anoche.

</td><td>

I swear to you that the ocean here is usually calm and clear, and the waves are small. But today everything is very ugly. The waves are very large, and the ocean is dirty due to last night's storm.

</td></tr>
</table>

Here are some other phrases that emphasize the difference in meanings between **ser** and **estar** with adjectives.

es bonito / está bonito	*is pretty / looks pretty*
es generoso / está generoso	*is generous / is being generous*
es nervioso / está nervioso	*is a nervous person / is nervous now*

In a few cases, the meaning of the adjective is quite different depending on whether it is used with **ser** or **estar.**

es listo / está listo	*is clever / is ready*
es aburrido / está aburrido	*is boring / is bored*
es verde / está verde	*is green / looks green; is unripe*

ser	**estar**
Identification	*Present Progressive*
Es hombre.	Está comiendo.
Location of Event	*Location of People, Things*
El baile es aquí.	El muchacho está aquí.
Description of Norm	*Description of State*
Es bonita.	Está enferma.

> **Ser:**
> - *Identification* = **ser** + noun
>
> **Es abogado.**
> **Son los compadres de Ernesto.**
> - *Description* = **ser** + adjective
>
> **Soy entusiasta.**
> **Eran ricos.**
> - *Location of an event* = **ser** + location
>
> **¿Dónde es la conferencia?**
> **Los conciertos son en el salón 459.**

> **Estar:**
> - *Current condition of someone or something* = **estar** + adjective
>
> **¿Estás triste?**
> **Estaban enojados.**
> - *To be doing something* = **estar** + present participle
>
> **Estoy navegando por Internet.**
> **A las 4:00 estaban nadando.**
> - *Location of someone or something* = **estar** + location
>
> **¿Dónde está la carta?**
> **Mis hijos están en casa de los abuelos.**

EJERCICIO 2

Don Anselmo está de mal humor hoy y no está de acuerdo con nada de lo que le dice don Eduardo.

MODELO: DON EDUARDO: Doña Rosita es una persona muy activa. →
DON ANSELMO: Pues, no está muy activa hoy.

1. Paula es muy amable con todos.
2. El clima de aquí es algo frío.
3. Normalmente este programa es muy cómico.
4. En la Tienda Miraflores la ropa es muy cara.
5. Ernesto es muy eficiente en su trabajo.

EJERCICIO 3

¿Ser o **estar?** Lea el contexto con mucho cuidado.

1. —¿Te gusta la clase de biología?
   —No, _____ una clase muy aburrida.

2. —¿Tienes hambre? ¿Quieres comer un poco de fruta?
   —Gracias, pero toda la fruta _____ verde. No voy a comerla porque no quiero enfermarme.

3. Voy a llegar tarde a mi clase de las 9:00. ¡Ya son las 8:49 y yo todavía no _____ listo/a!

4. Pablo _____ muy aburrido porque esta película _____ aburridísima. ¡Prefiere estudiar!

5. ¡Ay! Estas manzanas no están buenas. _____ manzanas rojas pero todavía _____ verdes.

6. Los estudiantes _____ muy listos, pero hoy todavía no _____ listos para el examen final; necesitan estudiar más.

14.3 Giving Direct Commands: Polite and Informal

GRAMÁTICA ILUSTRADA

A. Polite commands are used to give a direct order to someone you address with **usted.** The forms of the polite commands were introduced in **Gramática 11.1.** They are also the same as the **usted** form of the present subjunctive (see **Gramática 11.2** and **11.3**).

A review of polite
(**usted**) commands

INFINITIVE	PRESENT (yo/usted)	COMMAND (usted)	COMMAND (ustedes)
hablar	hablo/habla	hable	hablen
vender	vendo/vende	venda	vendan
escribir	escribo/escribe	escriba	escriban

Remember that **-ar** verbs take «e» endings; **-er/-ir** verbs take «a» endings:

hablar → hable
vender → venda
escribir → escriba

B. Singular informal commands are given to people you address with **tú** rather than **usted**—for example, your classmates or close friends.

> Esteban, **trae** algunas bebidas para la fiesta.
> *Esteban, bring some drinks for the party.*
> Nora, no **mandes** los libros ahora, por favor.
> *Nora, don't send the books now, please.*

affirmative **tú** commands = he/she form of present indicative

> **Él/Ella/Usted come.** (*He/She eats; You [pol. sing.] eat.*) **Come (tú).** (*Eat [inf. sing.].*)
> **Él/Ella/Usted arregla los papeles.** (*He/She straightens up the papers; You [pol. sing.] straighten up the papers.*)
> **Arregla (tú) los papeles.** (*Straighten up the papers [inf. sing.].*)

C. If the singular informal command is affirmative, it is identical to the *he/she* form of the present indicative.

> Nora, **busca** las palabras en el diccionario y después **escribe** las definiciones.
> *Nora, look up the words in the dictionary and afterward write down the definitions.*
> Alberto, **come** temprano porque después vamos a la discoteca.
> *Alberto, eat early because afterward we're going to the discotheque.*

D. If the informal command is negative, add **-s** to the **usted** command form.

> **No hables** con ella; habla con Esteban.
> *Don't talk to her; talk to Esteban.*
> **No comas** tanto, Luis, y come más despacio.
> *Don't eat so much, Luis, and eat more slowly.*

E. Here is a summary of the singular informal command forms.

negative **tú** commands = **usted** command form + **-s**

hable [usted]
no hables [tú]

coma [usted]
no comas [tú]

pida [usted]
no pidas [tú]

venga [usted]
no vengas [tú]

-ar VERBS		-er/-ir VERBS	
(-a)	(-es)	(-e)	(-as)
habla	no hables	come	no comas
canta	no cantes	escribe	no escribas
estudia	no estudies	pide	no pidas

F. Some verbs have an irregular affirmative informal command form; these verbs still take the regular forms in the negative.

The affirmative **tú** command of some verbs is irregular, but the negative command follows normal command/subjunctive rules.

ven
no vengas

di
no digas

pon
no pongas

INFINITIVE	tú (+)	tú (−)	
decir	di	no digas	*say / don't say*
hacer	haz	no hagas	*do / don't do*
ir	ve	no vayas	*go / don't go*
poner	pon	no pongas	*put / don't put*
salir	sal	no salgas	*leave / don't leave*
ser	sé	no seas	*be / don't be*
tener	ten	no tengas	*have / don't have*
venir	ven	no vengas	*come / don't come*

Ven ahora; no **vengas** mañana.

Come now; don't come tomorrow.

Ponlo en tu cuarto; no lo **pongas** en la cocina.

Put it in your room; don't put it in the kitchen.

G. Affirmative **vosotros/as** commands are derived from the infinitive by changing the final **-r** to **-d**. Negative **vosotros/as** commands use the subjunctive.

affirmative **vosotros/as** commands = change final **-r** of infinitive to **-d**

hablar → **hablad**
decir → **decid**

negative **vosotros/as** commands = subjunctive

hablar → **no habléis**
decir → **no digáis**

INFINITIVE	vosotros/as (+)	vosotros/as (−)	
hablar	habla**d**	no habléis	*speak / don't speak*
comer	come**d**	no comáis	*eat / don't eat*
escribir	escribi**d**	no escribáis	*write / don't write*
decir	deci**d**	no digáis	*say / don't say*
ir	i**d**	no vayáis	*go / don't go*
venir	veni**d**	no vengáis	*come / don't come*

H. Here is a summary of the polite and informal command forms.* Note that with the exception of the affirmative **tú** and **vosotros/as** commands, all commands use subjunctive forms.

usted(es)	tú (−)	tú (+)	vosotros/as (−)	vosotros/as (+)
(no) hable(**n**)	no hable**s**	habla	no habléis	habla**d**
(no) coma(**n**)	no coma**s**	come	no comáis	come**d**
(no) escriba(**n**)	no escriba**s**	escribe	no escribáis	escribi**d**
(no) diga(**n**)	no dig**as**	**di**	no digáis	deci**d**
(no) ponga(**n**)	no pongas	**pon**	no pongáis	pone**d**

---

*Affirmative **vos** commands drop the **-r** of the infinitive and add an accent to the last vowel: **hablá vos, comé vos, escribí vos, decí vos, vení vos.** Negative **vos** commands are the same as the **tú** subjunctive forms, but these too add an accent to the last vowel: **no hablés vos, no comás vos, no escribás vos, no digás vos, no vengás vos.**

EJERCICIO 4

Éstos son algunos de los mandatos que Estela le dio a Ernestito durante el día. Complételos con **acuéstate, apaga, bájate, dile, habla, haz, lee, levántate, sal, ten, ve o ven.**

 1. _____ rápido porque es muy tarde.
 2. _____ conmigo a tu cuarto ahora.
 3. _____ cuidado al cruzar la calle.
 4. _____ de la casa por un ratito.
 5. _____ de ese árbol ahora mismo.
 6. _____ con tu papá si quieres una bicicleta nueva.
 7. _____ en tu cama y _____ la luz.
 8. _____ adiós a tu abuelita.
 9. _____ a la sala y _____ uno de tus libros.
10. _____ tu tarea ahora y luego puedes ver la televisión.

¡OJO!

Ej. 4. Read the informal commands and fit them logically into the sentences. Each answer can be used only once.

EJERCICIO 5

Nora y Esteban están de compras en un mercado en Nuevo Laredo. Ponga los infinitivos en el mandato (**tú/usted**) apropiado para el contexto.

MODELO: Ay, Esteban, no *compres* dulces, *come* fruta. (comprar/comer)

¡OJO!

Ej. 5. Look at the drawings and decide for each situation whether to use a **tú** or an **usted** command and then write in the correct form.

1. _____ nos dos especialidades de la casa, por favor. (traer) No nos _____ la cuenta ahora. (dar)

2. _____ me éste, por favor. (mostrar) ¿Cuánto cuesta? Cuesta mil pesos, señorita. ¡No me _____ ! (decir)

3. Momentito, _____ me aquí. (esperar) Nora, quiero ver aquellas chaquetas de cuero. No _____ a otra tienda. (irse)

4. _____ me el precio, por favor. (rebajar) No me lo _____ . (subir)

5. _____ mi nueva chaqueta, Nora. (mirar) ¡Qué ganga! No me _____ que gasté demasiado dinero. (decir)

14.4 Using Softened Commands: The Subjunctive Mood

¿RECUERDA?

Spanish has two present tenses: the present indicative and the present subjunctive. The present indicative is used to ask questions and make statements. As you saw in **Gramática 11.2** and **11.3,** in Spanish the present subjunctive is used after the verb **querer** in softened commands and after **cuando** in statements about the future.

Cuando llegues al aeropuerto, llámame.	*When you get to the airport, call me.*
—¿Qué **quiere** Ramón?	—*What does Ramón want?*
—Quiere que yo **vaya** con él al Baile de los Enamorados.	—*He wants me to go with him to the Valentine's Day Dance.*

A. Like Spanish, English has a present subjunctive, but because most of its forms are identical to the infinitive, many speakers never notice them. Only in the singular *he/she* form in English is there a difference between the present indicative and the present subjunctive. Note the indicative *goes* and the subjunctive *go* in these examples.

Did you know that John *goes* to football practice after class?
Is it necessary that John *go* to football practice after class?

B. As you learned in **Gramática 11.2** and **12.3,** it is possible to give softened commands in Spanish with verbs like **querer** (*to want*) and **aconsejar** (*to advise*) plus a present subjunctive verb form.

> The present subjunctive is used to give softened commands.
> **Quiero que me digas la verdad.** (*I want you to tell me the truth.*)
> **Les aconsejo que no lo compren.** (*I advise you not to buy it.*)

Diego, **te aconsejo que no comas** tantos dulces.	*Diego, I advise you not to eat so many sweets.*

Such sentences consist of two parts, or clauses. The first clause contains a verb or a verb phrase indicating a desire, a recommendation, or a suggestion. The second begins with the connector **que** (*that*) and contains a verb in the subjunctive.

Other, similar sentences may contain a personal verb phrase like **espero que** (*I hope that*) or an impersonal one like **es necesario que** (*it is necessary that*).

Espero que no nos llame nadie esta noche.	*I hope (that) nobody calls us tonight.*
Es necesario que llegues a tiempo para el banquete.	*It is necessary that you arrive on time for the banquet.*

Here is a list of typical phrases, both personal and impersonal, that are used with the present subjunctive to give softened commands.

PERSONAL			
aconsejar que	*to advise (that)*	pedir (i) que	*to ask, request that*
decir que	*to tell, order (that)*	permitir que	*to permit that*
dejar que	*to allow (that)*	preferir (ie) que	*to prefer that*
desear que	*to desire (that)*	prohibir que	*to prohibit that*
esperar que	*to hope (that)*	querer (ie) que	*to want that*
exigir que	*to demand (that)*	rogar (ue) que	*to beg, plead that*
mandar que	*to command (that)*		

IMPERSONAL	
es importante que	*it is important that*
es imposible que	*it is impossible that*
es mejor que	*it is better that*
es necesario que	*it is necessary that*
es preferible que	*it is preferable that*

> **¡OJO!**
>
> You may wish to review the forms of the present subjunctive in **Gramática 11.2** and **11.3** before doing the exercises that follow.

EJERCICIO 6

La profesora Martínez requiere la participación de todos sus alumnos. Siguiendo el modelo, diga lo que quiere la profesora.

MODELO: Le *pide* a Luis que *borre* la pizarra. (pedir/borrar)

1. Le _____ a Alberto que _____ a clase a tiempo. (rogar/llegar)
2. _____ que todos _____ buenas notas en el examen. (esperar/sacar)
3. _____ que Esteban y Nora _____ las preguntas. (desear/contestar)
4. _____ que Pablo _____ en voz alta. (preferir/leer)
5. _____ que nosotros le _____ la tarea a tiempo. (querer/entregar)

> **¡OJO!**
>
> **Ej. 6. Rogar** is a **ue** verb and, like **aconsejar,** it takes an indirect object pronoun: **le ruego que.** Also remember spelling changes in **llegar, sacar,** and **entregar.**

EJERCICIO 7

Estela Saucedo les hace sugerencias a varias personas.

MODELO: a Ernesto: prefiero que / lavar el coche →
Ernesto, prefiero que tú *laves* el coche.

1. a Guillermo: es mejor que / hacer la tarea
2. a Graciela: quiero que / hablar con Amanda
3. a Amanda: es necesario que / llamar a Graciela
4. a Clarisa: es muy importante que / quedarse en el patio
5. a Marisa: sugiero que / jugar con tu hermanita

> **¡OJO!**
>
> **Ej. 7.** Be careful with pronoun placement in item 4.

EJERCICIO 8

En las siguientes situaciones unas personas quieren que otras hagan algo. Primero, llene cada espacio en blanco con la forma correcta del verbo indicado. Luego, indique las opciones más lógicas. Siga el modelo.

MODELO: Todos los días mi mamá me pide que...
   ⓐ *saque* la basura. (sacar)
   b. *beba* licor en la autopista. (beber)
   ⓒ *haga* mi tarea. (hacer)
   d. *regrese* muy tarde de las fiestas. (regresar)

1. Les sugiero a mis compañeros de clase que...
   a. _____ conmigo a la biblioteca. (ir)
   b. _____ a clase mucho. (faltar)
   c. _____ español en clase. (hablar)
   d. me _____ las respuestas durante el examen. (dar)
2. El médico nos aconseja que...
   a. _____ muchos cigarrillos. (fumar)
   b. _____ ocho horas. (dormir)
   c. _____ al psiquiatra todos los días. (consultar)
   d. _____ más legumbres. (comer)
3. Ernesto y Estela les dicen a sus hijos que...
   a. _____ en la calle. (jugar)
   b. _____ sus recámaras. (limpiar)
   c. _____ galletitas todo el día. (comer)
   d. _____ televisión toda la tarde. (ver)
4. Es importante que...
   a. yo le _____ un regalo bonito a mi novio/a. (hacer)
   b. mi hermano me _____ hoy. (llamar)
   c. mis padres me _____ con los gastos de la matrícula. (ayudar)
   d. yo _____ muy buenas notas en la clase. (sacar)
5. Quiero que tú...
   a. _____ conmigo en la cafetería. (almorzar)
   b. _____ a mi casa a estudiar esta noche. (venir)
   c. me _____ un mensaje electrónico. (escribir)
   d. _____ en la Plaza Central. (dormir)

14.5 More Uses of the Subjunctive: Saying *Have someone else do it!*: Que + Subjunctive and Expressing *Let's . . .*

A. To form the indirect command *let/have someone else do it,* omit the initial verb of the softened command and start the sentence with **que.**

Quiero que manejen con cuidado.	*I want them to drive carefully.*
¡Que manejen con cuidado!	*Have them drive carefully!*
Sugiero que lo termine Carmen.	*I suggest that Carmen finish it.*
¡Que lo termine Carmen!	*Have/Let Carmen finish it!*

You can also use this form to express good wishes. As before, the initial verb is omitted. For example, to a sick person you might say the following.

Deseo que te mejores pronto.	*I hope you get well soon.*
¡Que te mejores pronto!	*Get well soon!*

Here are other common good wishes.

¡Que tenga un buen viaje!	*Have a good (safe) trip!*
¡Que les vaya bien!	*I hope everything goes well for you!*
¡Que pasen buenas noches!	*Have a nice evening!*
¡Que pases un buen día!	*Have a nice day!*
¡Que duermas bien!	*Sleep well!*
¡Que vuelvan pronto!	*Come back soon!*

B. The word **ojalá** derives from an old Arabic expression that meant *May Allah grant that . . .* Today the expression **Ojalá (que)...** means *I hope (that) . . .* and is used with the present subjunctive.

Ojalá (que) no llueva.	*I hope it doesn't rain.*
Ojalá (que) me quiera.	*I hope that she loves me.*

> **Ojalá que todo salga bien.** (*I hope every-thing goes well.*)

C. To express *Let's* (let's do some activity) in Spanish, use the first-person plural of the present subjunctive.

Preparemos la cena ahora.	*Let's fix dinner now.*
No pongamos música clásica.	*Let's not put on classical music.*

With the verb **ir** the present indicative (**Vamos**) is used to express *Let's go* and the present subjunctive is used to express the negative (**No vayamos**).

Vamos a andar en bicicleta.	*Let's go out bike riding.*
No vayamos a la conferencia hoy.	*Let's not go to the conference today.*

EJERCICIO 9

Estela está muy cansada y no quiere hacer las siguientes cosas. Por eso sugiere que las hagan otras personas. ¿Qué dice Estela?

MODELO: preparar las enchiladas / Berta →
    ¿Las enchiladas? *¡Que las prepare* Berta!

> **¡OJO!**
>
> **Ej. 9** Watch for correct pronoun placement. Remember spelling changes in **pagar, jugar,** and **recoger.**

1. bañar al perro / Ernestito
2. barrer el patio / Guillermo
3. pagar las cuentas / Ernesto
4. cuidar a los niños / Ernesto
5. sacudir los muebles / Berta
6. arreglar el coche / Ernesto
7. enviar el paquete / Amanda
8. jugar con la gata / los niños
9. recoger la ropa / Ernestito
10. poner flores allí / Berta

EJERCICIO 10

Lea las siguientes situaciones y escriba la respuesta apropiada.

MODELO: E1: ¡Adiós! Nos vemos el mes próximo.
    E2: *¡Que tengas buen viaje!*

1. Me voy a acostar. Hasta mañana.
2. Se me está haciendo tarde. Ya me voy al trabajo.
3. ¡Ay! Tengo un examen hoy.
4. Mi esposo está en el hospital y está muy grave (muy enfermo).
5. Mañana mis amigos y yo salimos para San Sebastián.

EJERCICIO 11

Es su cumpleaños. Use **ojalá (que) / ojalá (que) no** para expresar lo que espera que ocurra.

MODELO: llover hoy → Ojalá (que) *no llueva hoy.*

1. recibir muchos regalos
2. hacer buen tiempo
3. tener que trabajar
4. estar enfermo/a
5. venir a visitarme mis amigos
6. ¿ ?

EJERCICIO 12

Varios amigos están en su casa. Haga sugerencias negativas o afirmativas, según las actividades.

MODELO: llamar a Jorge → Llamemos a Jorge. (No llamemos a Jorge.)

1. escuchar música latina
2. trabajar en el proyecto
3. hacer ejercicio
4. ir al cine
5. alquilar una película en DVD

Capítulo 15
El porvenir

Para la seguridad de todo obrero mexicano, por David Alfaro Siqueiros (México)

METAS

In **Capítulo 15** you will express your opinions and talk about future plans, goals, possibilities, and consequences. You will also talk about cultural diversity and other issues that affect modern society. In addition, you will discuss the role of technology in our lives.

Sobre el artista: David Alfaro Siqueiros (1896–1974) nació en Chihuahua, México. En 1919 viajó a Europa para ampliar su formación artística. El arte de Siqueiros se destaca por sus colores vivos y la combinación de elementos precolombinos y surrealistas. Sus murales, casi todos con temas político-sociales, decoran muchos edificios en México.

México

Época precolombina
Habitaban la región los olmecas, los mayas, los teotihuacanos y los mexicas.

1810
Los criollos, encabezados por don Miguel Hidalgo y Costilla, declararon la independencia.

1862 y 1863
Tropas francesas invadieron México: El 5 de mayo los mexicanos derrotaron a los franceses. **(1863)** Los franceses vencieron al ejército mexicano y nombraron emperador a Maximiliano de Habsburgo.

1500   **1800**

1352
Fundación de Tenochtitlan por los aztecas

1521
Hernán Cortés conquistó a los aztecas y hasta 1810 México fue una colonia española.

1846–1848
Guerra entre EU y México. México perdió más de la mitad de su territorio.

1858–1861
Guerra de Reforma: triunfaron los liberales, encabezados por Benito Juárez.

Los amigos animados: Para repasar

Antes de comenzar este capítulo, mire los segmentos animados para repasar el capítulo anterior.

A. Los consejos de un amigo. Ernesto Saucedo está en casa de Pedro Ruiz, hablando de sus preocupaciones.

B. El concierto de guitarra. Nora, Esteban y Carmen están en una fiesta en casa de un compañero de clase.

En este capítulo...

ACTIVIDADES DE COMUNICACIÓN

• El futuro y las metas personales
• Cuestiones sociales
• El futuro y la tecnología: Posibilidades y consecuencias

EN RESUMEN

LECTURAS Y CULTURA

• **Enlace literario**
  «El gran viaje», por Amado Nervo
• **Ventanas culturales** Nuestra comunidad: Los hispanos en los Estados Unidos: ¡Hacia el futuro!
• **Ventanas culturales** La lengua: De viaje por el ciberespacio
• **Lecturas**
  «El eclipse», por Augusto Monterroso
  «El monopolio de la moda», por Luis Britto García

GRAMÁTICA Y EJERCICIOS

15.1 Talking about the Future: The Future Tense
15.2 Talking about *when:* The Subjunctive in Time Clauses
15.3 Adding Details and Expressing *why* and *how:* More Uses of the Subjunctive
15.4 Expressing Opinions and Reactions: Indicative and Subjunctive
15.5 Expressing Hypothetical Reactions: The Conditional
15.6 Hypothesizing: *If* Clauses and the Past Subjunctive

1876–1911
Dictadura de Porfirio Díaz

1968
Manifestación estudiantil en el D. F. reprimida por el ejército; hubo cientos de muertos y heridos.

1994 Tratado de Libre Comercio entre Canadá, México y EU. Rebelión zapatista en el estado de Chiapas.

1900

2000

1910
Estalló la Revolución y surgió Emiliano Zapata con su lema «tierra y libertad».

2000
Elección de un candidato del PAN (Partido de Acción Nacional): Vicente Fox Quesada.

Actividades de comunicación y lecturas

✳ El futuro y las metas personales

Lea Gramática 15.1–15.2.

Éstos son los planes de Amanda, Ernesto y Estela Saucedo.

1. Tan pronto como me gradúe, viajaré a Europa.
2. Cuando me case, iré a Chile de luna de miel.
3. Después de que nazca nuestro primer hijo, nos sentiremos orgullosos.

1. En cuanto mi hijo menor termine la preparatoria, trabajaré para una empresa importante.
2. Cuando gane más de $890.000 pesos al año, me mudaré a un vecindario elegante.
3. Trabajaré hasta que tenga sesenta y cinco años.

1. Cuando logre mis metas, seré feliz.
2. Si me cuido bien, viviré mucho tiempo y gozaré de la vida.
3. Después de que me jubile, realizaré mi sueño de vivir en las montañas.

ACTIVIDAD I **Encuesta: ¿Cómo será el mundo dentro de veinte años?**

Indique si usted está de acuerdo o no con estas afirmaciones. Explique sus respuestas.

DENTRO DE VEINTE AÑOS	ESTOY DE ACUERDO.	NO ESTOY DE ACUERDO.
1. Ya no habrá guerras en el mundo. Gozaremos de paz.	☐	☐
2. Descubrirán una vacuna contra el SIDA.	☐	☐

DENTRO DE VEINTE AÑOS	ESTOY DE ACUERDO.	NO ESTOY DE ACUERDO.
3. Las computadoras podrán pensar como los seres humanos.	☐	☐
4. Se usarán coches híbridos solamente o el transporte público.	☐	☐
5. Todos nos comunicaremos por celular.	☐	☐
6. Ya no habrá contaminación ambiental.	☐	☐
7. Gracias a la tecnología, tendremos mucho más tiempo libre.	☐	☐
8. Ya no habrá reservas de petróleo. El mundo dependerá de la energía renovable.	☐	☐
9. Habrá un plan nacional de seguro médico en los Estados Unidos.	☐	☐
10. Será normal pasar las vacaciones en el espacio.	☐	☐

ACTIVIDAD 2   Preferencias: El futuro, los sueños y las metas

Piense en su futuro y complete cada oración.

1. Me casaré tan pronto como…
  a. mi novio me lo pida.
  b. me gradúe en la universidad.
  c. empiece a trabajar.
  d. ¿ ?

2. …después de que encuentre un buen empleo.
  a. Me casaré
  b. Compraré una casa en _____
  c. Tendré una cabaña en las montañas
  d. ¿ ?

3. …hasta que nazca mi primer hijo.
  a. Trabajaré 60 horas por semana
  b. Seguiré estudiando
  c. Podré salir a bailar y al cine
  d. ¿ ?

4. Seré feliz en cuanto…
  a. me case y tenga hijos.
  b. pueda tener mi propio apartamento.
  c. empiece a ganar dinero.
  d. ¿ ?

5. Compraré un coche de lujo cuando…
  a. gane más de $7.000 al mes.
  b. mis padres me den el dinero.
  c. mejore la economía.
  d. ¿ ?

"No te irás a casar conmigo por mi dinero, ¿verdad?"

ACTIVIDAD 3   Narración: El futuro de Adriana Bolini

Adriana consultó a una adivina. Narre la vida de Adriana según la adivina.

ACTIVIDAD 4   Conversación. Las carreras y la felicidad

1. ¿Cuáles son sus metas en la vida? ¿Las podrá alcanzar sin un título universitario?
2. ¿Qué carrera quiere seguir usted? ¿Por qué la escogió?
3. ¿Qué cree usted que conseguirá en su profesión? ¿dinero? ¿satisfacción personal? ¿aventuras? ¿Son importantes esas cosas para usted? Explique.
4. ¿Cree usted que trabajará toda la vida en la misma profesión? Explique.
5. ¿Tendrá usted su propio negocio algún día? ¿Qué clase de negocio le gustaría tener? ¿Piensa tener su oficina en su casa?
6. ¿En qué consiste la felicidad para usted? ¿Se puede comprar la felicidad?

ACTIVIDAD 5   Entrevistas: Las metas

1. ¿Qué quieres hacer después de graduarte en la universidad? ¿Qué quieren tus padres que hagas?
2. Si vives ahora con tus padres, ¿quieres seguir viviendo con ellos por un tiempo? ¿por qué? ¿Quieren tus padres que sigas viviendo con ellos?
3. ¿Qué es más importante, seguir los deseos de uno mismo o los de los padres?
4. Si no estás casado/a, ¿quieres casarte? ¿Quieren tus padres que te cases? ¿por qué? Explica.
5. ¿Qué tipo de trabajo buscarás después de graduarte? ¿por qué?
6. ¿Qué quieres hacer después de jubilarte? ¿Viajarás? ¿Tomarás clases? ¿Te irás a otro estado? ¿cuál?

ENLACE LITERARIO

«El gran viaje», por Amado Nervo

Selección de su libro *Obras completas, tomo II* (1962)

Amado Nervo (1870–1919) es uno de los escritores más conocidos de México. Fue poeta, novelista, cuentista, ensayista y diplomático. Nervo publicó muchas obras y contribuyó a crear un importante movimiento[1] literario llamado *modernismo*. Entre los libros de poesía de Nervo se encuentran *Perlas negras* (1898), *El éxodo y las flores del camino* (1902) y una obra de 1922 que todavía se lee con mucho interés, *La amada inmóvil*. En el siguiente poema, Amado Nervo se pregunta quién colonizará el «nuevo mundo» del espacio.

El gran viaje

¿Quién será, en un futuro no lejano,[2]
el Cristóbal Colón de algún planeta?
¿Quién logrará, con máquina potente,
sondar[3] el océano
del éter,[4] y llevarnos de la mano
allí donde llegaron solamente
los osados ensueños[5] del poeta?

¿Quién será en un futuro no lejano,
el Cristóbal Colón de algún planeta?

¿Y qué sabremos tras el viaje augusto?[6]
¿Qué nos enseñaréis, humanidades
de otros orbes,[7] que giran
en la divina noche silenciosa,
y que acaso hace siglos que nos miran?

Espíritus a quienes las edades
en su fluir robusto
mostraron ya la clave portentosa[8]
de lo Bello y lo Justo,
¿cuál será la cosecha[9] de verdades
que deis[10] al hombre, tras el viaje augusto?

¿Con qué luz nueva escrutará el arcano?[11]
¡Oh la esencial revelación completa
que fije[12] nuevo molde al barro[13] humano!

¿Quién será en un futuro no lejano,
el Cristóbal Colón de algún planeta?

Actividad creativa: El futuro lejano

Imagínese el futuro lejano. Digamos que usted puede ver lo que va a pasar en 100 años. ¿Cómo será el mundo en un siglo? ¿Habrá paz en la Tierra? ¿Qué tecnologías tendremos? ¿Estaremos explorando otros planetas? ¿Encontraremos vida inteligente en la «noche silenciosa» del espacio? ¿Conoceremos «humanidades de otros orbes»? Describa ese futuro en un cuento de cuatro o más párrafos.

---

[1]*movement (such as Romanticism or Surrealism)*   [2]*distant, remote*   [3]*probe*   [4]*el... se refiere al espacio*   [5]*osados... daring fantasies*   [6]*grande, impresionante*   [7]*esferas, mundos*   [8]*clave... prodigious key (as in the key to a mystery)*   [9]*crop*   [10]*give*   [11]*escrutará... will decipher the mystery of life*   [12]*fix, give*   [13]*clay*

✳ Cuestiones sociales

Lea Gramática 15.3–15.4.

«No conozco ninguna ciudad grande que no se enfrente diariamente con la cuestión de los desamparados.»

«Quiero vivir en un lugar donde pueda respirar aire puro y donde no haya tanta contaminación ambiental.»

«En el centro de muchas ciudades grandes se ha limitado el uso del automóvil para que disminuya el nivel de contaminación.»

«Espero que dejen de construir reactores nucleares antes de que ocurra un accidente grave.»

«La economía de México no será fuerte hasta que se reduzca la tasa del desempleo.»

Tenemos que ofrecer programas de educación sexual para que los jóvenes sepan las consecuencias de tener relaciones sin protegerse.

Nora, estoy de acuerdo con tal de que los padres puedan participar en esos programas.

Si se legalizan todas las drogas las pandillas ya no podrán ganarse la vida traficando con drogas ilegales y habrá mucho menos crimen en las grandes ciudades.

Tal vez, Mónica. Pero si se legalizan, más jóvenes se harán drogadictos; ya tenemos demasiado con el abuso de drogas lícitas como el alcohol. Yo no creo que se deba aprobar el uso de ninguna droga.

ACTIVIDAD 6   Preferencias: Condiciones y consecuencias

Seleccione todas las condiciones apropiadas.

MODELO: El problema de los desamparados será más grave cada día a menos que...

       a. se creen más trabajos para la gente desempleada.
       b. se construyan más viviendas para todos.
       c. aumenten los sueldos.

       El problema de los desamparados será más grave cada día a menos que *se construyan más viviendas para todos.*

1. Debemos iniciar una campaña de educación sexual para que...
  a. no haya tantos abortos.
  b. no aumente el contagio del SIDA y otras enfermedades venéreas.
  c. haya menos madres adolescentes.
2. Estoy de acuerdo con una reducción en el presupuesto federal con tal de que (no)...
  a. reduzcan los fondos para la educación.
  b. reduzcan los fondos para la defensa del país.
  c. reduzcan los fondos para el bienestar social.
3. El analfabetismo en los Estados Unidos aumentará a menos que...
  a. los padres les lean más a sus hijos.
  b. se inicie una campaña nacional de alfabetización.
  c. los maestros reciban mejor preparación.

4. Vamos a destruir gran parte del medio ambiente a menos que…
   a. dejemos de usar el carro como medio principal de transporte público.
   b. controlemos la población mundial.
   c. empecemos a desarrollar más fuentes de energía renovable.
5. ¿Podemos eliminar las industrias que dañan el medio ambiente sin que…
   a. la economía sufra?
   b. aumente la tasa de desempleo?
   c. haya una crisis en los países en vías de desarrollo?
6. El precio de los seguros médicos debe controlarse de manera que…
   a. todo ciudadano tenga seguro médico.
   b. todo ciudadano tenga acceso a tratamiento médico básico.
   c. los ancianos consigan medicinas a un costo reducido.
7. Busco una ciudad que…
   a. tenga un buen sistema de transporte público.
   b. tenga programas sociales para los pobres.
   c. ofrezca gran diversidad cultural.
8. Quiero vivir en una sociedad donde…
   a. todos tengamos los mismos derechos.
   b. todos tengan la oportunidad de alcanzar sus metas.
   c. no haya ningún tipo de discriminación.

ACTIVIDAD 7   Intercambios: Un club que da miedo

NÚMERO DE CABEZAS NUCLEARES

Año	Estados Unidos	Rusia (URSS)	Reino Unido (Inglaterra)	Francia	China	Total*
1952	1.005	50	—	—	—	1.055
1962	27.297	3.322	205	—	—	30.823
1972	27.296	14.478	220	70	130	42.193
1982	22.937	33.952	335	275	360	57.859
1992	13.731	25.155	300	540	435	40.161
2002	10.640	8.600	200	350	400	20.190

*También India, Israel y Pakistán poseen arsenales nucleares. Se estima que Israel tiene entre 100 y 200, India entre 30 y 35 y Pakistán entre 24 y 48.

Fuente: National Resources Defense Council 25, noviembre de 2002. Para más información visite su sitio web en español.

A. Mire la tabla **Número de cabezas nucleares.** Luego use las siguientes preguntas para conversar con un compañero / una compañera sobre el tema de las armas nucleares.

1. ¿Qué país tenía más cabezas nucleares en 1952? ¿Quién estaba en segundo lugar entonces? ¿En qué años tuvo más cabezas nucleares la Unión Soviética que los Estados Unidos?
2. Los políticos de varios países opinan que sin un arsenal nuclear su país queda vulnerable a ataques terroristas. En tu opinión, ¿es necesario tener un arsenal nuclear para asegurar la seguridad de un país? ¿Cuántas cabezas son suficientes? ¿Es eficaz un arsenal nuclear contra todo tipo de ataques?
3. ¿Crees justo que unos países tengan arsenales nucleares y a otros no se les permita tenerlos? ¿O crees que si todos los países tuvieran un arsenal nuclear sería más fácil lograr la paz mundial? Explica tus respuestas.

B. Un debate.

Trabajen en grupos de cuatro; dos estudiantes deben hablar a favor y dos en contra del armamento nuclear. Usen las preguntas 2 y 3 como guía para preparar sus argumentos. Piensen también en la posibilidad de terrorismo que estos arsenales implican.

ACTIVIDAD 8　　Intercambios: Problemas actuales

Lea estas afirmaciones sobre las cuestiones que la sociedad enfrenta actualmente. Decida si está de acuerdo o no y luego comparta su opinión con otras tres o cuatro personas.

(No) Estoy de acuerdo porque...

1. Es importante establecer buenas guarderías infantiles para que los padres puedan trabajar tranquilos.
2. No se acabará la pobreza en la América Latina hasta que las empresas internacionales establezcan más maquiladoras allí.
3. Es dudoso que la privatización de los sistemas de agua resuelva la escasez de agua potable.
4. Vamos a permitir el transporte de los desperdicios nucleares con tal de que se usen camiones seguros y choferes responsables.
5. Es importante que se eliminen los programas bilingües para que todos los niños aprendan bien el inglés.

ACTIVIDAD 9　　Del mundo hispano: Los estereotipos en el trabajo

Hombre y mujer cuando de trabajo se trata

Observemos las distintas actitudes tomadas en situaciones iguales según el sujeto de la acción sea hombre o mujer.

Así le califican a él en la oficina	De esta manera a ella

Tiene colocadas[1] encima de su mesa las fotos de su esposa/esposo e hijos.

Es un hombre responsable que se preocupa por su familia.	¡Um! Su familia tiene prioridad sobre su carrera.

Su escritorio está lleno de papeles.

Se nota que es una persona ocupada, siempre trabajando.	Es una desordenada.

Está hablando con sus compañeros de trabajo.

Seguro que está discutiendo nuevos proyectos.	Seguro que está cotilleando.[2]

Salió a almorzar con el jefe.

Su prestigio aumenta.	Debe de tener un «affaire».

Le gritó a un empleado que no cumplió sus órdenes.

Tiene carácter, sabe imponerse.	Está histérica.

Se va a casar.

Eso le estabilizará.	Pronto quedará embarazada y dejará el trabajo.

Va a hacer un viaje de negocios.

Es conveniente para su carrera.	¿Qué opina su marido?

Faltó al trabajo por enfermedad.

Debe de encontrarse muy mal.	Tendrá un catarrito.[3]

[1]puestas [2]gossiping [3]un... the sniffles

1. Según este artículo, ¿cuál es el estereotipo de un hombre que tiene fotos de su familia sobre su escritorio? ¿Y cuando se trata de una mujer? ¿Cree usted que la familia debe tener prioridad sobre la carrera?
2. Si usted ve a un empleado / una empleada ante un escritorio lleno de papeles; ¿cómo lo/la caracteriza, como persona ocupada o desordenada?
3. ¿Cree que es verdad o que es una idea preconcebida que las mujeres chismean (cotillean) más que los hombres? ¿En qué se basa su opinión?
4. Según este artículo, ¿cuál es el estereotipo de la mujer que sale a almorzar con el jefe? ¿y el del hombre?
5. Si una jefa les gritara a sus empleados, ¿la consideraría usted una mujer histérica? ¿Y si fuera un hombre?
6. ¿Cuáles son algunos estereotipos negativos del hombre en el mundo del trabajo?

ACTIVIDAD 10   Conversación: La inmigración a los Estados Unidos

Imagínese que usted es campesino/a en un país de América Latina. En su país hay poco trabajo; usted decide irse al «Norte», a los Estados Unidos, en busca de oportunidades. Usted entra sin documentos en este país, pero pronto encuentra donde trabajar. ¿Cómo cambia su vida?

1. La vivienda: ¿Dónde y cómo vive usted ahora? ¿Dónde le gustaría vivir?
2. La comida: ¿Qué come usted ahora? ¿Quién prepara lo que come? ¿Es muy diferente su dieta a la que tenía en su país?
3. El idioma: ¿Habla usted inglés? Si no lo habla, ¿está tomando clases? ¿Cómo y dónde puede aprender el inglés?
4. Las amistades: ¿Con quién se asocia usted ahora? ¿Por qué? ¿Quiénes son sus amigos?

5. Las dificultades: ¿Qué tipo de problemas ha tenido? ¿Cómo los ha resuelto o piensa resolverlos?

6. Los planes: ¿Piensa quedarse a vivir en los Estados Unidos? ¿Va a traer a su familia a este país a vivir con usted? ¿Será fácil hacerlo? Explique.

Trabaje con tres o cuatro compañeros para contestar las preguntas. Estén listos para participar en una discusión con toda la clase.

VENTANAS CULTURALES   **Nuestra comunidad**

Los hispanos en los Estados Unidos: ¡Hacia el futuro!

La presencia hispana en los Estados Unidos data de los tiempos coloniales. Ya en 1513 estaba el español Ponce de León explorando la región que hoy forma el estado de Florida, buscando la legendaria «fuente de la juventud». Antes de llegar los primeros colonizadores ingleses, ya florecían en este continente varias comunidades hispanas; por ejemplo, Santa Fe en Nuevo México, que fue fundada en 1609 y es la capital más antigua de los Estados Unidos.

> **VOCABULARIO ÚTIL**
>
> los medios de   *mass*
> comunicación   *media*

Hoy la población hispana en los Estados Unidos pasa de los 30 millones y se calcula que para el año 2010 los hispanos formarán el grupo minoritario más grande. Se trata de un grupo muy diverso, pues incluye personas de España y todos los países latinoamericanos; además, gente de diferentes niveles socioeconómicos, de varias razas y generaciones.

Hay estados en este país donde la presencia hispana es muy visible, como California, Nuevo México, Texas y Arizona. Los hispanos están presentes en todos los campos: la política, el arte, los medios de comunicación, los deportes, la ciencia y la literatura, por mencionar sólo algunos. Los hispanos más famosos están en el mundo del espectáculo: el cine y la música especialmente. El campo de la política tiene también figuras importantes, como Dolores Huerta y César Chávez. Varios astronautas hispanos han conquistado el espacio; dos de ellos son el costarricense Franklin R. Chang-Díaz y la mexicoamericana Ellen Ochoa. También hay deportistas de fama internacional, como los beisbolistas Sammy Sosa y Vladimir Guerrero, y la jugadora de softbol Lisa Fernández. De padre cubano y madre puertorriqueña, Fernández ganó la medalla de oro con su equipo en los Juegos Olímpicos de 1996, 2000 y 2004. Esta softbolista es un modelo de éxito para los atletas del mundo entero.

Las estadísticas proyectan el crecimiento de la población hispana en los Estados Unidos y el impacto de esa población es cada día más fuerte. De hecho, se han observado cambios en los patrones electorales de varios estados del país. Esto se debe al número de hispanos que votan hoy en día. La presencia hispana seguirá proyectándose a través de su larga historia, desde los tiempos coloniales hasta el presente y del presente hacia el futuro.

Ahora... ¡ustedes!

Describe tres ejemplos de la presencia hispana en los Estados Unidos. Puede ser una revista, un estilo musical, una canción, algún plato o una prenda de vestir. ¿Son importantes estas contribuciones? ¿Qué opinas tú?

ACTIVIDAD 11   Entrevista: ¿El inglés o la lengua materna?

En varios estados de los Estados Unidos se han promulgado leyes declarando el inglés como lengua oficial. Hágale preguntas a su compañero/a acerca de los siguientes aspectos de la inmigración y el uso del inglés.

1. ¿Habla más de una lengua tu familia? ¿y tus abuelos? ¿cuál? ¿Qué beneficios hay en poder hablar más de una lengua?
2. Si tuvieras que emigrar a otro país en el cual no se hablara el inglés, ¿aprenderías el nuevo idioma? ¿Hablarías solamente ese idioma o hablarías inglés con tu familia y con tus amigos íntimos?
3. En tu opinión, ¿se debe enseñar a los niños pequeños en su lengua materna o en la lengua de la mayoría? ¿Por qué?
4. Si se ofreciera la educación bilingüe en una escuela cercana, ¿inscribirías allí a tus hijos, o preferirías mandarlos a una escuela donde la enseñanza fuera solamente en inglés? ¿Por qué?
5. ¿Crees que cada país debe tener un solo idioma oficial? ¿Por qué? Explica.

ACTIVIDAD 12   Entrevista: Las drogas

1. ¿Dónde se producen las drogas? ¿Quiénes las producen (las cultivan)? ¿Por qué?
2. ¿Por qué se prohibe o se restringe el uso de ciertas drogas? ¿Crees que deba legalizarse todo tipo de drogas? ¿Crees que la guerra contra las drogas reduce el narcotráfico?
3. ¿Para qué se usan las drogas? ¿Son drogas el alcohol, la nicotina y la cafeína? Describe los peligros de las drogas legales e ilegales.
4. ¿Crees que el problema de la drogadicción ha llegado a un punto crítico en nuestra sociedad? ¿Por qué? ¿A qué se puede atribuir este problema?
5. ¿Crees que los estados deberían tener el derecho de legalizar la marihuana para usos medicinales? ¿Por qué?

✳ El futuro y la tecnología: Posibilidades y consecuencias

Lea Gramática 15.5–15.6.

¿Qué haría Luis Ventura si ganara $1.000.000 en la lotería?

Le daría una parte del dinero a su abuela.

Se compraría una computadora, una impresora con fax y un teléfono celular nuevos.

Lic. Luis Ventura Rubalcava

Egresado de la Universidad de Texas, San Antonio

Importación y Exportación

Estados Unidos, América Latina y España

Tel. (936) 588-4488
FAX (936) 588-4441   lventurar@lvr.com

Establecería su propio negocio de importación y exportación.

Haría muchos viajes a Europa y América Latina.

Saldría a cenar con más frecuencia.

Tomaría vacaciones más a menudo.

ACTIVIDAD 13   Preferencias: Las decisiones

¿Qué haría usted en las siguientes situaciones?

1. Si no fuera estudiante,...
  a. trabajaría en el mismo lugar donde trabajo ahora.
  b. estaría mucho más contento/a.
  c. buscaría otro empleo.
  d. ¿ ?

2. Si me enamorara de una persona casada...
  a. (no) continuaría las relaciones.
  b. hablaría con un(a) consejero/a (pastor, cura).
  c. la obligaría a divorciarse para casarnos.
  d. ¿ ?

3. Si pudiera hablar con cualquier persona (viva o muerta) del mundo,...

    a. hablaría con el presidente de _____.

    b. hablaría con _____, la famosa estrella de cine.

    c. hablaría con _____, el/la mejor atleta del mundo.

    d. ¿ ?

4. Si tuviera sólo un año de vida,...

    a. viajaría por todo el mundo.

    b. lo pasaría con mis seres queridos.

    c. no cambiaría nada.

    d. ¿ ?

▶ **Y TÚ, ¿QUÉ DICES?**

Yo no, yo...	¡Qué buena idea!
¿De veras?	Sería interesante.
¡Yo también!	(No) Estoy de acuerdo.
¿Por qué?	Yo tampoco.

ACTIVIDAD 14   Encuesta: Las posibilidades del futuro

Haga la siguiente encuesta como proyecto de clase. Responda usando las siguientes letras: **D** = definitivamente; **TV** = tal vez; **N** = nunca.

1. Si no pudieras conseguir trabajo en el estado donde vives,...

    _____ ¿te mudarías a otro estado?

    _____ ¿emigrarías a otro país?

    _____ ¿llevarías a tu familia a otro estado u otro país?

2. Si subiera mucho el precio de la gasolina,...

    _____ ¿comprarías un coche eléctrico?

    _____ ¿usarías el transporte público?

    _____ ¿caminarías o montarías bicicleta?

3. Si hubiera en la Tierra menos producción de alimentos y más contaminación ambiental,...

    _____ ¿te harías vegetariano?

    _____ ¿comerías insectos?

    _____ ¿vivirías en una colonia espacial?

4. Si fuera necesario,...

    _____ ¿compartirías tu vivienda con otra familia?

    _____ ¿compartirías tu vivienda con tus padres?

    _____ ¿vivirías en una comuna?

5. Si hubiera escasez de electricidad,...

    _____ ¿montarías paneles solares en el techo de tu casa?

    _____ ¿no verías la televisión ni escucharías música?

    _____ ¿no usarías la computadora?

ACTIVIDAD 15   Narración: ¡Cómo cambiaría la vida de los Ruiz!

¿Qué harían los Ruiz si ganaran el premio gordo de la lotería?

ACTIVIDAD 16   Encuesta: La tecnología y los niños

Imagínese que usted es reportero/a del periódico de la universidad. Entreviste a cuatro compañeros de clase. Escriba sus respuestas y prepárese para compartir los resultados con toda la clase.

1. ¿Crees que los niños de hoy en día pasan demasiado tiempo, el tiempo apropiado o no suficiente tiempo jugando con la computadora?
2. ¿Le comprarías (compras) programas de computadora o juegos electrónicos a tu hijo/a (nieto/a, sobrino/a) menor de diez años?
3. ¿Qué ventajas tiene la tecnología para los niños de hoy? ¿Hay desventajas también? ¿Cuáles son?
4. ¿Es muy importante, algo importante o poco importante que los niños sepan usar la computadora?
5. ¿Qué actividades harán los niños del futuro por medio de la computadora?

De viaje por el ciberespacio

Los escritores de ciencia ficción tratan de imaginarse el futuro: la evolución de la especie humana y la tecnología que existirá. Varios autores de épocas pasadas nos han presentado este mundo de hoy, en el que las computadoras son inseparables del ser humano. Por ejemplo, Arthur C. Clarke imaginó en *2001: A Space Odyssey* una computadora llamada HAL que controla y destruye a los seres humanos. Pero, como tantos escritores, Clarke no pudo imaginar los aspectos positivos de nuestra tecnología en el siglo XXI: para nosotros la computadora no es un monstruo controlador, sino un instrumento a nuestro servicio.

VOCABULARIO ÚTIL	
la infopista	*information highway*
la red	*the Net*
el pinchazo	*click*
el ratón	*mouse*
descargar	*download*
la sala de charla	*chat room*
la buzonofia	*spam*

La computadora se ha incorporado totalmente a la vida de millones de personas. Si a usted le gusta pasear por las infopistas del Internet, entonces sabe que la Red le ofrece numerosas opciones. Uno puede mandar mensajes por correo electrónico y visitar páginas y sitios de Internet. Además, con un pinchazo de su ratón es fácil descargar información necesaria o interesante, y también hacer sus compras. Si entra en una sala de charla, puede conversar con otros usuarios en tiempo real. Es cierto que hay problemas: *hardware* que no funciona, *software* infectado por un virus, inundación de ofertas publicitarias o buzonofia. También tenemos el problema de la adicción al *e-mail*. Hay gente que depende por completo del correo electrónico para comunicarse con los demás.

A pesar de estos problemas seguimos en línea, viajando por el ciberespacio. ¿De qué sirve ser un dinosaurio? El ciberespacio nos descubre una realidad interesante y rica. Hay que andar con cuidado en esa realidad; aprender a viajar sin accidentes. La clave es no pasar demasiado tiempo con la computadora, porque afuera nos espera un mundo real y emocionante.

Ahora... ¡ustedes!

¿Para qué usas la computadora? ¿Es necesaria en tus clases? ¿en tu trabajo? ¿Usas mucho el correo electrónico? ¿Lo prefieres al correo «caracol» tradicional? ¿Por qué?

ACTIVIDAD 17   **Del mundo hispano: Navegando por Internet**

En la siguiente tabla aparece una serie de palabras clave para buscar sitios Web. Busque algunos de estos sitios. Traiga información y las direcciones de los sitios que le parezcan más interesantes para compartirlas con la clase. **Sugerencia:** Use un buscador como *Google* y especifique que quiere ver sólo páginas en español.

PARA NAVEGAR EL INTERNET EN ESPAÑOL RECOMENDAMOS...

CINE, ETC.	COMIDA	ESCUELAS	DEPORTES	MUSEOS	VIAJES
Buscacine	Empanadas de carne, Argentina	Ideal Cuernavaca, México	Kayak Patagonia/ Kayak Costa Brava	Museo del Prado	Aerolíneas argentinas
Cine Company	Empanadas de papa, Chile	ICAI, Costa Rica	Buceo Isla Margarita	Museo Guggenheim	Aeroméxico
Ciudad futura	Pupusas, El Salvador	ILEE, Argentina	Trekking los Andes	Museo Nacional de Antropología	Aeroperú
Qué ponen	Tapas, España	Sampere, Ecuador	Surf Perú/Surf Costa Rica	Museo Virtual de Arte	Iberia (España)
La música	Antojitos, México	Sampere, España	Esquí Chile/ Esquí Argentina	Museo del Oro	TACA (Centroamérica)
Mundolatino	Sancocho, Puerto Rico	Nerja, España	Ala Delta Chile/ Ala Delta Colombia	Museo Virtual Diego Rivera	LanChile

Ahora, hágale estas preguntas sobre las computadoras y los sitios Web a su compañero/a.

1. ¿Tienes computadora? ¿Para qué la usas? ¿Cuántas horas al día pasas navegando por Internet?
2. ¿Usas mucho el correo electrónico? ¿Lo usas para comunicarte con tus colegas en el trabajo o para comunicarte con la familia y los amigos? ¿Por qué?
3. ¿Dependes de las computadoras para tu trabajo? Si fuera posible, ¿te gustaría trabajar usando la computadora en tu hogar y no tener que ir al trabajo? Explica.
4. Si fuera necesario, ¿podrías vivir sin computadora? ¿sin televisor? ¿sin horno de microondas? ¿sin teléfono celular? Explica por qué.

5. ¿Tienes tu propia página Web? ¿Qué pones allí? ¿Es fácil mantenerla al corriente?
6. ¿Cuáles son tus sitios preferidos? Y de los sitios que se mencionan en la tabla **Para navegar el Internet...** , ¿cuáles te gustan? ¿Por qué?
7. En general, ¿ha mejorado o empeorado la condición humana la computadora? Menciona tres beneficios que esta invención ha aportado a la vida moderna. ¿Hay algunas desventajas también? ¿Cuáles son?

En resumen

Diccionario cibernético

attachment	archivo adjunto
backup	copia de respaldo
browser	navegador
bug	error, gazapo
chat	chatear; chateo
cookie	espía
file	archivo
firewall	cortafuegos
folder	carpeta
hacker	pirata
homepage	portada
icon	icono
information highway	infopista
junk mail	correo basura
mail server	servidor de correo
online	en línea
password	contraseña
software	programas, software
spam	buzonofia
upload	cargar, subir
username	nombre del usuario
worm	gusano

Fuente: R.F. Calvo, Copyright **www.bdat.com**

De todo un poco

A. Definiciones

Use el **Diccionario cibernético** si necesita ayuda para rellenar los espacios de las definiciones que aparecen a continuación.

1. _____ propaganda masiva que nos llega al buzón de casa o al buzón electrónico
2. _____ un documento que se envía por correo electrónico, pero no en el mensaje mismo
3. _____ anglicismo (palabra del inglés) que quiere decir conversar por medios electrónicos
4. _____ algo que protege nuestra computadora de los virus
5. _____ pequeño programa que se mete dentro de nuestro sistema para espiar
6. _____ lo que necesitamos para ver una página de Internet
7. _____ el nombre que escribimos para entrar en nuestro buzón electrónico
8. _____ algo más que tenemos que escribir para tener acceso a nuestro correo electrónico
9. _____ lugar donde se ponen los archivos
10. _____ bombardeo publicitario; propaganda que se envía a muchos usuarios que no la desean

B. Las computadoras

Trabajen en grupos de cuatro personas para determinar el perfil del usuario norteamericano típico. Cada miembro del grupo debe hacerle estas preguntas a cinco personas —familiares o amigos— y traer las respuestas a clase para compartirlas.

1. ¿Crees que las computadoras nos ahorran mucho tiempo o, por el contrario, nos quitan tiempo?
2. ¿Con qué frecuencia escoges quedarte en casa jugando o trabajando con la computadora en vez de salir con un amigo o visitar a un familiar?

3. ¿Para qué usas más la computadora? ¿para tus estudios? ¿para cuestiones del trabajo solamente? ¿para comunicarte con la familia y los amigos? ¿para jugar?

4. ¿Les envías chistes y una variedad de información por correo electrónico a tus amigos y parientes? En una semana, ¿cuántos mensajes de este tipo les envías más o menos?

5. ¿Usas la computadora para leer el periódico? ¿Qué secciones de los periódicos electrónicos prefieres? ¿la política internacional? ¿la política nacional? ¿los deportes? ¿el clima?

¡Dígalo por escrito!

¡Sus predicciones, por favor!

Imagínese que usted es una persona muy famosa y la cadena de televisión Telemundo le pide que haga predicciones para el año 2020. Escoja cuatro o cinco puntos de la guía que aparece a continuación para preparar sus predicciones.

- ¿Habrá otra guerra mundial? ¿Por qué? ¿Entre qué países?
- ¿Existirán todavía los alimentos transgénicos? ¿Serán muy comunes o tendremos problemas con ellos?
- ¿Cómo será el transporte público? ¿y el transporte aéreo?
- ¿Podrán los científicos crear seres humanos en el laboratorio?
- ¿Tomaremos vacaciones en el espacio o en otro planeta?
- ¿Qué podrán hacer los médicos entonces? ¿Qué enfermedades (ya no) habrá?
- ¿Cuántas horas al día tendremos que trabajar?
- ¿Tiene otras ideas? ¡Inclúyalas!

¡Cuéntenos usted!

Háblenos sobre la cuestión social que más le preocupa a usted y díganos por qué. Díganos lo que usted cree que debemos hacer para remediar este problema o situación.

 ### Conexión a la comunidad

Averigüe si hay un asilo para ancianos en su ciudad o condado. Ofrézcase para enseñarles destrezas computacionales a los asilados de habla hispana.

VOCABULARIO ÚTIL

el fraile	*friar, monk*
fray	*friar (used only before names)*
lo había apresado	*had trapped him*
el celo	*fervor, passion*
redentora	*redeeming*
rodeado	*surrounded*
rostro	*face*
impasible	*expressionless*
el lecho	*bed, deathbed*
el dominio	*command*
valerse	*to make use of*
engañar	*to fool*
se oscurezca	*darken*
el consejo	*council*
chorreaba	*spurted*
previsto	*foreseen*

LECTURA «El eclipse», por Augusto Monterroso (Guatemala, 1921–2003)

Cuando fray Bartolomé Arrazola se sintió perdido, aceptó que ya nada podría salvarlo. La selva poderosa de Guatemala lo había apresado, implacable y definitiva. Ante su ignorancia topográfica se sentó con tranquilidad a esperar la muerte. Quiso morir allí sin ninguna esperanza, aislado, con el pensamiento fijo en la España distante, particularmente en el convento de Los Abrojos donde Carlos Quinto[1] condescendiera una vez a bajar de su eminencia para decirle que confiaba en el celo religioso de su labor redentora.

Al despertar se encontró rodeado por un grupo de indígenas de rostro impasible que se disponían a sacrificarlo ante un altar, un altar que a Bartolomé le pareció como el lecho en que descansaría, al fin, de sus temores, de su destino, de sí mismo.

Tres años en el país le habían conferido un mediano dominio de las lenguas nativas. Intentó algo. Dijo algunas palabras que fueron comprendidas.

Entonces floreció en él una idea que tuvo por digna de su talento y de su cultura universal y de su arduo conocimiento de Aristóteles.[2] Recordó que para ese día se esperaba un eclipse total de sol. Y dispuso, en lo más íntimo, valerse de aquel conocimiento para engañar a sus opresores y salvar la vida.

—Si me matáis —les dijo— puedo hacer que el sol se oscurezca en su altura.

Los indígenas lo miraron fijamente y fray Bartolomé sorprendió la incredulidad en sus ojos. Vio que se produjo un pequeño consejo y esperó confiado, no sin cierto desdén.

Dos horas después el corazón de fray Bartolomé Arrazola chorreaba su sangre vehemente sobre la piedra de los sacrificios (brillante bajo la opaca luz de un sol eclipsado), mientras uno de los indígenas recitaba sin ninguna inflexión de voz, sin prisa, una por una, las infinitas fechas en que se producirían eclipses solares y lunares, que los astrónomos de la comunidad maya habían previsto y anotado en sus códices sin la valiosa ayuda de Aristóteles.

[1] El emperador romano Carlos V (1500–1558) heredó un vasto imperio en Europa, el cual incluía el reinado español. Fue rey de España entre 1516 y 1556.

[2] Gran filósofo griego nacido en 384 a.C. Aristóteles escribió sobre una variedad de temas y campos de estudio: literatura, arte, ciencia, historia y filosofía, entre otros.

Comprensión

A. Complete cada oración con frases de la lista que aparece a la derecha.

1. Los indígenas ya tenían conocimiento…
2. Cuando fray Bartolomé se sentó a esperar la muerte…
3. El fraile les dijo a los indígenas…
4. Después de vivir tres años en Guatemala…
5. Fray Bartolomé quiso salvarse la vida…

a. que el eclipse iba a ocurrir en dos horas.
b. pensó en su país y en el convento donde el rey habló con él.
c. que podía predecir un eclipse de sol.
d. de cuándo ocurrirían todos los eclipses solares.
e. el fraile podía hablar un poco el idioma de los mayas.
f. por medio de un engaño.

B. Responda brevemente.

1. ¿Cuál es la cultura indígena que se describe en «El eclipse»? ¿Qué sabe usted de esta cultura?
2. ¿Qué idea se le ocurrió a fray Bartolomé para salvar su vida?
3. ¿Qué recita uno de los indígenas al final? ¿Por qué es tan importante esta recitación?
4. ¿Cuál es el mensaje o moraleja de «El eclipse»? ¿Piensa usted que es un mensaje valioso?

Un paso más… ¡a conversar!

¿Ha leído un cuento o una novela sobre el encuentro entre dos culturas o dos personas muy diferentes? Narre esa historia brevemente. ¿Tiene una moraleja o un mensaje?

LECTURA «El monopolio de la moda», por Luis Britto García (Venezuela, 1940)

Ahora reposa y siéntate. Dentro de un instante entrará un vendedor a explicarte que tu televisor está pasado de moda y que debes comprar un nuevo modelo. En pocos minutos **convendrás** con él las condiciones del crédito, lograrás que te acepten el viejo modelo en el diez por ciento del precio y te dirás que en verdad una mañana de uso ya es suficiente. Al encender el nuevo aparato lo primero que notarás será que las modas del mediodía **han cedido el paso** a las modas de las dos de la tarde y que una tempestad de insultos te espera si sales a la calle con tus viejas corbatas de la una y veinticinco. Así atrapado, debes llamar por teléfono a la tienda para arreglar el nuevo crédito, **a cuyos efectos** intentarás dar en garantía el automóvil. El computador de la tienda registrará que el modelo es del día pasado y por lo tanto inaceptable. Lo mejor que puedes hacer es llamar al **concesionario** y preguntarle sobre los nuevos modelos de esta mañana. El concesionario

VOCABULARIO ÚTIL	
convendrás	you will arrange
han cedido el paso	have given way
a cuyos efectos	for this purpose
el concesionario	car dealer
sobregirado	overdrawn
el mobiliario	household goods
elijas	choose
inhóspito	unwelcoming
sombrío	somber, dark
te arranques	tear up
incineres	incinerate, burn up
las cenizas	ashes
fluye	flows
el pavor	terror, panic
el cobrador	collector
babosos	slimy
comprometido	committed
los deudores	indebted persons

te preguntará qué haces llamándolo por ese teléfono de modelo anticuado, y le dirás es cierto, pero ya desde hace media hora estás sobregirado y no puedes cambiar de mobiliario. No hay más remedio que llamar al Departamento de Crédito, el cual accederá a recibir el viejo modelo por el uno por ciento de su precio a condición de que constituyas la garantía sobre los mobiliarios nuevos de las dos de la tarde para así recibir el modelo que elijas, de las diez, de las once, de las doce, de la una, de las dos y aun de las tres y media, éste el más a la moda pero desde luego al doble del precio aunque la inversión bien lo vale. Calculas que eso te da tiempo para llamar a que vengan a cambiar el congelador y la nevera, pero otra vez el maldito teléfono anticuado no funciona y minuto tras minuto el cuarto se va haciendo inhóspito y sombrío. Adivinas que ello se debe al indetenible cambio de los estilos y el pánico te irá ganando, e inútil será que en una prisa frenética te arranques la vieja corbata e incineres los viejos trajes y los viejos muebles de ayer y las viejas cosas de hace una hora, aún de sus cenizas fluye su irremediable obsolencia, el líquido pavor del que sólo escaparás cuando, a las cuatro, lleguen tu mujer y tus hijos cargados con los nuevos trajes y los nuevos juguetes, y tras ellos el nuevo vestuario y el nuevo automóvil y el nuevo teléfono y los nuevos muebles y el nuevo televisor y la nueva cocina, garantizados todos hasta las cinco, y el nuevo cobrador de ojos babosos que penetra sinuosamente en el apartamento, rompe tu tarjeta de crédito y te notifica que tienes comprometido tu sueldo de cien años, y que ahora pasas a los trabajos forzados perpetuos que corresponden a los deudores en los sótanos del Monopolio de la Moda.

Comprensión

A. Ponga en el orden correcto los siguientes sucesos, según el cuento.

_____ Un cobrador rompe la tarjeta de crédito del personaje.
_____ Llegan su esposa y sus hijos.
_____ El personaje conversa con un vendedor.
_____ Llama al Departamento de Crédito.
_____ Se arranca la corbata e incinera sus muebles.

B. Responda brevemente.

1. ¿Quién es la persona que dice «reposa y siéntate» en el cuento?
2. ¿Por qué siente pánico el personaje?
3. ¿Qué problemas tiene con su teléfono?
4. Describa la situación en que se encuentra el personaje.
5. ¿Por qué termina en los «sótanos del Monopolio de la Moda»?

Un paso más... ¡a conversar!

1. ¿Le gusta ir de compras? ¿Cuáles son los productos que más le gusta comprar? ¿Piensa usted que compramos muchos productos por la influencia de los anuncios comerciales?

2. ¿Cree que dependemos demasiado de las tarjetas de crédito en nuestra sociedad? ¿Usa usted mucho sus tarjetas? ¿Cuál es el riesgo en usar demasiado una tarjeta de crédito?

3. ¿Es importante para usted estar a la moda? ¿Sigue los estilos populares o prefiere tener su propio estilo? ¿Es difícil en nuestra sociedad tener una imagen personal diferente? ¿Por qué? ¿Cree usted que de verdad existe un «monopolio de la moda»?

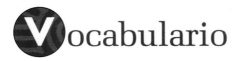

Vocabulario

• **Los sustantivos**	Nouns
el analfabetismo	illiteracy
el buscador	search engine
el camión	truck
la campaña de alfabetización	literacy campaign
el contagio	contagion
la costumbre	custom, habit
la cuestión	issue
los derechos	rights
el desarrollo	development
la empresa	company, firm
la enseñanza	teaching
el estado	state
la felicidad	happiness
los fondos	funds
la fuente de energía	energy source
la guardería infantil	childcare center
la guerra	war
la lengua materna	mother tongue, first language
la ley	law
la maquiladora	*large factory located in developing country to take advantage of lower wages*
la mayoría	majority
la meta	goal
el negocio	business
el nivel	level

el orfanato	orphanage
la pandilla	gang
la paz	peace
la pobreza	poverty
el porvenir	future
el prejuicio	prejudice
el premio (gordo)	(grand) prize
el presupuesto	budget
la propiedad	property
el resultado	result
la (sobre)población	(over)population
la tasa de desempleo	rate of unemployment
el término	term
el título	degree; title
el título de propiedad	property deed
la vivienda	housing

PALABRAS SEMEJANTES: el aborto, el abuso, el acceso, la actitud, el alcohol, el argumento, el armamento, las armas, el arsenal, el ataque, el beneficio, la cafeína, la colonia espacial, la comuna, el costo, el crimen, la crisis, la decisión, la defensa, la dificultad, la discriminación, la discusión, la drogadicción, la educación (sexual), la importación, la institución, la invención, la lotería, la medicina, el narcotráfico, la nicotina, la opción, el panel solar, la prioridad, la privatización, el reactor nuclear, la reducción, las reservas, la satisfacción, la seguridad, la tecnología, el terrorismo, el/la terrorista

• Las personas — People

el adivino / la adivina	fortune teller
el anciano / la anciana	elderly person
el campesino / la campesina	peasant; field worker
el consejero / la consejera	counselor
el desamparado / la desamparada	homeless person
el jefe / la jefa	boss
el ser humano	human being

PALABRAS SEMEJANTES: el/la colega, el drogadicto / la drogadicta, el/la inmigrante, el político, el reportero / la reportera

• Las opiniones — Opinions

(no) creer que	to (not) believe that
(no) dudar que	to (not) doubt that
es dudoso que	it is doubtful that
esperar que	to hope that
qué bueno que	how great that
qué lástima que	it's too bad that

PALABRAS SEMEJANTES: (no) es (im)posible que

• Las condiciones — Conditions

a menos que	unless
antes de que	before
con tal (de) que	as long as
de manera/modo que	so that, in a way that
después de que	after
en cuanto	as soon as
hasta que	until
para que	in order that
sin que	without
tan pronto como	as soon as

• Los verbos — Verbs

acabar	to finish, put an end to
alcanzar	to reach
aportar	to contribute
aprobar	to approve
asegurar	to assure
aumentar	to increase
chismear (cotillear)	to gossip
conseguir (i, i)	to obtain, to get
construir	to build
cuidarse	to take care of oneself
dañar	to damage
destruir	to destroy
empeorar	to worsen
enfrentarse con	to confront
ganarse la vida	to earn one's living
gozar de	to enjoy
implicar	to imply
inscribir(se)	to enroll (oneself)
irse	to go away, leave
jubilarse	to retire
lograr	to obtain, achieve
mudarse	to move (to another house)
nacer	to be born
promulgar	to enact, proclaim
proporcionar	to provide
proteger(se)	to protect (onself)
realizar su sueño	to realize/fulfill one's dream
tener relaciones	to engage in sexual relations
tratarse de	to be about

PALABRAS SEMEJANTES: atribuir, caracterizar, continuar, declarar, depender de, emigrar, iniciar, legalizar, limitar, obligar, seleccionar, traficar, utilizar

• Los adjetivos — Adjectives

actual	current
cierto/a	certain
clave	key; important
desempleado/a	unemployed
eficaz	efficient
igual	equal
mundial	world (*adjective*)
orgulloso/a	proud
preconcebido/a	preconceived
universitario/a	university (*adjective*)

PALABRAS SEMEJANTES: crítico/a, desordenado/a, distinto/a, federal, histérico/a, ilegal, justo/a, legal, lícito/a, nacional, oficial, potable, puro/a, racial, reducido/a, suficiente, vegetariano/a, venéreo/a, vulnerable

• Adverbios — Adverbs

actualmente	currently, nowadays
definitivamente	definitely

• Palabras y expresiones útiles — Useful Words and Expressions

al corriente	up to date
dentro de (+ *time*)	within, in (+ *time*)
en vías de desarrollo	developing; in the process of developing
hoy en día	nowadays
por medio de	through, by means of
tal vez	perhaps
todo el mundo	everyone
ya no	no longer

Gramática y ejercicios

15.1 Talking about the Future: The Future Tense

A. The future tense is formed by adding these endings to the infinitive:
-é, -ás, -á, -emos, -éis, and **-án.***

FUTURE		
(yo)	jugar**é**	*I will play*
(tú)	terminar**ás**	*you (inf. sing.) will finish*
(usted, él/ella)	escribir**á**	*you (pol. sing.) will write; he/she will write*
(nosotros/as)	lavar**emos**	*we will wash*
(vosotros/as)	comer**éis**	*you (inf. pl., Spain) will eat*
(ustedes, ellos/as)	dormir**án**	*you (pl.) will sleep; they will sleep*

> **¿RECUERDA?**
>
> In **Gramática 2.1** you learned to use the construction **ir a** + infinitive to express the "informal future."
>
> **Esta tarde voy a estudiar.**
>
> Spanish also has a future tense, with its own special set of endings. It is generally used to talk about long-term or important future events.

Me jubilaré en dos años.   *I will retire in two years.*
Los políticos nunca **cumplirán**   *The politicians will never carry*
   con lo que prometen.   *out what they promise.*

B. A few verbs have irregular stems to which the future-tense endings are attached.

caber	→	cabré	poner	→	pondré	decir	→ diré
haber	→	habré	salir	→	saldré	hacer	→ haré
poder	→	podré	tener	→	tendré		
querer	→	querré	valer	→	valdré		
saber	→	sabré	venir	→	vendré		

> future = infinitive +
> -é
> -ás
> -á
> -emos
> -éis
> -án

Mi hermana dice que **podrá**   *My sister says that she will be*
   casarse cuando encuentre al   *able to get married when she*
   hombre perfecto.   *finds the perfect man.*

C. For statements about future events, the **ir + a +** infinitive construction is more frequently used in conversation than are the future-tense verb forms.

Mañana **vamos a escuchar** el   *Tomorrow we are going to listen*
   noticiero de las 6:00.   *to the 6:00 news.*

When there is doubt or speculation, however, especially in questions, the future tense is common. This is called the "future of probability."

¿A qué hora **llegarán**?   *What time do you think they'll*
                                          arrive? (I wonder what time
                                          they'll get here.)

---

*Recognition: **vos hablarás**

The future of probability may also refer to present conditions.

¿Qué **estarán haciendo** ahora?	*What do you think they are doing now? (I wonder what they're doing now.)*
¿Qué hora **será**? ¿**Serán** ya las 7:00?	*What time do you think it is? (I wonder what time it is.) Do you think it's already 7:00?*

EJERCICIO 1

¿Qué pasará durante los próximos quince años?

SÍ   NO

MODELO: La profesora Martínez *se jubilará* y *viajará* a Sudamérica. (jubilarse/viajar)   ☐   ☐

1. (Yo) _____ y _____ dos hijos. (casarse/tener)   ☐   ☐
2. Mi mejor amigo/a y yo _____ e _____ a Europa. (graduarse/ir)   ☐   ☐
3. Mis padres _____ y _____ en una isla tropical. (mudarse/vivir)   ☐   ☐
4. Mis compañeros de clase y yo _____ nuestras metas y _____ en la universidad en el año 2020. (lograr/reunirse)   ☐   ☐
5. El presidente _____ a cenar en mi casa y me _____ que le gustan mis ideas. (venir/decir)   ☐   ☐

15.2 Talking about *when*: The Subjunctive in Time Clauses

GRAMÁTICA ILUSTRADA _____

Tan pronto como volvamos a casa, nos acostaremos.

Después de que Amanda y Graciela **terminen** la tarea, irán al cine.

A. As you know, Spanish requires subjunctive verb forms in time clauses whenever the time expressed is in the future (see **Gramática 11.3**). Present indicative forms are used to express habitual activities. (The word **siempre** often indicates a habitual activity, and therefore the indicative is used.)

Voy a ver las noticias cuando **termine** mi trabajo.	*I am going to watch the news when I finish my work.*
Yo siempre veo las noticias cuando **termino** mi trabajo.	*I always watch the news when I finish my work.*

B. Although **cuando** is the most common word used to introduce time clauses, similar conjunctions are **hasta que** (*until*), **después de que** (*after*), **tan pronto como** (*as soon as*), and **en cuanto** (*as soon as*).

La madre estará nerviosa **hasta que** su hijo **llegue** de la escuela.	*The mother will be nervous until her son arrives home from school.*
La madre siempre está nerviosa **hasta que** su hijo **llega** de la escuela.	*The mother is always nervous until her son arrives home from school.*

> The subjunctive is used in clauses that begin with **cuando, hasta que, después de que, tan pronto como,** and **en cuanto** when they refer to the future. **Antes de que** is *always* followed by the subjunctive.

C. The conjunction **antes de que** (*before*) is always followed by subjunctive verb forms, even when the activity described is habitual.

Voy a comprar un carro **antes de que suban** los precios.	*I'm going to buy a car before the prices go up.*
Cada mañana doy un paseo **antes de que** los niños **se despierten.**	*Every morning I take a walk before the children wake up.*

EJERCICIO 2

¿Indicativo o subjuntivo? Siga el modelo.

MODELO: Algunos periodistas dicen que el presidente va a jubilarse cuando (cumple/<u>cumpla</u>) 65 años.

1. Toda mi familia va a dar una gran fiesta después de que (yo) me (gradúo/gradúe).
2. Estaremos muy contentos cuando no (hay/haya) más contaminación ambiental.
3. Raúl, ¿siempre hablas con tus abuelos cuando (tienes/tengas) tiempo libre?
4. Mis padrinos siempre preguntan por mí en cuanto (ven/vean) a mis padres.
5. Estaré dispuesto a ayudarte con la tarea esta tarde tan pronto como (llegas/llegues) a mi casa.
6. Voy a arreglar la casa antes de que (vienen/vengan) mis suegros.
7. Los empleados trabajarán hasta que (alcanzan/alcancen) las metas del jefe.
8. Mis primos siempre se pelean hasta que (vuelven/vuelvan) mis tíos del trabajo.
9. La profesora tiene que explicarnos la tarea antes de que (salimos/salgamos) del salón de clase.
10. Después de que me (saludan/saluden), mis tías siempre me invitan a comer.

15.3 Adding Details and Expressing *why* and *how:* More Uses of the Subjunctive

A. Adjective Clauses

1. Adjective clauses modify nouns, just as adjectives do. In English, adjective clauses usually begin with *that, which*, or *who.*

   Give me the name of a country that welcomes immigrants in an era of economic decline.
   The Spanish Civil War, which was fought in the 1930s, resulted in the loss of political freedom for the Spaniards.
   This is the senator who proposed to negotiate a peaceful solution.

   In Spanish, adjective clauses normally begin with the conjunction **que**, whether they refer to things or to people.

Señor Presidente, aquí está el grupo pro inmigrantes **que** viene a protestar contra la nueva ley.	*Mr. President, this is the pro-immigrant group that is here to protest against the new law.*
Benito Juárez fue el presidente mexicano **que** se opuso a la ocupación francesa.	*Benito Juárez was the Mexican president who opposed the French occupation.*

2. When an adjective clause is preceded by a preposition (**a, de, con, para**) and modifies a person, **quien** (not **que**) follows the preposition.

> Preposition + **que** becomes preposition + **quien** when referring to a person.

Aquí tienen ustedes un cuento escrito por el famoso escritor chicano de **quien** les hablé en la clase pasada.	*Here you have a short story written by the famous Chicano writer about whom I spoke to you in the last class.*

3. If the person, place, or thing the adjective clause modifies is unknown to the speaker, the verb in the adjective clause must be subjunctive.

> If the person or thing is unknown or nonexistent, the verb in the adjective clause is in the subjunctive.

Pedro compró **un libro** que **contiene** información sobre la diversidad cultural en México.	*Pedro bought a book that contains information about cultural diversity in Mexico.*
Pedro busca **un libro** que **contenga** buenos consejos para convivir con gente de otras culturas.	*Pedro is looking for a book that contains good advice about how to live peacefully with people from other cultures.*

The subjunctive is also used in adjective clauses if the person, place, or thing modified is nonexistent.

Hay varias regiones que **producen** grandes cantidades de café.	*There are several regions that produce large quantities of coffee.*
No hay ninguna región que **produzca** tanto café como ésta.	*There is no region that produces as much coffee as this one (does).*

B. Adverbial and Nominal Expressions

Following are some common adverbial and nominal expressions containing subjunctive verb forms, used when the speaker is in doubt about the wishes of the person being addressed.

Como usted quiera / tú quieras.	*However you want.*
Cuando usted diga / tú digas.	*Whenever you say.*
Donde usted quiera / tú quieras.	*Wherever you want.*
Lo que usted diga / tú digas.	*Whatever you say.*

—¿Cómo lo vamos a hacer?	—*How are we going to do it?*
—**Como tú quieras.**	—*However you want.*
—¿Cuándo nos vamos?	—*When are we leaving?*
—**Cuando usted quiera.**	—*Whenever you want.*
—¿Adónde vamos mañana?	—*Where are we going tomorrow?*
—**Adonde tú digas.**	—*Wherever you say.*
—¿Qué vamos a hacer ahora?	—*What are we going to do now?*
—**Lo que usted diga.**	—*Whatever you say.*

These expressions contain indicative verb forms if what is expressed in the second clause is already known.

Lo que tú **dices** es verdad.	*What you are saying is true.*

> The subjunctive *always* follows:
> **para que...**
> **con tal (de) que...**
> **sin que...**
> **de modo que...**
> **de manera que...**

C. Purpose Clauses

Spanish requires subjunctive verb forms in purpose clauses introduced by conjunctions such as **para que** (*so that, provided that*), **sin que** (*without*), **con tal (de) que** (*provided that*), and **de modo (manera) que** (*so that*).

¡La legislatura va a aprobar la nueva ley **sin que** los ciudadanos lo **sepan**!	*The legislature is going to pass the new law without the citizens knowing it!*
Es necesario reparar ese edificio **para que** no **se caiga** durante un terremoto.	*That building needs to be repaired so that it won't fall down in an earthquake.*

EJERCICIO 3

Adriana y su futuro esposo, Víctor, están planeando su luna de miel. Escoja la forma correcta del verbo: el presente de indicativo o el presente de subjuntivo.

ADRIANA: Prefiero ir a un lugar que no _____[1] muy turístico. (es/sea)

VÍCTOR: Pero, Adriana, en agosto no hay ningún lugar que no _____[2] lleno de gente. (está/esté)

ADRIANA: Tienes razón, Víctor. También busco un lugar que _____[3] mucho para hacer, tanto de día como de noche. (ofrece/ofrezca)

VÍCTOR: Conozco varias ciudades de Europa que _____[4] muchas diversiones. (tienen/tengan)

ADRIANA: ¡Europa, sí! Quiero ir a un lugar donde se _____[5] mucha ropa elegante. (vende/venda)

VÍCTOR: Adriana, tú sabes que en París se _____[6] más ropa fina que en cualquier otra ciudad del mundo. (fabrica/fabrique)

ADRIANA: ¡Perfecto! París es una ciudad donde _____[7] mucha actividad cultural, además de tiendas elegantes. (hay/haya)

VÍCTOR: Pues Adriana, ¿por qué no hacemos una gira por Europa?

EJERCICIO 4

Los estudiantes de la profesora Martínez expresan sus opiniones. Escoja entre el presente del indicativo y el presente de subjuntivo.

1. Es necesario construir más apartamentos para que _____ suficientes viviendas para todos. (hay/haya)
2. No podemos seguir usando tanta gasolina porque _____ la contaminación ambiental en nuestra ciudad. (aumenta/aumente)
3. Va a haber más crímenes violentos si no se _____ portar armas de fuego. (prohíbe/prohíba)
4. Voy a escribirle una carta al gobernador para que _____ a resolver el problema de las drogas en nuestro estado. (ayuda/ayude)
5. Seguirá el problema de la escasez de atención médica a menos que el gobierno _____ un plan nacional de seguro médico. (adopta/adopte)
6. Debemos controlar lo que los niños ven en la televisión porque _____ en su manera de pensar. (influye/influya)

EJERCICIO 5

Alberto y Carmen participan en una discusión en la clase de español. Están discutiendo la pena de muerte. Escoja la forma correcta entre el presente de indicativo y el presente de subjuntivo.

¡OJO!

In each sentence of **Ejercicios 4** and **5,** you must determine whether the conjunction requires the subjunctive or the indicative and choose the appropriate verb form.

¡OJO!

portar armas de fuego = *to carry firearms (weapons)*

ALBERTO: No podremos controlar la tasa de crímenes en este país a menos que se _____[1] en efecto la pena de muerte. (pone/ponga)

CARMEN: ¿Y tú crees que la pena de muerte resuelva el problema de la delincuencia? Si esperamos reducir la tasa de crímenes violentos en nuestra sociedad, tenemos que reformar nuestro sistema de educación de manera que todos _____[2] recibir instrucción escolar. (pueden/puedan)

ALBERTO: Es una propuesta excelente, y estoy de acuerdo, con tal de que ningún asesino _____[3] derecho a la libertad provisional. (tiene/tenga)

PROFA MARTÍNEZ: Creo que todos queremos cambiar la sociedad para que _____[4] menos violencia. (hay/haya)

> **¡OJO!**
>
> **tasa de crímenes** = *crime rate*
>
> **pena de muerte** = *death penalty*
>
> **libertad provisional** = *parole*

15.4 Expressing Opinions and Reactions: Indicative and Subjunctive

A. The most common way to convey opinions is by asserting an idea directly. Assertion is expressed by indicative verb forms.

> Los japoneses **son** muy trabajadores.
>
> *The Japanese are very hardworking.*

Another way to convey opinions is to report others' assertions by using verb phrases such as **decir que** (*to say that*) and a second clause. Indicative verb forms are also used in such sentences.

> Carmen **dice que** los latinoamericanos **son** optimistas.
>
> *Carmen says that Latin Americans are optimists.*

In addition, it is possible to introduce assertions of opinion with verb phrases such as **creer que** (*to believe that*), **pensar que** (*to think that*), and **es verdad (cierto, seguro, indudable) que** (*it is true,* [*certain, sure, indubitable*] *that*). The verb in the second clause of such sentences is still indicative.

> **Creo que** los inmigrantes **tienen** derecho a conservar su lengua y su cultura.
>
> *I believe immigrants have the right to keep their language and their culture.*

Here are some useful short forms of verb phrases of opinion.

Creo que sí.	*I think/believe so.*	¡Ya lo creo!	*I should think so!*
Creo que no.	*I don't think/believe so.*	¡Es cierto!	*That's true!*
No lo creo.	*I don't believe it.*		

B. To deny a statement or to cast doubt on it, use a verb phrase like **no creer que** (*not to believe that*) or **dudar que** (*to doubt that*). In such statements, use a subjunctive verb form in the second clause. (See **Gramática 11.2, 11.3,** and **14.4.**)

> **No creo que** los valores humanos **dependan de** una creencia en Dios.
>
> *I do not believe that human values are based on a belief in God.*

> To assert, use the indicative.
> To deny or cast doubt, use the subjunctive.
> **Es verdad que** muchos niños **ven** demasiada televisión.
> **Dudo que** mis hijos **vean** demasiada televisión.

Here are some verb phrases that require the use of the subjunctive in the second clause; they all express doubt or disbelief.

dudar que	*to doubt that*
no creer que	*not to believe that*
es dudoso que	*it's doubtful that*
es (im)probable que	*it's probable (unlikely) that*
es (im)posible que	*it's (im)possible that*
no es seguro que	*it's not certain that*

C. The following expressions are commonly used by Spanish speakers to react to information.

¡Qué bueno!	*How nice!*
(Eso) Es interesante.	*That's interesting.*
Me alegro.	*I'm glad.*
Estoy muy contento/a.	*I'm very happy.*
Lo siento mucho.	*I'm very sorry.*
(Eso) Me sorprende.	*That surprises me.*
¡Qué lástima!	*What a pity!*
¡Qué triste!	*How sad!*

> Expressions of reaction:
> Use indicative after
> **porque, y,** and **pero.**
> **Eso me sorprende,**
> *porque* general-
> mente él *es muy*
> simpático.
> Use subjunctive after
> **que.**
> **Me sorprende** *que* él
> *sea* tan antipático.

These expressions can stand alone or be combined into longer sentences explaining what the speaker is reacting to. The conjunctions **y, pero,** and **porque,** followed by the indicative, can be used to link the two parts of the sentence.

Estoy muy contenta **porque** mi familia **vive** en un barrio donde hay gente que habla varios idiomas distintos.	*I am very happy because my family lives in a neighborhood where there are people who speak several different languages.*
Lo siento mucho, **pero** el inglés **es** el idioma oficial de este país.	*I am very sorry, but English is the official language of this country.*

Another possibility is to join the two parts of the sentence directly with **que;** the verb in the second clause is then in the subjunctive.

Siento mucho **que tengas** esa opinión; a mí me gusta hablar con personas de otras culturas.	*I am very sorry that you have such an opinion; I like to speak with people from other cultures.*
Es una lástima que no **estemos** de acuerdo.	*It's a pity we do not agree.*

EJERCICIO 6

Aquí tiene usted algunas opiniones y afirmaciones de varias personas. Seleccione el presente del indicativo o del subjuntivo para completarlas correctamente.

MODELO: ESTELA: La economía va de mal en peor pero no creo que *sea* culpa de los inmigrantes. (es/sea)

1. PEDRO: Es verdad que _____ inmigrantes árabes y judíos en México. (hay/haya)
2. ESTELA: Dudo que _____ más inmigrantes este año. (vienen/vengan)
3. ERNESTO: Es posible que algunos inmigrantes chinos indocumentados _____ al puerto de Ensenada. (llegan/lleguen)
4. ANDREA: Pero no es probable que el gobierno les _____ quedarse. (permite/permita)
5. ESTELA: Sí, pero es dudoso que los agentes de inmigración los _____. (encuentren/encuentran)
6. PEDRO: Tienes razón. Es verdad que nuestros agentes no _____ muy eficientes. (son/sean)
7. ESTELA: Es interesante que _____ eso; ¿no es agente de inmigración tu tío? (dices/digas)
8. PEDRO: Sí, mi tío Gilito es agente de inmigración, pero él trabaja en el aeropuerto; no es probable que _____ mucho de esto. (sabe/sepa)
9. ESTELA: Ay, bueno, cambiemos de tema; me niego a pensar que no _____ hablar de algo más agradable. (podemos/ podamos)
10. ANDREA: Bien. Además, es seguro que nosotros no _____ a resolver estos problemas. (vamos/vayamos)

> **me niego a pensar** = *I refuse to believe*

EJERCICIO 7

Seleccione el presente del indicativo o del subjuntivo para completar las oraciones correctamente.

MODELO: Es interesante que algunos grupos minoritarios *quieran* conservar su lengua y su cultura y otros no. (quieren/quieran)

1. ¡Qué triste que tanta gente _____ que dejar su propio país! (tiene/tenga)
2. Me sorprende que cada día _____ menos cursos de lenguas extranjeras en las universidades. (hay/haya)
3. Me alegro de que en mi barrio todos _____ amigos. (somos/ seamos)
4. ¿Por qué? ¿_____ tus vecinos diferentes culturas? (Representan/Representen)
5. Sí, sé que allí _____ gente de cuatro culturas diferentes: mexicanos, japoneses, chinos y norteamericanos. (vive/viva)

6. Es una lástima que no _____ representadas también personas de las otras culturas. (están/estén)

7. Es verdad que no _____ a ningún iraní que viva en mi barrio. (conozco/conozca)

15.5 Expressing Hypothetical Reactions: The Conditional

A. The conditional is formed by adding these endings to the infinitive: **-ía, -ías, -ía, -íamos, -íais,** and **-ían.***

conditional =
infinitive +
- -ía
- -ías
- -ía
- -íamos
- -íais
- -ían

CONDITIONAL		
(yo)	jugar**ía**	*I would play*
(tú)	comer**ías**	*you (inf. sing.) would eat*
(usted, él/ella)	dormir**ía**	*you (pol. sing.) would sleep;*
		he/she would sleep
(nosotros/as)	tomar**íamos**	*we would drink*
(vosotros/as)	jugar**íais**	*you (inf. pl., Spain) would play*
(ustedes, ellos/as)	escribir**ían**	*you (pl.) would write; they would write*

Yo **hablaría** con su familia primero.
I would speak with her family first.

A Alicia Márquez le **gustaría** ir de luna de miel a Cancún.
Alicia Márquez would like to go to Cancún on her honeymoon.

B. The verbs that have irregular stems in the future use the same stems in the conditional.

caber	→	cabría	poner	→	pondría	decir →	diría
haber	→	habría	salir	→	saldría	hacer →	haría
poder	→	podría	tener	→	tendría		
querer	→	querría	valer	→	valdría		
saber	→	sabría	venir	→	vendría		

—¡Yo no **sabría** qué decirle!
—*I wouldn't know what to tell him!*

—Pues yo le **diría** la verdad.
—*Well, I would tell him the truth.*

¡OJO!

In some areas of the Spanish-speaking world, the conditional is used very infrequently, being replaced by the imperfect subjunctive: **Si supiera, te lo dijera.** This use is not accepted by the Real Academia or by educational establishments, but it is widespread.

EJERCICIO 8

Aquí aparecen algunas actividades que a los estudiantes de la Universidad de Texas en San Antonio les gustaría hacer en España. Escoja el verbo más lógico y dé la forma del condicional: **acostarse, caminar, comer, comprar, mandar, pasar, practicar, tomar, tratar, usar, visitar.**

*Recognition: **vos hablarías**

I. Si tuvieran mucho tiempo libre, Esteban y Carmen _____ los sitios turísticos.

2. Alberto _____ de conocer a nuevos amigos.

3. Si Nora tuviera mucho dinero, _____ zapatos españoles.

4. Pablo y Mónica _____ tapas y _____ cerveza por la tarde.

5. Todos _____ el español.

6. Esteban _____ por el parque del Retiro.

7. Pablo _____ mucho tiempo en el Museo del Prado.

8. Todos _____ el metro para ir de un lugar a otro.

9. Si Mónica y Nora no asistieran a clases, _____ a la 1:00 cada noche.

10. Luis les _____ mensajes electrónicos a sus amigos todos los días.

15.6 Hypothesizing: *If* Clauses and the Past Subjunctive

A. Statements of possibility introduced with the conjunction **si** (*if*) take indicative verb forms in both the *if* clauses and the conclusion.

Si el gobierno **congela** los alquileres, **habrá** menos desamparados.	*If the government freezes rents, there will be fewer homeless people.*
Si hay poco trabajo, menos trabajadores sin documentos **cruzan** la frontera.	*If there is little work, fewer workers cross the border illegally.*

B. To imply that a situation is contrary to fact, however, another form, the past subjunctive, must be used in the *if* clause and a conditional verb form in the conclusion. (See **Gramática 15.5.**)

Si tuviera más dinero, **me jubilaría.**	*If I had more money, I would retire.*

> In "contrary-to-fact" sentences, the verb in the **si** (*if*) clause is in the past subjunctive.

Past subjunctive forms of both regular and irregular verbs are based on the stem of the preterite plus these endings: **-ara, -aras, -ara, -áramos, -arais, -aran** for **-ar** verbs and **-iera, -ieras, -iera, -iéramos, -ierais, -ieran** for **-er** and **-ir** verbs.*

PAST SUBJUNCTIVE		
hablar	**comer**	**tener**
hablara	comiera	tuviera
hablaras	comieras	tuvieras
hablara	comiera	tuviera
habláramos	comiéramos	tuviéramos
hablarais	comierais	tuvierais
hablaran	comieran	tuvieran

*Recognition: **vos hablaras, comieras, tuvieras**

> **Si** su madre **trabajara,** Marisa y Clarisa **tendrían que estar** todo el día en la guardería.
>
> *If their mother worked, Marisa and Clarisa would have to be at the childcare center all day.*

Verbs like **decir (dij-)** and **traer (traj-)** differ somewhat from the pattern; they take endings without the initial **-i: dijera, trajera.**

> **Te sorprenderías** si yo **te dijera** la verdad.
>
> *You'd be surprised if I told you the truth.*

C. You can also use the expression **ojalá que** (*I wish that*) followed by the past subjunctive to express a desire that is contrary to fact.

> **Ojalá** que **hubiera** menos contaminación.
>
> *I wish there were less pollution.*

EJERCICIO 9

Amanda está hablando de sí misma, de sus amigos y de sus vecinos. Complete las oraciones con la forma correcta del imperfecto de subjuntivo.

1. Si (yo) _____ este año, podría buscar un trabajo de jornada completa. (graduarse)

2. Si no _____ tan caro, mi padre compraría un coche eléctrico. (ser)

3. Si _____ (nosotros), no tendríamos que manejar distancias tan largas. (mudarse)

4. Si Guillermo y Rafael no _____ a tantas fiestas, sacarían mejores notas en el colegio. (ir)

5. Si más gente _____ la energía verde, no tendríamos que construir más reactores nucleares. (usar)

6. Si no _____ computadora, mi hermano Ernestito no podría usar el CD-ROM para aprender inglés y matemáticas. (tener)

¡OJO!

transgénico = *genetically modified*

EJERCICIO 10

Escriba la forma correcta del verbo entre paréntesis.

1. Si cada persona _____ (tener) una computadora, muchos _____ (trabajar) en su casa en vez de ir a la oficina todos los días.

2. Si los jóvenes _____ (pasar) más tiempo navegando por Internet, _____ (ver) menos programas violentos en la televisión.

3. Si nosotros _____ (consultar) solamente sitios Web en español, _____ (aprender) mucho.

4. Si las computadoras no _____ (contaminar) el medio ambiente, yo _____ (estar) más contento/a de tenerlas.

5. Si los alimentos transgénicos no _____ (causar) problemas de salud, _____ (ser) la solución perfecta al problema del hambre en el mundo.

6. Pues... si el gobierno _____ (permitir) los alimentos transgénicos, probablemente _____ (haber) problemas ambientales muy graves.

VIDA Y CULTURA

Las fantásticas creaciones de Susana Buyo

Las creaciones de Susana Buyo son hermosas y tienen un nombre muy original: *alebrijes.** La palabra describe perfectamente estas fantásticas figuras que representan dragones con cabeza de serpiente, sirenas con alas,[1] pájaros con dientes y muchas otras formas. Los alebrijes están hechos de cartón y varios otros materiales. La artista los pinta con acrílico y los termina con laca.[2]

El gran artista mexicano Pedro Linares inventó los alebrijes en 1950. Esta invención hizo muy famoso a Linares, ganándole el Premio Nacional de Artes Tradicionales en 1990. Susana Buyo fue discípula del maestro por un tiempo y pronto se convirtió en una creadora extraordinaria de alebrijes.

Buyo es argentina, pero vive y trabaja en México. En México dirige varios talleres de artesanía[3] y ha tenido exposiciones en museos importantes.† Una de las metas profesionales de Susana Buyo es la de estimular el impulso creativo de sus discípulos. Por eso invita a los más talentosos a exponer su obra con ella.

¿Qué opina usted de los alebrijes? Mire las fotos. ¿Qué impresión le producen estas figuras? Para Susana Buyo, los alebrijes son la forma externa que toman sus sueños, la imagen de sus inseguridades[4] y preocupaciones. Gracias al don[5] artístico de esta creadora argentina, las imágenes que la asustan[6] cuando duerme se transforman en bellas criaturas.

[1]sirenas... *winged mermaids* [2]*lacquer* [3]talleres... *arts and crafts workshops* [4]*insecurities* [5]*gift, talent* [6]la... *frighten her*

*La palabra *alebrije* se deriva del verbo *alebrarse,* que se refiere a la acción de tirarse al suelo, como lo haría un conejo con miedo.
†Por ejemplo, el Museo Soumaya de la Ciudad de México, el Museo Nacional de Culturas Populares y el Museo de la Ciudad de México. La obra de Buyo ha sido adquirida por coleccionistas de muchos países. Hay alebrijes en Copenhague, Estocolmo, Londres, Nueva York, Los Ángeles y Buenos Aires, entre otras ciudades.

547

Guinea Ecuatorial, país hispano de África

Territorio ecuatoguineano.[1] 28.051 kilómetros cuadrados (17.433 millas cuadradas)
Población: 522.400 habitantes
Capital: Malabo (50.000 habitantes)
Idioma oficial: español
Ubicación[2] **geográfica:** centro oeste de África

Guinea Ecuatorial es uno de los países más nuevos del mundo, pues no recibió su nombre hasta 1963 ni su independencia hasta 1968. Es también el único país de cultura hispana en el continente africano. En Guinea Ecuatorial se hablan varios idiomas aborígenes,* pero una de las lenguas oficiales es el español.

NIGERIA

CAMERÚN

Malabo

GUINEA
ECUATORIAL

GABÓN

EL OCÉANO ATLÁNTICO

Esta pequeña nación africana está compuesta de un territorio continental, el llamado Río Muni, y cinco islas en el Océano Atlántico. Guinea Ecuatorial fue gobernada por Portugal de 1471 a 1778. La primera expedición española llegó en 1778 y el país fue colonizado por España poco después. Es por eso que hay tanta influencia hispana en muchos aspectos de su sociedad. La religión predominante, por ejemplo, es la católica, aunque el gobierno fomenta la libertad religiosa.[†] Desde 1984, año en que se celebró el Primer Congreso Cultural Afrohispano, el gobierno ecuatoguineano busca la convivencia[3] de sus raíces hispanas y africanas.

La cultura de los grupos étnicos en Guinea Ecuatorial es muy rica, especialmente su tradición musi- cal.[‡] El instrumento más popular del país es un arpa que se hace con bambú. El arte de Guinea Ecuatorial también es impresionante. Las máscaras[4] de madera son las piezas más representativas del arte ecuatoguineano. Se debe mencionar también la cocina de Guinea Ecuatorial, que es sencilla pero muy sabrosa. Muchos platillos llevan carne de res, pollo o pescado, y todos se condimentan con especias que crecen en los bosques del país.[§]

El presidente de Guinea Ecuatorial, Teodoro Obiang, tiene dos metas principales, que son mejorar la economía y reformar el sistema educativo del país. Entre sus proyectos culturales se encuentra la creación de museos para el arte tradicional y programas de promoción de las lenguas aborígenes. Hasta ahora los planes del presidente han dado fruto. El país afrohispano prospera.

[1]*Equato-Guinean* [2]*Location* [3]*coexistence* [4]*masks*

*Estos idiomas son, entre otros: fang, bubi, combe, bissio, annabonés y pichi (lengua basada en el inglés, *Pidgin English*).
[†]Existen más de veinte religiones, entre otras: la bautista, la evangélica, la adventista y la metodista. El gobierno también acepta la práctica de algunas creencias paganas.
[‡]Los tres grupos étnicos principales son el fang, el bubi y el ndow.
[§]Uno de los platillos que más se come es pollo con salsa de maní (cacahuate), el cual se sirve con plátano hervido y arroz.

Picasso y el Guernica

Pablo Picasso (1881–1973) ha pasado a la historia como uno de los grandes genios del siglo XX. Su pintura es sinónimo de revolución y cambio. Desde su llegada a París en 1904, el pintor andaluz[1] comienza a explorar diferentes estilos. Surgen entonces sus «épocas cromáticas»: la azul y la rosa. Picasso pasa luego al cubismo, un tipo de pintura geometrizada.

Autorretrato

Durante toda su vida de artista, Picasso estuvo experimentando y cambiando de estilo. Hombre genial e incansable,[2] también se comprometió[3] políticamente. Apoyó la República[4] y en 1937 pintó el cuadro *Guernica*, haciendo así una fuerte denuncia de los crímenes del fascismo. El suceso[5] que inspiró esta obra fue un trágico episodio de la historia española. El 28 de abril de 1937 las fuerzas fascistas alemanas bombardearon el pueblo de Guernica, situado al norte de España. Lo hicieron como experimento. Querían saber si un bombardeo aéreo podía destruir una población completa.

La famosa pintura de Picasso critica duramente la guerra y el tratamiento inhumano de los ciudadanos de Guernica. La masacre de este pueblo marca el comienzo de una de las más largas dictaduras de nuestro siglo: el *franquismo*. El general Francisco Franco, después de dirigir un golpe militar contra el gobierno español republicano, triunfó en 1939. Controló el destino de España hasta 1975, año de su muerte.

Picasso pidió en su testamento que el *Guernica* no se exhibiera en España hasta que su país tuviera un gobierno democrático. En 1981, los españoles eligieron un gobierno encabezado[6] por Felipe González, líder popular del Partido Socialista de España (PSOE). Ese mismo año, el *Guernica* fue trasladado por fin al Museo del Prado en Madrid. El pueblo español pudo admirar la obra por primera vez desde que Picasso la creó en 1937.

Guernica

[1]de Andalucía, región al sur de España   [2]genial... *brilliant and tireless*   [3]*se... he was involved*   [4]Partido que luchaba contra el general fascista Francisco Franco durante la Guerra Civil española (1936–1939)   [5]*event*   [6]*headed*

La riqueza lingüística[1] del mundo hispano

Los países del mundo hispano varían mucho por su geografía, grupos étnicos y costumbres. Sin embargo, la colonización española les dio a todos estos países un idioma en común: el español o castellano. A pesar de que[2] el español es el idioma oficial en 21 países, incluyendo Guinea Ecuatorial en África, son muchos los habitantes en estos países que también hablan otro idioma.

España tiene una larga tradición de variedad lingüística que data[3] del fin del imperio romano. El latín se fragmentó en muchos idiomas diferentes. El español, el francés, el italiano y el rumano son todas lenguas romances, descendientes del latín. Pero en España se hablan otros cinco idiomas romances: el catalán, el gallego, el aragonés, el asturiano y el extremeño.

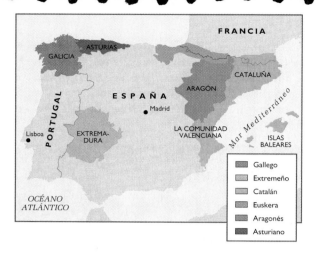

Uno de los idiomas que ha tenido mucha influencia en el español es el árabe. Los árabes ocuparon gran parte de la península ibérica durante casi 800 años. Su influencia se nota en muchas palabras incorporadas al español, entre otras: *azúcar, álgebra, algodón, alberca, alfombra, arroz, barrio, café* y miles más.

América Latina cuenta con una variedad asombrosa[4] de idiomas indígenas.[5] Los idiomas nativos del Caribe desaparecieron con la muerte de gran parte de la población indígena de estas islas. Sin embargo,[6] el taíno o arahuaco, hablado por los indios de Puerto Rico y la República Dominicana, le dio al español palabras como *canoa, maíz* y *tabaco.* En México, Centroamérica y Sudamérica los idiomas de los antiguos habitantes de las Américas siguen vivos, se utilizan en el hogar,[7] en el mercado y en las calles.

En México hay más de 8 millones de personas que hablan 300 idiomas indígenas. El idioma de mayor extensión es el náhuatl, la lengua del imperio azteca. En la península de Yucatán se habla el yucateco —lengua maya— y en Oaxaca hay medio millón de hablantes del zapoteco. En Centroamérica también hay muchas personas que hablan idiomas indígenas. Guatemala y El Salvador tienen casi tres millones de habitantes que hablan varios dialectos de la familia maya; entre otros, el quiché, el cakchiquel y el mam. La palabra *cigarro,* por ejemplo, viene de la palabra maya *siyar.*

Sudamérica es la cuna[8] de una enorme variedad lingüística. Hay más de 100 lenguas; muchas de ellas se originaron en las selvas amazónicas de Colombia, Ecuador, Perú y Brasil. Los idiomas con más hablantes son el quechua, el aymara y el tupí-guaraní. Paraguay es el único país hispano oficialmente bilingüe; allí hay emisoras de radio y periódicos en guaraní.

Como se puede ver, los países de habla hispana poseen una riqueza lingüística que comprende mucho más que el castellano. Lamentablemente, muchos de los idiomas nativos del mundo hispano están en peligro de

extinción. Para los hablantes de todos estos idiomas, mantener viva su lengua es una manera de mantener sus tradiciones y su identidad. Si queremos preservar la diversidad cultural de las poblaciones nativas, es importante salvar su herencia[9] lingüística.

[1]requeza... *linguistic wealth* [2]A pesar... *In spite of the fact that* [3]*dates* [4]*astonishing* [5]*indigenous, native* [6]Sin... *Nevertheless* [7]*home, hearth* [8]*cradle* [9]*heritage*

APPENDIX ONE

VERBS

A. Regular Verbs: Simple Tenses

INFINITIVE / PRESENT PARTICIPLE / PAST PARTICIPLE	INDICATIVE					SUBJUNCTIVE		IMPERATIVE
	PRESENT	IMPERFECT	PRETERITE	FUTURE	CONDITIONAL	PRESENT	IMPERFECT	
hablar	hablo	hablaba	hablé	hablaré	hablaría	hable	hablara	
hablando	hablas	hablabas	hablaste	hablarás	hablarías	hables	hablaras	habla tú, no hables
hablado	habla	hablaba	habló	hablará	hablaría	hable	hablara	hable Ud.
	hablamos	hablábamos	hablamos	hablaremos	hablaríamos	hablemos	habláramos	hablemos
	habláis	hablabais	hablasteis	hablaréis	hablaríais	habléis	hablarais	hablad
	hablan	hablaban	hablaron	hablarán	hablarían	hablen	hablaran	hablen
comer	como	comía	comí	comeré	comería	coma	comiera	
comiendo	comes	comías	comiste	comerás	comerías	comas	comieras	come tú, no comas
comido	come	comía	comió	comerá	comería	coma	comiera	coma Ud.
	comemos	comíamos	comimos	comeremos	comeríamos	comamos	comiéramos	comamos
	coméis	comíais	comisteis	comeréis	comeríais	comáis	comierais	comed
	comen	comían	comieron	comerán	comerían	coman	comieran	coman
vivir	vivo	vivía	viví	viviré	viviría	viva	viviera	
viviendo	vives	vivías	viviste	vivirás	vivirías	vivas	vivieras	vive tú, no vivas
vivido	vive	vivía	vivió	vivirá	viviría	viva	viviera	viva Ud.
	vivimos	vivíamos	vivimos	viviremos	viviríamos	vivamos	viviéramos	vivamos
	vivís	vivíais	vivisteis	viviréis	viviríais	viváis	vivierais	vivid
	viven	vivían	vivieron	vivirán	vivirían	vivan	vivieran	vivan

B. Regular Verbs: Perfect Tenses

INDICATIVE										SUBJUNCTIVE			
PRESENT PERFECT		PAST PERFECT		PRETERITE PERFECT		FUTURE PERFECT		CONDITIONAL PERFECT		PRESENT PERFECT		PAST PERFECT	
he	hablado	había	hablado	hube	hablado	habré	hablado	habría	hablado	haya	hablado	hubiera	hablado
has	comido	habías	comido	hubiste	comido	habrás	comido	habrías	comido	hayas	comido	hubieras	comido
ha	vivido	había	vivido	hubo	vivido	habrá	vivido	habría	vivido	haya	vivido	hubiera	vivido
hemos		habíamos		hubimos		habremos		habríamos		hayamos		hubiéramos	
habéis		habíais		hubisteis		habréis		habríais		hayáis		hubierais	
han		habían		hubieron		habrán		habrían		hayan		hubieran	

C. Irregular Verbs

INFINITIVE PRESENT PARTICIPLE PAST PARTICIPLE	INDICATIVE					SUBJUNCTIVE		IMPERATIVE
	PRESENT	IMPERFECT	PRETERITE	FUTURE	CONDITIONAL	PRESENT	IMPERFECT	
andar andando andado	ando andas anda andamos andáis andan	andaba andabas andaba andábamos andabais andaban	anduve anduviste anduvo anduvimos anduvisteis anduvieron	andaré andarás andará andaremos andaréis andarán	andaría andarías andaría andaríamos andaríais andarían	ande andes ande andemos andéis anden	anduviera anduvieras anduviera anduviéramos anduvierais anduvieran	anda tú, no andes ande Ud. andemos andad anden
caer cayendo caído	caigo caes cae caemos caéis caen	caía caías caía caíamos caíais caían	caí caíste cayó caímos caísteis cayeron	caeré caerás caerá caeremos caeréis caerán	caería caerías caería caeríamos caeríais caerían	caiga caigas caiga caigamos caigáis caigan	cayera cayeras cayera cayéramos cayerais cayeran	cae tú, no caigas caiga Ud. caigamos caed caigan
dar dando dado	doy das da damos dais dan	daba dabas daba dábamos dabais daban	di diste dio dimos disteis dieron	daré darás dará daremos daréis darán	daría darías daría daríamos daríais darían	dé des dé demos deis den	diera dieras diera diéramos dierais dieran	da tú, no des dé Ud. demos dad den
decir diciendo dicho	digo dices dice decimos decís dicen	decía decías decía decíamos decíais decían	dije dijiste dijo dijimos dijisteis dijeron	diré dirás dirá diremos diréis dirán	diría dirías diría diríamos diríais dirían	diga digas diga digamos digáis digan	dijera dijeras dijera dijéramos dijerais dijeran	di tú, no digas diga Ud. digamos decid digan
estar estando estado	estoy estás está estamos estáis están	estaba estabas estaba estábamos estabais estaban	estuve estuviste estuvo estuvimos estuvisteis estuvieron	estaré estarás estará estaremos estaréis estarán	estaría estarías estaría estaríamos estaríais estarían	esté estés esté estemos estéis estén	estuviera estuvieras estuviera estuviéramos estuvierais estuvieran	está tú, no estés esté Ud. estemos estad estén
haber habiendo habido	he has ha hemos habéis han	había habías había habíamos habíais habían	hube hubiste hubo hubimos hubisteis hubieron	habré habrás habrá habremos habréis habrán	habría habrías habría habríamos habríais habrían	haya hayas haya hayamos hayáis hayan	hubiera hubieras hubiera hubiéramos hubierais hubieran	
hacer haciendo hecho	hago haces hace hacemos hacéis hacen	hacía hacías hacía hacíamos hacíais hacían	hice hiciste hizo hicimos hicisteis hicieron	haré harás hará haremos haréis harán	haría harías haría haríamos haríais harían	haga hagas haga hagamos hagáis hagan	hiciera hicieras hiciera hiciéramos hicierais hicieran	haz tú, no hagas haga Ud. hagamos haced hagan
ir yendo ido	voy vas va vamos vais van	iba ibas iba íbamos ibais iban	fui fuiste fue fuimos fuisteis fueron	iré irás irá iremos iréis irán	iría irías iría iríamos iríais irían	vaya vayas vaya vayamos vayáis vayan	fuera fueras fuera fuéramos fuerais fueran	ve tú, no vayas vaya Ud. vayamos id vayan
oír oyendo oído	oigo oyes oye oímos oís oyen	oía oías oía oíamos oíais oían	oí oíste oyó oímos oísteis oyeron	oiré oirás oirá oiremos oiréis oirán	oiría oirías oiría oiríamos oiríais oirían	oiga oigas oiga oigamos oigáis oigan	oyera oyeras oyera oyéramos oyerais oyeran	oye tú, no oigas oiga Ud. oigamos oíd oigan

C. Irregular Verbs (continued)

INFINITIVE / PRESENT PARTICIPLE / PAST PARTICIPLE	INDICATIVE					SUBJUNCTIVE		IMPERATIVE
	PRESENT	IMPERFECT	PRETERITE	FUTURE	CONDITIONAL	PRESENT	IMPERFECT	
poder pudiendo podido	puedo puedes puede podemos podéis pueden	podía podías podía podíamos podíais podían	pude pudiste pudo pudimos pudisteis pudieron	podré podrás podrá podremos podréis podrán	podría podrías podría podríamos podríais podrían	pueda puedas pueda podamos podáis puedan	pudiera pudieras pudiera pudiéramos pudierais pudieran	
poner poniendo puesto	pongo pones pone ponemos ponéis ponen	ponía ponías ponía poníamos poníais ponían	puse pusiste puso pusimos pusisteis pusieron	pondré pondrás pondrá pondremos pondréis pondrán	pondría pondrías pondría pondríamos pondríais pondrían	ponga pongas ponga pongamos pongáis pongan	pusiera pusieras pusiera pusiéramos pusierais pusieran	pon tú, no pongas ponga Ud. pongamos poned pongan
querer queriendo querido	quiero quieres quiere queremos queréis quieren	quería querías quería queríamos queríais querían	quise quisiste quiso quisimos quisisteis quisieron	querré querrás querrá querremos querréis querrán	querría querrías querría querríamos querríais querrían	quiera quieras quiera queramos queráis quieran	quisiera quisieras quisiera quisiéramos quisierais quisieran	quiere tú, no quieras quiera Ud. queramos quered quieran
saber sabiendo sabido	sé sabes sabe sabemos sabéis saben	sabía sabías sabía sabíamos sabíais sabían	supe supiste supo supimos supisteis supieron	sabré sabrás sabrá sabremos sabréis sabrán	sabría sabrías sabría sabríamos sabríais sabrían	sepa sepas sepa sepamos sepáis sepan	supiera supieras supiera supiéramos supierais supieran	sabe tú, no sepas sepa Ud. sepamos sabed sepan
salir saliendo salido	salgo sales sale salimos salís salen	salía salías salía salíamos salíais salían	salí saliste salió salimos salisteis salieron	saldré saldrás saldrá saldremos saldréis saldrán	saldría saldrías saldría saldríamos saldríais saldrían	salga salgas salga salgamos salgáis salgan	saliera salieras saliera saliéramos salierais salieran	sal tú, no salgas salga Ud. salgamos salid salgan
ser siendo sido	soy eres es somos sois son	era eras era éramos erais eran	fui fuiste fue fuimos fuisteis fueron	seré serás será seremos seréis serán	sería serías sería seríamos seríais serían	sea seas sea seamos seáis sean	fuera fueras fuera fuéramos fuerais fueran	sé tú, no seas sea Ud. seamos sed sean
tener teniendo tenido	tengo tienes tiene tenemos tenéis tienen	tenía tenías tenía teníamos teníais tenían	tuve tuviste tuvo tuvimos tuvisteis tuvieron	tendré tendrás tendrá tendremos tendréis tendrán	tendría tendrías tendría tendríamos tendríais tendrían	tenga tengas tenga tengamos tengáis tengan	tuviera tuvieras tuviera tuviéramos tuvierais tuvieran	ten tú, no tengas tenga Ud. tengamos tened tengan
traer trayendo traído	traigo traes trae traemos traéis traen	traía traías traía traíamos traíais traían	traje trajiste trajo trajimos trajisteis trajeron	traeré traerás traerá traeremos traeréis traerán	traería traerías traería traeríamos traeríais traerían	traiga traigas traiga traigamos traigáis traigan	trajera trajeras trajera trajéramos trajerais trajeran	trae tú, no traigas traiga Ud. traigamos traed traigan

C. Irregular Verbs (continued)

INFINITIVE / PRESENT PARTICIPLE / PAST PARTICIPLE	INDICATIVE					SUBJUNCTIVE		IMPERATIVE
	PRESENT	IMPERFECT	PRETERITE	FUTURE	CONDITIONAL	PRESENT	IMPERFECT	
venir / viniendo / venido	vengo / vienes / viene / venimos / venís / vienen	venía / venías / venía / veníamos / veníais / venían	vine / viniste / vino / vinimos / vinisteis / vinieron	vendré / vendrás / vendrá / vendremos / vendréis / vendrán	vendría / vendrías / vendría / vendríamos / vendríais / vendrían	venga / vengas / venga / vengamos / vengáis / vengan	viniera / vinieras / viniera / viniéramos / vinierais / vinieran	ven tú, / no vengas / venga Ud. / vengamos / venid / vengan
ver / viendo / visto	veo / ves / ve / vemos / veis / ven	veía / veías / veía / veíamos / veíais / veían	vi / viste / vio / vimos / visteis / vieron	veré / verás / verá / veremos / veréis / verán	vería / verías / vería / veríamos / veríais / verían	vea / veas / vea / veamos / veáis / vean	viera / vieras / viera / viéramos / vierais / vieran	ve tú, / no veas / vea Ud. / veamos / ved / vean

D. Stem-Changing and Spelling Change Verbs

INFINITIVE / PRESENT PARTICIPLE / PAST PARTICIPLE	INDICATIVE					SUBJUNCTIVE		IMPERATIVE
	PRESENT	IMPERFECT	PRETERITE	FUTURE	CONDITIONAL	PRESENT	IMPERFECT	
pensar (ie) / pensando / pensado	pienso / piensas / piensa / pensamos / pensáis / piensan	pensaba / pensabas / pensaba / pensábamos / pensabais / pensaban	pensé / pensaste / pensó / pensamos / pensasteis / pensaron	pensaré / pensarás / pensará / pensaremos / pensaréis / pensarán	pensaría / pensarías / pensaría / pensaríamos / pensaríais / pensarían	piense / pienses / piense / pensemos / penséis / piensen	pensara / pensaras / pensara / pensáramos / pensarais / pensaran	piensa tú, / no pienses / piense Ud. / pensemos / pensad / piensen
volver (ue) / volviendo / vuelto	vuelvo / vuelves / vuelve / volvemos / volvéis / vuelven	volvía / volvías / volvía / volvíamos / volvíais / volvían	volví / volviste / volvió / volvimos / volvisteis / volvieron	volveré / volverás / volverá / volveremos / volveréis / volverán	volvería / volverías / volvería / volveríamos / volveríais / volverían	vuelva / vuelvas / vuelva / volvamos / volváis / vuelvan	volviera / volvieras / volviera / volviéramos / volvierais / volvieran	vuelve tú, / no vuelvas / vuelva Ud. / volvamos / volved / vuelvan
dormir (ue, u) / durmiendo / dormido	duermo / duermes / duerme / dormimos / dormís / duermen	dormía / dormías / dormía / dormíamos / dormíais / dormían	dormí / dormiste / durmió / dormimos / dormisteis / durmieron	dormiré / dormirás / dormirá / dormiremos / dormiréis / dormirán	dormiría / dormirías / dormiría / dormiríamos / dormiríais / dormirían	duerma / duermas / duerma / durmamos / durmáis / duerman	durmiera / durmieras / durmiera / durmiéramos / durmierais / durmieran	duerme tú, / no duermas / duerma Ud. / durmamos / dormid / duerman
sentir (ie, i) / sintiendo / sentido	siento / sientes / siente / sentimos / sentís / sienten	sentía / sentías / sentía / sentíamos / sentíais / sentían	sentí / sentiste / sintió / sentimos / sentisteis / sintieron	sentiré / sentirás / sentirá / sentiremos / sentiréis / sentirán	sentiría / sentirías / sentiría / sentiríamos / sentiríais / sentirían	sienta / sientas / sienta / sintamos / sintáis / sientan	sintiera / sintieras / sintiera / sintiéramos / sintierais / sintieran	siente tú, / no sientas / sienta Ud. / sintamos / sentid / sientan

D. Stem-Changing and Spelling Change Verbs (continued)

pedir (i, i) / pidiendo / pedido

	INDICATIVE					SUBJUNCTIVE		IMPERATIVE
	PRESENT	IMPERFECT	PRETERITE	FUTURE	CONDITIONAL	PRESENT	IMPERFECT	
	pido	pedía	pedí	pediré	pediría	pida	pidiera	
	pides	pedías	pediste	pedirás	pedirías	pidas	pidieras	pide tú, no pidas
	pide	pedía	pidió	pedirá	pediría	pida	pidiera	pida Ud.
	pedimos	pedíamos	pedimos	pediremos	pediríamos	pidamos	pidiéramos	pidamos
	pedís	pedíais	pedisteis	pediréis	pediríais	pidáis	pidierais	pedid
	piden	pedían	pidieron	pedirán	pedirían	pidan	pidieran	pidan

reír (i, i) / riendo / reído

	INDICATIVE					SUBJUNCTIVE		IMPERATIVE
	PRESENT	IMPERFECT	PRETERITE	FUTURE	CONDITIONAL	PRESENT	IMPERFECT	
	río	reía	reí	reiré	reiría	ría	riera	
	ríes	reías	reíste	reirás	reirías	rías	rieras	ríe tú, no rías
	ríe	reía	rió	reirá	reiría	ría	riera	ría Ud.
	reímos	reíamos	reímos	reiremos	reiríamos	riamos	riéramos	riamos
	reís	reíais	reísteis	reiréis	reiríais	riáis	rierais	reíd
	ríen	reían	rieron	reirán	reirían	rían	rieran	rían

seguir (i, i) (g) / siguiendo / seguido

	INDICATIVE					SUBJUNCTIVE		IMPERATIVE
	PRESENT	IMPERFECT	PRETERITE	FUTURE	CONDITIONAL	PRESENT	IMPERFECT	
	sigo	seguía	seguí	seguiré	seguiría	siga	siguiera	
	sigues	seguías	seguiste	seguirás	seguirías	sigas	siguieras	sigue tú, no sigas
	sigue	seguía	siguió	seguirá	seguiría	siga	siguiera	siga Ud.
	seguimos	seguíamos	seguimos	seguiremos	seguiríamos	sigamos	siguiéramos	sigamos
	seguís	seguíais	seguisteis	seguiréis	seguiríais	sigáis	siguierais	seguid
	siguen	seguían	siguieron	seguirán	seguirían	sigan	siguieran	sigan

construir (y) / construyendo / construido

	INDICATIVE					SUBJUNCTIVE		IMPERATIVE
	PRESENT	IMPERFECT	PRETERITE	FUTURE	CONDITIONAL	PRESENT	IMPERFECT	
	construyo	construía	construí	construiré	construiría	construya	construyera	
	construyes	construías	construiste	construirás	construirías	construyas	construyeras	construye tú, no construyas
	construye	construía	construyó	construirá	construiría	construya	construyera	construya Ud.
	construimos	construíamos	construimos	construiremos	construiríamos	construyamos	construyéramos	construyamos
	construís	construíais	construisteis	construiréis	construiríais	construyáis	construyerais	construid
	construyen	construían	construyeron	construirán	construirían	construyan	construyeran	construyan

producir (zc) / produciendo / producido

	INDICATIVE					SUBJUNCTIVE		IMPERATIVE
	PRESENT	IMPERFECT	PRETERITE	FUTURE	CONDITIONAL	PRESENT	IMPERFECT	
	produzco	producía	produje	produciré	produciría	produzca	produjera	
	produces	producías	produjiste	producirás	producirías	produzcas	produjeras	produce tú, no produzcas
	produce	producía	produjo	producirá	produciría	produzca	produjera	produzca Ud.
	producimos	producíamos	produjimos	produciremos	produciríamos	produzcamos	produjéramos	produzcamos
	producís	producíais	produjisteis	produciréis	produciríais	produzcáis	produjerais	producid
	producen	producían	produjeron	producirán	producirían	produzcan	produjeran	produzcan

APPENDIX TWO

GRAMMAR SUMMARY TABLES

I. Personal Pronouns

SUBJECT	OBJECT OF PREPOSITION	REFLEXIVE	INDIRECT OBJECT	DIRECT OBJECT
yo	mí	me	me	me
tú	ti	te	te	te
usted	usted	se	le	lo/la
él	él	se	le	lo
ella	ella	se	le	la
nosotros/as	nosotros/as	nos	nos	nos
vosotros/as	vosotros/as	os	os	os
ustedes	ustedes	se	les	los/las
ellos	ellos	se	les	los
ellas	ellas	se	les	las

II. Possessive Adjectives and Pronouns

ADJECTIVES		PRONOUNS	
my	mi, mis	mine	mío/a, míos/as
your (inf. sing.)	tu, tus	yours	tuyo/a, tuyos/as
your (pol. sing.)	su, sus	yours	suyo/a, suyos/as
his	su, sus	his	suyo/a, suyos/as
her	su, sus	hers	suyo/a, suyos/as
our	nuestro/a, nuestros/as	ours	nuestro/a, nuestros/as
your (inf. pl.)	vuestro/a, vuestros/as	yours	vuestro/a, vuestros/as
your (pol. pl.)	su, sus	yours	suyo/a, suyos/as
their	su, sus	theirs	suyo/a, suyos/as

III. Demonstrative Adjectives and Pronouns

MASCULINE AND FEMININE	ADJECTIVES AND PRONOUNS	NEUTER PRONOUNS
this, these	este/esta, estos/estas	esto
that, those (not close to speaker)	ese/esa, esos/esas	eso
that, those (farther from speaker)	aquel/aquella, aquellos/aquellas	aquello

IV. *Por / para*

POR		PARA	
Substitution for	Trabajo por Juan.	*Recipient*	Este regalo es para ti.
In exchange for/paying	por treinta pesos	*Employer*	Mi novio trabaja para la compañía de su padre.
Movement by, through or along a place	por el parque	*Destination*	para Madrid
Length of time (may be omitted)	por doce horas	*Telling time*	Faltan diez para las once.
General time or area	por la noche	*Deadline*	para el viernes
Transportation	por avión	*Purpose*	Un lápiz es para escribir.

V. Past (Preterite) and Imperfect

PAST		IMPERFECT	
completed event	comí	*event in progress*	comía
completed state	estuve	*ongoing state*	estaba
completed series	bailé, canté	*"used to"*	bailaba, cantaba

VI. Indicative and Subjunctive

NOUN CLAUSES			
INDICATIVE		**SUBJUNCTIVE**	
assertion	es verdad que	*possibility*	es posible que
belief	creer que	*doubt*	dudar que
knowledge	saber que	*subjective reaction*	estar contento/a de que
		volition	querer que

ADJECTIVE CLAUSES	
INDICATIVE	**SUBJUNCTIVE**
known antecedent	*unknown antecedent*
Tengo un amigo que sabe…	Busco un amigo que sepa…
existent antecedent	*nonexistent antecedent*
Hay una persona que sabe…	No hay nadie que sepa…

ADVERBIAL CLAUSES: TIME	
INDICATIVE	**SUBJUNCTIVE**
cuando hasta que tan pronto como } + *habitual action* en cuanto después de que	cuando hasta que tan pronto como } + *future action* en cuanto después de que
Siempre cuando trabaja…	Mañana cuando trabaje…

APPENDIX THREE

SYLLABICATION

1. The basic rule of Spanish syllabication is to make each syllable end in a vowel whenever possible.

2. When attempting to divide a word into syllables, it is easier to look for the consonants and do the following:

   a. If the consonants in a word occur singly, each consonant should go with the following vowel: **ca-s**a, **di-g**a, **ca-mi-n**a

   b. If there are two consecutive consonants, one will go with the preceding vowel and one with the following: (**al-c**o-hol) ca**n-t**an-te, es-**c**ue-la, a**c-c**ión, i**n-n**o-va-ción

   c. If there are three consecutive or more consonants, the first two will remain with the preceding vowel and the third (etc.) will go with the following vowel: o**bs-tr**uc-ción, co**ns-c**ien-te

   d. The letter **h** always goes with the following vowel: al-co-**h**ol, pro-**h**í-be

   e. The following consonant combinations are never divided: **br-, dr-, rr-, tr-, bl-, ll-**: a-**br**an, la-**dr**ón, bo-**rr**a-dor, con-**tr**a, ha-**bl**ar, man-te-qui-**ll**a

3. Diphthongs (vowel combinations: two weak ones or a weak one and a strong one) are not divided, unless the weak vowel has an orthographic accent. Weak vowels: **i, u**; strong vowels: **a, e, o**: c**iu**-dad, s**ie**-te, s**ei**s, cin-c**ue**n-ta. But: re-**ú**-no, d**í**-a

STRESS

How you pronounce a specific Spanish word is determined by two basic rules of stress. Written accents to indicate stress are needed only when those rules are violated. Here are the two rules of stress.

1. For words ending in a vowel, **n**, or **s**, the natural stress falls on the next-to-last syllable. The letter **y** is not considered a vowel for stress purposes.

   Es-**te**-ban   **blan**-co   es-**cu**-chen   **ro**-ja   es-**tu**-die

2. For words ending in *any other letter*, the natural stress falls on the last syllable.

   pa-**pel**   ciu-**dad**   es-cri-**bir**   re-**loj**   es-**toy**

   When these stress rules are violated by the word's accepted pronunciation, stress must be indicated with a written accent.

   in-**glés**   e-**léc**-tri-co   es-tu-**dié**   lla-ma-**rán**   sim-**pá**-ti-co
   ár-bol   **Ló**-pez   a-**zú**-car   **hués**-ped   a-**quí**

   Note that words that are stressed on any syllable other than the last or next-to-last will always show a written accent. Particularly frequent words in this category include adjectives and adverbs ending in **-ísimo** and verb forms with pronouns attached.

   gua-**pí**-si-mo   es-pe-**rán**-do-te   **pí**-de-se-las   de-**vuél**-van-se-la

   Written accents to show violations of stress rules are particularly important when diphthongs are involved. A diphthong is a combination of a weak (**i, u**) vowel and a strong (**a, e, o**) vowel (in either order), or of two weak vowels together. The two vowels are pronounced as a single sound, with one of the vowels being given slightly more emphasis than the other. In all diphthongs the strong vowel or the second of the two weak vowels receives this slightly greater stress.

   *a*i: b*a*ilar   i*a*: arteri*a*   ue: v*ue*lve   io: vi*o*lento   u*i*: cu*i*dado

When the stress in a vowel combination does not follow this rule, no diphthong exists. Instead, two separate sounds are heard, and a written accent appears over the weak vowel or the first of two weak vowels.

a-í: país   ú-e: continúe   í-o: frío   í-a: tía   e-ú: reúnen   o-í: oído

USE OF WRITTEN ACCENT AS A DIACRITIC

The written accent is also used to distinguish two words with similar spelling and pronunciation but different meaning.

Nine common word pairs are identical in spelling and pronunciation; the accent mark is the only distinction between them.

dé	*give*	**de**	*of*	**sí**	*yes*	**si**	*if*
él	*he*	**el**	*the*	**sólo**	*only*	**solo**	*alone*
más	*more*	**mas**	*but*	**té**	*tea*	**te**	*you*
mí	*me*	**mi**	*my*	**tú**	*you*	**tu**	*your*
sé	*I know*	**se**	*(reflexive pronoun)*				

Diacritic accents are used to distinguish demonstrative adjectives from demonstrative pronouns. Although this distinction is disappearing in many parts of the Spanish-speaking world, you may find it in ***Dos mundos*** and in many other books.

aquellos países	*those countries*	**aquéllos**	*those ones*
esa persona	*that person*	**ésa**	*that one*
este libro	*this book*	**éste**	*this one*

Diacritic accents are placed over relative pronouns or adverbs that are used interrogatively or in exclamations.

cómo	*how*	**como**	*as, since*
dónde	*where*	**donde**	*where*
por qué	*why*	**porque**	*because*
qué	*what*	**que**	*that*
quién	*who (interrogative pronoun)*	**quien**	*who (relative pronoun)*
cuándo	*when (interrogative pronoun)*	**cuando**	*when (relative pronoun)*

—¿**Cómo** se llama?   *What's his name?*
—No sé **cómo** se llama.   *I don't know what his name is.*

Como es niño, tiene que acostarse temprano.
Since he's a child, he must go to bed early.

SPELLING CHANGES

In general, Spanish has a far more phonetic system than many other modern languages. Most Spanish sounds correspond to just one written symbol. Those that can be written in more than one way are of two main types: those for which the sound/letter correspondence is largely arbitrary and those for which the sound/letter correspondence is determined by spelling rules.

A. In the case of arbitrary sound/letter correspondences, writing the sound correctly is mainly a matter of memorization. The following are some of the more common arbitrary, or *nonpatterned*, sound/letter correspondences in Spanish.

SOUND	SPELLING	EXAMPLES
/b/ + *vowel*	b, v	barco, ventana
/y/	y, ll, i + *vowel*	haya, amarillo, hielo
/s/	s, z, c	salario, zapato, cielo, hace
/x/ + e, i	g, j	general, jefe
		gitano, jinete

Note that, although spelling of the sounds /y/ and /s/ is largely arbitrary, two patterns occur with great frequency.

1. /y/ Whenever an unstressed **i** occurs between vowels, the **i** changes to **y.**

leió → leyó creiendo → creyendo caieron → cayeron

2. /s/ The sequences **ze** and **zi** are rare in Spanish. Whenever a **ze** or **zi** combination would occur in the plural of a noun ending in **z** or in a conjugated verb (for example, an **-e** ending on a verb stem that ends in **z**), the **z** changes to **c.**

luz → luces voz → voces empez + é → empecé taza → tacita

B. There are three major sets of patterned sound/letters sequences.

SOUND	SPELLING	EXAMPLES
/g/	g, gu	**g**ato, pa**gu**e
/k/	c, qu	to**c**a, to**qu**e
/gʷ/	gu, gü	a**gu**a, pin**gü**ino

1. /g/ Before the vowel sounds /a/, /o/, and /u/, and before all consonant sounds, the sound /g/ is spelled with the letter **g.**

gato   **g**ordo   **g**usto   **g**ratis   **G**loria   lle**g**o

Before the sounds /e/ and /i/, the sound /g/ is spelled with the letters **gu.**

guerra   **gu**itarra   lle**gu**é

2. /k/ Before the vowel sounds /a/, /o/, and /u/, and before all consonant sounds, the sound /k/ is spelled with the letter **c.**

casa   **c**osa   **c**urioso   **c**reer   **c**lub   le**cc**ión   to**c**o

Before the sounds /e/ and /i/, the sound /k/ is spelled with the letters **qu.**

queso   **qu**ímica   to**qu**é

3. /gʷ/ Before the vowel sounds /a/ and /o/, the sound /gʷ/ is spelled with the letters **gu.**

guante   anti**gu**o

Before the vowel sounds /e/ and /i/, the sound /gʷ/ is spelled with the letters **gü.**

bilin**gü**e   pin**gü**ino

These spelling rules are particularly important in conjugating, because a specific consonant sound in the infinitive must be maintained throughout the conjugation, despite changes in the stem vowels. It will help if you keep in mind the patterns of sound/letter correspondence, rather than attempt to conserve the spelling of the infinitive.

/ga/	= **ga**	llegar	/ge/	= **gue**	llegue (*present subjunctive*)
/ga/	= **ga**	llegar	/ge/	= **gué**	llegué (*preterite*)
/gi/	= **gui**	seguir	/go/	= **go**	sigo (*present indicative*)
/gi/	= **gui**	seguir	/ga/	= **ga**	siga (*present subjunctive*)
/xe/	= **ge**	recoger	/xo/	= **jo**	recojo (*present indicative*)
/xe/	= **ge**	recoger	/xa/	= **ja**	recoja (*present subjunctive*)
/gʷa/	= **gua**	averiguar	/gʷe/	= **güe**	averigüe (*present subjunctive*)
/ka/	= **ka**	sacar	/ke/	= **qué**	saqué (*preterite*)

APPENDIX FOUR

ANSWER KEY FOR GRAMÁTICA Y EJERCICIOS

PASO A

Ej. 1: 1. se llama 2. Me llamo 3. se llama 4. Se llama 5. Se llama 6. lleva 7. Lleva 8. llevan 9. Llevan 10. llevo **Ej. 2:** 1. a 2. b 3. a 4. a 5. a 6. a 7. a 8. a 9. b 10. a **Ej. 3:** 1. d 2. a 3. e 4. b 5. c **Ej. 4:** 1. Soy 2. es 3. son 4. Son 5. somos **Ej. 5:** 1. No, no es una chaqueta, es una camisa. 2. No, no es una mujer, es un hombre. 3. No, no es una falda, es un vestido. 4. No, no es un sombrero, es una blusa. 5. No, no es una naranja, es un reloj. **Ej. 6:** 1. La 2. El 3. La 4. El 5. El 6. La 7. La 8. El 9. La 10. El **Ej. 7:** 1. digan 2. escriba 3. cuenten 4. abran (cierren) 5. lea (estudie) 6. saque 7. lean (escriban) 8. abra (cierre)

PASO B

Ej. 1: 1. b 2. b 3. a 4. a 5. b **Ej. 2:** 1. Sí, hay libros en la mesa. 2. Sí, hay un reloj en la pared. 3. Hay un profesora en el salón de clase. 4. No hay un automóvil en el salón de clase. 5. No hay un profesor en el salón de clase. 6. Hay papeles en los pupitres. 7. Hay un bolígrafo en el pupitre de Alberto. 8. Hay muchos cuadernos en el salón de clase. 9. No hay una bicicleta en el salón de clase. 10. Hay una ventana en el salón de clase. **Ej. 3:** 1. En el salón de clase no hay diez pizarras. 2. Mónica no tiene el pelo negro. 3. Carmen no lleva una blusa muy fea. 4. Mi carro no es morado. 5. La profesora Martínez no tiene barba. **Ej. 4:** 1. Marisa tiene un par de zapatos pero Clarisa tiene dos pares de zapatos. 2. Marisa tiene un perro nuevo pero Clarisa tiene dos perros nuevos. 3. Marisa tiene una chaqueta roja pero Clarisa tiene dos chaquetas rojas. 4. Marisa tiene un lápiz amarillo pero Clarisa tiene dos lápices amarillos. 5. Marisa tiene una amiga norteamericana pero Clarisa tiene dos amigas norteamericanas. **Ej. 5:** 1. Clarisa tiene un cuaderno pequeño, pero Marisa tiene dos cuadernos pequeños. 2. Clarisa tiene un gato negro, pero Marisa tiene dos gatos negros. 3. Clarisa tiene una fotografía bonita, pero Marisa tiene dos fotografías bonitas. 4. Clarisa tiene un reloj bonito, pero Marisa tiene dos relojes bonitos. 5. Clarisa tiene un libro difícil, pero Marisa tiene dos libros difíciles. 6. Clarisa tiene una amiga divertida, pero Marisa tiene dos amigas divertidas. **Ej. 6:** 1. d, i, k, n 2. b, e, i 3. g, h, 4. a, k, n 5. b, e, i, m 6. h, l 7. b, e, i, o **Ej. 7:** 1. Ashley y Mary Kate Olsen son ricas y bonitas. 2. Will Smith es delgado y elegante. 3. Hillary Clinton es inteligente y rubia. 4. Jennifer López es materialista y talentosa. 5. George Clooney es guapo y tímido. **Ej. 8:** 1. Los libros son difíciles y divertidos. Los libros difíciles son divertidos. 2. La chica es baja y tímida. La chica baja es tímida. 3. Las mujeres son tacañas y trabajadoras. Las mujeres tacañas son trabajadoras. 4. El amigo es inteligente y perezoso. El amigo inteligente es perezoso. 5. Los robots son fuertes y aburridos. Los robots fuertes son aburridos.

PASO C

Ej. 1: 1. tiene 2. tenemos 3. tienes 4. Tengo 5. tienen **Ej. 2:** 1. El carro es de la profesora Martínez. 2. La camisa es de Luis. 3. El perro es de Nora. 4. Los lentes son de Esteban. 5. El saco es de Alberto. 6. La bicicleta es de Carmen. **Ej. 3:** 1. su 2. sus 3. tu 4. mis 5. nuestros 6. nuestras 7. su 8. su 9. tus 10. mi **Ej. 4:** 1. tu; mi 2. tus; mis 3. Su 4. sus; nuestros **Ej. 5:** 1. Adriana Bolini tiene 35 años. 2. Carla Espinosa tiene 22 años. 3. Rubén Hernández Arenas 38 años. 4. Susanan Yamasaki González tiene 33 años. 5. Doña María Eulalia González de Saucedo tiene 79 años. **Ej. 6:** 1. Don Eduardo Alvar tiene "X" años. 2. Estela Saucedo tiene "X" años. 3. Ernestito Saucedo tiene "X" años. 4. Amanda Saucedo tiene "X" años. 5. Doña Lola Batini tiene "X" años. **Ej. 7:** 1. Es española. 2. Son japoneses. 3. Es alemán. 4. Son francesas. 5. Son italianas. 6. Es china. 7. Es inglés. 8. Es iraní. 9. Son sirios. Ej. 8 1. hablan 2. habla 3. habla 4. hablas 5. hablo; hablo Ej. 9 1. habla; español 2. hablan español 3. hablan chino 4. Hablan inglés 5. Hablan hebreo 6. hablas ruso

CAPÍTULO I

Ej. 1: 1. mil ochocientos setenta y seis 2. mil quinientos ochenta y ocho 3. mil setecientos setenta y cinco 4. mil novecientos noventa y uno 5. dos mil seis 6. mil novecientos cuarenta y cinco 7. mil once 8. mil novecientos veintinueve 9. mil seiscientos quince 10. dos mil veinticinco **Ej. 2:** 1. leen 2. Lees 3. lee 4. Leo 5. lee **Ej. 3:** 1. vive 2. vivimos 3. viven 4. vivís 5. vivo 6. viven **Ej. 4:** 1. ¿Dónde vive Rubén Hernández? 2. ¿Qué idioma habla Susana? 3. ¿Cuándo es la clase de español? 4. ¿Cuántos hijos tienen Ernesto y Estela ? 5. ¿Cómo se llama el primer ministro de España? **Ej. 5:** ¿Cuál es tu número de teléfono? 2. ¿Cómo se llama su esposa? 3. ¿Cuándo es el día de tu cumpleaños? 4. ¿Cuántos años tienen? 5. ¿Dónde viven? **Ej. 6:** 1. Son las cuatro y veinte. 2. Son las seis y cuarto. 3. Son las ocho y trece. 4. Es la una y diez. 5. Son las siete y siete. 6. Son las cinco y media. 7. Son las tres (en punto). 8. Son las dos menos once. 9. Son las doce y media. 10. Son las cinco y cuarto. **Ej. 7:** 1. La clase de español es a las once. 2. El baile es a las nueve y media. 3. La conferencia es a las diez. 4. La clase de álgebra es a la una. 5. La fiesta del Club Internacional es a las siete y media. **Ej. 8:** 1. te, me 2. te, me 3. les, nos **Ej. 9:** 1. le, comer 2. le, cocinar 3. les, hablar por teléfono 4. le, leer 5. le, correr

CAPÍTULO 2

Ej. 1: 1.vas; Voy 2. van; va 3. va; vamos 4. vas; Voy 5. vas; Voy **Ej. 2:** 1. Ernesto 2. Estela 3. No, Guillermo es la cuarta (persona). 4. No, Amanda es la quinta (persona). 5. Sí. 6. Ramón 7. No, es la séptima (persona). 8. Ernesto 9. doña Lola 10. No, don Anselmo es el cuarto hombre. **Ej. 3:** 1. quiero; prefiere 2. quiere; prefiere 3. quiere; prefiero 4. quiere; prefieren 5. quiere; prefiere 6. quiere; prefiero 7. quiere; prefiere 8. quiere; prefiero 9. quieren; prefiero 10. quieren; prefiere **Ej. 4:** 1. Quiere jugar al béisbol. 2. Prefiero ver un partido de fútbol. 3. Quieren ir de compras. 4. Preferimos estudiar. 5. Prefieren levantar pesas. 6. Quiere viajar. **Ej. 5:** 1. Lan va a estudiar, pero prefiere charlar con sus amigas. 2. Carmen va a levantar pesas, pero prefiere hablar por teléfono. 3. Esteban va a escribir una composición, pero quiere tomar el sol en la playa. 4. Alberto va a montar a caballo, pero prefiere andar en motocicleta. 5. Pablo va a hablar con la profesora, pero prefiere hablar son su amiga. 6. Mi compañera va a hacer la tarea, pero quiere ¿ ?. 7. Yo voy a escuchar la actividades de comprensión, pero prefiero ¿ ?. **Ej. 6:** 1. hace sol. 2. Llueve. 3. Hace frío. 4. Hace mal tiempo. 5. Hace mucho calor. 6. Nieva. Ej. 7 1. posible 2. posible 3. imposible 4. imposible 5. imposible **Ej. 8:** 1. Esta 2. Estos 3. Estos 4. Estas 5. Este **Ej. 9:** 1. Esas 2. Ese 3. Esa 4. Esos 5. Esos **Ej. 10:** 1. esa 2. este 3. esos 4. este 5. estas **Ej. 11:** 1. Estos 2. Aquellos 3. Esos 4. Esos 5. Esas 6. Estas

CAPÍTULO 3

Ej. 1: 1. estoy en 2. están en 3. estás en 4. estamos en 5. está en 6. estamos 7. estás 8. está 9. están en 10. estamos **Ej. 2:** 1. vamos a la 2. van al 3. vamos al 4. va a la 5. voy a la 6. voy a la 7. van al 8. va a la 9. vamos a la 10. vas al **Ej. 3:** 1. b 2. d 3. f 4. c 5. a 6. e **Ej. 4:** 1. escribimos 2. lleva 3. limpiamos 4. desayunan 5. lee 6. comen 7. anda 8. hablo 9. asisten 10 escuchamos **Ej. 5:** 1. sale, salgo 2. juegas, juego 3. hace, hago 4. juegan, jugamos **Ej. 6:** 1. Papá, ¿tomas mucho café en el trabajo? 2. Diego, ¿juegan tú y tus amigos al béisbol? 3. Graciela y Diego, ¿tienen ustedes una computadora? 4. Raúl, ¿haces ejercicio en un gimnasio? 5. Señor Ruiz, ¿trabaja usted por la noche? 6. Don Eduardo, ¿prepara usted café por la mañana? 7. Mamá, ¿cocinas por la mañana o por la tarde? 8. Clarisa, ¿ves la televisión por la noche? 9. Doña Rosita, ¿asiste usted a misa los domingos? 10. Doña Lola, ¿lava usted su ropa en casa o en una lavandería? **Ej. 7:** 1. Sí, soy mujer. / No, no soy mujer. 2. Sí, vivo en los Estados Unidos. / No, no vivo en los Estados Unidos. 3. No, no manejo un Ferrari. 4. No, no tengo más de ochenta años. 5. Estudio español. **Ej. 8:** 1. ¿Dónde está su esposo? 2. ¿Cuándo es su cumpleaños? 3. ¿Qué tiene en su mochila? 4. ¿Cuál es la dirección de sus hermanos? 5. ¿Por que no va(s) a jugar al tenis hoy? 6. ¿Cuánto cuesta el libro de química? **Ej. 9:** 1. Ernesto y Estela (los esposos Saucedo) son de México pero ahora están en Pisa. 2. Mayín Durán es de Panamá pero ahora está en Los Ángeles. 3. Rogelio y Carla son de Puerto Rico pero ahora están en Nueva York. 4. Pilar Álvarez es de España pero ahora está en Guatemala. 5. Ricardo Sícora es de Venezuela peor ahora está en España.

CAPÍTULO 4

Ej. 1: 1. Duermen; dormimos 2. Almuerzan; almorzamos 3. Vuelven; volvemos 4. Juegan; jugamos 5. Juegan; jugamos 6. Pierden; juegan; perdemos; jugamos 7. prefieren; preferimos 8. empiezan; empezamos **Ej. 2:** 1. traigo 2. pongo 3. digo 4. oigo 5. salgo 6. vengo 7. tengo . 8. Hago **Ej. 3:** 1. d 2. b 3. f 4. e 5. c 6. g 7. a **Ej. 4:** 1. No, me baño a la ¿?:00. 2. No, me lavo el pelo con champú. 3. No, me afeito en el baño. 4. No, me levanto tarde los domingos. 5. No, me quito la ropa en mi dormitorio (recámara). 6. No, me peino en el baño. 7. No, me maquillo en el baño/en casa. 8. No, me ducho en el baño. **Ej. 5:** 1. c 2. e 3. d 4. a 5. b **Ej. 6:** 1. c (e) 2. a (e) 3. a (e) 4. b 5. d (e) **Ej. 7:** Después de hacer la compra, Estela prepara la comida. (Antes de preparar la comida, Estela hace la compra.) 2. Después de

limpiar la casa, Pedro y Andrea invitan a unos amigos. (Antes de invitar a unos amigos, Pedro y Andrea limpian la casa.) 3. Después de dormir una siesta, Guillermo va al videocentro. (Antes de ir al videocentro, Guillermo duerme una siesta.) 4. Después de correr, te bañas. (Antes de bañarte, corres.) 5. Después de ponernos la ropa, salimos a bailar. (Antes de salir a bailar, nos ponemos la ropa.) **Ej. 8:** 1. c 2. a 3. d 4. f 5. e 6. b **Ej. 9:** 1. ¿Están tristes Clarisa y Marisa? 2. ¿Está enojado (irritado) Ernesto? 3. ¿Están enamorados Ramón y Amanda? 4. ¿Está ocupado Guillermo? 5. ¿Están contentos (enamorados) Silvia y Nacho? **Ej. 10:** 1. e 2. c 3. f 4. a 5. b **Ej. 11:** 1. tiene hambre 2. tienes frío 3. Tenemos calor 4. tengo sueño 5. Tengo prisa 6. tienen sed 7. tengo miedo 8. Tengo sed.

CAPÍTULO 5

Ej. 1: 1. Les 2. les 3. le 4. nos 5. me; te 6. les 7. le; nos 8. me; te **Ej. 2:** 1. Frame 1: me Frame 2: le Frame 3: le; me Frame 4: te Frame 5: le; nos Frame 6: nos; les **Ej. 3:** 1. sé 2. sabe 3. saben 4. sabes 5. sabemos **Ej. 4:** 1. Puedes 2. Pueden 3. puede 4. pueden 5. Podemos **Ej. 5:** 1. Está leyendo un libro. 2. Están pescando. 3. Está reparando un coche. 4. Está cocinando. 6. Están viendo/mirando la televisión. 6. Está cuidando al paciente. (Está dándole medicina al paciente.) **Ej. 6:** 1. está calificando 2. está atendiendo 3. está sirviendo 4. está dando 5. está reparando 6. está vendiendo **Ej. 7:** 1. tiene que 2. tienen que 3. tengo que 4. tenemos que 5. tienes que **Ej. 8:** 1. debe 2. debo 3. debes 4. deben 5. debemos **Ej. 9:** 1. quisiera 2. quisiéramos 3. quisieran 4. quisieras 5. quisiera **Ej. 10:** 1. le 2. les 3 le 4. me 5. nos **Ej. 11:** 1. piensa 2. piensas 3. pensamos 4. piensan 5. pienso

CAPÍTULO 6

Ej. 1: 1. El sillón pesa más que la mesa. (La mesa pesa menos que el sillón.) 2. En mi casa viven más personas que en la casa de los vecinos. (En la casa de los vecinos viven menos personas que en mi casa.) 3. La casa de los López tiene más dormitorios que la casa de los vecinos. (La casa de los vecinos tiene menos dormitorios que la casa de los López.) 4. En nuestro patio hay más árboles que en el patio de mis abuelos. (En el patio de mis abuelos hay menos árboles que en nuestro patio.) 5. En la casa de los Saucedo hay más dormitorios que en la casa de los Ruiz. (En la casa de los Ruiz hay menos dormitorios que en la casa de los Saucedo.) **Ej. 2:** (Opinions may vary.) 1. Vivir en el desierto es peor que vivir en el centro. 2. Vivir en una casa es mejor que vivir en un

apartamento. 3. Un refrigerador es el más útil de todos. 4. Armando es mayor que Irma. 5. Mi hijo es menor que tu hija. 6. El Rolls Royce es el más caro de todos. **Ej. 3:** (Answers may vary.) 1. La piscina de los Lugo es tan bonita como la piscina de los Montes. 2. El edificio de la avenida Oriente no es tan alto como el edificio nuevo de la avenida del Libertador. 3. La lavandería vieja de la avenida Almendros no es tan limpia como la lavandería nueva de la calle Ebro. 4. Los condominios "San Juan" no son tan modernos como los condominios "Princesa". **Ej. 4:** 1. La sala de su casa no tiene tantas lámparas como la sala de nuestra casa. 2. La casa de los Ruiz no tiene tantos cuartos como la casa de los Saucedo. 3. La casa de los vecinos tiene tantos baños como la casa de mis padres. 4. El patio de don Anselmo no tiene tantas flores y plantas como el patio de doña Lola. **Ej. 5:** 1. Sí, (No, no) compré un disco compacto. 2. Sí, (No, no) comí en un restaurante. 3. Sí, (No, no) hablé por teléfono. 4. Sí, (No, no) escribí una carta. 5. Sí, (No, no) estudié por cuatro horas. 6. Sí, (No, no) abrí la ventana. 7. Sí, (No, no) visité a un amigo. 8. Sí, (No, no) corrí por la mañana. 9. Sí, (No, no) tomé un refresco. 10. Sí, (No, no) lavé los platos. **Ej. 6:** 1. Mi madre no charló con el presidente la semana pasada. 2. El presidente de México no comió un taco en la calle ayer. 3. La profesora de español no salió con Antonio Banderas anoche. 4. Yo no jugué al tenis con Anabel Medina ayer a medianoche. 5. Fidel Castro no visitó los Estados Unidos el mes pasado. **Ej. 7:** 1. ¿Conoce usted 2. ¿Conoce usted 3. ¿Sabe usted 4. ¿Sabe usted 5. ¿Conoce usted 6. ¿Conoce usted 7. ¿Sabe usted 8. ¿Sabe usted 9. ¿Sabe usted 10. ¿Conoce usted **Ej. 8:** 1. los 2. la 3. lo 4. los 5. lo 6. lo 7. la 8. los 9. lo 10. la

CAPÍTULO 7

Ej. 1: (1) se levantó a las 7:00. (2) Se bañó. (3) Se puso la ropa (se vistió). (4) Desayunó cereal con leche y fruta. (5) leyó el periódico. (6) Manejó el coche al trabajo. (7) Llegó al trabajo a las 8:30. (8) Almorzó con un amigo. (9) Comió una hamburguesa. **Ej. 2:** 1. llegaste 2. Llegué 3. llegamos 4. llegó 5. Leíste 6. leí 7. leyeron 8. leyó; leímos **Ej. 3:** 1. d 2. c 3. e 4. g 5. b 6. f 7.a 4 Your list should have first person plural forms (nosotros) such as (Mi... yo) acampamos, viajamos, estudiamos, comimos, corrimos, escribimos, etc. **Ej. 4:** 1. dio 2. vinieron 3. traje 4. dijeron 5. vio 6. puso 7. hizo 8. fueron **Ej. 5:** 1. Fue; sus; Llegaron; descansó; Bucearon; vieron; hicieron; cocinaron; tocó; cantaron; bailaron 2. fue; su; Llegaron; entró, vio; estudió; saludó; salieron; bailó; tomó;

Regresó **Ej. 6:** (1) Generalmente Pilar asiste a clase, pero ayer durmió toda la tarde y mañana va a visitar a una amiga. (2) Generalmente Andrea y Pedro almuerzan con sus hijas y ayer estuvieron en casa todo el día, pero mañana van a ir de compras. (3) Generalmente Adriana juega al tenis después de salir del trabajo, pero ayer tradujo un documento del italiano al español y mañana va a aprender a usar un nuevo programa de informática. (4) Generalmente doña Lola se queda en casa, pero ayer tomó café con sus amigas y mañana va a cocinar toda la tarde. (5) Generalmente Carla y Rogelio estudian en la biblioteca pero ayer fueron a la playa y mañana van a lavar el carro. **Ej. 7:** 1. duermes 2. Dormí 3. duermes 4. duermo 5. sientes 6 siento 7. sentiste 8. sentí 9. divertiste 10 divertí 11. divirtió 12. divirtió 13. mentiste 14. mentí 15. mintió **Ej. 8:** 1. me 2. dijiste 3. Te 4. dije 5. me 6. dijo 7. me 8. dijo 9. le 10. dijiste 11. le 12. dijiste 13. le 14. dije 15. le 16. dije **Ej. 9:** (After *hace* answers may vary.) 1. Pero, Estela, limpié el baño (lo limpié) ayer. 2. Pero, Estela, barrí el patio (lo barrí) hace una hora. 3. Pero, Estela, pasé la aspiradora (la pasé) hace dos días. 4. Pero, Estela, bañé al perro hace una semana. 5. Pero, Estela, te llevé a un restaurante elegante el mes pasado. **Ej. 10:** (Answers are for 2006; they will vary depending on the year the book is used.) 1. Alejandro G. Bell inventó el teléfono hace 130 años. 2. Gustave Eiffel construyó la Torre Eiffel hace 117 años. 3. Pancho Villa murió hace 83 años. 4. Colón llegó a América hace 514 años. 5. Francisco Franco murió hace 31 años. 6. Alemania se unificó hace 16 años. 7. Los países de la Unión soviética se independizaron hace 15 años.

CAPÍTULO 8

Ej. 1: Lo preparé ayer. 2. La puse en el congelador. 3. Las compré en el supermercado. 4. Lo traje hace diez minutos. 5. La puse en la mesa. 6. Las preparé hace dos minutos. 7. Los puse en el gabinete. 8. Lo compré en la panadería. 9. Las hice cuando me levanté. 10. Los traje esta mañana. **Ej. 2:** 1. las 2. la 3. los 4. lo 5. la **Ej. 3:** 1. Te 2. me 3. ti 4. mí 5. le 6. él 7. mí 8. ti 9. te 10. mí 11. me **Ej. 4:** (Food items will vary.) 1. A mi mejor amigo/a le encanta(n).... 2. A mis padres les encanta(n).... 3. A mi profesor (a) le encanta(n).... 4. A mi amigo/a (esposo/a) le encanta(n).... 5. A mí me encanta(n).... 6. A mi mejor amigo/a y a mí nos encanta(n).... **Ej. 5:** 1. nadie 2. nada 3. nunca 4. nadie 5. ninguna 6. nada 7. Nunca 8. ninguno **Ej. 6:** 1. A mí sí (me gustan). 2. A mí no (me gusta). 3. A mí sí (me gustan). 4. A mí

tampoco (me gusta). 5. A mí tampoco (me gustan). 6. A mí también (me gustan). **Ej. 7:** 1. se cortan 2. se necesita 3. se lava; se pone 4. se preparan 5. se agregan 6. se necesitan 7. Se habla 8. Se baten **Ej. 8:** 1. pedir 2. pedir 3. sirven 4. pedir 5. pides 6. sirven 7. pido 8. pedir 9. pidieron 10. Pedimos 11. sirvieron 12. pedí 13. pidió 14. pediste 15. pedí 16. pidió 17. pidieron 18. pedimos 19. sirvió 20. sirvió

CAPÍTULO 9

Ej. 1: se parece 2. se parecen; me parezco; te pareces 3. me parezco; me parezco 4. nos parecemos; se parece 5. se parece **Ej. 2:** 1. se llevan 2. te llevas; nos llevamos 3. nos llevamos; me llevo 4. se llevan 5. te llevas; nos llevamos **Ej. 3:** (After the first phrase, answers may vary.) 1. ¿Para ella? ¡No lo creo! 2. ¿Para mí? ¡Es muy pequeño! 3. ¿Para ellas? ¡No les gusta la música clásica! 4. ¿Para nosotros? No nos gusta leer. 5. ¿Para él? ¡No lo creo! 6. ¿Para ti? ¿Te gusta la cerveza? 7. ¿Para ella? ¿Le gustan? 8. ¿Para él? ¡No le gusta! **Ej. 4:** 1. conmigo; contigo 2. ti; mí 3. él 4. él 5. él; mí **Ej. 5:** 1. Guillermo andaba en bicicleta. 2. Amanda y yo jugábamos con muñecas. 3. Andrea leía las tiras cómicas del periódico los domingos. 4. Doña Lola y doña Rosita se bañaban en el mar en Acapulco. 5. Don Eduardo comía muchos dulces. 6. Estela limpiaba su recámara. 7. La familia Saucedo pasaba las vacaciones en Acapulco. 8. Pedro Ruiz escuchaba música rock. 9. Ernesto veía dibujos animados en la televisión. 10. El abuelo de Ernestito cuidaba el jardín. **Ej. 6:** 1. Andrea y Pedro; jugaban 2. Estela y Ernesto; iban 3. Estela; saltaba 4. Raúl; se peleaba 5. Andrea; lloraba 6. Raúl; se llevaba 7. Andrea y Paula; se parecían **Ej. 7:** 1. tenía 2. sabía 3. conocíamos 4. era 5. estaba **Ej. 8:** 1. tenía 2. era 3. conocía 4. queríamos; teníamos 5. estabas 6. tenía 7. supe 8. tuve 9. conocí 10. quise 11. pude **Ej. 9:** 1. Iba a venir pero me quedé sin gasolina. 2. Iba a traer flores pero la tienda cerró temprano. 3. Te iba a comprar un regalo pero no tuve tiempo. 4. Iba a cenar con ustedes pero cené en casa antes. 5. Iba a ir pero asistí a un concierto. 6. Te iba a decir pero no pude. 7. Iba a llegar a tiempo pero perdí mi reloj. 8. Iba a asistir pero fui a ver a mi abuela enferma.

CAPÍTULO 10

Ej. 1: 1. hemos visto 2. ha escrito 3. he ido (viajado) 4. ha comprado 5. has comido 6. ha hablado 7. has viajado (ido) 8. han limpiado 9. has oído 10. han pasado **Ej. 2:** (Frequency will vary.) 1. ¿Cuántas veces has viajado a México? He viajado a México muchas veces. 2. ¿Cuántas veces has esquiado en un lago? Nunca he esquiado

en un lago. 3. ¿Cuántas veces has subido a una pirámide? He subido a una pirámide una vez, en México. 4. ¿Cuántas veces has acampado en la montaña? He acampado en la montaña muchas veces. 5. ¿Cuántas veces has alquilado un coche? He alquilado un coche tres o cuatro veces. 6. ¿Cuántas veces has cocinado para diez personas? He cocinado para diez personas muchas veces. 7. ¿Cuántas veces has leído tres novelas en un día? Nunca he leído tres novelas en un día. 8. ¿Cuántas veces has corrido 5 kilómetros sin parar? He corrido 5 kilómetros sin parar varias veces. 9. ¿Cuántas veces les has dicho una mentira a tus padres? ¡Nunca les he dicho una mentira! 10. ¿Cuántas veces has roto una vaso en un restaurante? He roto un vaso en un restaurante solamente una vez. **Ej. 3:** 1. ¡Qué país tan (más) interesante! 2. ¡Qué vuelo tan (más) largo! 3. ¡Qué montañas tan (más) altas! 4. ¡Qué selva tropical tan (más) verde! 5. ¡Qué arena tan (más) blanca! **Ej. 4:** 1. ¡Qué impresionantes son las ruinas de Machu Picchu! 2. ¡Qué grande es el lago Titicaca! 3. ¡Qué cosmopolita es la ciudad de Buenos Aires! 4. ¡Qué húmeda es la selva de Ecuador! 5. ¡Qué seco es el desierto de Atacama en Chile! 6. ¡Qué alta es la torre de la Giralda en Sevilla! 7. ¡Qué hermoso es el edificio del Alcázar en Segovia! 8. ¡Qué inmenso es el parque del Retiro en Madrid! 9. ¡Qué interesante es el Museo del Prado! 10. ¡Qué antiguo es el acueducto de Segovia! **Ej. 5:** 1. por 2. por 3. para 4. por 5. por 6. por 7. por 8. para **Ej. 6:** 1. rápidamente 2. cómodamente 3. puntualmente 4. constantemente 5. inmediatamente **Ej. 7:** (Answers will vary.) 1. a. me parece b. me importa 2. a. me fascinan b. me interesan 3. a. me encanta b. me gusta 4. a. me molesta b. me gusta 5. a. me importan b. me preocupan

CAPÍTULO 11

Ej. 1: 1. Sí, hágalas inmediatamente. 2. Sí, cómprelos ya. 3. Sí, tráigalo mañana. 4. Sí, recójalos la semana que viene. 5. Sí, llegue dos horas antes. 6. Sí, consiga otro. **Ej. 2:** 1. Sí, prepárenlo. 2. Sí, consíganlos. 3. Sí, límpienlas. 4. Sí, háganlas esta noche. 5. Sí, duerman antes de salir. 6. Sí, salgan inmediatamente. **Ej. 3:** 1. comas 2. hables 3. visites 4. veas, 5. saques 6. aprendas **Ej. 4:** 1. (No) Quiere que recojamos 2. escribamos 3. llevemos 4. compremos 5. comamos 6. lleguemos 7. bebamos **Ej. 5:** 1. llegue 2. viajamos 3. suben 4. lea 5. terminen **Ej. 6:** Hijo/a (no) queremos que hagas las maletas un día antes de la salida. 2. Hijo/a (no) queremos que duermas ocho horas la noche anterior a la salida. 3. Hijo/a (no) queremos que lleves ropa para ocho días.

4. Hijo/a (no) queremos que vayas directamente a la estación de autobuses. 5. Hijo/a (no) queremos que pongas el dinero en un lugar seguro. 6. Hijo/a (no) queremos que le des tu pasaporte al profesor. 7. Hijo/a (no) queremos que vuelvas con buenos recuerdos del viaje. 8. Hijo/a (no) queremos que pidas comida norteamericana en los restaurantes. 9. Hijo/a (no) queremos que te diviertas mucho y traigas regalos para toda la familia. 10. Hijo/a (no) queremos que nos digas adiós / le digas adiós a la familia.   **Ej. 7:** 1. c. llame; llegue 2. d. sirva; vayamos 3. b. oigas; vengas 4. e. traigamos; volvamos 5. a. saques; estés   **Ej. 8:** (Yes/no answers will vary) 1. durmiendo 2. asistiendo 3. viendo 4. estudiando 5. leyendo 6. estaba preparando 7. estaba haciendo 8. estaban comiendo 9. estaban limpiando 10. estaba dando   **Ej. 9:** 1. Manejaba 2. Veía 3. Caminaba 4. hablaba 5. me bañaba   **Ej. 10:** 1. era 2. íbamos 3. alquilábamos 4. buceábamos 5. bañábamos 6. salíamos 7. caminábamos 8 tenía 9. fuimos 10. dormían 11. jugaba 12. hablaba 13. conocía 14. miré 15. jugaba 16. vi 17 levantamos 18. corrimos 19. encontramos 20 buscamos 21. pudimos 22. estaba 23. regresamos 24. teníamos 25. estaba 26. fuiste 27. grité 28. contestó 29. estaba 20. enojé

CAPÍTULO 12
Ej. 1: 1. Tiene que haber 2. Va a haber / Hay 3. había 4. hay; va a haber; Hay 5. haya   **Ej. 2:** 1. b 2. a 3. b 4. a 5. a   **Ej. 3:** 1. No le muestre su pierna. 2. No me diga si le duele mucho. 3. No le lleve estos papeles a la recepcionista. 4. No le traiga la comida al paciente. 5. No le dé la receta al farmacéutico.   **Ej. 4:** 1. Llámeme el miércoles. 2. Tráiganos la medicina. 3. Dígale su nombre al médico. 4. Lléveles la receta a los pacientes. 5. Déme la información.   **Ej. 5:** 1. Le recomienda a la enfermera que le ponga la inyección a la paciente. 2. Le recomienda al paciente que lo llame mañana. 3. Le recomienda a la enfermera que le explique los síntomas a la señora López. 4. Le recomienda a la recepcionista que le lleve estos papeles a los señores Gómez. 5. Le recomienda al paciente que le cuente a la enfermera cómo ocurrió el accidente. **Ej. 6:** 1. Se perdió. 2. Se rompieron. 3. Se cayó. 4. Se descompuso. **Ej. 7:** 1. A Lan se le descompuso el carro. 2. Al dentista se le cayó el espejo. 3. Al doctor Rocha se le olvidó el estetoscopio en su coche. 4. A Ernesto y a Estela se les quedó la llave dentro de la casa. 5. A las enfermeras se les perdieron los vendajes. **Ej. 8:** 1. Estela barría el patio cuando Ernesto se cayó de la escalera / del techo. 2. Ramón y Amanda patinaban cuando Amanda se cayó. 3. Andrea se maquillaba

cuando Pedro se cayó en la bañera. 4. Ernesto manejaba cuando un perro atravesó la calle. Ernesto frenó y no lo atropelló. 5. Ernestito y sus amigos jugaban al béisbol cuando la pelota rompió la ventana. 6. Ernesto y Estela veían la televisión cuando ocurrió un terremoto. **Ej. 9:** 1. trabajé 2. Salí 3. caminé 4. Había 5. esperaba 6. era 7. Pensaba 8. vi 9. caminaba 10. estaba 11. llegó 12. robó 13. empezó 14. desapareció 15. llegó 16. di 17. llegó 18. llegué

CAPÍTULO 13
Ej. 1: 1. Nora quiere llevar el vestido corto pero su hermana prefiere el largo. 2. Alberto quiere llevar el abrigo de cuero pero su hermano prefiere el de lana. 3. Pablo quiere llevar el suéter ligero pero su padre prefiere el grueso. 4. Carmen quiere llevar la falda vieja pero su prima prefiere la nueva. 5. Esteban quiere llevar la camisa de seda pero su novia prefiere la de algodón.   **Ej. 2:** 1. Paula quiere un abrelatas manual; su novio, Armando, prefiere uno eléctrico. 2. Paula quiere un asador pequeño; Armando prefiere uno grande. 3. Paula quiere unos vasos de vidrio; Armando prefiere unos de plástico. 4. Paula quiere unos muebles modernos para la sala; Armando prefiere unos antiguos. 5. Paula quiere una computadora IBM; Armando prefiere una McIntosh.   **Ej. 3:** 1. esta; ésa 2. estos; ésos 3. estas; aquéllas 4. aquel; éste 5. Ese; este   **Ej. 4:** 1. c 2. e 3. a 4. b 5. d   **Ej. 5:** 1. por 2. para 3. para; para 5. por 6. por 7. por 8. Para 9. para 10. por 11. para   **Ej. 6:** 1. nos, a, b, c 2. le; a, b 3. les; a, c 4. me; a, c, d 5. te; a; c   **Ej. 7:** 1. Sí, se la entregué ayer. 2. Sí, se lo vendí ayer. 3. Sí, se la di ayer. 4. Sí, se la presté ayer. 5. Sí, se la llevé ayer. 6. Voy a prestártelas / Te las voy a prestar mañana. 7. Voy a devolvértelo / Te lo voy a devolver mañana. Voy a traértelo / Te lo voy a traer mañana. 9. Voy a dártela / Te la voy a dar mañana. 10. Voy a mostrártelos / Te los voy a mostrar mañana. **Ej. 8:** 1. Sí, se lo voy a pedir mañana./ Sí, voy a pedírselo mañana. 2. Sí se los voy a prestar mañana. Sí voy a prestárselos mañana. 3. Sí se las voy a llevar mañana. / Sí, voy a llevárselas mañana. 4. Sí se las voy a devolver mañana. Sí, voy a devolvérselas mañana. 5. Sí se lo voy a regalar mañana. Sí, voy a regalárselo mañana. **Ej. 9:** 1. Te la estoy dando / Estoy dándotela ahora mismo. 2. Te las estoy preparando /Estoy preparándotelas ahora mismo. 3. Te la estoy planchando / Estoy planchándotela ahora mismo. 4. Te lo estoy buscando /Estoy buscándotelo ahora mismo. 5. Te las estoy buscando /Estoy buscándotelas ahora mismo.   **Ej. 10:** 1. Ya me la regaló la semana pasada. 2. Ya me

lo compró la semana pasada. 3. Ya me la prestó la semana pasada. 4. Ya me los trajo la semana pasada. 5. Ya me lo dio la semana pasada.

CAPÍTULO 14
Ej. 1: 1. El señor Ruiz y su suegra se llamaron. 2. Mi ahijada y yo nos escribimos a menudo. 3. Amanda y su novio se hablan todos los días. 4. Mi madre y mi padre se respetan mucho. 5. El abuelo de Guillermo y yo nos conocemos muy bien.   **Ej. 2:** 1. Pues, no está muy amable hoy. 2. Pues, no está muy frío hoy. 3. Pues, no está muy cómico hoy. 4. Pues, no está muy cara hoy. 5. Pues, no está muy eficiente hoy.   **Ej. 3:** 1. es 2. está 3. estoy 4. está; es 5. Son; están 6. son; están   **Ej. 4:** 1. Levántate (Acuéstate) 2. Ven 3. Ten 4. Sal 5. Bájate 6. Habla 7. Acuéstate; apaga 8. Dile 9. Ve; lee 10. Haz   **Ej. 5:** 1. Traiga; dé 2. Muestre; diga 3. espera (espérame); te vayas 4. Rebaje; suba 5. Mira; digas   **Ej. 6:** 1. ruega; llegue 2. Espera; saquen 3. Desea; contesten 4. Prefiere; lea 5. Quiere; entreguemos   **Ej. 7:** 1. Guillermo, es mejor que hagas la tarea. 2. Graciela, quiero que hables con Amanda. 3. Amanda, es necesario que llames a Graciela. 4. Clarisa, es muy importante que te quedes en el patio. 5. Marisa, sugiero que juegues con tu hermanita.   **Ej. 8:** 1. a. vayan b. falten c. hablen d. den; a, c 2. a. fumemos b. durmamos c. consultemos d. comamos; b, d 3. a. jueguen b. limpien c. coman d. vean; a 4. a. haga b. llame c. ayuden d. saque; a, b, c, d 5. a. almuerces b. vengas c. escribas d. duermas; a, b, c   **Ej. 9:** 1. ¡Que lo bañe Ernestito! 2. ¡Que lo barra Guillermo! 3. ¡Qué las pague Ernesto! 4. ¡Que los cuide Ernesto! 5. ¡Que los sacuda Berta! 6. ¡Que lo arregle Ernesto! 7. ¡Que lo envíe Amanda! 8. ¡Que jueguen con la gata los niños! 9. ¡Que la recoja Ernestito! 10. ¡Que las ponga allí Berta!   **Ej. 10:** 1. (Answers will vary.) 1. ¡Que duermas bien! 2. ¡Que los pases bien! 3. ¡Que tengas buena suerte! 4. ¡Que se mejore! 5. ¡Que tengan buen viaje!   **Ej. 11:** 1. Ojalá (que) reciba muchos regalos. 2. Ojalá (que) haga buen tiempo. 3. Ojalá (que) no tenga que trabajar. 4. Ojalá (que) no esté enfermo/a. 5. Ojalá (que) vengan a visitarme mis amigos.   **Ej. 12:** 1. (No) Escuchemos música latina. 2. (No) Trabajemos en el proyecto. 3. (No) Hagamos ejercicio. 4. (No) Vayamos al cine. 5. (No) Alquilemos una película en DVD.

CAPÍTULO 15
Ej. 1: 1. Me casaré; tendré 2. nos graduaremos; iremos 3. se mudarán; vivirán 4. lograremos; nos reuniremos 5. vendrá; dirá   **Ej. 2:** 1. gradúe 2. haya 3. tienes

4. ven 5. llegues 6. vengan 7. alcancen 8. vuelven 9. salgamos 10. saludan **Ej. 3:** 1. sea 2. esté 3. ofrezca 4. tienen 5. venda 6. fabrica 7. hay **Ej. 4:** 1. haya 2. aumenta 3. prohíbe 4. ayude 5. adopte 6. influye **Ej. 5:** 1. ponga 2. puedan 3. tenga 4. haya **Ej. 6:** 1. hay 2. vengan 3. lleguen 4. permita 5. encuentren 6. son 7. digas 8. sepa 9. podamos 10. vamos **Ej. 7:** 1. tenga 2. haya 3. seamos 4. Representan 5. vive 6. estén 7. conozco **Ej. 8:** 1. visitarían 2. trataría 3. compraría 4. comerían; tomarían 5. practicarían 6. caminaría 7. pasaría 8. usarían 9. se acostarían 10. mandaría **Ej. 9:** 1. me graduara 2. fuera 3. nos mudáramos 4. fueran 5. usara 6. tuviera **Ej. 10:** 1. tuviera; trabajarían 2. pasaran; verían 3. consultáramos; aprenderíamos 4. contaminaran; estaría 5. causaran; serían 6. permitiera; habría

SPANISH-ENGLISH VOCABULARY

This Spanish-English Vocabulary contains all of the words that appear in the text, with the following exceptions: (1) most identical cognates that do not appear in the chapter vocabulary lists; (2) conjugated verb forms, with the exception of certain forms of **haber** and expressions found in the chapter vocabulary lists; (3) diminutives in **-ito/a;** (4) absolute superlatives in **ísimo/a;** and (5) some adverbs in **-mente.** Active vocabulary is indicated by the number of the chapter in which a word or given meaning is first listed (A = **Paso A**); vocabulary that is glossed in the text is not considered to be active vocabulary and is not numbered. Only meanings that are used in this text are given.

The gender of nouns is indicated, except for masculine nouns ending in **-o** and feminine nouns ending in **-a.** Stem changes and spelling changes are indicated for verbs: **dormir (ue, u); llegar (gu).**

The following abbreviations are used:

abbrev.	abbreviation	*irreg.*	irregular
adj.	adjective	*m.*	masculine
adv.	adverb	*Mex.*	Mexico
Arg.	Argentina	*n.*	noun
coll.	colloquial	*obj. of prep.*	object of preposition
conj.	conjunction	*pl.*	plural
def. art.	definite article	*pol.*	polite
d.o.	direct object	*poss.*	possessive
f.	feminine	*p.p.*	past participle
fig.	figurative	*prep.*	preposition
Guat.	Guatemala	*pron.*	pronoun
inf.	informal	*refl. pron.*	reflexive pronoun
infin.	infinitive	*sing.*	singular
interj.	interjection	*Sp.*	Spain
inv.	invariable	*sub. pron.*	subject pronoun
i.o.	indirect object		

A

a to (1); at; **a la** to the (1); **al** *contraction of* **a** + **el** to the (1); **a cualquier hora** at any time (5); **a la derecha/izquierda de** to the right/left of (3); **a la parrilla** grilled, charbroiled (8); **a la vez** at the same time (5); **a menos que** unless (15); **a menudo** often (6); **a tiempo** on time (9); **a ver** let's see (13); **al corriente** up to date (15); **al día siguiente** the next day (12); **al horno** baked (8); **al lado de** to the side of (3); **al norte/sur** to the north/south (3); **al principio** at the beginning (3); **al punto** medium rare (8)

abajo *adv.* below (3)

abalorio glass bead

abeja bee (10)

abierto/a (*p.p. of* **abrir**) open (2); opened

abogado/a lawyer (5)

abordar to board (11)

abordo on board

aborto abortion (15)

abrazar (c) to hug, embrace (12); **abrazarse** to hug each other (14)

abrazo hug (3)

abrelatas *m.* can opener

abril *m.* April (1)

abrir (*p.p.* **abierto**) to open

absoluto/a absolute

absorber to absorb

absorción *f.* absorption

abstracto/a abstract

abuelo/a grandfather/grandmother; **abuelos** *pl.* grandparents

abundancia abundance (10)

abundante abundant (4)

aburrido/a boring; bored; **¡qué aburrido!** how boring! (1)

aburrimiento boredom

aburrirse to be bored

abusar de to abuse (14)

abusivamente abusively

abuso abuse (15)

acabar to finish, put an end to (15); **acabar de** (+ *infin.*) to have just done (*something*) (11)

academia academy

acampar to camp (1)

acceder to agree; to consent

acceso access (15)

accidente *m.* accident (5)

acción *f.* action (3); **Día de Acción de Gracias** Thanksgiving (4)

aceite *m.* (olive) oil

aceituna olive

acentuado/a accentuated

aceptable acceptable

aceptar to accept (7)

acero (inoxidable) (stainless) steel (13)

acerca de about (1)

acercarse (qu) (a) to approach, come near

acertar (ie) to guess right

acidez *f.* acidity

ácido/a acid; **lluvia ácida** acid rain

aclamar to acclaim, applaud
aclaración *f.* explanation
aclarar to explain
acomodar to accommodate
acompañar to accompany
acondicionador *m.* conditioner (4)
aconsejar to give advice, advise (14)
acontecimiento event, happening
acordar (ue) to agree; to resolve; **acordarse de** to remember (*something/ someone*) (14)
acostarse (ue) to go to bed (4); **me acuesto** I go to bed (4); **se acuesta** he/she goes to bed, you (*pol. sing.*) go to bed (4)
actitud *f.* attitude (15)
activar to activate
actividad *f.* activity; **actividades auditivas** listening activities (5); **actividades del tiempo libre** leisure time activities (1); **actividades diarias** daily activities
activista *m., f.* activist (9)
activo/a active (5)
acto act
actor *m.* actor (1)
actriz *f.* actress (1)
actuación *f.* performance
actual present-day, current (15)
actualidad *f.* present, present-time
actualmente at present, nowadays (15)
actuar (yo actúo) to act (5)
acueducto aqueduct (11)
acuerdo: estar (*irreg.*) **de acuerdo** to agree (4)
acumular to accumulate
acumulativo/a cumulative
acusación *f.* accusation
acusado/a accused (5)
acusador(a) accusing
acusar to accuse
acusatorio/a accusatory
acústico/a acoustic
adaptar(se) to adapt oneself
adecuado/a adequate (12)
adelgazar (c) to lose weight
además moreover; **además de** besides (11)
adentro de inside (3)
aderezo (salad) dressing (8)
adherirse (ie) to stick to
adhesión *f.* adhesion, adherence
adiestramiento training, instruction
adivinador(a) fortune teller
adivinar to guess (5)
adjetival adjectival
adjetivo adjective
administrar to administer
admirar to admire (11)
admitir to admit
adolescente *m., f.* adolescent (14)
adolorido/a painful (12)
¿adónde? to where? (3)
adopción *f.* adoption

adoptar to adopt
adquirir to acquire
aduana *sing.* customs (11); **derechos de aduana** customs duty, taxes (11)
adulto adult (11)
aéreo/a pertaining to air (*travel*) (10); **transporte** (*m.*) **aéreo** air transport
aeróbico/a aerobic; **ejercicio aeróbico** aerobics
aerolínea airline (11)
aeropuerto airport (3)
aerosol *m.* aerosol
afectar to affect
afecto affection, fondness
afeitadora razor (4)
afeitarse to shave (4); **crema de afeitar** shaving cream
afición *f.* liking, love
afirmación *f.* statement (4)
afirmar to affirm
afortunado/a fortunate, lucky
africano/a African
africanocubano/a Afro-Cuban
afrontar to confront
afuera (de) outside (3)
agarrar to grasp, seize
agencia de viajes travel agency (11)
agenda electrónica PDA
agente *m., f.* agent; **agente de seguros** insurance agent (5)
agonizar (c) to be dying
agosto August (1)
agotado/a exhausted
agotarse to run out
agradable pleasant (6)
agradar to please
agradecer (zc) to thank
agrado pleasure
agrario/a agricultural
agregar (gu) to add (8)
agresivo/a aggressive
agricultor(a) farmer, agriculturalist
agricultura agriculture (10)
agua *f.* (*but* **el agua**) water (3); **agua con sal** salt water (12); **agua dulce** fresh water (11); **agua mineral** mineral water; **agua salada** salt water (11)
aguacate *m.* avocado (8)
águila *f.* (*but* **el águila**) eagle (10)
agujerear to make holes in
agujero hole; **agujero en la capa de ozono** hole in the ozone layer (10)
ahí there, over there (4)
ahijado/a godson/goddaughter (14)
ahora now; **ahora mismo** right now (14)
ahorrar to save (9)
ahuyentar to scare away; to drive away
aire *m.* air (10); **aire libre** outdoors (7); **mercado al aire libre** open-air market
aislar to isolate
ají *m.* (bell) pepper (8)
ajo garlic (8)

alacena kitchen cupboard (6)
alambre *m.* wire
alarmar to alarm, worry
albaricoque *m.* apricot (8)
alberca swimming pool (*Mex.*) (7)
alcance *m.*: **dar** (*irreg.*) **alcance** to catch up with
alcanzar (c) to reach (15)
alcohol *m.* alcohol (15)
alegrarse to be glad
alegre happy; **estar** (*irreg.*) **alegre** to be happy (4)
alejar to keep away
alemán, alemana *n., adj.* German
alentar (ie) to encourage
alergia allergy
alérgico/a allergic (12)
alergista *m., f.* allergist (12)
alfeizar *m.* windowsill
alfombra rug (6)
algo something (2)
algodón *m.* cotton (13)
alguien someone (6)
algún, alguno/a some; any (2); **algún día** someday; **alguna vez** once; ever; **algunos/as** some
alimentar to feed
alimento food, meal (8)
allá (over) there
allí there (3)
almacén *m.* department store (3)
almacenaje *m.* warehousing, storage
almacenar to warehouse, store
almeja clam (8)
almíbar *m.* syrup
almohada pillow (6)
almorzar (ue) (c) to eat lunch (2); **almorcé** I ate lunch (7); **almorzó** he/she/you (*pol. sing.*) ate lunch (7); **almuerza** he/she eats lunch, you (*pol. sing.*) eat lunch (3); **almuerzo** I eat lunch (3)
almuerzo lunch (2)
alojamiento lodging (11)
alquilar(se) to rent, to be rented (6); **se alquila** for rent (6)
alquiler *m.* rent (6)
alrededor de *prep.* around (3)
altar *m.* altar
alterado/a upset
alternativo/a alternative
¡alto! stop! (*Mex.*) (10)
alto/a tall; **clase** (*f.*) **alta** upper class; **voz** (*f.*) **alta** loud voice, out loud (14)
alucinado/a amazed, freaked out
aluminio aluminum (13)
alumno/a student
alzar (c) to raise, lift up
ama *f.* (*but* **el ama**) **de casa** housewife (3)
amante *m., f.* lover
amarillo/a yellow (A)
amasar to knead (8)

Amazonas *m.* Amazon (River)
Amazonia Amazon Basin (10)
ambición *f.* ambition
ambiental environmental; **contaminación** (*f.*) **ambiental** environmental pollution (10)
ambiente *m.* environment; atmosphere (8); **medio ambiente** environment (10)
ambos/as *pl.* both (10)
ambulancia ambulance
amenaza threat
amenazante threatening
amenazar (c) to threaten
América Central Central America (3)
América Latina Latin America (7)
americano/a American; **fútbol** (*m.*) **americano** football (1)
ametrallar to machine-gun
amigo/a friend; **amigo/a íntimo/a** close friend (14)
amistad *f.* friendship (14)
amnistía amnesty
amo/a master/mistress (14)
amor *m.* love
amoroso/a loving
ampliación *f.* enlargement
ampliar to broaden
amplio/a roomy (6)
amueblado/a furnished (6)
amuleto amulet
analfabetismo illiteracy (15)
analgésico analgesic (12)
análisis analysis (12)
analítico/a analytical
analizar (c) to analyze
anaranjado/a orange (A)
ancho/a wide (11)
anciano/a elderly person (15)
andar *irreg.* to walk; **andar en bicicleta** to ride a bicycle (1); **andar en motocicleta** to ride a motorcycle (2); **andar en patineta** to skateboard (1); **andar en velero** to go sailing (2)
anfitrión, anfitriona host, hostess
ángel *m.* angel (14)
anglohablante English-speaking person
anglosajón, anglosajona *n., adj.* Anglo-Saxon
anidar to nest (10)
anillo ring (13)
animado/a: cheerful (12); **dibujos animados** cartoons
animal *m.* animal (2); **amimal doméstico** pet (5)
animar to encourage
ánimo spirit, energy; **estado de ánimo** state of mind
aniversario anniversary; **aniversario de body** wedding anniversary (4)
anoche last night (6)
anotar to make note of; to jot down
ansia anxiety

ansiedad *f.* anxiety
ansioso/a anxious
antagónico/a antagonistic
antagonismo antagonism
antagonizar (c) to antagonize
Antártida Antarctica
ante before; faced with, in the presence of
anteayer day before yesterday (1)
antena antenna (11)
antepasado/a ancestor
anterior previous (1)
antes *adv.* before; **antes (de)** *prep.* before (4); **antes de que** *conj.* before (15)
antibiótico antibiotic (12)
anticientífico/a anti-scientific
anticipación *f.* anticipation
anticipar to anticipate (10)
antiguo/a old; antique
antisemítico/a anti-Semitic
antojito snack (*Mex.*) (8)
antónimo antonym
antónimo/a contrary, opposite
antropología anthropology (2)
antropólogo/a anthropologist
anual annual
anular to annul, to nullify
anunciar to announce (11)
anuncio commercial (13); announcement (5)
añadir to add
año year; **a través de los años** through the years; **Año Nuevo** New Year (4); **cada año** every year; **cumplir años** to have a birthday (7); **de... a... años de edad** from . . . to . . . years old; **durante los años sesenta** during the sixties; **el año pasado** last year (6); **hace... años . . .** years ago; **los meses del año** the months of the year (1); **los próximos diez años** the next ten years; **por muchos años** for many years; **tener** (*irreg.*)**... años** to be . . . years old (C)
apaciguar to placate
apagar (gu) to turn off; to put out; **apagar incendios** to put out fires (5)
apalabrado/a agreed upon verbally
aparato appliance; **aparato doméstico** household appliance (6); **aparato eléctrico** electrical appliance (6)
aparecer (zc) to appear
aparición *f.* apparition
apariencia appearance
apartamento apartment (6)
apartar to remove; to separate
apasionado/a passionate
apasionamiento passion
apellido surname (1)
apenas barely
apetecer (zc) to long for; to crave
apio celery (8)
aplaudir to applaud

aplicarse (qu) a to be used; to apply (*something*) to, employ (*a remedy*); **aplicarse un ungüento** to apply an ointment (12)
aportar to contribute (15)
apoyar to support (6)
apoyo support
apreciar to appreciate
aprehender to apprehend
aprender to learn (5)
aprendizaje *n. m.* learning
apresar to take prisoner, capture
aprobar (ue) to pass; to approve (15)
apropiado/a appropriate
aprovechar(se) to take advantage of (13)
aproximadamente approximately (7)
aptitud *f.* aptitude, ability (5)
apuesto/a handsome, pretty
apuntar to note, jot down
apuntes *m. pl.* notes; **tomar apuntes** to take notes (4)
apuro difficult situation
aquejado/a suffering
aquel, aquella *adj.* that (over there); *pron.* that one (over there)
aquello that; that thing
aquí here (1); **aquí lo tiene** here it is (11)
árabe *n. m., f.* Arab; *n. m.* Arabic (language); *adj.* Arabic
araña spider
árbol *m.* tree (2); **árbol genealógico** family tree (9); **subirse a los árboles** to climb trees (9)
arbusto bush (6)
archivo file
arco arch; **arco iris** rainbow
arder to burn
área *f.* (*but* **el área**) area (2)
arena sand (7)
arepa thick corn cake
argentino/a *n., adj.* Argentine
argumento argument (15); reasoning
árido/a arid (10)
arma *f.* (*but* **el arma**) arm, weapon (15); **armas nucleares** nuclear weapons
armamento armament (15)
armario closet (6)
armonía harmony
arpillera sackcloth
arquitectura architecture
arras *coins given by a bridegroom to a bride as a token of his ability to provide* (14)
arrecife *m.* reef (10); **arrecife de coral** coral reef
arreglar to fix, repair (5)
arrepentirse (ie) to repent
arrestar to arrest (7)
arresto arrest
arriba above (3)
arriesgado/a risky, hazardous

arriesgar (gu) to risk
arroba at (@)
arrodillarse to kneel down
arrogante arrogant
arroz *m.* rice (3); **arroz con leche** rice pudding
arruinar to ruin (7)
arsenal *m.* arsenal (15)
arte *m.* (*but* **las artes**) art (2); **bellas artes** fine arts; **Facultad de Bellas Artes** School of Fine Arts (3)
artefacto artifact (13)
arteria artery (12)
artículo article (10)
artista *m., f.* artist (3)
artístico/a artistic
arzobispo archbishop
asado/a roasted; **bien asado/a** well-done (8); **poco asado/a** rare (8)
asador *m.* barbecue grill (13)
asaltar to assault
asar to roast
ascendencia ancestry, origin
ascender to go up, rise
ascensor *m.* elevator (6)
asegurado/a insured
asegurar to assure (15); to insure
asemejarse to be similar to
asesinar to assassinate
asesino/a assassin, murderer
asfixiante suffocating
así thus, so, that way, this way (5)
Asia Asia (7)
asiento seat (10)
asignar to assign (5)
asimétrico/a asymmetrical
asimilación *f.* assimilation
asimilar(se) to assimilate
asistente *m., f.* assistant; **asistente de vuelo** flight attendant (11)
asistir (a) to attend (3)
asociación *f.* association
asociado/a associated (1)
asociar to associate (2)
asombrar to astonish
aspecto aspect (4); appearance
aspiración *f.* aspiration
aspiradora vacuum cleaner (6); **pasar la aspiradora** to vacuum (6)
aspirante *m., f.* candidate; applicant
aspirar to aspire
aspirina aspirin (12)
asunto subject, topic; matter, affair
asustado/a scared (7)
asustar to scare
atacar (qu) to attack
ataque *m.* attack (15); **ataque al corazón** heart attack
atar to tie (7)
ateísmo atheism
atención *f.* attention; **llamar la atención (a)** to call attention (to)

(10); **poner** (*irreg.*) **atención** to pay attention (14)
atender (ie) to wait on; to assist (12); **atender mesas** to wait on tables (5)
atentado attempted murder
atento/a attentive
ateo/a atheist
atestiguar to testify
Atlántico: Océano Atlántico Atlantic Ocean (3)
atleta *m., f.* athlete (9)
atmósfera atmosphere
atómico/a atomic
atormentar to torment (14)
atracción *f.* attraction
atractivo/a attractive (2)
atraer (*like* **traer**) to attract
atrapar to catch (7); to trap (7)
atravesar (ie) to cross, go across
atreverse a (+ *infin.*) to dare to (*do something*)
atrevido/a bold, daring
atrevimiento boldness, daring
atribuir (y) (a) to attribute (*to*) (15)
atributo attribute
atropellar to run over with a car (12)
atún *m.* tuna (8)
auditorio auditorium
auge *m.* peak, climax
aula *f.* (*but* **el aula**) classroom
aullar to howl
aumentar to increase (15)
aumento raise, increase (10)
aun even
aún still, yet
aunque although
ausente absent
autobiografía autobiography
autobiográfico/a autobiographical
autobús *m.* bus; **terminal** (*m.*) **de autobuses** bus terminal
autodestructivo/a self-destructive
autógrafo autograph
automático/a automatic; **cajero automático** automatic teller machine
automatizar (c) to automate
automóvil *m.* automobile (11)
autonomía autonomy
autopista freeway, expressway (10)
autor(a) author
autoridad *f.* authority
autorización *f.* authorization
autorizar (c) to authorize
¡auxilio! help! (7)
avance *m.* advance
avanzar (c) to advance
avaricia greed
avaro/a greedy
ave *f.* (*but* **el ave**) bird; fowl; poultry (8)
avena oatmeal (8)
avenida avenue (3)

aventajar to come, finish ahead of
aventura adventure (7); **aventura extramarital** extramarital relationship
aventurero/a adventurous (11)
averiguar to verify; to find out
avión *m.* airplane (5); **por avión** by plane (10)
avisar to inform; to advise (11); to warn (11)
aviso (clasificado) (classified) ad (5)
ayer yesterday (1)
ayuda help
ayudar to help (5)
azar *m.* chance
azteca *n. m., f.; adj.* Aztec (7)
azúcar *m.* sugar (8)
azul blue (A)

B

bahía bay (10)
bailar to dance (1); **salir** (*irreg.*) **a bailar** to go out dancing (1)
bailarín, bailarina dancer
baile *m.* dance (4)
bajar to lower (10); to come down (10); **bajarse** to get down (14); **baje(n)** (*command*) get off (11)
bajo *prep.* under
bajo/a short (*height*); low; **clase** (*f.*) **baja** lower class; **voz** (*f.*) **baja** soft voice (14)
balada ballad
balanza scale
balcón *m.* balcony (6)
ballena whale (10)
ballet *m.* **(folclórico)** (folkloric) ballet (11)
baloncesto basketball (1)
bambú *m.* bamboo (10)
banana banana (8)
bancario/a *adj.* bank
banco bank (5); **banco de datos** data base
banda gang
bandera flag
bañarse to bathe (4)
bañera bathtub (6)
baño bathroom; bath; **traje** (*m.*) **de baño** bathing suit (7)
bar *m.* bar (3)
barato/a inexpensive, cheap (8)
barco boat (7); **barco de vela** (11)
barrer to sweep (6)
barrera barrier, obstacle
barril *m.* barrel
barrio neighborhood (9)
basarse (en) to be based (on) (9)
base *f.* base, foundation; **a base de** by; by means of
básico/a basic (1)
basílica basilica
básquetbol *m.* basketball (1)

bastante *adj.* enough (5); sufficient; **bastante** (+ *adj.*) quite (+ *adj.*) (5); *adv.* rather, quite

basura trash; **sacar (qu) la basura** to take out the trash (6)

basurero garbage can; dump

bata (bath)robe (13)

batalla battle (7)

bate *m.* bat

batido (de leche, de frutas) (milk, fruit) shake (8)

batir to beat (8)

baúl trunk

bautizar (c) to baptize (14)

bautizo christening ceremony, baptism (14)

beatitud *f.* beatitude; bliss

bebé *m., f.* baby

bebeleche *m.* hopscotch (*Mex.*); **jugar (ue) (gu) bebeleche** to play hopscotch (*Mex.*) (9)

beber to drink (3)

bebida drink (8)

bebido/a *adj.* drunk

beca scholarship

béisbol *m.* baseball (1)

belleza beauty

bello/a beautiful (10); **bellas artes** fine arts; **Facultad de Bellas Artes** School of Fine Arts (3); **la Bella y la Bestia** Beauty and the Beast

bendición *f.* blessing

beneficencia charity; **organización** (*f.*) **de beneficencia** charitable organization

beneficiar to benefit

beneficio benefit (15)

beneficioso/a beneficial (12)

besar to kiss (12); **besarse** to kiss each other (14)

beso kiss (4)

bestia beast; **la Bella y la Bestia** Beauty and the Beast

Biblia Bible

biblioteca library (3)

bicarbonato de soda bicarbonate of soda (8)

bicicleta bicycle; **andar** (*irreg.*) **en bicicleta** to ride a bicycle (1)

biculturalismo biculturalism

bien *adv.* well; **bien asado/a** well-done (8); **bien cocido/a** well-done (8)

bienes *m. pl.* goods; **bienes raíces** real estate (6)

bienestar *m.* well being

bienvenida *n.* welcome; **dar** (*irreg.*) **la bienvenida** to welcome (4)

bilingüe bilingual (5)

bilingüismo bilingualism

billete *m.* ticket (11)

biografía biography

biología biology (2)

biosfera biosphere (10)

bisabuelo/a great-grandfather/ great-grandmother (14); **bisabuelos** *pl.* great-grandparents

bistec *m.* steak

Blancanieves Snow White

blanco/a white (A); **espacio en blanco** blank space (3); **vino blanco** white wine (8)

bloque *m.* block

bocacalle *f.* intersection

bocina horn; **tocar (qu) la bocina** to honk the horn

boda wedding (14)

boleto ticket; **boleto de ida y vuelta** round-trip ticket (11)

boliche: jugar (ue) (gu) al boliche to bowl (2)

bolígrafo pen (B)

bolita little ball (*of material*) (8)

boliviano/a Bolivian

bolsa bag; purse (7); sack; **bolsa de lona** canvas bag (10); **bolsa de plástico** plastic bag

bolsillo pocket (13)

bolso purse

bombero, mujer (*f.*) **bombero** firefighter (5)

bordear to border

borracho/a drunk

borrador *m.* eraser; draft

borrar to erase (14)

bosque *m.* forest (10)

botánica drugstore

botella bottle (8)

botones *m. sing.* bellhop (11)

bozo fuzz; **apuntarle el bozo** to get fuzz on one's upper lip

brasa ember

brasileño/a *n, adj.* Brazilian

brazo arm

breve *adj.* brief

brillante bright

brindar to drink a toast

brindis *m.* toast (*drink or speech*) (14)

bróculi *m.* broccoli (8)

broma joke

bromear to joke

bromista *adj., m., f.* fond of joking

bronce *m.* bronze (13)

broncearse to get a tan (11)

bronquitis *f.* bronchitis (12)

bruja witch; **Día de las Brujas** Halloween (4)

brujería witchcraft

brusco/a brusque

bucear to skin dive or scuba dive (5)

buceo underwater swimming, diving (10)

bueno, bueno/a good (6); **buenas tardes/ noches** good afternoon/evening; **buenos días** good morning; **es bueno** it's good; **es una buena idea** it's a good idea; **estar** (*irreg.*) **de buen humor** to be in a good mood (4); **hace buen**

tiempo the weather is fine; **qué bueno que...** how great that . . . (15); **sacar (qu) buenas notas** to get good grades (9); **tener** (*irreg.*) **buena suerte** to have good luck, to be lucky; **traer** (*irreg.*) **buena suerte** to bring good luck

bueno... well . . .

búfalo buffalo

bufanda scarf (13)

buitre *m.* vulture

burbuja bubble

burlarse (de) to make fun (of)

burrito *rolled tortilla filled with meat, beans, and/or rice* (3)

buscador *m.* search engine (15)

buscar (qu) to look for (5); **buscó** he/she/you (*pol. sing.*) looked for (7); **busqué** I looked for (7)

búsqueda search

C

caballero gentleman (13); knight

caballo horse; **montar a caballo** to ride a horse (2)

cabaña cabin (11)

caber *irreg.* to fit

cabeza head; **dolerle (ue) la cabeza** to have a headache; **tener** (*irreg.*) **dolor** (*m.*) **de cabeza** to have a headache (12)

cable *m.* cable; **sin cables** wireless

cacahuate *m.* peanut (8)

cachaza sluggishness, slowness

cacto cactus

cada *inv.* each, every; **cada año** every year; **cada día** every day; **cada vez** every time

cadera hip (12)

caerse *irreg.* to fall (11); **se me/le cayó/cayeron** something (*sing. or pl.*) fell (from my/your/his/her hands) (12)

café *m.* coffee; café (3); **café internet** Internet café; **tomar café** to drink coffee (2)

cafeína caffeine (15)

cafetera coffeepot (6)

cafetería cafeteria (3)

caimán *m.* alligator

caja box (13); cash register

cajero/a cashier (5); teller (*in a bank*); **cajero automático** automatic teller machine (ATM)

calabacita zucchini (8)

calabaza pumpkin (8)

calavera skull (12)

calcetín *m.* sock (13)

calcio calcium (8)

calculador(a) calculating

calculadora calculator

calcular to calculate (8)

caldera de carbón coal-fired boiler

caldo broth; stock (8)

calefacción *f.* heating (system) (13)

calendario calendar
calentado/a heated
calentador heater (6)
calentamiento heating
calentar (ie) to warm up (6); **calienta**
he/she warms up, you (*pol. sing.*)
warm up (6); **caliento** I warm up (6)
calentura: tener (*irreg.*) **calentura** to
have a fever (12)
calidad *f.* quality (13)
caliente hot (4); **perro caliente** hot dog
(8); **té** (*m.*) **caliente** hot tea (8)
calificar (qu) to grade (5)
calle *f.* street (1)
calmado/a calm (12)
calmar to calm
calor *m.* heat; **hace (mucho) calor** it's (very)
hot (2); **tener** (*irreg.*) **calor** to be hot (4)
caluroso/a warm, hot (10)
calvicie *f.* baldness
calvo/a bald
calzoncillos (men's) underwear (13)
cama (matrimonial) (double) bed (6);
quedarse en cama to stay in bed;
tender (ie) la cama to make the bed (6)
cámara (digital) (digital) camera (1)
camarera chambermaid (11)
camarón *m.* shrimp
cambiar to change (9); **cambiar dinero**
to change/exchange money; **cambiar
dólares por…** to exchange dollars
for . . .
cambio change (11); money exchange
(11); **a cambio de** in exchange for;
en cambio on the other hand
camello camel
camilla gurney (12)
caminar to walk (2)
caminata walk, hike (11)
camino road (11)
camión *m.* truck (15)
camisa shirt (A)
camisón *m.* nightgown (13)
campamento campground (11); camp (11)
campaña (de analfabetización) (literacy)
campaign (15)
campeón, campeona champion (7)
campesino/a peasant; field worker (15)
campo country(side) (7); field (of study)
campus *m.* campus (2)
canadiense *n., adj.* Canadian
canal *m.* channel (1)
cancelar to cancel
cáncer *m.* cancer (10); **cáncer de la piel**
skin cancer (10)
cancha de tenis tennis court (6)
cancillería chancellery
candidato/a candidate
cangrejo crab (8)
cansado/a tired
cansar to make tired (12); **cansarse** to
get tired (12)

cantante *m., f.* singer (5)
cantar to sing (5)
cántaro pitcher
cantidad *f.* quantity
cañón *m.* canyon (10)
capa cape; **agujero en la capa de ozono**
hole in the ozone layer (10); **capa de
hielo polar** polar ice cap
capacidad *f.* capacity
capaz capable
capital *f.* capital city (3)
capó *m.* hood
captar to grasp, understand
capturar to capture
caqui: color (*m.*) **caqui** khaki (13)
cara face (B)
carácter *m.* character (14)
característica characteristic (14)
caracterizar (c) to characterize (15)
carbohidrato carbohydrate (8)
carbón coal; **caldera de carbón** coal-fired
boiler
carbono carbon
carburo carbide; **carburo fluorado**
fluorocarbon (10)
cárcel *f.* jail, prison
carecer (zc) to lack
carencia lack, shortage
cargo position (7); **cargo de conciencia**
weight on one's conscience
Caribe *m.* Caribbean (3)
caribeño/a *n., adj.* Caribbean (10)
cariño affection; endearment; love (14)
carne *f.* meat (8); **carne de cerdo/puerco**
pork (8); **carne de res** beef (8)
carnicería *f.* meat market
caro/a expensive (6)
carpintero/a carpenter
carrera career; course of study (5)
carretera highway (10)
carro car, automobile; **jugar (ue) (gu)
con carritos** to play with little cars (9)
carta letter; card; menu (8); **cartas de
tarot** tarot cards
cartel *m.* poster
cartera wallet (13)
cartón *m.* cardboard
casa house; **casa particular** private
home (6)
casado *typical Costa Rican dish of
white rice, black beans, meat, chicken,
or fish and side salad or side of fried
plantain* (8)
casado/a married (1); **recién casado/a**
newlywed (14)
casarse (con) to get married (to) (7)
cáscara peel (8)
casco helmet (10); **casco urbano** city
center
casero/a home, domestic
casi *inv.* almost (1); **casi nunca** almost
never (3)

caso (criminal) (criminal) case (5); **caso
imprevisto** unforeseen occurrence
(12); **en caso de que** in case; **hacer**
(*irreg.*) **caso a** to pay attention to (14)
castaño/a brown (*hair, eyes*)
castigar (gu) to punish (7)
castigo punishment (14)
castillo castle
casto/a chaste
casualidad *f.* coincidence
catalán *m.* Catalonian (*language*)
catalizador *m.* catalyst
catarata waterfall (10)
catarro cold; **tener** (*irreg.*) **catarro** to
have a cold (12)
catástrofe *f.* catastrophe
cátedra chair (*of an academic department*)
categoría category
catolicismo Catholicism
católico/a *n., adj.* Catholic
catorce fourteen (A)
caudillo leader (7); strongman
causa cause: **a cause de** because of; **por
causa de** because of
causar to cause (10)
caza hunt (10); hunting (10)
cebolla onion (8)
ceja eyebrow (12)
celebración *f.* celebration (4)
celebrar to celebrate (4)
célebre famous
célula cell
celular cellular; **(teléfono) celular** cell
phone (1)
cementerio cemetery (11)
cena dinner (3)
cenar to dine, have dinner (1)
Cenicienta Cinderella
censura censorship
censurar to censor
centavo cent; **no tener un centavo** to be
broke (13)
centenario centennial, centenary; **quinto
centenario** five hundredth anniversary
centeno rye
central central (3); **América Central**
Central America (3)
centro center; downtown (2); **centro
comercial** shopping center (6); **centro
estudiantil** student center (3)
Centroamérica Central America (10)
cepillo (de dientes) (tooth)brush (6)
cera wax
cerámica ceramics (13)
cerca *n.* fence (6)
cerca *adv.* near; **cerca de** (*prep.*) close to (3)
cercano/a near, close by
cerdo pig; **carne** (*f.*) **de cerdo** pork (8);
chuleta de cerdo pork chop (8)
cereal *m.* cereal (2)
cerebro brain (12)
ceremonia ceremony (4)

cero zero

cerrar (ie) to close (2); to turn off (*appliance*); **cierra** he/she closes, you (*pol. sing.*) close (2); **cierro** I close (6)

certeza certainty

certidumbre *f.* certainty

cerveza beer (3)

cesación *f.* discontinuation, suspension

cesar to cease, stop, discontinue

césped *m.* lawn; **cortar el césped** to mow the lawn (6)

ceviche *m. Peruvian dish of raw fish marinated in lemon juice* (8)

chabacano apricot (8) (*Mex.*)

chamarra jacket (13)

champú *m.* shampoo (4)

charla chat

charlar to chat (2)

cheque *m.* check; **cheque de viajero** traveler's check

chícharo green pea (8) (*Mex.*)

chile (*m.*) **relleno** stuffed pepper (8)

chileno/a *n., adj.* Chilean

chimenea fireplace (6)

chino *n.* Chinese (*language*); **chino/a** *n., adj.* Chinese

chisme *m.* gossip

chismear to gossip

chiste *m.* joke

chocar (qu) to crash into (7); to run into (*something*) (11)

chocolate *m.* chocolate (2)

chofer *m.* driver

choque *m.* crash (12)

chuleta (de cerdo/puerco) (pork) chop (8)

chuparse el dedo to suck one's thumb (*finger*) (14)

ciberespacio cyberspace

cibernauta *m., f.* person who surfs the Internet

cibernético/a cybernetic (3)

cicatriz *f.* (*pl.* **cicatrices**) scar (12)

ciclón *m.* cyclone (10)

cielo sky (10); heaven

cien, ciento one hundred; **por ciento** percent

ciencia science; **ciencia ficción** science fiction (3); **ciencias naturales** natural sciences; **ciencias sociales** social sciences (2); **Facultad** (*f.*) **de Ciencias Naturales** School of Natural Science (3); **Facultad** (*f.*) **de Ciencias Sociales** School of Social Sciences (3)

científicamente scientifically

científico/a *n.* scientist (9); *adj.* scientific

cierto/a certain; true (9)

cigarrillo cigarette

cigarro cigar

cigüeña stork

cinco five (A)

cincuenta fifty (B)

cine *m.* movie theater; **estrella de cine** movie star (7); **ir** (*irreg.*) **al cine** to go to the movies

cintura waist (12)

cinturón *m.* belt

circuito/a circuit

circulación *f.* circulation; traffic (11)

circular to circulate (12)

circunstancia circumstance

cirujano/a surgeon (12)

cita appointment (12); date (12)

ciudad *f.* city (2)

ciudadanía citizenship (1)

ciudadano/a citizen (10)

civil civil; **derechos civiles** civil rights; **guerra civil** civil war; **estado civil** marital status

civilización *f.* civilization

claridad *f.* clarity

claro of course; **claro que sí** of course

claro/a clear

clase *f.* class; type; **clase social** social class; **clase turística** tourist class (11); **primera clase** first clase (11); **¿qué clase de... ?** what type of . . . ? (8)

clásico/a classic (3)

clasificación *f.* classification

cláusula clause

clave *adj. inv.* key (15)

clérigo priest, clergyman

cliente, clienta client (5)

clic: hacer (*irreg.*) **clic** to click on (11)

clima *m.* climate; weather (2)

climático/a climatic

clínica clinic (5)

clínico/a clinical; **historial** (*m.*) **clínico** medical history (12)

clonar to clone

cloro chlorine

clorofluorocarbón *m.* chlorofluorocarbon

club *m.* club (2); **club nocturno** night-club (5)

cobrar to charge

cobrizo/a copper-colored

coche *m.* car, automobile; **coche eléctrico** electric car

cocido/a medium rare (8); **bien cocido/a** well-done (8); **poco cocido/a** rare (8)

cocina kitchen (5)

cocinar to cook (1)

cocinero/a cook

coco coconut; boogeyman

cóctel *m.* cocktail

códice *m.* codex

código code

codo elbow (12)

coger (j) to trap; to grab

cohete *m.* rocket

coincidir to coincide (4)

cola tail; line (11); **hacer** (*irreg.*) **cola** to stand in line (11)

colección *f.* collection

colectividad *f.* collectivity

colectivo/a collective

colega *m., f.* colleague (15)

colegio private school (3)

colesterol *m.* cholesterol

colgar (ue) (gu) to hang

coliflor *f.* cauliflower (8)

colina hill (10)

colindar to be adjacent; to adjoin

colocación *f.* placement

colocar (qu) to place, put

colombiano/a *n., adj.* Colombian

colonia cologne (4); colony; **colonia espacial** space colony (15)

colonista *m., f.* colonizer

colonización *f.* colonization

colonizador(a) colonizer

colonizar (c) to colonize

color *m.* color (A); **color caqui** khaki (13); **color vivo** bright color (13)

colorante *m.* coloring (8)

colorido/a colorful

columna column (2)

combinación *f.* women's slip (13)

combinar to combine (8)

combustibilidad *f.* combustion

combustibles fósiles fossil fuels

comedor *m.* dining room (6)

comentar to comment (6)

comentario comment (14)

comenzar (c) to begin (14); **comenzar a** (+ *infin.*) to begin to (*do something*)

comer to eat (1); **comer fuera** to eat out (8); **comerse las uñas** to bite one's (finger)nails (4); **dar** (*irreg.*) **de comer** to feed

comercial commercial; **centro comercial** shopping center (6)

comestibles *m. pl.* food; groceries (8)

cometa kite; **volar (ue) una cometa** to fly a kite (2)

cometer to commit

comezón *f.* rash; itch

cómico/a funny; **tiras cómicas** comic strips (9)

comida meal (8); food (8); **comida chatarra** junk food (8); **comida pre-elaborada** convenience food

comienzo beginning

comisión *f.* commission (5)

como as (2); as a; like (2); since; **tan pronto como** as soon as (15)

cómo: sí, cómo no of course (11)

¿cómo? how? what?; **¿cómo te llamas (tú)?** what is your (*inf. sing.*) name? (1)

cómoda chest of drawers (6)

cómodamente comfortably (10)

comodidad *f.* commodity

compacto: disco compacto compact disc (CD) (1); **poner** (*irreg.*) **discos compactos** to play CDs (3)

compadre/comadre *what a child's parents and godparents call each other* (14)
compañero/a companion; **compañero/a de clase** classmate
compañía company (5)
comparación *f.* comparison
comparar(se) to compare (2)
compartir to share (6)
compensar to compensate
competición *f.* competition (1)
competir (i, i) to compete (9)
complemento: complemento directo direct object pronoun; **complemento indirecto** indirect object pronoun
completamente completely (10)
completar to complete, finish (3)
completo/a complete; **jornada completa** full time (5); **por completo** completely
complicar (qu) to complicate
cómplice *m., f.* accomplice
componente *m.* component
componer (*like* **poner**) to make up; to fix
comportamiento behavior (14)
comportarse to behave (14)
composición *f.* composition (4)
compostura composition, structure
compra purchase; **ir** (*irreg.*) **de compras** to go shopping (1)
comprar to buy (3)
comprender to understand
comprensible understandable
comprensión *f.* understanding
comprobar (ue) to prove
comprometido/a engaged (14)
computadora computer
computar to compute
común common
comuna commune (15)
comunicación *f.* communication
comunicar (qu) to communicate
comunidad *f.* community (12)
comunión *f.* communion; **primera comunión** first communion
comunista *n., adj.* communist
comunitario/a community
con with; **con cuidado** carefully (7); **con frecuencia** frequently (2); **con gusto** with pleasure (8); **con tal (de) que** as long as (15)
conceder to concede
concentración *f.* concentration (10)
concentrado/a concentrated (8)
concentrarse to concentrate
concepto concept
conciencia conscience
concienzudo/a conscientious
concierto concert; **entradas para un concierto** tickets for a concert (1)
concluir (y) to conclude
conclusión *f.* conclusion
concordancia agreement
concordar (ue) to agree

concreto/a concrete
concursante competitor; participant
concursar to compete
concurso contest
conde / condesa *m.* count / countess
condenable condemnable
condenación *f.* condemnation
condenar to condemn
condición *f.* condition
condicional conditional
condimento condiment (8)
condominio condominium (3)
conducción *f.* conduction; driving
conducir *irreg.* to drive
conducta conduct
conductor(a) driver
conectarse (a) to connect (*to something*)
conejera rabbit warren
conejo rabbit; **conejo de la Pascua** Easter Bunny
conexión *f.* connection (12)
conferencia conference
confesar (ie) to confess
confesión *f.* confession (7)
confiado/a confident
confianza confidence
confiar (yo confío) to trust; to confide
confirmar to confirm
conflicto conflict
confundido/a confused
confundir to confuse
confusión *f.* confusion
congelado/a frozen
congestionado/a congested (12)
congregación *f.* congregation; group
congreso congress
conjetura conjecture
conjugación *f.* conjugation
conjugar (ue) (gu) to conjugate
conjunción *f.* conjunction
conjunto collection
conmemorar to commemorate
conmigo with me (3)
conmover (ue) to move (*emotionally*)
cono cone; area
conocer (zc) to meet; to know (6); **conoce** he/she knows, you (*pol. sing.*) know (6); **conocerse** to meet each other (14); **conozco** I know (6); **gusto en conocerlo/la** nice to meet you (*pol.*) (6)
conocimiento knowledge
conquista conquest
conquistador(a) conqueror
conquistar to conquer (7)
consecuencia consequence
consecuente consistent
conseguir (i, i) (g) to obtain, get (15)
consejero/a counselor (15)
consejo advice (11)
consenso consensus
consentido/a spoiled
consentimiento consent

consentir (ie, i) to consent; to spoil
conservador(a) *m.* preservative (8); *adj.* conservative
conservar to preserve (14); to maintain
consideración *f.* consideration
considerar to consider (8)
consigo with him/her/you (*pol.*)
consistir (en) to consist (of) (15)
constante constant
constitución *f.* constitution
construcción *f.* construction (13)
construir (y) to build, construct
consulado consulate (11)
consultar to consult (4)
consultorio doctor's office (5)
consumidor(a) consumer
consumir to consume
consumo consumption (10)
contable *m., f.* accountant
contacto contact
contador(a) accountant (5)
contagio contagion (15)
contaminación (*f.*) **ambiental** environmental contamination (10)
contaminar to contaminate
contar (ue) to count; to tell, narrate; **contar el dinero** to count money (5); **cuéntenos** (*command*) tell us
contemporáneo/a contemporary
contener (*like* **tener**) to contain (8)
contenido *sing.* contents
contento/a happy; **estar** (*irreg.*) **contento** to be happy (4)
contestación *f.* response, answer
contestador (*m.*) **automático** answering machine
contestar to answer (2)
contexto context
continente *m.* continent (7)
continuación: a continuación next, following; appearing below
continuar (yo continúo) to continue
contra against; **en contra de** against
contrabando contraband (11)
contracción *f.* contraction (12)
contradecir (*like* **decir**) to contradict
contraer (*like* **traer**) to contract (an illness)
contrariedad *f.* annoyance
contrario: al contrario on the contrary
contraseña password
contrastar to contrast
contribuir (y) to contribute (14)
control *m.* control
controlable controllable
controlar to control; **controlarse** to control oneself (12)
convencer (z) to convince
conveniencia convenience
conveniente convenient
convenir (*like* **venir**) to suit, be advisable
conversación *f.* conversation (2)

conversar to converse (3); **converse(n)**
  (*command*) converse
converso/a converted
convertirse (ie) to convert
convincente convincing
convivencia coexistence
convivir to live together (harmoniously);
  to coexist
coordinador(a) coordinator
copa wine glass (8); **Copa Mundial**
  World Cup (13)
copiar to copy; to cheat
coral: arrecife (*m.*) **de coral** coral reef
corazón *m.* heart (12)
cordillera (mountain) range (10)
Corea Korea
corona crown
correcto/a right
corredor *m.* corridor, hallway (6)
corregir (j) to correct (10)
correo mail; post office (3); **correo**
  electrónico e-mail (address) (1)
correr to run (1)
correspondencia correspondence (1)
corresponder to correspond; **corresponde**
  it corresponds (1)
correspondiente corresponding (3)
corrida de toros bull fight (11)
corriente *f.* current (10); **al corriente** up
  to date; **corriente de aire** air current
corromperse to become corrupt
corrosivo/a corrosive
corrupción *f.* corruption
cortar to cut; **cortar el césped** to mow
  the lawn (6); **cortar el pelo** to cut hair
  (5); **cortarse** to cut oneself (12)
cortina curtain (6)
corto/a short
cosa thing
coser to sew (2)
costa coast (10)
costado side (12)
costear to pay for; to defray the
  costs of
costilla rib (12)
costo cost (15)
costumbre *f.* custom (15)
cotidianidad *f.* daily life
cotidiano/a *adj.* daily
cotillear to gossip (15)
crear to create (10)
creatividad *f.* creativity
creativo/a creative
crecer (zc) to grow (8); to grow up
creciente growing
crecimiento growth
creencia belief
creer to believe (5); **(no) creer que** to
  (not) believe that (15); **no lo creo**
  I don't believe it (1)
crema *n.* cream; **crema batida** whipping
  cream; **crema de afeitar** shaving

cream; **crema hidratante** moisturizer;
  adj. cream-colored
creyente *m., f.* believer
crianza upbringing (14)
criar(se) to bring up (be brought up)
  (14); to grow up; to raise (*children,
  animals*) (10)
crimen *m.* (*pl.* **crímenes**) crime (15);
  crimen por odio hate crime
crisis *f.* crisis (15)
cristal crystal (13)
cristianismo Christianity
cristiano/a *n., adj.* Christian
criterio criterion
crítica criticism
criticar (qu) to criticize
crítico/a critical (15)
cronología chronology
cronológico/a chronological (6)
crucero cruise ship (10)
crudo/a raw
cruel cruel (14)
crueldad *f.* cruelty
cruz *f.* cross (12)
cruzar (c) to cross; **crucé** I crossed (7);
  cruzó he/she/you (*pol. sing.*) crossed (7)
cuaderno notebook (B)
cuadra (*street*) block (11)
cuadro box, square; graph (3); picture
  (*on the wall*) (6); **de cuadros** plaid,
  checkered (13)
¿cuál? what?, which?; **¿cuáles?** which
  (ones)?
cualidad *f.* quality (14)
cualquier(a) any
cuando when; **de vez en cuando** from
  time to time (3)
¿cuándo? when? (1); **¿cuándo nació?**
  when was he/she born?, when were
  you (*pol. sing.*) born? (1)
cuanto: en cuanto as soon as (15)
¿cuánto? how much?; how long?;
  ¿cuánto tiempo hace que... ? how
  long has it been since . . . (7)
¿cuántos/as? how many?; **¡cuánto/a/os/
  as...** ! how many . . . ! (10)
cuarenta forty (B)
cuarto room (6); bedroom; fourth (2);
  y/menos cuarto quarter past/to
  (*time*) (1)
cuatrocientos/as four hundred (1)
cubano/a *n., adj.* Cuban
cubanoamericano/a *n., adj.* Cuban
  American
cubierto/a (*p.p. of* **cubrir**) covered (10);
  cubiertos utensils (8)
cubo cube
cubrir (*p.p.* **cubierto**) to cover (8)
cuchara spoon (8)
cucharada tablespoon (*measurement*) (8)
cucharadita teaspoon (*measurement*) (8)
cucharita teaspoon (8)

cucharón *m.* ladle
cuchillo knife (8)
cuenco large serving bowl
cuenta bill, check (8); **darse** (*irreg.*)
  cuenta (de) to realize
cuentista *m., f.* storyteller
cuento story; **cuento de hadas** fairy tale
cuero leather (13)
cuerpo body (12)
cuestión *f.* issue (15)
cuestionar to question
cuestionario questionnaire
cuidado care; **¡cuidado!** careful! watch
  out! (11); **con cuidado** carefully (7)
cuidar (de) to take care (of) (5); **cuidarse**
  to take care of oneself (15)
culpa guilt, blame; **tener** (*irreg.*) **la
  culpa** to be at fault (11); to be guilty,
  blame (12)
culpable guilty
cultivar to cultivate
cultivo cultivation
culto cult
cultura culture
cumpleaños *m. sing., pl.* birthday (1);
  ¿cuándo es el día de tu cumpleaños?
  when is your (*inf. sing.*) birthday? (1);
  ¡feliz cumpleaños! happy birthday! (1)
cumplir (con) to fulfill, carry out;
  cumplir años to have a birthday (7)
cuñado/a brother-in-law/sister-in-law (9)
cura *m.* priest (14); **cura** *f.* cure
curandero/a healer
curiosear to poke one's nose into
curiosidad *f.* curiosity (1)
curioso/a curious
curita Band-Aid (12)
cursiva: letra cursiva italics
curso course (5)
curva curve
custodia custody
cuyo/a whose

D

dama lady (13)
dañar to hurt, harm (15)
dañino/a harmful (10)
daño harm; damage (10); **hacer** (*irreg.*)
  daño to harm
dar *irreg.* to give (4); **da** he/she gives,
  you (*pol. sing.*) give (4); **dar a conocer**
  to let something be known; **dar de
  comer** to feed (6); **dar gritos** to shout;
  dar la bienvenida to welcome (4);
  dar permiso to give permission (9); **dar
  por sentado/a** to take for granted;
  dar un curso to teach a class; **dar un
  ejemplo** to give an example; **dar un
  paseo** to go for a walk (2); **dar una
  fiesta** to give a party (2); **dar vueltas** to
  go around; **darse cuenta de** to realize;
  darse la mano to shake hands with

each other (14); **dárselo en...** to let it go for . . . (13); **di** I gave (7); **dio** he/she/you (*pol. sing.*) gave (7); **doy** I give; **se lo(s)/la(s) doy en...** I'll let you have it/them for . . . (13)

datos *pl.* data; **datos personales** personal data (1)

de *prep.* of, from; by; **del, de la** of the; **de las... a las...** from (*time*) . . . to (*time*) (3); **de lunes a viernes** Monday through Friday (4); **de manera/modo que** so that, in a way that (15); **de nuevo** again (8); **de pronto** suddenly (4); **de repente** suddenly (12); **¿de veras? / ¿de verdad?** really? (3); **de vez en cuando** from time to time (3)

debajo de under (3)
debate *m.* debate
deber *m.* duty
deber *v.* to owe; **deber** (+ *infin.*) should, ought to (*do something*) (5)
debido a due to
débil weak (12)
década decade
decaer (*like* **caer**) to decline, dwindle
decidir to decide (2)
décimo/a tenth (2)
decir *irreg.* to say, tell (5); **dice** he/she says, you (*pol. sing.*) say (5); **¡dígalo por escrito!** say it in writing! (1); **digo** I say (5); **dije** I said (7); **dijo** he/she/you (*pol. sing.*) said (7); **es decir** that is; **y tú, ¿qué dices?** and you (*inf. sing.*)? what do you say? (1)
decisión *f.* decision (15)
declaración *f.* declaration; statement
declarar to declare, state (15)
decoración *f.* decoration
decorado/a decorated (6)
decrecer (zc) to decrease
dedicación *f.* dedication
dedicar (qu) to dedicate
dedo finger (12)
defender to defend (5)
defensa defense (15)
defensor(a) defender
definición *f.* definition (2)
definir to define
definitivamente definitively (15)
deforestación *f.* deforestation
deforestar to deforest
dejar to leave; to let (8); **dejar de** (+ *infin.*) to stop (*stop something*) (14); **dejar en** to let go for . . . (13); **se lo(s)/la(s) dejo en...** I'll let you have it/them for . . . (13)
del (*contraction of* **de** + **el**) of the; from the
delante de in front of, in the presence of (14)
delantero/a front
delfín *m.* dolphin (10)

delgadez *f.* slimness
delgado/a thin
delicioso/a delicious (8)
delincuencia delinquency
delincuente delinquent
delirio delirium
delito crime, offense
demanda demand
demás: lo demás the rest; **los/las demás** the rest, others (7)
demasiado *adv.* too much
demasiado/a *adj.* too much, too many (7)
democracia democracy
democrático/a democratic
demoledor(a) devastating
demoler (ue) to demolish
demostrar (ue) to demonstrate, show
denotar to denote
dentista *m., f.* dentist (5)
dentro inside (8); **dentro de** inside; within, in (*time*) (15)
denunciable accusable
denunciar to report, accuse
denunciatorio/a denunciatory, threatening, accusing
departamento apartment (*Mex.*) (6)
dependencia dependence
depender (ie) (de) to depend (on) (15); **depende (de)** (it) depends (on) (4)
dependiente, dependienta clerk, salesperson (5)
deportación *f.* deportation
deporte *m.* sport (1); **practicar (qu) un deporte** to play a sport (1)
deportista *m., f.* athlete
deportivo/a sport related (2)
depositar to deposit
depresión *f.* depression
deprimido/a depressed; **estar** (*irreg.*) **deprimido/a** to be depressed (4)
deprimirse to get depressed
derecha *n.* right side; **a la derecha** to the right
derecho *n.* right (*legal*) (15); law; straight ahead; **derechos civiles** civil rights; **derechos de aduana** customs duty, taxes (11); **derechos humanos** human rights; **derechos legales** legal rights; **Facultad de Derecho** School of Law (3)
derivado/a derived (13)
derivarse (de) to be derived (from) (13)
derrocar (qu) to overthrow, bring down (from power)
derrochador(a) wasteful
derrochar to waste
derrota defeat
desacreditar to discredit
desacuerdo disagreement; **estar** (*irreg.*) **en desacuerdo** to disagree
desafortunadamente unfortunately
desagradable unpleasant (5)
desagradar to displease

desagrado displeasure
desamparado/a homeless person (15)
desanimar to depress
desaparecer (zc) to disappear
desaparición *f.* disappearance (10)
desapasionado/a dispassionate
desaprobar (ue) to disapprove
desarrollado/a developed; **país** (*m.*) **no desarrollado** undeveloped country
desarrollar to develop (10)
desarrollo development (15); **en vías de desarrollo** developing (15); in the process of developing (15)
desastre *m.* disaster (6); **desastre natural** natural disaster
desastroso/a disastrous (10)
desatinado/a rash, imprudent, unwise
desayunar to eat breakfast (2)
desayuno breakfast (3)
desbordamiento overflow (10)
descafeinado/a decaffeinated (8)
descansar to rest (2)
descanso rest; break (2)
descartar to discard
descender (ie) to descend
descomponerse (*like* **poner**) (*p.p.* **descompuesto**) to break down; to rot; **se me/le descompuso/descompusieron** something (*sing. or pl.*) broke down (on me/you/him/her) (12)
descomponible perishable
descompuesto/a (*p.p. of* **descomponer**) rotten; broken
desconectar to disconnect
desconfiado/a mistrusting
descongestionante *m.* decongestant (12)
desconocido/a unknown
describir (*p.p.* **descrito**) to describe (2); **describa(n)** (*command*) describe
descripción *f.* description (2)
descriptivo/a descriptive (1)
descrito/a (*p.p. of* **describir**) described
descriminatorio/a discriminatory
descubierto/a (*p. p. of* **descubrir**) discovered
descubrir (*p.p.* **descubierto**) to discover (7)
descuidar to neglect
desde *prep.* from; **desde la(s)... hasta la(s)...** from . . . until . . . (*time*) (4); **desde hace... años** for . . . years
desear to want, desire (8)
desechable disposable
desechar to discard, throw away
desembocar (qu) to flow; to run
desempeñar to play (a role, a part)
desempleado/a unemployed
desempleo unemployment
desempolvar to dust (6)
deseo wish; desire
desesperado/a desperate (7)
desgracia disgrace
desgraciadamente unfortunately

desgraciado/a unfortunate
deshacer (*like* **hacer**) to take apart; to destroy
desierto desert (10)
desigual unequal
desigualar to make unequal
desigualdad *f.* inequality
desilusionado/a disillusioned
desinfectante *m.* disinfectant
desintegrar to disintegrate
desmayarse to faint (12)
desnudar to undress; to strip
desnudez *f.* nudity
desnudo/a naked
desodorante *m.* deodorant
desorden *m.* disorder; mess
desordenado/a messy (15)
desordenar to make a mess
despacio *adj.* slow (11)
despasionado/a dispassionate
despectivo/a contemptuous
despedazar (c) to tear to pieces
despedir (i, i) to fire
desperdiciar to waste (10)
desperdicios (nucleares) (nuclear) waste (10)
despertador *m.* alarm (7); **reloj** (*m.*) **despertador** alarm clock (7)
despertar (ie) to wake; **despertarse** to wake up (4); **me despierto** I wake up (4); **se despierta** he/she wakes up, you (*pol. sing.*) wake up (4)
despistado/a absent-minded
desplazado/a moved, shifted
desplazar (c) to move, shift
despoblado/a depopulated
despreciar to despise
desprecio scorn; contempt; disdain
desprestigiar to discredit
desprestigio loss of reputation or prestige
después *adv.* after (2); **después de** *prep.* after (4); **después de que** *conj.* after; **poco después** a little later (7)
destacar (qu) to stand out
desterrar (ie) to banish, exile
destinado/a destined
destino destiny (11)
destrucción *f.* destruction (10)
destruir (y) to destroy (15)
desventaja disadvantage (10)
desvestido/a undressed
desviación *f.* detour
desviar to divert
detalle *m.* detail (1)
detectar to detect
detective *m., f.* detective
detener(se) to stop (oneself) (12)
detenido/a stopped; arrested
detergente *m.* detergent
determinar to determine (8)
detrás de behind (3)
devastación *f.* devastation

devastador(a) devastating
devolución *f.* return
devolver (ue) (*p.p.* **devuelto**) to return (13)
devorar to devour
devuelto/a (*p. p. of* **devolver**) returned
día *m.* day; **al día siguiente** on the next day (12); **cada día** everyday; **¿cuándo es el día de tu cumpleaños?** when is your (*inf. sing.*) birthday? (1); **Día de Acción de Gracias** Thanksgiving (4); **Día de la Independencia** Independence Day (4); **Día de la Madre** Mother's Day (4); **Día de las Brujas** Halloween (4); **Día de los Enamorados** Valentine's Day (4); **Día de los Muertos** All Souls' Day (4); **Día de los Reyes Magos** Epiphany, Day of the Magi (4); **Día de Todos los Santos** All Saints' Day (4); **Día del Padre** Father's Day (4); **día del santo** saint's day (4); **día feriado** holiday (4); **hoy (en) día** nowadays (15); **todo el día** all day (1); **todos los días** every day (3)
diablo devil
dialecto dialect
diamante *m.* diamond (13)
diariamente daily (10)
diario/a daily; **actividades** *f. pl.* **diarias** daily activities; **rutina diaria** daily routine (4)
diarrea diarrhea; **tener** (*irreg.*) **diarrea** to have diarrhea (12)
dibujante *m., f.* one who draws or sketches
dibujar to draw (5)
dibujo drawing
dicho saying
dicho/a (*p.p. of* **decir**) said
diciembre *m.* December (1)
dictador(a) dictator
dictadura dictatorship
diecinueve nineteen (A)
dieciséis sixteen (A)
diecisiete seventeen (A)
diente *m.* tooth (12); **lavarse los dientes** to brush one's teeth (4)
dieta diet (12); **estar** (*irreg.*) **a dieta** to be on a diet (8)
dietético/a diet (12)
diez ten (A); **los próximos diez años** the next ten years
diferencia difference
diferente different (3)
difícil hard, difficult
dificultad *f.* difficulty (15)
dificultar to make difficult
difundir to spread
difusión *f.* transmission; spreading
dimensión *f.* dimension
dinero money; **dinero en efectivo** cash (11)
dios *m.* god; **Dios** God
dióxido dioxide
diputado/a delegate

dirección *f.* address (1); direction; **¿cuál es tu dirección electrónica?** what is your (*inf. sing.*) e-mail (address)? (1)
directo/a directo; **complemento directo** direct object pronoun
director(a) director (6)
dirigente *m., f.* leader; manager
dirigir (j) to direct (14)
disciplinado/a disciplined
disco compacto compact disc (CD)
discordia discord
discoteca discotheque (1)
discriminación *f.* discrimination (15); **discriminación** (*f.*) **sexual** sexual discrimination
discriminadamente offensively
discriminar to discriminate
discriminatorio/a discriminatory
disculpar to excuse; **disculpe(n)** (*command*) excuse me (7)
discurso speech
discusión *f.* discussion (15)
discutir to discuss (9); to argue (9)
diseñador(a) designer
diseñar to design (3)
diseño de la moda fashion design
disfrutar to enjoy (11)
disidente *m., f.* dissident
disminución *f.* decrease
disminuir (y) to decrease, diminish; **disminuya** (*command*) **la velocidad** slow down (11)
disposición *f.* disposition
disputa dispute, argument
distancia distance
distanciar to distance
distante distant
distinción *f.* distinction
distinguir (g) to distinguish
distintivo/a distinctive
distinto/a distinct, different (15)
distracción *f.* distraction (5)
distraer (*like* **traer**) to distract
distribuir (y) to distribute
diversidad *f.* diversity (10)
diversión *f.* entertainment (6)
diverso/a diverse
divertido/a fun; **¡qué divertido!** how fun! (1)
divertirse (ie, i) to have fun (5); **me divertí** I had fun (7); **se divirtió** he/she/you (*pol. sing.*) had fun (7)
dividir to divide
divinidad *f.* divinity
divino/a divine
divisar to discern
división *f.* division
divorciarse to get divorced (15)
divorcio divorce (14)
divulgar (gu) to divulge
doblar to fold (8); to turn; **doble(n)** (*command*) turn (11)

doble double; **doble sentido (vía)** two-way (11); **habitación** (*f.*) **doble** double occupancy room (11)
doce twelve (A)
doctrina doctrine
documentar to document
documento document (13)
dogma *m.* dogma
dólar *m.* dollar; **cambiar dólares por...** to exchange dollars for . . . (11)
dolencia ailment (12)
doler(ue) to hurt; **me/le duele...** my/his/her/your (*pol. sing.*) . . . hurt(s) (12)
dolor *m.* pain, ache (12); **tener** (*irreg.*) **dolor de cabeza/estómago/garganta/muelas** to have a headache/stomachache/sore throat/toothache (12)
doméstico/a domestic; **animal** (*m.*) **doméstico** pet (5); **aparato doméstico** household appliance (6); **empleado/a doméstico/a** servant (6)
dominante dominant
dominar to dominate
domingo Sunday (1)
dominicano/a *n., adj.* Dominican
dominio authority; control
don *m. title of respect used with a man's first name*
¿dónde? where (1); **¿de dónde es... ?** where is . . . from? (3); **¿de dónde es / eres tú?** where are you (*inf. sing.*) from?, **¿de dónde es usted?** where are you (*pol. sing*) from? (3); **¿dónde está... ?** where is . . . ? (3); **¿dónde vive / vives tú?** where do you (*inf. sing.*) live?, **¿dónde vive usted?** where do you (*pol. sing.*) live? (1)
doña *f. title of respect used with a woman's first name*
dorado/a golden brown (8)
dormido/a asleep
dormir (ue, u) to sleep (1); **duerme** he/she sleeps, you (*pol. sing.*) sleep (4); **duermo** I sleep (4); **dormí** I slept (7); **durmió** he/she/you (*pol. sing.*) slept (7)
dormitorio bedroom (6)
dos two (A); **los/las dos** both
doscientos/as two hundred (1)
drama *m.* drama, play
drásticamente drastically
droga drug (14)
drogadicción *f.* drug addiction (15)
drogadicto/a drug addict
dualidad *f.* duality
dualismo dualism
ducha shower (6)
ducharse to shower (4)
duda doubt
dudable doubtful
dudar to doubt; **(no) dudar que** to (not) doubt that . . . (15)
dudoso/a doubtful; **es dudoso que...** it is doubtful that . . . (15)

dueño/a owner (6)
dulce *adj.* sweet (8); **agua** (*f.*) **dulce** fresh water (11)
dulcería candy store (13)
dulces *m., pl.* candy (13)
durable durable (13)
durante during
durar to last
durazno peach (8)

E

e and (*used instead of* **y** *before words beginning with* **i** *or* **hi**)
echar to throw, cast; **echar(se) de menos** to miss (each other) (14)
eclesiástico/a ecclesiastical
ecología ecology (10)
ecológico/a ecological (10)
ecologista *m., f.* ecologist
economía economy; economics (2)
económico/a economical
economizar (c) to economize
ecoturismo ecotourism
ecuatoriano/a *n., adj.* Ecuadorian
edad *f.* age
edificio building (3)
educación *f.* **(sexual)** (sex) education (15)
educado/a educated; well-mannered
educar (qu) to educate
EE.UU. (E.U.) (*abbrev. for* **Estados Unidos**) United States
efectivo: dinero en efectivo cash (*money*) (11)
efecto effect (14); **efecto invernadero** greenhouse effect
efectuar to carry out
eficacia effectiveness; efficiency
eficaz effective; efficient (15)
eficiente efficient
ejecutivo/a executive
ejemplo example; **por ejemplo** for example (14)
ejercer (z) to exercise one's rights, to practice
ejercicio exercise; **hacer** (*irreg.*) **ejercicio** to exercise
ejército army (10)
ejote *m.* green bean (8) (*Mex.*)
el *def. art. m.* the
él *sub. pron.* he
elaborar to elaborate
elástico elastic (13)
elección *f.* election
electricidad *f.* electricity (10)
electricista *m., f.* electrician
eléctrico/a electric (4); **aparato eléctrico** electrical appliance (6)
electrodo electrode
electrónico/a electronic (13); **correo electrónico** e-mail (1); **escribir mensajes electrónicos** to write e-mail (1)
elegante elegant (1)

elegido/a elected (7)
elegir (j) to elect
elemento element (8)
elevar to elevate
eliminar to eliminate (10)
elitista elitist
ella *sub. pron.* she
ellos/as *sub. pron.* they; *obj. of prep.* them
elote *m.* ear of corn (8) (*Mex.*)
eludir to elude
emancipación *f.* emancipation
embajada embassy
embarazada pregnant; **estar** (*irreg.*) **embarazada** to be pregnant (12)
embarcar (qu) to embark
embargo: sin embargo however
emblema *m.* emblem
emblematizar (c) to emblematize
emborracharse to get drunk
embotellado/a bottled; jammed, blocked
embotellar to bottle; to jam, block
emergencia emergency (12); **sala de emergencias** emergency room (12)
emigración *f.* emigration
emigrar to emigrate (15)
emisión *f.* emission
emisora de radio radio station (3)
emitir to emit
emoción *f.* emotion (4)
emocionarse to get excited
empacar (qu) to pack (11)
empanada turnover pie or pastry (8)
empaque packing
emparejar to match; **empareje(n)** (*command*) pair up (3)
empeñado/a vehement, heated
empeñarse (en) to strive (to)
empeorar to worsen (15)
emperador *m.* emperor (7)
emperatriz *f.* empress (7)
empezar (ie) (c) to start, begin (2); **empezar a** (+ *infin.*) to begin to (*do something*) (7); **empecé** I started (7); **empezó** he/she/you (*pol. sing.*) started (7); **empiece(n)** (*command*) begin (3); **empiezo** I start **empieza** he/she starts, you (*pol. sing.*) start
empleado/a employee (5); **empleado/a doméstico/a** servant (6)
empleo employment (5)
empresa company, firm (15)
en in; **en cuanto** as soon as (15); **en general** in general (2); **en medio de** in the middle of (3); **en oferta** on sale (13); **en orden lógico** in logical order (4); **en vez de** instead of (7); **en vías de desarrollo** developing, in the process of developing (15)
enamorado/a: estar (*irreg.*) **enamorado/a** to be in love (4); **Día de los Enamorados** Valentine's Day (4)

enamorarse to fall in love (with each other) (14)

enano/a dwarf

encantado/a delighted (pleased) (to meet you) (6)

encantador(a) charming

encantar to delight, charm; **me encanta(n) el/la/los/las...** I really like . . . (8)

encarnar to incarnate

encendedor lighter

encender (ie) to turn on, to light (4); to set on fire; **encender la luz** to turn on the light; **enciende** he/she turns on, you (*pol. sing.*) turn on (4); **enciendo** I turn on (4)

encerrar (ie) to shut in; to lock up

enchilada *rolled tortilla filled with meat and topped with cheese and sauce, cooked in an oven* (8)

enchufar to plug in

encías *pl.* gums (12)

enciclopedia encyclopedia

encima de on top of (3); **por encima** above

encontrar (ue) to find (4); **encuentra** he/she finds, you (*pol. sing.*) find (4); **encuentro** I find (4)

encuentro encounter

encuesta poll

enemigo/a enemy

energía energy; **energía renovable** renewable energy (10); **fuente** (*f.*) **de energía** energy source (15)

enérgico/a energetic

enero January (1)

énfasis *f.* emphasis; **hacer** (*irreg.*) **énfasis** to emphasize; **poner** (*irreg.*) **énfasis** to emphasize

enfatizar (c) to emphasize

enfermedad *f.* illness (12)

enfermero/a nurse (5)

enfermo/a sick (3)

enfocarse (qu) to focus

enfrentarse to face, confront (15)

enfrente *adv.* in front; **enfrente de** in front of (3)

engañar to deceive

enlace *m.* link; union, marriage (14)

enlatado/a canned

enlatar to can

enojado/a mad, angry; **estar** (*irreg.*) **enojado/a** to be mad (4)

enojar to anger (12); **enojarse** to get angry (7)

enojo anger (14)

enorme enormous (13)

enredar to tangle

ensalada salad (3)

ensayo essay

enseñanza teaching (15)

enseñar to teach (5)

entender (ie) to understand

enterado/a informed

enterarse to find out

entidad *f.* entity

entierro funeral, burial

entonces so, then (2)

entrada entrance (2); ticket; **entradas para un concierto** tickets for a concert (1)

entrar to enter (13); **entrar al trabajo** to start work (5)

entre between (3); among; **entre semana** on weekdays, during the week (14)

entrecruzarse to cross

entregar (gu) to hand in (9)

entretenerse (*like* **tener**) to pass the time; to amuse oneself

entretenido/a fun

entrevista interview

entrevistador(a) interviewer

entrevistar to interview (4)

entristecerse (zc) to become sad (12)

enumerado/a numbered

envasado/a in a container

envasar to package; to put in a container

envase *m.* container (10)

enviar to send (6)

envidia envy; **¡qué envidia!** what luck! (I envy you!) (7)

envoltorio wrapper

envolver (ue) to wrap (13); **¿se lo/la/los/ las envuelvo?** shall I wrap it/them for you? (13)

enyesado/a in a cast (12)

época era

equipaje *m.* baggage; **facturar el equipaje** to check baggage (11); **reclamo de equipaje** baggage claim (11)

equipo team (1); **equipo de música** stereo (1)

equitativo/a equitable, fair

equivalente equivalent

equivocado/a wrong

erosión *f.* erosion

errar to make a mistake

error *m.* mistake

escala scale; stopover (11)

escalar montañas to go mountain climbing (5)

escalera staircase (6)

escandaloso/a scandalous

escaparse to escape (9); to run away; **se me/le escapó/escaparon** something/ someone (*sing. or pl.*) escaped (from me/you/him/her) (12)

escarcha frost (10)

escasez (*pl.* **escaseces**) *f.* scarcity, shortage

esclavitud *f.* slavery

esclavizar (c) to enslave

esclavo/a slave

escoba broom (6)

escoger (j) to choose (4); **escoge** he/she chooses, you (*pol. sing.*) choose (4); **escojo** I choose (4)

escoltar to escort

escondido/a hidden

escondite: jugar (ue) (gu) al escondite to play hide-and-seek (9)

escribir (*p.p.* **escrito**) to write (2); **escribir a máquina** to type (5); **escribir cartas** to write letters (2); **escribir mensajes electrónicos** to write e-mail (1)

escrito/a (*p.p. of* **escribir**) written; **¡dígalo por escrito!** say it in writing! (1)

escritura writing

escuchar to listen (1); **escuchar música** to listen to music (1)

escuela school (3); **escuela primaria** elementary school (7); **escuela secundaria** high school (7)

ese, esa *pron.* that (one); *adj.* that (2)

esencial essential

esfuerzo effort

esguince *m.* sprain (12)

esmog *m.* smog (10)

eso that, that thing, that fact; **por eso** for that reason, therefore (14)

Esopo Aesop

espacio space (10); **espacio en blanco** blank space (3)

espaguetis *m. pl.* spaghetti; pasta

espalda back

español *n. m.* Spanish (language)

español(a) *n.* Spaniard; *adj.* Spanish

espárragos *pl.* asparagus (8)

Espartaco Spartacus

especia spice (8)

especialidad *f.* major (2)

especialización *f.* major

especializarse (c) to major

especialmente especially (4)

especie *f. sing.* species (10)

específico/a specific

espectáculo show (7)

especulación *f.* speculation

espejismo mirage

espejo mirror (6); **espejo retrovisor** rearview mirror (11)

espejuelos eyeglasses, spectacles

esperar to wait; to hope; **esperar el autobús** to wait for the bus (3); **esperar que** to hope that (15)

espeso/a thick

espíritu *m.* spirit; soul

espiritual spiritual

espiritualidad *f.* spirituality

espliego lavender

espoleta wishbone

esponja sponge

esposo/a husband/wife

espuma foam

esqueleto skeleton (12)

esquiar to ski

esquíes *m. pl.* skis (1)
esquina (*street*) corner
establecer (zc) to establish (10)
establecimiento establishment
estación *f.* station (3); season (1); **estación de metro** subway station (11)
estacionamiento parking lot (3)
estacionar to park (7)
estadio stadium (1)
estado state (15); **estado anímico** mental state (4); **estado civil** marital status (1); **estado de ánimo** mental state (4); **estado físico** physical state (4)
estadounidense *n. m., f.* United States citizen; *adj.* of, from, or pertaining to the United States
estallar to explode, blow up; to spark, trigger
estampilla (*postage*) stamp (3)
estandarte standard, banner
estante *m.* shelf
estar *irreg.* to be (4); **¿de qué está hecho/a?** what is it made of? (13); **está hecho/a de...** it's made of . . . (13); **estar a dieta** to be on a diet (8); **estar alegre** to be happy (4); **estar contento/a** to be happy (4); **estar comprometido/a** to be engaged (14); **estar de acuerdo** to agree (4); **estar de buen/mal humor** to be in a good/bad mood (4); **estar de visita** to be staying (11); **estar deprimido/a** to be depressed (4); **estar dispuesto/a a** (+ *infin.*) to be willing (*to do something*); **estar embarazada** to be pregnant (12); **estar enamorado/a** to be in love (4); **estar enojado/a** to be mad (4); **estar hinchado/a** to be swollen (12); **estar internado/a (en el hospital)** to be hospitalized (12); **estar mareado** to be dizzy, seasick, nauseous (12); **estar muerto/a** to be dead (9); **estar ocupado/a** to be busy (4); **estar preocupado/a** to be worried (4); **estar resfriado/a** to have a cold (12); **estar solo/a** to be alone, lonely (4); **estar triste** to be sad (4); **estar vivo/a** to be alive (9); **estuve** I was (7); **estuvo** he/she was, you (*pol. sing.*) were (7)
estatua statue (6)
este *m.* east (11)
este, esta *pron.* this (one); *adj.* this (2); **esta noche** tonight (2)
estéreo stereo
estereotipado/a stereotyped
estereotipo stereotype (2)
estilo style (13)
estima esteem, respect
estimular to stimulate
estímulo stimulus
esto this, this thing, this matter
estómago stomach; **tener** (*irreg.*) **dolor de estómago** to have a stomachache (12)

estorbar to hinder; to impede
estornudar to sneeze (12)
estornudo sneeze
estrategia strategy
estrecho/a tight (13)
estrella star; **estrella de cine/televisión** movie/television star (7); **estrella marina** starfish (10)
estresado/a stressed
estudiante *m., f.* student; **estudiante universitario/a** university student
estudiantil *adj.* student; **centro estudiantil** student center (3); **periódico estudiantil** student newspaper; **residencia estudiantil** student residence hall, dormitory (5)
estudiar to study
estudio study (14)
estudioso/a studious
estupendo/a stupendous
etcétera etcetera (4)
ético/a ethical
etiqueta label (8)
etnicidad *f.* ethnicity
étnico/a ethnic
E.U. (*abbrev. for* **Estados Unidos**) United States
euro euro, monetary unit of European Union (3)
europeo/a European (2)
evadir to evade
evaluar to evaluate
evento event
eventualmente eventually
evidencia evidence
evitar to avoid (12)
evolución *f.* evolution
exactamente exactly
exagerar to exaggerate
examen *m.* exam, test; **tomar un examen** to take a test (4)
examinar to examine (5)
excedente excess, surpass
excelente excellent (8)
excepcional exceptional
excepto except
excesivo/a excessive (10)
exceso excess; **exceso de velocidad** speeding (7)
excitar to excite
excluir (y) to exclude
exclusivo/a exclusive
excursión *f.* tour, field trip (11)
exhibición *f.* exhibition (3)
exigir (j) to demand
existencia existence
existir to exist (14)
éxito success; **tener** (*irreg.*) **éxito** to be successful
exitoso/a successful
expandir to expand
expectativa expectation (14)

experiencia experience (5)
experto/a expert (11)
explicar (qu) to explain (5)
exploración *f.* exploration
explorador(a) explorer (9)
explorar to explore; **explorar el Internet** to surf the Internet (1)
explotación *f.* exploitation (10)
explotar to exploit
exportación *f.* exportation (10)
expresar to express
expresión *f.* expression
exprimidor *m.* juicer (13)
expulsar to expel, throw out
extensión *f.* extension (10)
extenso/a extensive (11)
exterminación *f.* extermination
exterminar to exterminate
externo/a external
extinción *f.* extinction; **en peligro de extinción** in danger of extinction (10)
extinguible extinguishable
extinguir (g) to extinguish
extramarital: aventura extramarital extramarital relationship
extranjero abroad
extranjero/a foreigner
extraordinario extraordinary
extremista *m., f.* extremist
extremo/a extreme

F

fábrica factory
fabricación *f.* making, manufacture (13)
fabricar (qu) to manufacture, make
fábula fable
facción *f.* faction, feature
fácil easy
facilidad *f.* ease
facilitar to facilitate, make easy
fácilmente easily
facsimilar to fax
facsímile fax
factor *m.* factor (14)
facturar el equipaje to check baggage (11)
facultad *f.* school (*of a university*); **Facultad de Bellas Artes** School of Fine Arts (3); **Facultad de Ciencias Naturales** School of Natural Sciences (3); **Facultad de Ciencias Sociales** School of Social Science (3); **Facultad de Derecho** School of Law (3); **Facultad de Filosofía y Letras** School of Humanities (3); **Facultad de Medicina** School of Medicine (3)
falsificar (qu) to falsify
falso/a false (9)
falta lack
faltar to be missing, lacking (7); to be absent; **faltar... para...** it is . . . minutes til . . . (14)
fallar to miss

fallecimiento death
fama fame
familia family (9)
familiar *m., f.* relative
famoso/a famous
fanático/a fanatic
fanatismo fanaticism
fantasma *m.* ghost
fantástico/a fantastic
farmacéutico/a pharmacist (12)
farmacia pharmacy (3)
faro headlight (11)
fascinado/a fascinated
fascinante fascinating
fascinar to fascinate
fastidiar to annoy; to upset, spoil one's plans
fauna fauna (10)
favor *m.* favor; **estar** (*irreg.*) **a favor de** to be in favor of; **en favor de** in favor of; **favor de** (+ *infin.*) please (+ *action*); **por favor** please
favorecer (zc) to favor
favorito/a favorite (1)
fe *f.* faith
febrero February (1)
febril feverish
fecha date; **fecha de nacimiento** date of birth (1)
federal *adj.* federal (15)
fehaciente authentic, reliable
felicidad *f.* happiness (15); **¡felicidades!** congratulations! (1)
feliz happy (12); **¡feliz cumpleaños!** happy birthday! (1) **¡feliz Navidad!** Merry Christmas!
femenino/a feminine
feminista *m., f.* feminist
fenómeno phenomenon
feo/a ugly
feria fair
fertilizante *m.* fertilizer
festejar to celebrate
festivo: día (*m.*) **festivo** holiday
fiarse to trust
fibra fiber (12); **fibra de vidrio** fiberglass (13)
ficción *f.* fiction
fideo noodle (8)
fiebre *f.* fever; **fiebre del heno** hay fever (12); **tener** (*irreg.*) **fiebre** to have a fever (12)
fiesta party (4); **dar** (*irreg.*) **una fiesta** to give a party (2)
figura figure
fila line, file, row
filosofía philosophy; **Facultad de Filosofía y Letras** School of Humanities (3)
filtro filter
fin end (4); **a fin de cuentas** in the end; **fin de semana** weekend (1); **por fin** finally (4)

final *n. m.* end; **al final** in the end
finalmente finally (3)
financiero/a financial
firma signature (1)
firmar to sign
firme firm (10)
física physics (2)
físico/a physical; **estado físico** physical state (4)
flamenco flamenco (dance) (11)
flan *m.* sweet custard (8)
flecha arrow
flor *f.* flower (2)
flora flora (10)
florero flower vase
flotar to float (10)
fluidez: hablar con fluidez to speak fluently
flúor fluorine
folleto brochure (11)
fomentar to foster, encourage
fomento promotion, encouragement
fondo fund (15); **a fondo** deeply
forma form (10)
formación *f.* education, preparation
formar to form (8)
fórmula formula
fortuito/a fortuitous, chance
fortuna fortune
fósil *m.* fossil; **combustible** (*m.*) **fósil** fossil fuel
foto(grafía) picture; **sacar (qu) fotos** to take photos
fotográfico/a photographic
fotosíntesis photosynthesis
fracasar to fail
fracaso failure (14)
fracturado/a fractured, broken
fragancia fragrance
francés, francesa *n., adj.* French
Francia France
frase *f.* sentence, phrase
fraternidad *f.* fraternity
frecuencia frequency; **con frecuencia** frequently (2)
frecuente frequent
frecuentemente frequently (8)
fregadero kitchen sink
freír (*p.p.* **frito**) to fry (8)
freno brake (11)
frente *m.* front; forehead (12); **frente a** *adv.* facing, in the face of; **hacerle** (*irreg.*) **frente** to face
fresa strawberry (8)
fresco/a fresh (8); **hace fresco** it's cool (2)
fricativo/a fricative
frijol *m.* bean (8)
frío cold; **hace (mucho) frío** it's (very) cold (2); **té** (*m.*) **frío** iced tea (8); **tener** (*irreg.*) **frío** to be cold (4)
frito/a (*p.p. of* **freír**) fried; **papas fritas** French fries (3); **pollo frito** fried chicken
frontera border, frontier

fronterizo/a of the border, frontier
frustrado/a frustrated (12)
fruta fruit (3); **batido de frutas** fruit shake (8)
frutería fruit store (13)
frutilla strawberry (8)
fuego fire; **fuegos artificiales** fireworks (4)
fuente *f.* source; fountain (3); **fuente de energía** energy source (15); **fuente de sopa** soup tureen (8)
fuerte strong
fuerza force
fuga escape
fulgor *m.* glow, brightness, sparkle
fumar to smoke
función *f.* function (12)
funcionar to function, work (13)
fundador(a) founder
fundamentalista *m., f.* fundamentalist
funeral *m.* funeral
furioso/a furious (7)
fútbol *m.* soccer (1); **fútbol americano** football (1)
futuro future (5)

G

gabinete *m.* cabinet
gafas *pl.* glasses; **gafas de sol** sunglasses
galardonar to reward
galería de arte art gallery
gallego *n.* Galician (*language*)
galleta cracker, cookie (3)
galletitas cookies (3)
ganado livestock, cattle
ganar to win (7); **ganar dinero** to earn money (5); **ganarse la vida** to earn one's living (15)
ganas: tener (*irreg.*) **ganas de** to feel like (*doing something*) (5)
ganga bargain; **¡qué ganga!** what a bargain! (13)
garaje *m.* garage (6)
garantía guarantee (13)
garantizar (c) to guarantee
garganta throat (12); **tener** (*irreg.*) **dolor de garganta** to have a sore throat (12)
gárgaras: hacer (*irreg.*) **gárgaras** to gargle (12)
gas *m.* gas (13)
gaseoso/a gaseous
gasolina gasoline; **gastar gasolina** to use (waste) gasoline (11)
gasolinera gas station (3)
gastar to spend (13); **gastar gasolina** to use (waste) gasoline (11)
gasto expense, waste (14)
gato cat; **jugar (ue) (gu) al gato** to play tag
genealógico/a genealogical; **árbol** (*m.*) **genealógico** family tree (9)
general *n.* general; *adj.* general; **en general** in general; **por lo general** generally (8)

generalización *f.* generalization
generalmente generally, usually (3)
generar to generate (10)
genocidio genocide
gente *f., s.* people (2)
geografía geography (2)
geográfico/a geographic
gerente *m., f.* manager (5)
gigantesco/a gigantic
gimnasio gymnasium (3)
Ginebra Geneva
gira tour; **hacer** (*irreg.*) **una gira** to take a tour (10)
giro turn
global: calentamiento global global warming
globalización *f.* globalization
globo balloon (4)
gloria glory (7)
glorieta traffic circle (11)
gobernar to govern (7)
gobierno government (10)
golfo gulf (10)
golpear to hit, beat (14)
goma rubber (13)
gordo/a fat; **premio gordo** grand prize (15)
gorguera ruff
gorila *m.* gorilla
gorra cap (13)
gota drop (10); **gotas para la nariz** nose drops (12)
gozar (c) de to enjoy
grabadora tape recorder
grabar to record
gracias thanks, thank you; **Día de Acción de Gracias** Thanksgiving (4); **gracias a** thanks to
grados (centígrados) degrees (centigrade) (2)
gradualmente gradually
graduarse (me gradúo) to graduate (5)
gráfico graphic (2)
grafología graphology
gramática grammar
gran, grande big, large
granja farm
granjero/a farmer
grasa fat (8)
gratificar (qu) to gratify
grave serious (10)
griego/a *n., adj.* Greek
gripe *f.* flu; **tener** (*irreg.*) **gripe** to have the flu (12)
gris grey (A)
gritar to yell, scream
grito shout, scream (7); **dar** (*irreg.*) **gritos** to shout
grupo group (1); **trabajar en grupos** to work in groups
guacamayo parrot (10)
guajolote *m.* turkey (8) (*Mex.*)
guante *m.* glove (13)

guapo/a good-looking
guardafangos *m., sing.* fender
guardar to keep; to save; **guardar ropa** to put away clothes (6)
guardería infantil childcare center (15)
guatemalteco/a *n., adj.* Guatemalan
guayabera *embroidered lightweight shirt worn in tropical climates* (13)
guerra war (15); **guerra civil** civil war
guía *m., f.* guide
guiar (guío) to guide
guisante *m.* green pea (8)
gustar to be pleasing; **¿a quién le gusta… ?** who likes to . . . ? (1); **¿qué le/te/les gusta hacer?** what do you (*pol. sing./ inf. sing./pl.*)/they like to do? (1); **le gusta…** he/she likes . . . , you (*pol. sing.*) like . . . (1); **les gusta…** they/you (*pl.*) like (to) . . . ; **(no) me gusta…** I (don't) like (to) . . . (1); **me (te/le/nos/ os/les) gustaría** (+ *infin.*) I (you [*inf. sing.*]/you [*pol. sing.*]/he/she/we/you [*inf. pl. Sp.*]/you [*pl.*]/they would like (*to do something*) (5); **nos gusta…** we like (to) . . . (1); **te gusta…** you (*inf. sing.*) like (to) . . . (1)
gusto taste; pleasure, delight; **con gusto** with pleasure (8); **dar** (*irreg.*) **gusto** to be pleasing; **gusto en conocerlo/la** nice to meet you (*pol.*) (6)
gustoso/a pleasant; tasty

H

haber *irreg.* (*infin. of* **hay**) to have (*auxiliary*); to be; to exist; **había** there was/were (9); **habrá** there will be (12); **hay** there is / there are (12); **hay que** one has to (*do something*) (5); **no hay paso** no entrance (11)
habichuela green bean (8)
hábil skillful
habilidad *f.* ability (5)
habitación *f.* room (6); **habitación doble** double occupancy room; **habitación sencilla** single occupancy room (11)
habitante *m., f.* inhabitant
habitar to inhabit
hábitat *m.* habitat (10)
hábito habit
hablador(a) talkative
hablante *m., f.* speaker
hablar to speak, talk
hacer *irreg.* (*p.p.* **hecho**) to do; to make (1); **¿cuánto tiempo hace que… ?** how long has it been since . . . ? (7); **hace** (+ *time*) **que** + *present* (I) have been (*doing something*) for (+ *time*); it has been (+ *time*) since (7); **hace (muy) buen/mal tiempo** the weather is (very) fine/bad (2); **hace (mucho) calor/frío** it's (very) hot/cold (2); **hace fresco** it's cool (2); **hace más de…** it has been

more than (+ *time*) (7); **hace sol** it's sunny (2); **hace (mucho) viento** it's (very) windy (2); **hacer caso a** to pay attention to (14); **hacer click en** to click on (11); **hacer cola** to stand in line (11); **hacer daño** to harm; **hacer ejercicio** to exercise (1); **hacer el papel (de)** to play the role (of) (12); **hacer gárgaras** to gargle (12); **hacer huelga** to go on strike; **hacer las maletas** to pack (11); **hacer preguntas** to ask questions; **hacer una gira** to take a tour (10); **haga(n)** (*command*) do, make (11); **hágale preguntas a…** ask . . . questions (1); **hice** I did, made (7); **hizo** he/she/you (*pol. sing.*) did, made (7); **¿qué le/te/les gusta hacer?** what do you (*pol. sing./inf. sing./pl.*)/ they like to do? (1); **¿qué tiempo hace?** what is the weather like? (2)
hacia toward (10); **hacia abajo** downward
hacienda ranch
hada fairy; **cuento de hadas** fairy tale
hallar to find
hambre *f.* (*but* **el hambre**) hunger; **tener** (*irreg.*) **hambre** to be hungry (4)
hamburguesa hamburger (3)
harina flour (8)
hasta *prep.* up to; until (2); *adv.* even; **desde la(s)… hasta la(s)…** from . . . to . . . (*time*); **hasta muy tarde** until very late; **hasta que** *conj.* until (15)
hecho *n.* fact; event (7); **de hecho** in fact; **¿de qué está hecho/a?** what is it made of? (13); **está hecho/a de…** it's made of . . . (13); **hecho/a a mano** handmade (13)
hecho/a (*p.p. of* **hacer**) made; **hecho de metal** made of metal
heladería ice cream parlor (13)
helado ice cream; **té** (*m.*) **helado** iced tea (8)
helicóptero helicopter
hemisférico/a hemispheric
hemisferio hemisphere (10)
heno: fiebre (*f.*) **del heno** hay fever (12)
heredar to inherit
herencia inheritance
herida wound (12)
herido/a wounded person (12)
herir (i, i) to wound
hermanastro/a stepbrother/stepsister (9)
hermano/a brother/sister; *pl.* siblings; **hermanito/a** little brother / little sister; **medio/a hermano/a** half brother / half sister (9)
hermoso/a beautiful (7)
héroe *m.* hero (5)
heroico/a heroic (7)
herrador(a) blacksmith
herradura horse shoe
herraje *m.* ironwork
herramienta tool (13)

híbrido/a hybrid (10)
hielo ice; **capa de hielo polar** polar ice cap
hierba grass
hierro iron (13)
hígado liver (8)
hijastro/a stepson/stepdaughter (9)
hijo/a son/daughter; *pl.* siblings
hilo thread (13)
hinchado/a swollen; **estar** (*irreg.*) **hinchado** to be swollen (12)
hindú (*pl.* **hindúes**) *n., adj.* Hindu
hipótesis *f.* hypothesis
hipotético/a hypothetical
hispanidad *f.* Spanishness
hispano/a *n., adj.* Hispanic (1)
hispanohablante *m., f.* Spanish speaker
histérico/a hysterical (15)
historia history (2); story
historial (*m.*) **clínico** medical history (12)
histórico/a historical (7)
hogar *m.* home (13)
hoja leaf (10); **hoja de papel** sheet of paper (10); **trébol** (*m.*) **de cuatro hojas** four-leafed clover
hombre *m.* man; **hombre de negocios** businessman (3)
homicidio homicide
homofobia homophobia
homogeneidad *f.* homogeneity
homogéneo/a homogeneous, similar
homosexualidad *f.* homosexuality
hondo/a deep; **plato hondo** bowl (8)
hongo mushroom (8)
honor *m.* honor (7)
honrar to honor
hora time (1); hour (1); **¿a qué hora es... ?** what time is . . . ? (1); **a última hora** at the last minute (11); **horas de oficina** office hours; **horas pico** prime time; **¿qué hora es?** what time is it? (1); **¿qué hora tiene/tienes?** what time do you (*pol. sing.*)/(*inf. sing.*) have? (1); **seis horas al día** six hours a day
horario schedule (3)
horchata *sweet rice drink* (8)
hornear to bake (5)
horno (de microondas) (microwave) oven (6); **al horno** baked (8)
horóscopo horoscope (1)
horror *m.* horror (3); **historia de horror** horror story; **película de horror** horror movie
horrorizado/a horrified
horrorizar (c) to horrify
hospedarse to stay (*at a hotel*) (7)
hospital *m.* hospital (3)
hotel *m.* hotel (3)
hoy today (1); **hoy (en) día** nowadays
huelga strike; **hacer** (*irreg.*) **huelga** to go on strike
huellas digitales fingerprints

hueso bone (12)
huevo egg (3); **huevos fritos/cocidos** fried/hard-boiled eggs (8); **huevos rancheros** eggs, *usually fried or poached, topped with a spicy tomato sauce and sometimes served on a fried corn tortilla* (8); **huevos revueltos** scrambled eggs (3)
huida escape
humanidad *f.* humanity
humanizar (c) to humanize
humano/a human; **ser** (*m.*) **humano** human being (15)
humedad *f.* humidity (10)
húmedo humid (10)
humildad *f.* humility
humo smoke
humor *m.* humor; **sentido del humor** sense of humor (14)
huracán *m.* hurricane

I

Ibérica: Península Ibérica Iberian Peninsula
icono icon
ida: boleto de ida y vuelta round-trip ticket (11)
idealizar (c) to idealize
idéntico/a identical
identidad *f.* identity
identificación *f.* identification
identificar (qu) to identify
idioma *m.* language
idiomático/a idiomatic
idóneo suitable
iglesia church (3)
ignorar to ignore
igual equal (15)
igualar to equalize
igualdad *f.* equality
igualmente likewise
ilegal illegal
imagen *f.* image
imaginación *f.* imagination
imaginar to imagine; **imagínese** (*command*) imagine
imaginativo/a imaginative
impaciencia impatience (4)
impaciente impatient (4)
impacto impact
imparcial impartial
impedimento impediment
impedir (i, i) to impede
imperfecto *adj.* imperfect
imperialismo imperialism
imperio empire
implantar to implant
implicar (qu) to imply (15)
implícito/a implicit
imponer (*like* **poner**) to impose (10)
importación *f.* importation (15)
importancia importance (11)

importante important (2); **es importante que...** (+ *subjunctive*) it's important that . . . (14)
importar to matter, be important
imposible impossible (4)
imprescindible essential
impresión *f.* impression
impresionante impressive (10)
impresionar to impress
impreso/a (*p.p. of* **imprimir**) printed
impresora printer (10)
imprevisible unforeseeable, unpredictable
imprevisto/a unforeseen; **caso imprevisto** unforeseen occurrence (12)
imprimir (*p.p.* **impreso**) to print (13)
impuesto tax (11)
impulsar to impel, drive forward
impulsivo/a impulsive
impulso impulse
inalámbrico/a cordless
inca *n. m., f.* Inca; *adj.* Incan
incidencia incident (10)
incierto/a uncertain
incitar to incite
inclinación *f.* inclination
inclinado/a slanted
incluido/a included (11)
incluir (y) to include (6); **incluya(n)** (*command*) include
incompleto/a incomplete
incomprensible incomprehensible
incondicional unconditional (14)
inconfundible unmistakable
inconsciente unconscious (12)
incredulidad *f.* incredulity
incrédulo/a incredulous
increíble incredible
incrementar to increase
inculcación *f.* instillation
inculcar (qu) to instill
indemnización *f.* indemnification
independencia independence; **Día de la Independencia** Independence Day (4)
independiente independent
independizar (c) to free, make independent
indicar (qu) to indicate (12)
indicativo indicative
índice *m.* index
indiferente indifferent
indígena *n. m., f.; adj.* Indian; indigenous, native (7)
indio/a Indian
indirecto/a indirect; **complemento indirecto** indirect object pronoun
indiscreto/a indiscrete (7)
indispensable necessary; **es indispensable que...** (+ *subjunctive*) it's absolutely necessary that . . . (14)
individual individual (5)
individuo *n. m., f.* individual
indocumentado/a undocumented
indudable doubtless

industria industry (10)
inevitable unavoidable
infancia childhood
infantil relating to children or childhood (14); **guardería infantil** childcare center (15)
infección *f.* infection (12)
inferioridad *f.* inferiority
infinitivo infinitive
influencia influence
influir (y) to influence
información *f.* information (1)
informarse to inform oneself
informática data processing (2)
informativo/a informative
informe *m.* report
infundir to instill, infuse
ingeniería (mecánica) (mechanical) engineering (2)
ingeniero/a engineer (5)
Inglaterra England
inglés *n. m.* English (language)
inglés, inglesa *n., adj.* English
ingrediente *m.* ingredient (8)
ingresar to enroll, register
inhalación (*f.*) **de vapor** steam inhalation (12)
inhalar to inhale, breathe (12)
iniciador(a) initiator, pioneer
iniciar to initiate (15)
injusticia injustice
injustificable unjustifiable
injusto/a unjust
inmediatamente immediately (7)
inmenso/a immense (10)
inmigración *f.* immigration (11)
inmigrante *m., f.* immigrant (15)
inmigrar to immigrate
inmóvil immobile
innato/a innate
innecesario/a unnecessary
inocente innocent (5)
inodoro toilet (6)
inolvidable unforgettable
inoxidable: acero inoxidable stainless steel (13)
inquietar to disturb; to worry
inquisición inquisition; **Inquisición Española** Spanish Inquisition
inscribir(se) to enroll (oneself) (15)
insecto insect
inseguro/a unsure
insensatez *f.* foolishness, stupidity
insinuar to insinuate
insistente insistent (14)
insistir to insist
insomnio insomnia
inspeccionar to inspect
inspiración *f.* inspiration
inspirar to inspire
instalación *f.* installation (5)
instantáneamente instantaneously

institución *f.* institution (15)
instrucción *f.* instruction; direction (11); **seguir (i, i) (g) las instrucciones** to follow directions (3)
instructor(a) instructor
instruir (y) to instruct
instrumento instrument
insuficiente insufficient
integración *f.* integration
integrado/a integrated
íntegro/a whole, complete; upright
intelectual intellectual
inteligencia intelligence (14)
inteligente intelligent
intención *f.* intention
intencionado/a deliberate
intensidad *f.* intensity
intensivo/a intensive (5)
intenso/a intense
intentar to try
intento attempt
interacción *f.* interaction
intercambiar to exchange
intercambio exchange
interés *m.* interest
interesante interesting
interesar to interest (10)
interfaz *f.* interface
interior interior (12); **ropa interior** underwear (13)
internacional international
internado/a: estar (*irreg.*) **internado/a (en el hospital)** to be hospitalized (12)
interpretación *f.* interpretation
interpretar to interpret (14)
interrupción *f.* interruption
intervenir (*like* **venir**) to intervene
íntimo/a close, intimate; **amigos íntimos** close friends
intolerancia intolerance
introducir (zc) to introduce
intuición *f.* intuition
intuir (y) to sense
intuitivo/a intuitive
inundación *f.* flood (10)
inútil useless
invadir to invade
invasión *f.* invasion
invención *f.* invention (15)
inventar to invent (9)
invento invention
inventor(a) inventor (7)
invernadero greenhouse; **efecto invernadero** greenhouse effect
invernar to winter; to hibernate
inversión *f.* inversion
invertir (ie, i) to invest
investigación *f.* investigation
investigar (gu) to investigate
invierno winter (1)
invitación *f.* invitation (2)
invitar to invite (2)

inyección *f.* injection, shot (12); **poner** (*irreg.*) **una inyección** to give a shot
ir *irreg.* to go (1); **¿cómo se va de... a... ?** how does one get from . . . to . . . ? (11); **fue** he/she/you (*pol. sing.*) went (7); **fui** I went (7); **iba a** (+ *infin.*) I was going to (+ *infin.*) (12); **ir a** (+ *infin.*) to be going to (*do something*) (2); **ir a fiestas** to go to parties (1); **ir a la playa** to go to the beach (1); **ir al cine** to go to the movies (1); **ir al trabajo** to go to work (3); **ir de compras** to go shopping (1); **ir de vacaciones** to go on vacation (5); **irse** to go away, get away; **va a...** he/she is going to . . . , you (*pol. sing.*) are going to . . . (2); **voy a...** I am going to . . . (2)
Irak Iraq
Irlanda Ireland
irlandés, irlandesa *n.* Irishman/Irishwoman; *adj.* Irish
irónicamente ironically
ironizar (c) to ridicule, treat ironically
irradiación *f.* irradiation
irreparablemente irreparably
irresponsable irresponsible
irritable irritable (12)
isla island (10)
izquierda *n.* left-hand side; **a/de la izquierda** to/from (on) the left
izquierdo/a *adj.* left

J

jabón *m.* soap (4)
jalar to pull (14)
jalea jelly
jamaica *sweet drink made with hibiscus flowers* (8)
jamás never
jamón *m.* ham (3)
Jánuca *m.* Hanukkah (4)
jarabe *m.* syrup; **jarabe para la tos** cough syrup (12)
jardín *m.* garden; **jardín zoológico** zoo (7); **trabajar en el jardín** to work in the garden (1)
jarra pitcher, jug (8)
jaula cage (5)
jefe, jefa boss, chief (15)
jeroglíficos hieroglyphics
jersey *m.* sweater
jornada: jornada completa full time (5); **media jornada** part-time (5)
joven *n. m., f.* youth (9); *adj.* young
joyería jewelry store (13)
jubilarse to retire
júbilo jubilation
judío/a *n.* Jewish person; *adj.* Jewish (11)
juego game (1); **juego de** set of (*items*) (13); **juegos de video** video games (5)
jueves *m. sing., pl.* Thursday (1)
juez *m., f.* (*pl.* **jueces**) judge (5)

jugador(a) player (7)

jugar (ue) (gu) to play (1); **jugar a la / al** (+ *sport*) to play (*a sport*); **jugar a la lotería** to play the lottery; **jugar a la pelota** to play ball (9); **jugar a la rayuela (al bebeleche)** (*Mex.*) to play hopscotch (9); **jugar a las cartas** to play cards (3); **jugar al boliche** to bowl (2); **jugar al escondite** to play hide-and-seek (9); **jugar al gato** to play tag (9); **jugar al tenis** to play tennis (1); **jugar con carritos** to play with little cars; **jugar con muñecas** to play with dolls (9); **jugar en la nieve** to play in the snow (1); **jugó** he/she/you (*pol. sing.*) played (7); **jugué** I played (7)

jugo juice (3); **jugo de naranja** orange juice (3)

juguete *m.* toy (4)

juicio judgment

julio July (1)

jungla jungle

junio June (1)

juntar to join

junto/a *adj.* together (3)

justicia justice (5)

justificar (qu) to justify

justo/a fair (15)

juvenil *adj.* juvenile

juventud *f.* youth (9)

juzgar (gu) to judge

K

kilómetro kilometer (7)

kínder *m.* kindergarten (14)

L

la *def. art. f.* the; *d.o.* her/it/you (*pol. sing.*)

labio lip (12)

laboratorio laboratory (2)

lado side; **al lado de** beside; **por otro lado...** on the other hand; **por un lado...** on one hand

ladrillo brick (13)

ladrón, ladrona thief (7)

lago lake (2)

laguna lagoon (10)

lamentable unfortunate

lámpara lamp (6)

lana wool (13)

lancha launch (11)

langosta lobster (8)

lanzamiento launch

lapislázuli *m.* lapis lazuli

largo/a long

las *def. art. f. pl.* the; *d.o. f. pl.* them/you (*pol. pl.*)

lástima shame; **es una lástima** it's a shame; **¡qué lástima!** that's too bad! (13); **qué lástima que...** it's a shame that . . . (15)

lastimado/a injured, hurt (10)

lastimar to harm, injure

lata can (8)

latino/a *n., adj.* Latin

Latinoamérica Latin America

latinoamericano/a *n., adj.* Latin American (3)

lavabo bathroom sink (6)

lavadora washing machine (6)

lavandería laundromat (3)

lavaplatos *m. sing.* dishwasher (6)

lavar to wash (2); **lavar la ropa** to do laundry; **lavar el carro** to wash the car (2); **lavarse** to wash, bathe oneself; **lavarse el pelo** to wash one's hair (4); **lavarse los dientes** to brush one's teeth (4)

lazo tie

lealtad *f.* loyalty (14)

lección *f.* lesson (3)

leche *f.* milk (3); **arroz (m.) con leche** rice pudding (8); **batido de leche** milkshake (8)

lechuga lettuce (3)

lectura reading (1)

leer (y) to read; **leer el correo electrónico** to read one's e-mail; **leer el horóscopo** to read the horoscope; **leer el periódico** to read the newspaper (1); **leer revistas** to read magazines (1); **leí** I read (7); **leyó** he/she/you (*pol. sing.*) read (7)

legal legal (15)

legalizar (c) to legalize (15)

legislador(a) legislator

legislar to legislate

legumbre *f.* vegetable (3)

lejos de far from (3)

lengua tongue (12); language (15); **lengua materna** mother tongue (15)

lenguaje *m.* language

lentamente slowly (10)

león, leonesa lion; **león marino** sea lion (10)

leopardo leopard (10)

lesbiana lesbian

lesión *f.* injury (12)

letal lethal

letra letter (*of the alphabet*) (10); **Facultad de Filosofía y Letras** School of Humanities (3); **letra cursiva** italics

letrero sign (10)

levantar to raise; **levantar pesas** to lift weights (2); **levantarse** to get up (4)

ley *f.* law (15)

leyenda legend

liberado/a liberated (2)

liberar to liberate, free

libertad *f.* liberty

libertador(a) liberator (7)

libra pound (8)

libre free; **actividades del tiempo libre** leisure-time activities (1); **aire** (*m.*)

libre outdoors (7); **mercado al aire libre** open-air market (13)

librería bookstore (3)

libreta notebook

libro book

lícito/a lawful, legal (15)

licuadora blender

licuar to blend, liquefy (13)

líder *m., f.* leader

liderazgo leadership

lienzo canvas

ligero/a light (10)

limitar to limit (10)

límite *m.* limit (14)

limón lemon

limonada lemonade (4)

limpiaparabrisas *m. sing.* windshield wiper (11)

limpiar to clean (2)

limpieza cleaning; **productos de limpieza** cleaning products

limpio/a clean

linaje *m.* lineage

lindo/a pretty (7)

línea line

lingüístico/a linguistic

lino linen (13)

lío problem, trouble; **meterse en líos** to get into trouble (9)

liquidación *f.* closing sale (13)

líquido liquid (8)

lista list (2)

listeza cleverness

listo/a ready (5); prepared; **estar** (*irreg.*) **listo/a** to be ready; **ser** (*irreg.*) **listo/a** to be smart, clever

literatura literature (2)

llamada (telephone) call (4)

llamar to call (on phone) (4); **¿cómo te llamas (tú)?** what is your (*inf. sing.*) name? (1); **llamar la atención** to call attention (10)

llamativo/a showy; getting one's attention

llano plain (10)

llanta (desinflada) (flat) tire (11)

llanura plain, prairie

llave *f.* key (12)

llegada arrival (11)

llegar (gu) to arrive (2); **llegar a ser** to become; **llegar a tiempo** to arrive on time; **llegar a una conclusión** to arrive at a conclusion; **llegar tarde** to arrive late; **llegué** I arrived (7); **llegó** he/she/you (*pol. sing.*) arrived (7)

llenar to fill; **llenar los espacios en blanco** to fill in the blank spaces (9)

lleno/a full (10)

llevar to wear (A); to take (*someone or something somewhere*) (3); to carry (3); **llevarse** to take away (13); **llevarse bien** to get along well (9); **me lo llevo** I'll take (buy) it (13)

llorar to cry (7)
llorón, llorona weeper
llover (ue) to rain (2); **llueve (mucho)** it's raining (a lot) (2)
llovizna drizzle (10)
lloviznar to drizzle (10)
lluvia rain (2)
lo *d.o. m.* him/it/you (*pol. sing.*); **lo que** that which, what (7); **lo siento** I'm sorry (13)
lobo wolf (10)
localizar (c) to locate
localmente locally
loco/a *n.* crazy person; *adj.* crazy; **volverse (ue) loco/a** to go crazy (12)
locomotora locomotive (10)
lógicamente logically (7)
lógico/a logical; **en orden lógico** in logical order (4)
lograr to achieve, obtain (15); **lograr** (+ *infin.*) to manage to (*do something*), succeed in (*doing something*)
logro achievement
lona canvas; **bolsa de lona** canvas bag (10)
los *def. art. m. pl.* the; *d.o.* them/you (*pol. pl.*)
lotería lottery (15); **jugar (ue) (gu) a la lotería** to play the lottery
luchar to fight
luego then; later (1); **desde luego** of course; **hasta luego** see you later
lugar *m.* place (2); **lugar de nacimiento** birthplace (1); **lugar de origen** place of origin; **lugar de trabajo** workplace (5); **tener** (*irreg.*) **lugar** to take place (14)
lujo luxury (11)
lujoso/a luxurious
luminoso/a luminous
luna moon (7); **luna de miel** honeymoon (14)
lunares: de lunares polka-dotted
lunes *m. sing., pl.* Monday (1); **de lunes a viernes** Monday through Friday (4)
luz *f.* (*pl.* **luces**) light; electricity

M

macho *n.* male (2)
madera wood (13)
madrastra step-mother (9)
madre *f.* mother; **Día de la Madre** Mother's Day (4)
madrina godmother (14); bridesmaid (14)
madrugar (gu) to get up early
maduro/a ripe (8)
maestro/a teacher (5)
Magallanes Magellan
magia magic
mágico/a magic
maguey *m.* cactus from which tequila is made

maíz *m.* corn (8); **mazorca de maíz** ear of corn (8); **palomitas de maíz** popcorn (8)
mal *n. m.* evil; *adv.* badly; **estar** (*irreg.*) **de mal humor** to be in a bad mood (4); **hace mal tiempo** the weather is bad (2); **sentirse (ie, i) mal** to feel badly, to feel sick, ill
mal, malo/a *adj.* bad (4); **mal hábito** bad habit; **mala suerte** bad luck; **sacar (qu) malas notas** to get bad grades (9)
maldad *f.* evil, badness
maldecir (*like* **decir**) to curse
maldición *f.* curse
maleficencia wrongdoing
maléfico/a evil
maleta suitcase (11); **hacer** (*irreg.*) **las maletas** to pack (11)
maletero trunk (*automobile*) (11)
malgastar to waste
maltratar to mistreat
mamífero mammal (10)
mandamiento commandment
mandar to send (3); to order, command (12); **mandar un mensaje por correo electrónico** to send an e-mail message
mandato command
mando a distancia remote control (*Sp.*)
manejar to drive (2)
manera manner, way; **de manera que** so that; in such a way that (15)
manga sleeve (13)
mango mango (8)
manifestación *f.* demonstration; **manifestación política** political demonstration
manifestante *m., f.* demonstrator
manifestar (ie) to demonstrate
mano *f.* hand (B)
mantel *m.* tablecloth (8)
mantener (*like* **tener**) to maintain (11); **mantenerse** to maintain oneself (12)
mantenimiento maintenance
mantequilla butter (3)
manual workbook; manual (13)
manzana apple (8); **puré** (*m.*) **de manzana** apple sauce (12)
mañana *n.* morning; tomorrow (1); **hasta mañana** see you tomorrow; **mañana por la mañana (la noche)** tomorrow morning (evening) (3); **pasado mañana** day after tomorrow (1); **por la mañana** in the morning (1)
mapa *m.* map
mapamundi *m.* world map
maquiladora *large factory located in developing country to take advantage of lower wages* (15)
maquillarse to put on make up (4)
máquina machine; **máquina de escribir** typewriter
mar *m., f.* sea, ocean (2)

marca brand (4)
marcado/a strong, pronounced
marcar (qu) to mark (5)
marcha march
mareado/a dizzy, seasick, nauseous; **estar** (*irreg.*) **mareado/a** to be dizzy, seasick, nauseous (12)
marearse to get seasick (10)
mareo nausea, seasickness (12)
margen *m.* margin
marginación *f.* marginalization
marginar to marginalize
marino/a marine, of the sea; **estrella marina** starfish (10); **león** (*m.*) **marino** sea lion (10); **tortuga marina** sea turtle (10)
mariposa butterfly (10)
mariscos *pl.* seafood
marrón brown
Marruecos Morocco
martes *m. sing., pl.* Tuesday (1)
martillo hammer (13)
marzo March (1)
más more; **el/la más** (+ *adj.*) the most (+ *adj.*); **más o menos** more or less (1); **más que (de)** more than (6); **más tarde** later (2)
masa dough (8)
mascota pet (6)
masculino/a masculine
mascullar to mumble, mutter
masticar (qu) to chew (12)
matar to kill
mate *f. an herbal tea typical of Argentina*
matemático/a mathematical
materia subject (*school*) (2); **materia prima** raw material (13)
material *m.* material (13); **¿de qué material es?** what material is it made of? (13)
materno/a maternal; **lengua materna** mother tongue (15)
matrícula (school) registration fees (14)
matricularse to enroll in (7)
matrimonio matrimony, marriage; couple; **contraer** (*like* **traer**) **matrimonio** to get married
máximo/a maximum; **temperatura máxima** maximum temperature (2)
maya *n. m., f.; adj.* Maya(n)
mayo May (1)
mayonesa mayonnaise (8)
mayor *adj.* older; oldest; major, main; greater
mayoría majority (15)
mazorca de maíz ear of corn (8)
mecánico/a mechanic (5)
mecedora rocking chair (13)
mecer (zc) to rock
medalla (de oro) (gold) medal (7)
mediano/a medium (13); **de estatura mediana** of medium height

medianoche *f.* midnight (1)
mediante by means of
medias *pl.* stockings (13)
medicina medicine (15); **Facultad de Medicina** School of Medicine (3)
médico/a *n.* doctor (5); *adj.* medical
medida measurement (8)
medio/a *n. sing.* means; middle; half (8); **clase** (*f.*) **media** middle class; **es la una y media** it's one thirty (1); **media jornada** part-time (5); **medio ambiente** environment (10); **medio de comunicación** medium of communication; **medio/a hermano/a** half brother / half sister (9); **por medio de** by means of (15); **y media** half past (*time*) (1)
medioambiental environmental
meditación *f.* meditation
mejilla cheek (12)
mejor better; best (6); **el/la mejor** the best (6); **es mejor** it is better (4); **es mejor que...** (+ *subjunctive*) it's better that . . . (14) **mejor amigo/a** best friend
mejorar(se) to improve; to get better (9)
melodrama *m.* melodrama
melón melon
memorable memorable (7)
mencionar to mention (2) (11)
menesteroso/a needy, in want
menor younger; youngest
menos less; least; **a menos que** unless (15); **más o menos** more or less (1); **menos cuarto** quarter till (*time*) (1); **menos que (de)** less than (6); **por lo menos** at least (12)
mensaje *m.* message; **escribir mensajes electrónicos** to write e-mail (1)
mensajería transport service
mensajero/a messenger
mentalidad *f.* mentality
mente *f.* mind
mentir (ie, i) to lie
mentira lie
mentiroso/a liar; **¡qué mentiroso/a!** what a liar! (9)
mentón *m.* chin
menú *m.* menu (8)
menudo: a menudo often (6)
meñique little finger
mercader *m.* merchant
mercado market (3); **mercado al aire libre** open-air market (13)
mercadotécnia marketing (2)
mercancía merchandise (13)
merecer (zc) to deserve
merendar (ie) to have a picnic (2)
meridiano meridian
mermelada marmalade
mero/a mere; simple
merodear to prowl, plunder
mes *m.* month; **el mes pasado** last month (6)

mesa table (B)
mesero/a waiter/waitress (5)
mesita coffee table (6); **mesita de noche** night table, nightstand (11)
mestizaje the mixing of races
meta goal (15)
metal *m.* metal (13); **hecho/a de metal** made of metal
meter to put; **meterse en líos** to get into trouble (9)
metódico/a methodical
método method
metodología methodology
metro subway (3); **estación** (*f.*) **de metro** subway station (11)
mexicano/a *n., adj.* Mexican
mexicanoamericano/a *n., adj.* Mexican American
mezcla mixture
mezclar to mix (13)
mezclilla denim (13)
mezcolanza mixture
mi *poss.* my
mí *obj. of prep.* me; **a mí también/ tampoco** I do too / I don't either (1)
miedo fear; **tener** (*irreg.*) **miedo** to be afraid (4)
miel *f.* honey (8); **luna de miel** honeymoon (14)
miembro member
mientras meanwhile (3); while; **mientras que** while
miércoles *m. sing., pl.* Wednesday (1)
mil thousand, one thousand; **mil millones** billion
milagro miracle
militar *n. m.* soldier; *adj.* military
milla mile (6)
millón *m.* million (10); **mil millones** billion; **un millón (de)** a million (*of something*) (13); **ventidós millones de pesos** twenty-two million pesos (13)
millonario/a millionaire (5)
mínimo minimum; **temperatura mínima** minimum temperature (2)
ministro minister
minoría minority
minoritario/a minority
minutos minute
mío/a *poss.* mine, of mine
mirar to look at, watch
misa mass (2)
misil *m.* missile (10)
misión *f.* mission
mismo/a *pron.* same (one); *adj.;* same; self; **ahora mismo** right now (14); **el/la mismo/a** the same (5); **sí mismo/a** oneself; **tú mismo/a** yourself (*inf. sing.*); **uno/a mismo/a** oneself; **usted mismo/a,** yourself (*pol. sing.*)
misterio mystery (3)
mitad *f.* half

mitología mythology
moda fashion (13); **de moda** fashionable (13); **diseño de la moda** fashion design (2)
modelo model
módem *m.* modem
moderno/a modern
modestia modesty
módico/a moderate (*in price*) (6)
modo way, manner; **de modo que** so that (15)
mojar to dip, to wet (8)
molestar to bother (10); **me molesta** it bothers me
molestia annoyance
molesto/a annoyed; upset (12)
molino de viento windmill
momento moment (14)
monarquía monarchy
monasterio monastery
moneda coin
monetario/a monetary
monja nun
monolingüe monolingual
montaña mountain (2)
montañoso/a mountainous
montar to ride; **montar a caballo** to ride a horse (2)
monte *m.* mount, mountain
monumento monument (11)
morado purple (A)
moralismo moralism
moralista moralistic
moralizar (c) to moralize
morder (ue) to bite (12)
moreno/a brown-skinned, dark-skinned
morfológico/a morphological
morir(se) (ue, u) (*p.p.* **muerto**) to die (7); **estar** (*irreg.*) **muerto** to be dead (9)
mosca fly (7)
mostaza mustard (8)
mostrador *m.* counter (11)
mostrar (ue) to show (13)
motivación *f.* motivation
motivar to motivate
motivo motive (14)
moto(cicleta) *f.* motorcycle; **andar** (*irreg.*) **en motocicleta** to ride a motorcycle (2)
mover(se) (ue) to move (12)
móvil mobile; **(teléfono) móvil** cell phone (1)
movimiento movement (12)
mozo/a boy/girl
muchacho/a boy/girl; young man / young woman
mucho *adv.* a lot; much
mucho/a *adj.* much; *pl.* many; **muchas gracias** thank you; **muchas veces** many times (5); **muchísimo/a** very much (7)
mudanza change; move (house)
mudarse to move (house) (15)

mueble *m.* piece of furniture; *pl.* furniture (6)

muela molar (tooth) (12); **tener** (*irreg.*) **dolor de muelas** to have a toothache (12)

muerte *f.* death

muerto/a (*p.p. of* **morir**) dead; **Día de los Muertos** All Soul's Day (4)

mujer *f.* woman; **mujer bombero** firefighter (5); **mujer de negocios** businesswoman (3); **mujer policía** policewoman (5); **mujer soldado** soldier; **mujer soltera** single woman

mulato/a mulatto

muleta crutch (12)

multa ticket, fine (7)

múltiple multiple; **opción** (*f.*) **múltiple** multiple choice

mundano/a worldly, of the world

mundial *pertaining to the world* (15); **Copa Mundial** World Cup (13); **Segunda Guerra Mundial** Second World War

mundo world; **todo el mundo** everyone (15)

municipal municipal (3)

muñeca doll; wrist (12); **jugar (ue) (gu) con muñecas** to play with dolls (9)

murciélago bat

músculo muscle (12)

museo museum (3)

música music; **equipo de música** stereo (1); **escuchar música** to listen to music (1)

musical *adj.* musical (3)

muslo thigh (12)

musulmán, musulmana *n., adj.* Muslim

mutuamente mutually

N

nacer (zc) to be born (2); **¿cuándo nació?** when was he/she born? when were you (*pol. sing.*) born? (1)

nacido/a born; **recién nacido/a** newborn (14)

nacimiento birth; **fecha de nacimiento** birth date (1); **lugar** (*m.*) **de nacimiento** birthplace (1)

nación *f.* nation

nacional national (15)

nacionalidad *f.* nationality

nada nothing (4); **de nada** you are welcome; **no hacer** (*irreg.*) **nada** to do nothing

nadar (en una piscina) to swim (in a pool) (1)

nadie no one, nobody, not anybody (3)

náhuatl *m.* Nahuatl (*indigenous language of the Aztecs*)

nalga buttock (12)

narcótico narcotic, drug (12)

narcotráfico drug trafficking (15)

nariz *f.* nose; **gotas para la nariz** nose drops (12); **tener** (*irreg.*) **la nariz tapada** to have a stuffy nose (12)

narración *f.* narration (2)

narrador(a) narrator

narrar to narrate

narrativo/a narrative

natal *adj.* birth; **país** (*m.*) **natal** country of birth

natalidad *f.* birth rate (10)

nativo/a native

natural: desastre (*m.*) **natural** natural disaster

naturaleza nature

naturalización *f.* naturalization

náuseas: tener (*irreg.*) **náuseas** to be nauseous (12)

navaja razor (4); razor blade (4)

navegación *f.* navigation

navegante *m., f.* navigator (9)

navegar (gu) to navigate; **navegar el Internet** to surf the Internet (1); **navegar la red** to surf the Internet

Navidad *f.* Christmas (4)

neblina fog (10)

necesario/a necessary (5)

necesidad *f.* necessity

necesitar to need (5); **necesitar** (+ *infin.*) to need to (*do something*)

negar (ie) (gu) to deny; to refuse

negativo/a negative

negocio business (15); **hombre** (*m.*) **de negocios, mujer** (*f.*) **de negocios** businessman/businesswoman (3)

negro/a (A) black; **magia negra** black magic; **mercado negro** black market

nervio nerve (12)

nervioso/a nervous (4)

neurológico/a neurological

neutro/a neutral

nevar (ie) to snow (2); **nieva (mucho)** it's snowing (a lot) (2)

ni neither; nor; even; **ni... ni** neither . . . nor; **¡ni pensarlo!** don't even think of it! (4)

nicotina nicotine (15)

niebla fog

nieve *f.* snow (2); **jugar (ue) (gu) en la nieve** to play in the snow (1)

nilón *m.* nylon (13)

ningún, ninguno/a none, not any (2)

niñez *f.* childhood (9)

niño/a boy/girl; child; **de niño/a** as a child (9)

nivel *m.* level (15)

nivelación *f.* leveling

nivelar to level

no no; not

Nóbel: premio Nóbel Nobel Prize (7)

noche *f.* night; **de la noche** P.M.; **esta noche** tonight; **mañana por la noche** tomorrow evening (3); **por la noche** in the evening, at night (1)

Nochebuena Christmas Eve (4)

Nochevieja New Year's Eve (4)

nocividad *f.* harmfulness

nocivo/a harmful

Noel: Papá Noel Santa Claus

nombrar to name

nombre *m.* name

nominar to nominate

nopal *m.* type of cactus

norma rule, norm

normal normal (8)

normalmente normally

noroeste *m.* northwest

norte *m.* north

norteamericano/a *n., adj.* North American (2)

nos *d.o.* us; *i.o.* to/for us; *refl. pron.* ourselves

nosotros/as *sub. pron.* we; *obj. of prep.* us

nota grade (4); **sacar (qu) buenas/malas notas** to get good/bad grades (9)

notar to note

noticia(s) news (6)

noticiario newscast

noticiero newscast

notificar (qu) to notify

novecientos/as nine hundred (1)

novela novel (2)

novelar to convert into novel form

novelesco/a fictional

novelizar (c) to convert into novel form

noveno/a ninth (2)

noventa ninety

noviazgo courtship, engagement (14)

noviembre *m.* November (1)

novio/a boyfriend/girlfriend; fiancé(e); groom/bride (14)

nube *f.* cloud (10); **en las nubes** in the clouds; "out of it"

nuclear nuclear; **energía nuclear** nuclear energy; **planta nuclear** nuclear plant (10); **reactor** (*m.*) **nuclear** nuclear reactor (15)

nuera daughter-in-law (9)

nuestro/a *poss.* our

nueve nine (A)

nuevo/a new; **Año Nuevo** New Year (4); **de nuevo** again (8)

nuez *f.* (*pl.* **nueces**) nut

número number (A); **número ordinal** ordinal number (2)

numeroso/a numerous (14)

nunca never (3); **casi nunca** almost never (3)

nupcial nuptial, wedding

nutrición *f.* nutrition (8)

O

o or

obedecer (zc) to obey

obediente obedient (9)

obispo bishop

objetividad *f.* objectivity

objetivo/a objective

objeto object (6)

obligación *f.* obligation (5)
obligar (gu) to obligate (15)
obligatorio/a obligatory
obra work; **obra de arte** work of art, art work
obrero/a (industrial) worker (5)
observador(a) observer
observar to observe (10)
obstáculo obstacle
obstante: no obstante nevertheless, however
obstinación *f.* stubbornness
obtener (*like* **tener**) to obtain, get (5)
obvio/a obvious
ocasión *f.* occasion (2)
ocasionar to cause
occidental western
occidente *m.* west
océano ocean; **Océano Atlántico** Atlantic Ocean (3); **Océano Pacífico** Pacific Ocean (3)
ochenta eighty (C)
ocho eight (A)
ochocientos/as eight hundred (1)
oclusivo/a occlusive
octavo/a eighth (2)
octubre *m.* October (1)
ocultar to hide
ocupado/a busy; **estar** (*irreg.*) **ocupado/a** to be busy (4)
ocupar to take up, occupy
ocurrencia: ¡qué ocurrencia! what a silly idea! (4)
ocurrir to occur (10)
odiar to hate
odio hate; **crimen** (*m.*) **por odio** hate crime
oeste *m.* west
ofender (ie) to offend
ofendido/a offended
ofensivo/a offensive
ofensor(a) offender
oferta offer; **en oferta** on sale (13)
oficial official (15); **idioma** (*m.*) **oficial** official language; **lengua oficial** official language
oficina office (3); **horas de oficina** office hours
oficio job, position (5)
ofrecer (zc) to offer (2)
ofrecido/a offered
oído inner ear (12)
oír *irreg.* to hear (12); **oí** I heard (7); **oyó** he/she/you (*pol. sing.*) heard (7)
ojalá (que) I hope (that)
ojo eye
ola wave (7)
oler (ue) to smell (12); **huele** it smells (12); **huela** (*command*) smell (12)
Olimpiadas *pl.* Olympics (7)
olvidar(se) to forget (11); **se me/le olvidó/ olvidaron** something (*sing. or pl.*) slipped my/your/his/her mind (12)

once eleven (A)
onza ounce
opción *f.* option (15)
operar to operate (12)
opinar to think, believe (14)
opinión *f.* opinion
oponerse a (*like* **ponerse**) to oppose
oportunidad *f.* opportunity (14)
oposición *f.* opposition
opresión *f.* oppression
oprimir to oppress
optativo/a optional
optimista *n. m., f.* optimist; *adj.* optimistic
opuesto/a opposite
oración *f.* sentence (2)
oralmente orally
órbita orbit
orden (*pl.* **órdenes**) *m.* order (14); **a sus órdenes** how may I help you, at your service (11); **en orden lógico** in logical order (4); **orden cronológico** chronological order
ordenado/a orderly; in order, neat
ordenador *m. Sp.* computer
ordenar to arrange, put in order (6) (*Sp.*)
oreja (outer) ear
orfanato orphanage (15)
orgánico/a organic (10)
organismo organism (10)
organización *f.* organization
organizar (c) to organize (2)
órgano interno internal organ (12)
orgullo pride
orgulloso/a proud (15)
orientación *f.* orientation
oriental eastern
oriente *m.* east
orificio hole
origen origin
original original (13)
originalmente originally
originario/a originating
orilla shore, (river)bank (10)
oro gold (13)
os *d.o.* (*Sp.*) you (*inf. pl.*); *i.o.* (*Sp.*) to/for you (*inf. pl.*); *refl. pron.* (*Sp.*) yourselves (*inf. pl.*)
oscuro/a dark
oso (panda) (panda) bear (7)
ostras *pl.* oysters (8)
otoño fall, autumn (1)
otro/a other; another; **otra vez** again (5)
oxígeno oxygen
ozonización *f.* ozonization
ozono ozone; **agujero en la capa de ozono** hole in the ozone layer (10)
ozonósfera ozonosphere

P

pacer (zc) to graze
paciente *n. m., f.* patient (5); *adj.* patient (4)

Pacífico: Océano Pacífico Pacific Ocean (3)
padecer (zc) to suffer (from) (12)
padrastro stepfather (9)
padre *m.* father; priest; *pl.* parents; **Día del Padre** Father's Day (4)
padrino godfather (14); best man in a wedding (14)
paella valenciana *rice dish with meat, fish, or seafood and vegetables* (8)
pagar (gu) to pay (5)
página page
país *m.* country; **país de habla española** Spanish-speaking country; **país del tercer mundo** Third-World country
paisaje *m.* landscape (11)
pájaro bird (10)
palabra word
palabrear to agree verbally to
palabrería wordiness; hot air
palacio palace (11)
palma palm
palmera palm tree (7)
paloma dove; pigeon
palomitas (*pl.*) **de maíz** popcorn (8)
pan *m.* bread (3); **pan de maíz** corn bread; **pan tostado** toast (3)
panadería bakery (3)
Panamá *m.* Panama
panameño/a *n., adj.* Panamanian
panamericano/a Pan-American (1)
pandilla gang (15)
panecillo roll, bun (8)
panel (*m.*) **solar** solar panel (15)
pánico panic
panorama *m.* panorama
panqueque *m.* pancake (8)
pantalla screen (13)
pantaletas women's underpants (13)
pantalón, pantalones *m. sing., pl.* pants (A); **pantalones vaqueros** jeans (13)
pantimedias *pl.* pantyhose (13)
pantorrilla calf (12)
pañales *m. pl.* diapers
Papa *m.* Pope
papa potato (3); **papa al horno** baked potato (3); **papas fritas** French fries (3)
papá *m.* dad, father; **Papá Noel** Santa Claus (14)
papalote kite (*Mex.*); **volar (ue) un papalote** to fly a kite (9)
papaya papaya (8)
papel *m.* paper; role; **desempeñar un papel** to fulfill, play a role; **hacer** (*irreg.*) **el papel (de)** to play the role (of) (12); **hoja de papel** sheet of paper (10)
papelería stationery store (3)
paperas mumps (12)
paquete *m.* package (8)
par *m.* pair; **un par de...** a pair of . . . (13)

para for (1); in order to; to (*in the direction of*) (10); **para que** in order that (15); **¿para qué sirve... ?** what is . . . used for? (6); **para servirle** you are welcome (11); **salir** (*irreg.*) **para** to leave for (*a place*) (7)

parabrisas *m. sing.* windshield (11)

parachoques *m. sing.* bumper

parada del autobús bus stop (3)

parado/a stopped

parador *m.* state (*tourist*) hotel (11)

paraguas *m. sing.* umbrella (13)

paragüero umbrella stand

paraíso paradise

paralelo parallel

paramédico/a paramedic (12)

parapsicología parapsychology

parcial partial

parecer (zc) to look; to seem (10); **parecerle (a uno)** to seem (to one); **parecerse a** to look like (9); **¿qué te parece... ?** what do you think of . . . ?

parecido/a similar to; **bien parecido/a** good-looking

pared *f.* wall

pareja couple, pair (6); **trabajar en parejas** to work in pairs

parentesco family relationship

paréntesis *m. sing., pl.* parentheses; **entre paréntesis** between parenthesis

pariente, parienta relative (4)

París Paris

parque *m.* park (2)

párrafo paragraph

parral *m.* vine arbor

parrilla: a la parrilla grilled, char-broiled (8)

parrillada grilled meat (8)

parte *f.* part; **en parte** in part; **en todas partes** everywhere; **gran parte de** a large part of; **por todas partes** everywhere (12)

participante *m., f.* participant

participar to participate (5)

particular: en particular in particular

partida departure; **punto de partida** point of departure

partido game (in sports) (1), match (1); **partido de fútbol** soccer match; **ver** (*irreg.*) **un partido de...** to see a game of . . . (1)

partir to leave; to divide

pasado past

pasado/a past, last; **el mes pasado** last month (6); **el siglo pasado** the last century; **pasado mañana** day after tomorrow (1); **el año pasado** last year (6); **la semana pasada** last week

pasaje *m.* fare, ticket price (10)

pasajero/a passenger (10)

pasaporte *m.* passport (1); **sacar (qu) el pasaporte** to get a passport (11)

pasar to pass; to happen (10); to come in; to spend (*time*); **pasar la aspiradora** to vacuum (6); **pasar por** to go through; **pasar tiempo** to spend time (2); **¿qué pasa?** what's happening?

pasatiempo pastime (2)

Pascua Easter; **conejo de Pascua** Easter Bunny; **Pascua Judía** Passover (4)

pasear (por el parque) to go for a walk (in the park) (2)

paseo walk; **dar** (*irreg.*) **un paseo** to go for a walk (2)

pasillo hall (6)

pasivo/a passive

paso step; **no hay paso** no entrance (11)

pastel *m.* pastry, cake (3)

pasto grass

pata foot (animal); **meter la pata** to commit a *faux pas*

patada kick

patalear to stamp; to kick

patear to kick

patinar (en el hielo) to skate (on ice) (1)

patineta skateboard; **andar** (*irreg.*) **en patineta** to skateboard (1)

patio patio (6); **patio de recreo** playground (9)

patrón, patrona patron

pavo turkey (8)

paz *f.* peace

peatón, peatona pedestrian (11)

pecado sin

pecho chest (12)

pechuga breast

pediatra *m., f.* pediatrician (14)

pedir (i, i) to ask for (8); to request (4); to order food (8); **pedir prestado/a(s)** to borrow (13); **pide** he/she asks, you (*pol. sing.*) ask (4); **pido** I ask (4)

pegamento glue

pegar (gu) to hit (14); to glue

peinar(se) to comb one's hair (4)

pelar to peel (8)

pelear to fight (9)

película movie; **poner** (*irreg.*) **una película** to show a movie (3)

peligrar to peril, be in danger

peligro danger; **en peligro de extinción** in danger of extinction (10)

peligroso/a dangerous (5)

pelo hair; **lavarse el pelo** to wash one's hair (4); **pelo castaño** brown hair

pelota ball; **jugar (ue) (gu) a la pelota** to play ball (9)

peluquero/a hairdresser (5)

pena: vale la pena it's worth the trouble

penetrar to penetrate

península peninsula (10); **Península Ibérica** Iberian Peninsula

penitencia penitence

pensamiento thought (10)

pensar (ie) to think (5); **pensar (+ *infin.*)** to plan to (*do something*) (5); **pensar en** to think about (5); **¡ni pensarlo!** don't even think of it! (4)

penumbra *f.* semi-darkness

peor worse, worst; **es peor** it is worse (4)

pepino cucumber (8)

pequeño/a small (A)

pera pear (8)

percibir to perceive (12)

perder (ie) to lose; **perder el tiempo** to waste time; **perder peso** to lose weight; **perderse** to get lost; **se me/le perdió/perdieron** I/you/he/she lost something (*sing. or pl.*) (12)

pérdida loss

perdonar to excuse

perdurar to last

Pérez: Ratoncito Pérez Tooth Fairy

pereza laziness

perezoso/a lazy

perfecto/a perfect (1)

perfil *m.* profile

perfumado/a perfumed

perfumar to perfume

perfume *m.* perfume; **ponerse** (*irreg.*) **perfume** to put on perfume

periferia periphery

periférico/a peripheral

periódico newspaper; **leer (y) el periódico** to read the newspaper (1)

periodista *m., f.* journalist (9)

perjudicar (qu) to harm, injure, cause damage to

permiso permission; **dar** (*irreg.*) **permiso** to give, grant permission (9)

permitir(se) to allow (9); **permítame** allow me (11)

pero but (1)

perpetrar to perpetrate

perro dog; **perro caliente** hot dog (8)

perseguir (i, i) to pursue, chase

persistencia persistence

persona person (15)

personaje *m.* character (*fictional*) (9)

personal personal; **libertad** (*f.*) **personal** personal liberty; **uso personal** personal use

personalidad *f.* personality

personalizar (c) to personalize

personalmente personally

personificar (qu) to personify

perspectiva perspective

persuadir to persuade

pertenecer (zc) to belong (8)

pertinente pertinent (13)

Perú *m.* Peru

pesar to weigh; **a pesar de** *prep.* in spite of

pesca fishing; **red** (*f.*) **de pesca** fishing net (10)

pescado fish (*food*) (3)

pescar (qu) to fish (1)
pesimista *n. m., f.* pessimist; *adj.* pessimistic
peso weight (1); **perder (ie) peso** to lose weight
pestaña eyelash (12)
pesticida pesticide (10)
petróleo petroleum; oil (10)
pez *m.* (*pl.* **peces**) fish
piano piano (6)
picante hot (spicy) (8)
picar (qu) to prick; to itch
pícaro/a rascal; **¡qué pícaro/a!** what a rascal! (9)
picazón *m.* itch
pico point; **horas pico** prime time
pie *m.* foot; **estar** (*irreg.*) **de pie** to be standing; **ponga (n) se de pie** stand up (*command*)
piedra stone (13)
piel *f.* skin (13); leather (13); **cáncer** (*m.*) **de la piel** skin cancer (10)
pierna leg
pijama *m. sing.* pijamas
pila battery
píldora pill
piloto *m., f.* pilot (5)
pimentero pepper shaker (8)
pimienta pepper
pintar to paint (5)
pintor(a) painter
pintura paint; painting (11)
piña pineapple (8)
pionero/a pioneer
pirámide *f.* pyramid (7)
pirata *m., f.* pirate
piratear to pirate
piso story, floor (6); *Sp.* apartment (6)
pizarra chalkboard (B)
placa license plate (11)
placer *n. m.* pleasure
plan *m.* plan (2)
planear to plan (11)
planeta *m.* planet (10)
planicie *f.* plain
plano map (of a room or city) (3)
plano/a flat (13)
planta plant; **planta nuclear** nuclear plant (10)
plantar to plant
plástico plastic (10)
plata silver (13)
plátano banana (8)
platillo saucer (8)
plato prepared dish (8); **plato hondo** bowl (8)
playa beach
playera T-shirt (*Mex.*)
plaza town square (11)
pleito lawsuit, case
plomero/a plumber (5)
pluma pen

pluscuamperfecto pluperfect
plutonio plutonium (10)
población *f.* population (15)
poblado/a populated
poblar to populate
pobre poor (5)
pobreza poverty (15)
poco/a little; *pl.* few (9); **poco a poco** little by little; **poco asado/a** rare (8); **poco cocido** rare (8); **poco después** a little later (7)
poder *n. m.* power
poder *v. irreg.* to be able to (5); **poder** (+ *infin.*) to be able to (*do something*); **¿en qué puedo servirle?** how may I help you? (11)
poderoso/a powerful
poema *m.* poem
poesía poetry
polar: capa de hielo polar polar ice cap
policía, mujer policía *m., f.* policeman/policewoman (5); *f.* police force
poliestireno styrofoam
política *sing.* politics; policy
político/a *n.* politician (9) (15); *adj.* political
politizado/a politicized
pollo chicken (3); **pollo frito** fried chicken (3)
polo pole
polución *f.* pollution
polvo dust
pomelo grapefruit (8) (*Sp., Arg.*)
poner *irreg.* to put, place; to put on; to put up; **me puse** I got (+ *adj.*) (7); **poner atención** to pay attention, be alert (14); **poner discos compactos** to play CDs (3); **poner en peligro** to put in danger; **poner énfasis** to emphasize; **poner una película** to show a movie (3); **ponerse** to get, to become (+ *adj.*) (7); **ponerse perfume / la ropa** to put on perfume/clothes (4); **se puso** he got (+ *adj.*) (7)
popular popular (8)
por by; through (7); because of; for; per; around, about; on; on account of; **¿por qué?** why? (1); **dar** (*irreg.*) **por sentado/a** to take for granted; **mañana por la mñana (la noche)** tomorrow morning (evening) (3); **por ahora** for now; **por avión (tren)** by plane (train) (10); **por causa de** because of; **por ciento** percent; **por correo electrónico** by e-mail; **por debajo de** underneath; **por ejemplo** for example (14); **por el contrario** on the contrary; **por encima** above; **por eso** for that reason, therefore (14); **por favor** please; **por fin** finally (4); **por la mañana/tarde/noche** in the morning/afternoon/evening (1); **por lo general** generally (8); **por lo**

menos at least (12); **por medio de** by means of (15); **por parte de** on behalf of; **por razones de** for reasons of; **por supuesto** of course (11); **por teléfono** by telephone; **por todas partes** everywhere (12); **por todos lados** everywhere; **por un lado... por otro lado...** on one hand . . . on the other hand . . .
porcelana porcelain (11)
porcentaje *m.* percentage
porcentual percentage
porciento percent (14)
porche *m.* porch
porción *f.* portion (10)
pornografía pornography
portada cover
portar to carry; **portarse** to behave
portátil portable
portugués *m.* Portuguese (*language*)
portugués, portuguesa *n., adj.* Portuguese (3)
porvenir *m.* future (15)
poseer (y) to possess
posibilidad *f.* possibility (5)
posible possible (2); **es posible** it is possible; **todo lo posible** everything possible
posición *f.* position
positivo/a positive (10)
postergar (gu) to procrastinate
postre *m.* dessert (3)
postura posture
potable drinkable (15)
potencia *n.* power, strength, force
potencial potential
práctica practice
practicar (qu) to practice; **practicar un deporte** to play a sport (1)
preceder to precede
precepto precept
precio price
preconcebido/a preconceived (15)
predecir (*like* **decir**) to predict
predicción *f.* prediction
predominar to predominate
preferencia preference (1)
preferentemente preferably
preferible preferable (4)
preferido/a preferred (10)
preferir (ie, i) to prefer (2); **preferí** I preferred (7); **prefiere** he/she prefers, you (*pol. sing.*) prefer (2); **prefirió** he/she/you (*pol. sing.*) preferred (7)
pregunta question; **contestar una pregunta** to answer a question; **hacer** (*irreg.*) **una pregunta** to ask a question; **hágale preguntas a...** ask . . . questions (1)
preguntar to ask (questions); **pregúntele** (*command*) ask him/her (2)
prejuicio prejudice (15)
prejuicioso/a prejudiced

prejuzgar (gu) to prejudge
premiación *f.* awarding, granting
premiado/a awarded
premiar to award
premio award, prize; **premio gordo** grand prize (15); **premio Nobel** Nobel Prize (7)
prender (la luz) to turn on (the light) (6)
prensa press
prensar to press
preocupación *f.* worry
preocupado/a worried; **estar** (*irreg.*) **preocupado/a** to be worried (4)
preocupar to worry (10); **preocuparse** to be worried
preparación *f.* preparation (8)
preparado/a prepared, ready
preparar to prepare (3)
preparatoria prep school; high school (2)
preposicional *gram.* prepositional
prerrogativa prerogative
presagiar to forebode
presagio omen
presencia presence
presentación *f.* presentation (5); introduction (6)
presentar to present; to introduce; **quiero presentarle a...** I want to introduce you (*sing. pol.*) to . . . (6); **quiero presentarte a...** I want to introduce you (*sing. inf.*) to . . . (6); **se presenta** is shown
presente present (2)
preservación *f.* preservation
preservar to preserve
presidencia presidency
presidencial presidential
presidente, presidenta president (1)
presión *f.* pressure (12)
prestado/a loaned; **pedir (i, i) prestado/a(s)** to borrow (13)
préstamo loan
prestar to loan
prestigioso/a prestigious (5)
presunto/a presumed, supposed
pretender (ie) to seek, try for
pretérito preterite
prevalecer (zc) to prevail
prevenir (*like* **venir**) to prevent
previamente previously
previsible predictable
prima: materia prima raw material (13)
primaria: (escuela) primaria elementary school (7)
primavera spring (1)
primer, primero/a first (2); **en primer lugar** in the first place; **por primera vez** for the first time; **primera clase** first–class (11); **primera comunión** first communion; **primera persona** first person
primitivo/a primitive

principal main, primary (10)
principalmente principally
principio beginning; principle; **al principio** at the beginning
prioridad *f.* priority (15)
prisa: tener (*irreg.*) **prisa** to be in a hurry (4)
prisionero/a prisoner
privado/a private; deprived; **vida privada** private life
privatización *f.* privatization (15)
privilegiado/a privileged
privilegiar to grant a privilege to; to favor
privilegio privilege
probabilidad *f.* probability
probablemente probably
probador *m.* dressing room (13)
probar(se) (ue) to try (out); to prove; to taste; to try on (13); **pruébeselo/la/los/las** (*command*) try it/them on (13)
problema *m.* problem (10)
procedente coming from
procedimiento procedure, process; proceeding
procesar to process
proceso process
proclamado/a proclaimed
producción *f.* production (10)
producir (zc) to produce (10)
productivo/a productive
producto product (10)
productor(a) producer
profecía prophecy
profesar to profess
profesión *f.* profession (1)
profesor(a) professor
profeta *m., f.* prophet
profundidad *f.* depth
profundo/a deep (10)
programa *m.*, program (1); **programa de entrevistas** talk show; **programa de estudio en el extranjero** study abroad program; **programa de estudios** program of study; **programa de reciclaje** recycling program; **programa de salud** health program; **programa educativo** educational program; **programa televisivo** television program
programador(a) programmer
programar to program (5)
progreso progress
prohibición *f.* prohibition
prohibido/a prohibited (11)
prohibir to prohibit, forbid (14)
prometer to promise
prominente prominent
promocionar to promote
promover (ue) to promote
promulgar (gu) to enact, proclaim (15)
pronombre *m.* pronoun; *gram.* **pronombre de complemento directo** direct object pronoun; *gram.* **pronombre de**

complemento indirecto indirect object pronoun
pronosticar (qu) to forecast (*weather*)
pronóstico del tiempo weather forecast (2)
pronto soon (7); **de pronto** suddenly (4); **tan pronto como** as soon as (15)
pronunciación *f.* pronunciation
pronunciar to pronounce
propagar (gu) to spread, propagate
propicio/a favorable; suitable
propiedad *f.* property (15)
propina tip (8)
propio/a own (6); typical, characteristic
proponer (*like* **poner**) (*p.p.* **propuesto**) to propose
proporción *f.* proportion
proporcionar to provide (15)
propósito purpose
propuesto/a (*p.p. of* **proponer**) proposed
prosperidad *f.* prosperity
protagonista *m., f.* protagonist
protección *f.* protection
proteger (j) to protect (10)
protegido/a protected
proteína protein (8)
protesta protest
protestante *n. m., f., adj.* protestant
provecho profit, benefit
provechoso/a beneficial
proveer to provide
providencia providence
provincia province
provocar (qu) to provoke (14)
próximo/a next (2); **los próximos diez años** the next ten years
proyecto project (14)
prudente prudent
prueba test
psicología psychology (2)
psicólogo/a psychologist (4)
psiquiatra *m., f.* psychiatrist (12)
psíquicamente psychically
publicación *f.* publication
publicar (qu) to publish
publicista *m., f.* publicist
publicitario/a publicity, advertising
público audience (5)
público/a public; **servicio público** public service; **vía pública** public way
pudrir(se) to rot
pueblo town (6); **pueblito** little town (9)
puente *m.* bridge (11)
puerco pig; **carne** (*f.*) **de puerco** pork; **chuleta de cerdo** pork chop (8)
puerta door
puerto port (11)
puertorriqueño/a *n., adj.* Puerto Rican
pues well, then (6)
puesto market stall, small shop (13)
puesto/a (*p.p. of* **poner**) placed; turned on (*appliance*) (12); **puesto que** *conj.* since, given that

pulgar *m.* thumb (12)
pulmón *m.* lung (12)
pulmonía pneumonia (12)
pulso pulse (12)
punta point, tip
punto point (8); **punto com** dot com
puntual punctual
puntualmente punctually (10)
pupusas *bean-stuffed cornmeal cakes from El Salvador* (8)
puré (*m.*) **de manzana** apple sauce (12)
puro cigar
puro/a pure (15); **por pura casualidad** purely by chance

Q

que that, which; than; **lo que** that which, what; **ya que** since
qué: qué bueno que... it's great that . . . (15); **qué lástima que...** it's too bad that . . . (15)
¿qué? what?; **¿en qué puedo servirle?** how may I help you? (11); **¿por qué?** why? (1); **¿qué clase de...?** what type of . . . ? (8); **¿qué hora es?** what time is it? (1); **¿qué hora tiene/tienes?** what time do you (*pol. sing.*)/(*inf. sing.*) have? (1); **¿qué le/te/les gusta hacer?** what do you (*pol. sing./inf. sing./pl.*) like to do? (1); **¿qué pasa?** what's wrong? (7); **¿qué pasó?** what happened? (7); **¿qué talla usa?** what size do you (*pol. sing.*) wear? (13); **¿qué tiempo hace?** what is the weather like? (2); **y tú, ¿qué dices?** and you (*inf. sing.*)? what do you say? (1)
¡qué! what!; **¡qué + noun + tan/más + adj.** what a + adj. + noun (10); **¡qué aburrido!** how boring! (1); **¡qué coincidencia!** what a coincidence! (11); **¡qué divertido!** how fun! (1); **¡qué envidia!** what luck! (I envy you!) (7); **¡qué ganga!** what a bargain! (13); **¡qué lástima!** that's too bad! (13); **¡qué mentiroso/a!** what a liar! (9); **¡qué ocurrencia!** what a silly idea! (4); **¡qué pícaro/a!** what a rascal! (9)
quedar(se) to remain; to stay; to fit; to be situated; **me quedan sólo cinco dólares** I have only five dollars left (13); **quedarle bien/mal** to look nice/bad on one, to (not) fit well (13); **quedarle grande/pequeño** to be too big/small (13); **quedarle una cantidad de algo** to have left a quantity of something (13); **quedarse en cama** to stay in bed; **quedarse en casa** to stay at home (4); **se me/le quedó/quedaron** I/you/he/she left something (*sing. or pl.*) behind (12)
quehacer doméstico household chore (6)

quejarse to complain (7)
quemadura burn (12)
quemar to burn (7)
querer *irreg.* to want (1); to love; **quererse** to love each other (14); **quieres** you (*inf. sing.*) want; **quiero** I want (1); **quise** I wanted (7); **quisiera** (+ *infin.*) I/he/she/you (*pol. sing.*) would like to (*do something*); **quiso** he/she/you (*pol. sing.*) wanted (7)
querido/a dear (3)
quesadilla (*Mex.*) *tortilla, filled with cheese, folded and grilled;* (*El Salvador, Honduras*) *cornmeal pie filled with cheese.* (8)
queso cheese (3)
quien(es) who, whom
¿quién(es)? who? whom?; **¿a quién le gusta...?** who likes to . . . ? (1); **¿de quién(es) es/son...?** whose is/are . . . ?
química chemistry (2)
químico/a chemical; **residuo químico** chemical residue (10)
quince fifteen (A)
quinientos/as five hundred (1)
quinto/a fifth (2); **quinto centenario** five hundredth anniversary
quitar to take away (7); **quitarse (la ropa)** to take off (one's clothes) (4)
quizá(s) perhaps

R

rábano radish (8)
racial racial (15)
racialmente rationally
racismo racism
racista *n. m., f., adj.* racist (14)
radiación *f.* radiation; **radiación ultravioleta** ultraviolet radiation
radiactividad *f.* radioactivity
radiar to radiate
radio *f.* radio (*medium*) (2); *m.* (*appliance*); **radio-reloj** (*m.*) **despertador** alarm clock radio (13)
radioemisora radio transmitter
raíz (*pl.* **raíces**) root; **bienes** (*m. pl.*) **raíces** real estate (6)
rallado/a grated
rallar to grate (8)
Ramadán *m.* Ramadan (4)
rango rank
rápidamente quickly, rapidly
rápido/a *adj.* fast; quick (4); **restaurante de servicio rápido** fast-food restaurant (8)
raro/a rare, strange; **raras veces** rarely (5)
rasgo characteristic, feature, trait
ratificar (qu) to ratify
rato a while (7); little while, short time
ratón *m.* mouse; **Ratoncito Pérez** Tooth Fairy
raya stripe; **de rayas** striped (13)

rayo ray; **rayo ultravioleta** ultraviolet ray; **rayos equis** X-rays (12)
rayuela hopscotch; **jugar (ue) (gu) a la rayuela** to play hopscotch (9)
raza race
razón *f.* reason (8); **tener** (*irreg.*) **razón** to be right
razonable reasonable
razonamiento reasoning
razonar to reason
reacción *f.* reaction
reaccionar to react (12)
reactor (*m.*) **nuclear** nuclear reactor (15)
realidad *f.* reality
realismo realism
realista *n. m., f.* realist; *adj.* realistic
realización *f.* realization; fulfillment; achievement
realizar (c) to attain, achieve; to carry out; to realize; **realizar un sueño** to realize/fulfill one's dream (15)
reaparecer (zc) to reappear
rebajado/a reduced (price) (13)
rebajar (tanto) to lower a price (so much) (13)
rebanada slice (8)
rebelde rebellious
recado message
recámara bedroom (*Mex.*) (6)
recepción *f.* lobby (11)
recepcionista *m., f.* receptionist
receta recipe (8); prescription (12); **surtir una receta** to fill a prescription (12)
recetar to prescribe (12)
rechazar (c) to reject
rechazo rejection
rechinar to squeak; to creak
recibir to receive (2); **recibir regalos** to get gifts (4); **recibir visitas** to have company (2)
reciclable recyclable
reciclado/a recycled
reciclaje *m.* recycling (10)
reciclar to recycle (10)
recién recent; **recién casado/a** newlywed (14); **recién nacido/a** newborn (14)
reciente recent (7)
recipiente *m.* container (8)
reclamo de equipaje baggage claim (11)
recoger (j) to pick up, gather (3)
recomendable recommendable (4)
recomendación *f.* recommendation (8)
recomendar (ie) to recommend (8)
reconocer (zc) to recognize
recordar (ue) to remember (9)
recorrer to tour, travel across
recortar to cut out (13)
recreo recess, break (9); **patio de recreo** playground (9)
rectoría office of the (university) president (3)
recuerdo memory (7)

recuperarse to recover (12)
recurso resource; **recurso natural** natural resource (10)
red *f.* net; network; Internet; **red de pesca** fishing net (10)
redada roundup
reducción *f.* reduction (15)
reducido/a reduced (15)
reducir (zc) to reduce (10)
reemplazar (c) to replace
reemplazo replacement
reescribir to re-write
referencia reference
referente *m.* reference
referir(se) a to refer to
reflejar to reflect
reflexivo/a reflexive
reforma reform
refrán *m.* saying (1)
refrescar (qu) to refresh
refresco soft drink (3)
refrigerador *m.* refrigerator (6)
regalar to give as a gift
regalo gift; **recibir regalos** to get gifts (4); **tienda de regalos** gift shop (3)
regar (ie) to water; **riega** he/she waters, you (*pol. sing.*) water (6); **riego** I water (6)
regateo bargaining (13)
regatear to bargain (13)
régimen *m.* (*pl.* **regímenes**) regime; diet
región *f.* region (11)
regionalismo regionalism
regionalización *f.* regionalization
regionalizar (c) to regionalize
regla rule (12)
regresar to return (3)
rehuir (yo rehuyo) to avoid, shun
reina queen
reino kingdom
reír(se) (río) (i, i) to laugh
relación *f.* relation (1); **tener** (*irreg.*) **relaciones** to engage in sexual relations (15)
relacionado/a related (5)
relacionarse to relate (7)
relajación *f.* relaxation
relajado/a relaxed
relajamiento relaxation
relajarse to relax
relámpago lightning (10)
relatar to report, relate, recount
relato story; account
religión *f.* religion
religiosidad *f.* religiosity
religioso/a religious (4)
reloj (despertador) *m.* (alarm) clock (7); **radio-reloj** (*m.*) **despertador** clock radio (13)
remedio (casero) (home) remedy (12)
remitir to remit
remontar to go back (in time)
remoto/a remote

rencilla quarrel
renovado/a remodeled (13)
reparación *f.* repair
reparar to fix (2)
repartir to share; to hand out
repasar to review
repaso review
repeler to repel
repente: de repente suddenly (12)
repetición *f.* repetition
repetir (i, i) to repeat (14)
reportaje *m.* report (3)
reportero/a reporter (15)
representación *f.* representation
representar to represent (2)
representativo/a representative
reprimir to repress
reprobable reproachable
reprobación *f.* reprobation, reproof
reprobador(a) reproachful
reprobar (ue) to reproach
reproducir (zc) to reproduce
reptil *m.* reptile (10)
república republic
reputación *f.* reputation
reputado/a famed, reputed
requerir (ie, i) to require (10)
res: carne (*f.*) **de res** beef (8)
resbaloso/a slippery
reserva reserve (15)
reservado/a reserved
reservar to reserve
resfriado/a: estar (*irreg.*) **resfriado/a** to have a cold (12)
resfrío cold (12)
residencia residence (6); **residencia estudiantil** university residence hall, dormitory (6)
residente *m., f.* resident
residir to reside
residuo químico chemical residue (10)
resistente resistant (13)
resistir to resist
resolver (ue) (*p.p.* **resuelto**) to resolve (10)
resonar to resound
respectivamente respectively
respecto: con respecto a with respect to; **respecto a** with respect to
respetar to respect (14)
respeto respect
responder to respond (12)
responsabilidad *f.* responsibility
responsable responsible (14)
respuesta answer (2)
restaurante *m.* restaurant (1); **restaurante de servicio rápido** fast-food restaurant (8)
restaurar to restore
resto rest; *pl.* remains (10)
restricción *f.* restriction (10)
restringir (j) to restrict, limit (10)
resuelto/a (*p.p. of* **resolver**) resolved

resultado result (15); **como resultado** as a result
resultar to result
resumen *m.* summary
resumir to summarize
retar to challenge, dare
retener (*like* **tener**) to retain
retirar to remove; to draw back
retrato portrait
retrovisor: espejo retrovisor rearview mirror (11)
reunión *f.* meeting (3)
reunirse to get together (4); **me reúno** I get together (4); **se reúne** he/she gets together, you (*pol. sing.*) get together (4)
reutilizable reusable
reutilizar (c) to reuse
revelar to reveal
reventar to burst
revisar to check (11)
revisión *f.* revision
revista magazine; **leer (y) revistas** to read magazines (1)
revolución *f.* revolution (11)
revolucionario/a revolutionary
rey *m.* king; **Día de los Reyes Magos** Epiphany, Day of the Magi (4)
rezar (c) to pray (3)
rico/a rich (A); delicious (8)
ridiculez *f.* ridiculousness, absurdity
ridiculizar (c) to ridicule
ridículo/a ridiculous (7)
riesgo risk (14)
rigor *m.* severity, strictness, rigor
rincón *m.* corner (*of a room*)
riñón *m.* kidney (12)
río *m.* river (2)
risa laughter
rito ritual
rivalidad *f.* rivalry
robar to steal (7)
robo robbery, theft
robot *m.* robot
rocío dew (10)
rocoso/a rocky (10)
rodeado/a surrounded (10)
rodilla knee (12)
rogar (ue) (gu) to beg (14)
rojo/a red
romántico/a romantic (2)
romper(se) (*p.p.* **roto**) to break; **se me/le rompió/rompieron** something (*sing. or pl.*) broke (on me/you/him/her) (12)
ropa *sing.* clothes, clothing; **guardar ropa** to put away clothes (6); **lavar la ropa** to do laundry; **ponerse** (*irreg.*) **ropa** to put on clothes (4); **ropa interior** underwear (13)
rosa rose
rosado/a pink (A); **vino rosado** rosé wine (8)

rosario rosary
roto/a (*p.p. of* **romper**) broken
rubio/a blond(e)
rueda wheel (10)
ruido noise (7)
ruinas ruins (11)
Rusia Russia
ruta route (9); **en ruta** en route
rutina diaria daily routine (4)
rutinario/a routine

S

sábado Saturday (1)
sabelotodo know-it-all
saber *irreg.* to know (4); to find out
  about; **saber** (+ *infin.*) to know how
  to (*do something*) (5); **sabe** he/she
  knows, you (*pol. sing.*) know (4);
  sé I know (4)
sabido/a known
sabiduría wisdom
sabiendas: a sabiendas *adv.* knowingly,
  on purpose
sabor *m.* flavor (8)
sabroso/a delicious (8)
sacar (qu) to take out; to get, receive
  (*grade*); **sacar buenas/malas notas**
  to get good/bad grades (9); **sacar el**
  pasaporte to get a passport (11); **sacar**
  fotos to take pictures (1); **sacar la**
  basura to take out the trash (6); **sacar**
  videos to rent videos
sacerdote *m.* priest
sacrificio sacrifice
sacudir to dust, shake off (14)
safari *m.* safari
sal *f.* salt (8)
sala living room (6); **sala de emergencias**
  emergency room (12); **sala de espera**
  waiting room (11)
salado/a salty; **agua** (*f.*) **salada** salt
  water (11)
salero salt shaker (8)
salchicha sausage (8)
salida departure, exit (11)
salir *irreg.* to leave; to go out (1); **salir**
  a bailar to go out dancing (1); **salir a**
  comer to go out to eat; **salir bien** to
  do well; **salir de vacaciones** to go on
  vacation (11); **salir para** to leave for
  (*a place*) (7); **salga(n)** (*command*)
  leave (11)
salón (*m.*) **de clase** classroom
salsa salsa (8)
saltar to jump; **saltar la cuerda** to jump
  rope (9); **salte(n)** jump (*command*)
salud *f.* (**mental**) (mental) health (12);
  ¡salud! to your health! (12); bless
  you (12); **buena salud** good health;
  programa (*m.*) **de salud** health
  program
saludable healthy (3)

salvar to save (10)
salvo que unless
san, santo/a saint; **Día de Todos los**
  Santos All Saints' Day (4); **día del**
  santo saint's day (4); **Semana Santa**
  Holy Week (4)
sandía watermelon (8)
sangre *f.* blood (12)
sarampión *m.* measles (12)
sartén *f.* frying pan
sátira satire
satírico/a satirical
satirizar (c) to satirize
satisfacción *f.* satisfaction (15)
satisfacer (zc) to satisfy
secador *m.* (**de pelo**) hair dryer (6)
secadora clothes dryer (6)
secarse (qu) el pelo to dry one's hair (4)
sección *f.* section
seco/a dry (8)
secretario/a (ejecutiva) (executive)
  secretary (5)
secreto secret
secuencia sequence (7)
secundaria: escuela secundaria high
  school (7)
sed *f.* thirst; **tener** (*irreg.*) **sed** to be
  thirsty (4)
seda silk (13)
sedentario/a sedentary
sedentarismo sedentarism
segmento segment
segregación *f.* segregation
segregacionista *m., f.* segregationist
segregar (gu) to segregate
seguido/a followed
seguir (i, i) (g) to follow; to continue;
  seguir + **-ndo** to go on (*doing some-*
  thing); **seguir las instrucciones** to
  follow directions (3); **siga(n)** (*command*)
  keep going (11)
según according to (1)
segundo *n.* second (2); *adv.* secondly
segundo/a *adj.* second; **Segunda Guerra**
  Mundial Second World War
seguridad *f.* security (15)
seguro insurance; **seguro automovilístico**
  (automobile) insurance (11); **seguro**
  médico medical insurance (12)
seguro/a sure; safe
seis six (A)
seiscientos/as six hundred (1)
selección *f.* selection (1)
seleccionar to select (15)
selva (tropical) (tropical) jungle (10)
semáforo signal (light) (10)
semana week; **entre semana** on weekdays, during the week (14); **fin** (*m.*)
  de semana weekend (1); **Semana**
  Santa Holy Week (4)
semanal weekly
sembrar (ie) to plant (10)

semejante similar
semestre *m.* semester (2)
semilla seed
senador(a) senator
sencillo/a simple; **habitación** (*f.*) **sencilla**
  single occupancy room (11)
sensación *f.* sensation
sensato/a sensible
sentarse (ie) to sit
sentencia ruling, sentence (legal)
sentido meaning; **doble sentido** two-way
  (11); **sentido del humor** sense of humor
  (14); **un solo sentido** one-way (11)
sentimiento *n.* feeling
sentir(se) (ie, i) to feel; **¿cómo se siente?**
  how are you (*pol. sing.*) feeling? (12);
  lo siento I'm sorry (13); **me sentí** I felt
  (7); **se sintió** he/she/you (*pol. sing.*)
  felt (7); **sentirse mal** to feel badly
señal *f.* sign; signal (10); **dar** (*irreg.*)
  señal to give a sign, indication
señalar to signal
señor (Sr.) *m.* man; Mr; **los señores...**
  Mr. and Mrs. . . .
señora (Sra.) woman; Mrs., Ms.
señorita (Srta.) young woman; Miss
separar to separate
septiembre *m.* (1)
séptimo/a seventh (2)
sequía drought (10)
ser *m.* being; **ser humano** human being
  (15); **ser querido** loved one; **seres**
  vivos living beings
ser *irreg.* to be; **¿a qué hora es... ?** what
  time is . . . ? (1); **¿cómo era... ?** what
  was/were . . . like? (9); **es...** it is . . .
  (1); **¿de dónde eres tú?** where are you
  (*inf. sing.*) from? (3); **¿de dónde es... ?**
  where is . . . from? (3); **¿de dónde es**
  usted? where are you (*pol. sing.*) from?
  (3); **es a las 8:30** it's at 8:30 (1); **es de...**
  he/she/you (*pol. sing.*) is from . . . (3);
  es dudoso que... it is doubtful that . . .
  (15); **es importante que...** (+ *subjunc-*
  tive) it's important that . . . (14); **(no)**
  es (im)posible que it is (not) (im)pos-
  sible that (15); **es indispensable que...**
  (+ *subjunctive*) it's absolutely necessary that . . . (14); **es la una y media**
  it's one thirty (1); **es mejor/peor** it is
  better/worse (4); **es mejor que** (+ *sub-*
  junctive) it's better that . . . (14); **fue**
  he/she/you (*pol. sing.*) was/were (7);
  fui I was (7); **llegar (gu) a ser** to
  become; **¿qué hora es?** what time is
  it? (1); **ser bilingüe** to be bilingual; **ser**
  desechable to be disposable; **ser estu-**
  diante universitario to be a university
  student; **ser útil** to be useful; **son las**
  nueve menos diez (minutos) it is ten
  (minutes) to nine (1); **soy de...** I am
  from . . . (3)

serio/a serious (6)
serpiente *f.* snake (10)
servicial accommodating, helpful
servicio service; **restaurante de servicio rápido** fast-food restaurant (8); **Servicio de Inmigración y Naturalización** Immigration and Naturalization Service; **servicio militar** military service; **servicio público** public service
servilleta napkin (8)
servir (i, i) to serve (5); **¿en qué puedo servirle?** how may I help you? (11); **¿para qué sirve... ?** what is . . . used for? (6); **para servirle** you are welcome (11); **servir de** to serve as; **sirve** he/she serves, you (*pol. sing.*) serve (5); **sirvo** I serve (5); **serví** I served; **sirvió** he/she, you (*pol. sing.*) served
sesenta sixty
setecientos/as seven hundred (1)
setenta seventy (C)
sexismo sexism
sexista *adj.* sexist
sexo sex (1)
sexto/a sixth (2)
sexual sexual; **contenido sexual** sexual content; **discriminación** (*f.*) **sexual** sexual discrimination; **intolerancia sexual** sexual intolerance; **orientación** (*f.*) **sexual** sexual orientation
sexualmente sexually
si if (2)
sí yes; **sí, cómo no** yes, of course (11); **¡yo sí!** I do! (4)
Sicilia Sicily
SIDA *m. sing.* (*abbrev. for* **síndrome de inmunodeficiencia adquirida**) AIDS (12)
siempre always (3)
sierra mountains (10)
siervo/a servant; slave
siesta nap; **tomar una siesta** to take a nap (2)
siete seven (A)
siglo century (7); **siglo pasado** last century
significado meaning
significar (qu) to mean
siguiente following, next (1); **al día siguiente** the next day (12)
silencioso/a silent, quiet
silla chair
sillón *m.* easy chair (6)
simbólico/a symbolic
simbolismo symbolism
simbolizar (c) to symbolize
símbolo symbol (14)
simétrico/a symmetrical
simpatizar (c) to sympathize
simple simple, mere
simplemente simply
sin without; **sin duda** without a doubt; **sin embargo** however; **sin que** (*conj.*) without (15)

sincero/a sincere
sino but (rather), instead
sinónimo synonym
sintaxis *f.* syntax
sintético/a synthetic
síntoma *m.* symptom (12)
sistema *m.* system (10); **sistema de comunicación** communication system; **sistema de transporte público** public transportation system; **sistema neurológico** neurological system
sitio place, site; **sitio Web** Web site (3)
situación *f.* situation (4)
situado/a situated (10)
situar(se) (sitúo) to situate, be situated
sobre on; on top of (3); above (3); about (1); **sobre todo** above all, especially
sobrenatural supernatural
sobrepeso obesity
sobrepoblación *f.* overpopulation (15)
sobrevivir to survive (12)
sobrino/a nephew/niece
sociabilidad *f.* sociability
social social (14); **ciencias sociales** social sciences (2); **escala social** social scale; **nivel** (*m.*) **social** social level
socialismo socialism
socialista *n. m., f., adj.* socialist
sociedad *f.* society (9)
socio/a member (9)
sociohistórico/a socio-historical
sociología sociology (2)
socorrista *m., f.* paramedic, emergency responder (12)
¡socorro! help! (12)
sofá *m.* couch (6)
sol *m.* sun; **hace sol** it is sunny (2); **tomar el sol** to sunbathe (2)
solamente only (13)
solar: panel (*m.*) **solar** solar panel (15)
soldado, mujer (*f.*) **soldado** soldier
soleado sunny (10)
soledad *f.* solitude
soler (ue) (+ *infin.*) to be accustomed to (*doing something*) (14)
sólo *adv.* only
solo/a alone, lonely; **estar** (*irreg.*) **solo/a** to be alone, lonely (4); **un solo sentido** one-way (11); **una sola vía** one-way (11)
soltero/a single, unmarried
solución *f.* solution (5)
solucionar to solve
sombra shadow
someter to subdue
sonar (ue) to ring, go off (*alarm*) (7)
sonido sound (12)
soñador(a) *n., adj.* dreamer
soñar (ue) con to dream about (4)
sopa soup (3); **fuente** (*f.*) **de sopa** soup tureen (8)
soportar to stand, endure, put up with
sor sister (religious)

sorprendente surprising
sorprender to surprise
sorprendido/a surprised
sorpresa surprise
sospecha suspicion; **tener** (*irreg.*) **sospechas** to have suspicions
sospechoso/a suspicious
sostén *m.* bra (13)
sostener (*like* **tener**) to sustain
suavemente softly
suavizante *m.* softener; **suavizante de ropa** fabric softener
subir to go up (7); **suba(n)** (*command*) board (7); **subirse a los árboles** to climb trees (9)
subjetividad *f.* subjectivity
subjetivo/a subjective
subjuntivo subjunctive
subliminal: mensaje (*m.*) **subliminal** subliminal message
subordinación *f.* subordination
subrayado/a underlined
subterráneo/a subterranean (10)
subyacer to underlie
subyugación *f.* subjugation
subyugar (gu) to subjugate
suceso event, happening
sucio/a dirty
sucursal branch (*of an office*)
Sudamérica South America (3)
sueco clog (13)
suegro/a father-in-law/mother-in-law (9); *pl.* in-laws (9)
sueldo salary (5)
suelo floor; ground (12)
sueño dream; sleepiness; **realizar (c) un sueño** to realize/fulfill one's dream (15); **tener** (*irreg.*) **sueño** to be sleepy (4)
suerte *f.* luck; **tener** (*irreg.*) **buena/mala suerte** to have good/bad luck; **traer** (*irreg.*) **buena suerte** to bring good luck
suertudo/a lucky
suficiente sufficient (15)
sufrimiento suffering
sufrir to suffer (12)
sugerencia suggestion (14)
sugerir (i, i) to suggest (14)
suicidarse to commit suicide
sujetar to hold up, attach (13)
suma sum
superficie *f.* surface (11)
superioridad *f.* superiority
supermercado supermarket (3)
superstición *f.* superstition
supersticioso/a superstitious
suplantar to supplant, take the place of
suplicar (qu) to implore, beseech, beg
suponer (*like* **poner**) (*p.p.* **supuesto**) to suppose
supuesto/a (*p.p. of* **suponer**) supposed; **por supuesto** of course (11)
sur *m.* south; **al sur** to the south

sureño/a southern
surfear to surf (2)
surgimiento emergence
surgir (j) to arise, emerge
surtido/a assorted
surtir una receta to fill a prescription (12)
suspensión *f.* suspension
suspicaz (*pl.* **suspicaces**) suspicious, distrustful
sustancia substance (10)
sustantivo noun (2)
sustituir (y) to substitute
susto fright
suyo/a *poss.* your, of yours (*pol. sing., pl.*); his, of his; her, of hers; their, of theirs

T

tabaco tobacco
tabla table (8); graph (8)
taco (*Mex.*) rolled or folded tortilla filled with meat and beans (3)
tal such, such a; **con tal (de) que** as long as (15); **¿qué tal?** how's it going?; how are you?; **tal vez** perhaps (15)
tala felling of trees
talar to cut, fell trees
talento talent (5)
talentoso/a talented
taller *m.* workshop, shop
tamal *m.* (*Mex.*) tamale (*dish of minced meat and red peppers rolled in cornmeal wrapped in corn husks or banana leaves*) (8)
tamaño size (13)
también also, too; **a mí también** I do too (1)
tampoco neither, not either; **a mí tampoco** I don't either (1)
tan so; **tan... como** as . . . as (6); **tan pronto como** as soon as (15)
Tánger Tangier
tanque *m.* tank (10)
tanto *adv.* so much; as much; **por lo tanto** therefore; **tanto como** as much as
tanto/a *adj.* so much; *pl.* so many (14) **tanto(s)/tanta(s)... como** as many . . . as (6)
tapado/a covered; **tener** (*irreg.*) **la nariz tapada** to have a stuffy nose (12)
tapar to cover (8)
tapas *pl.* (*Sp.*) hors d'oeuvres (8)
tapiz (*pl.* **tapices**) *m.* tapestry
tardar to take time (12)
tarde *n. f.* afternoon (A); *adv.* late; **de la tarde** P.M.; **más tarde** later (2); **por la tarde** in the afternoon (1); **ya es tarde** it's late already (1)
tarea homework (3); task
tarjeta card; **tarjeta de crédito** credit card (8)
tarot *m.* tarot; **cartas de tarot** tarot cards
tarro jar (8)

tarta pastry
tasa rate, level; **tasa de deforestación** deforestation rate; **tasa de desempleo** unemployment rate (15)
tatuaje *m.* tattoo
taxi *m.* taxi (10)
taza cup, mug
te *d.o.* you (*inf. sing.*); *i.o.* to/for you (*inf. sing.*); *refl. pron.* yourself (*inf. sing.*)
té *m.* tea; **té caliente/frío (helado)** (hot, iced) tea (8); **tomar té** to drink tea (2)
teatro theater (2)
techo roof
tecla key (*on a keyboard*)
teclado keyboard
técnica *n.* technique
tecnología technology (15)
tecnológico/a technological; **avance** (*m.*) **tecnológico** technological advance
tela cloth, fabric (13)
teleadicción addiction to television
telecomunicación *f.* telecommunication
telefonear to telephone
telefónico/a *adj.* telephone; **guía** (*f.*) **telefónica** telephone directory
teléfona telephone; **hablar por teléfono** to talk on the telephone; **número de teléfono** telephone number; **(teléfono) celular** cell phone (1); **(teléfono) móvil** cell phone (1)
teleguía *f.* television guide (1)
telenovela soap opera; **ver** (*irreg.*) **una telenovela** to watch a soap opera (1)
televidente television viewer
televisión *f.* television; **estrella de televisión** television star (7); **mirar la televisión** to watch television; **ver** (*irreg.*) **la televisión** to watch television (1)
televisivo/a *adj.* television; **concurso televisivo** television contest; **programa** (*m.*) **televisivo** television program
televisor *m.* television set (1)
tema *m.* theme (10)
temático/a thematic
temer to fear, be afraid of
temeroso/a frightful, fearful
temible frightening
temor *m.* fear
temperatura temperature; **temperatura máxima/mínima** maximum/minimum temperature (2)
templo temple
temporada season (of practice) (2)
temprano early (1)
tendencia tendency
tender (ie) la cama to make the bed (6); **tiende la cama** he/she makes the bed, you (*pol. sing.*) make the bed; **tiendo la cama** I make the bed (6)
tenedor *m.* fork

tener *irreg.* to have; **¿cuántos años tienes?** how old are you (*inf. sing.*)? (C); **no tener ni un centavo** to be broke (13); **¿qué hora tiene/tienes?** what time do you (*pol. sing.*)/(*inf. sing.*) have? (1); **tener... años** to be . . . years old (C); **tener buena/mala suerte** to have good/bad luck; **tener calentura** to have a fever (12); **tener calor** to be hot (4); **tener catarro** to have a cold (12); **tener confianza** to trust; **tener diarrea** to have diarrhea (12); **tener dolor de cabeza/estómago/garganta/muelas** to have a headache/stomachache/sore throat/toothache (12); **tener el derecho** to have the right; **tener fiebre** to have a fever (12); **tener frío** to be cold (4); **tener ganas de** to feel like (*doing something*) (5); **tener gripe** to have the flu (12); **tener hambre** to be hungry (4); **tener interés** to be interested in; **tener la certeza de que** to have the certainty that; **tener la culpa** to be at fault (11); to be guilty (12); **tener la nariz tapada** to have a stuffy nose (12); **tener lugar** to take place (14); **tener miedo** to be afraid (4); **tener náuseas** to be nauseous (12); **tener prisa** to be in a hurry (4); **tener que** (+ *infin.*) to have to (*do something*) (5); **tener que ver con** to have to do with; **tener razón** to be right; **tener relaciones** to engage in sexual relations (15); **tener sed** to be thirsty (4); **tener sueño** to be sleepy (4); **tener tiempo** to have time; **tener tos** to have a cough; **tener un aborto** to have an abortion; **tener un dolor de cabeza** to have a headache; **tener un horario** to have a schedule; **tener vergüenza** to be ashamed, embarrassed (12); **tuve** I had (7); **tuvo** he/she/you (*pol. sing.*) had (7)
tenis tennis; **cancha de tenis** tennis court (6); **jugar (ue) (gu) al tenis** to play tennis
tenista *m., f.* tennis player
tenso/a tense
teocracia theocracy
teoría theory
terapeuta *m., f.* therapist (5)
tercer, tercero/a third (2); **tercer mundo** Third World
terminal (*m.*) **de autobuses** bus terminal (9)
terminar to finish (5); **termine(n)** (*command*) finish
término term (15)
terraza terrace (6)
terremoto earthquake (10)
terreno ground, terrain
terrestre earthly
territorio territory
terrorismo terrorism (15)

terrorista *n. m., f., adj.* terrorist (15)
tesis *f.* thesis; **tesis doctoral** dissertation
testigo/a witness (12)
tetera teapot
ti *obj. of prep.* you (*inf. sing.*)
tibieza lukewarmness, tepidity
tibio/a warm
tiburón *m.* shark (10)
tiempo time; weather (2); **a tiempo** on time (9); **actividades del tiempo libre** leisure-time activites (1); **¿cuánto tiempo hace que... ?** how long has it been since . . . ? (7); **pasar tiempo** to spend time; **hace buen/mal tiempo** the weather is fine/bad (2); **llegar (gu) a tiempo** to arrive on time; **perder (ie) el tiempo** to waste time; **por mucho tiempo** for a long time; **pronóstico de tiempo** weather forecast (2); **¿qué tiempo hace?** what is the weather like? (2)
tienda store (3); **tienda de regalos** gift shop (3)
tierra earth; land (10)
tijeras scissors (13)
tímido/a timid, shy
tinto: vino tinto red wine (8)
tío/a uncle/aunt
típico/a typical (1)
tipo type, kind (3)
tiranía tyranny
tiránicamente tyrannically
tiranizar (c) to tyrannize
tirano/a tyrant
tirar to throw
tiras (*pl.*) **cómicas** comic strips (9)
titulado/a entitled
título degree (15); title (15)
toalla towel (4)
tobillo ankle (12)
tocador *m.* dresser
tocar (qu) to touch (12); to play (*musical instrument*) (5); **tocar la bocina** to honk the horn (11); **tocar madera** to knock on wood
tocino bacon (8)
todavía still, yet (2)
todo/a all; every (2); **Día de Todos los Santos** All Saints' Day (4); **en todas partes** everywhere; **por todas partes** everywhere (12); **sobre todo** above all, especially; **toda la clase** the whole class; **toda la gente** everyone; **todo el día** all day (1); **todo el mundo** everyone (15); **todos los días** every day (3)
tolerar to tolerate
tomar to take; to drink; to eat; **tomar apuntes** to take notes (4); **tomar café/té** to drink coffee/tea (2); **tomar cartas en** to take a hand in; **tomar decisiones** to make decisions; **tomar el sol** to sunbathe (2); **tomar en cuenta**

to take into account; **tomar un curso** to take a class; **tomar un examen** to take a test (4); **tomar una siesta** to take a nap (2); **tome(n)** (*command*) take (11)
tomate *m.* tomato (3)
tontería silly thing; foolishness
torcido/a twisted, sprained (12)
torero/a bullfighter
tormenta storm (10)
torneo tournament (7)
toro bull; **corrida de toros** bullfight (11)
toronja grapefruit (8)
tortilla (*Mex.*) *thin bread made of cornmeal or flour;* **tortilla española** *Spanish omelet made of eggs, potatoes, and onions* (8)
tortuga tortoise (10); **tortuga marina** sea turtle (10)
torturar to torture
tos cough; **jarabe** (*m.*) **para la tos** cough syrup (12); **tener** (*irreg.*) **tos** to have a cough (12)
toser to cough (12)
tostada toast (*Sp.*) (8); *crispy tortilla with toppings* (*Mex.*) (8)
tostado: pan (*m.*) **tostado** toast (3)
tostador toaster (6)
total total (8)
totalitarismo totalitarianism
tóxico/a toxic (10)
trabajador(a) *n.* worker; *adj.* hardworking; **trabajador(a) social** social worker (5)
trabajar to work; **trabajar en el jardín** to work in the garden (1); **trabajar en grupos** to work in groups; **trabajar en parejas** to work in pairs; **trabaje(n)** (*command*) work
trabajo work; **compañero/a de trabajo** coworker; **ir** (*irreg.*) **al trabajo** to go to work
tradición *f.* tradition
tradicional traditional (2)
traducción *f.* translation
traducir (*like* **conducir**) to translate
traductor(a) translator
traer *irreg.* to bring (4); **trae** he/she brings, you (*pol. sing.*) bring (4); **traer buena suerte** to bring good luck; **traiga(n)** (*command*) bring; **traigo** I bring (4); **traje** I brought (7); **trajo** he/she/you (*pol. sing.*) brought (7)
traficar (qu) to traffic (15)
tráfico traffic
tragar (gu) to swallow (12)
trágico/a tragic
traje *m.* suit; **traje de baño** bathing suit (7)
trama plot
trampa trick; trap; **hacer** (*irreg.*) **trampa** to play a trick on, set a trap for
tranquilamente calmly (7)

tranquilo/a calm (12)
transatlántico/a trans-Atlantic (7)
transbordador *m.* ferry (10)
transbordo transfer (11)
transferencia transfer
transformar to transform
transitado/a traveled (*street*)
transitar to go along, through streets
tránsito traffic (11)
translúcido/a translucent (13)
transmitir to transmit
transportador(a) transporting
transportar to transport (10)
transporte *m.* transportation (6); **transporte aéreo** air transportation (11); **transporte público** public transportation
tranvía *m.* cable car, streetcar (10)
trasero/a back
trasladarse to move
traslado de... a... transportation from . . . to . . . (11)
traspasar to go through
tratado treaty
tratamiento treatment (12)
tratar to treat; to deal with; **tratar de** (+ *infin.*) to try to (*do something*) (5); **tratarse de** to be about (15)
trato treatment
trébol clover; **trébol de cuatro hojas** four-leafed clover
trebolar *m.* clover field
trece thirteen (A)
treinta thirty (A)
tremendo/a tremendous
tren *m.* train (2); **por tren** by train (10)
trenza braid
trescientos/as three hundred (1)
tribu *f.* tribe (11)
tribunal court
trigueño/a olive-skinned
trimestre *m.* trimester (2)
triste sad; **estar** (*irreg.*) **triste** to be sad (4)
tristeza sadness
triunfante triumphant
triunfar to triumph
trolebús *m.* trolley bus
trono throne
tropas *pl.* troops
tropezar (c) to trip
tropical tropical (8); **bosque** (*m.*) **tropical** tropical forest
trozo piece, chunk (8)
trueno thunder (10)
tu *poss.* your (*inf. sing.*)
tú *sub. pron.* you (*inf. sing.*); **y tú, ¿qué dices?** and you (*inf. sing.*)? what do you say? (1)
tubería *sing.* pipes (5)
turismo tourism (11)
turista *n. m., f.* tourist; **guía** (*m., f.*) **de turistas** tourist guide (1)

turístico/a *adj.* tourist (8); **clase** (*f.*) **turística** tourist class (11)

tuyo/a *poss.* your, of yours (*inf. sing.*)

U

u or (*used instead of* **o** *before words beginning with* **o** *or* **ho**)

último/a last; latest; **a última hora** at the last minute (11); **la última vez** last time (7)

ultravioleta ultraviolet; **radiación** (*f.*) **ultravioleta** ultraviolet radiation; **rayo ultravioleta** ultraviolet ray

un, uno/a *indef. art.* a, an; one; *pl.* some

ungüento ointment; **aplicarse (qu) un ungüento** to apply an ointment (12)

únicamente solely (14)

único/a *adj.* only; unique

unidad *f.* unity

unido/a united; unified (10); connected (10); **Estados Unidos** United States

unión *f.* union

universidad *f.* university

universitario/a of or pertaining to the university (15)

uña fingernail (12)

uranio uranium (10)

urbanismo urbanism

urbanístico/a urban

urbanización *f.* urbanization

urbano/a urban; **casco urbano** city center

urbe *f.* large city

urgir (j) to be urgent (10)

usado/a used (10)

usar to use (2); **use(n)** (*command*) use

uso use (10)

usted (Ud., Vd.) *sub. pron.* you (*pol. sing.*); *obj. of prep.* you (*pol. sing.*)

ustedes (Uds., Vds.) *sub. pron.* you (*pl.*); *obj. of prep.* you (*pl.*)

usuario/a user

utensilio utensil (6)

útil useful (6)

utilidad *f.* usefulness, utility

utilizar (c) to utilize, use (15)

uva grape (8)

V

vacaciones *f. pl.* vacation; **ir** (*irreg.*) **de vacaciones** to go on vacation (5); **salir** (*irreg.*) **de vacaciones** to go on vacation (11)

vacuna vaccination, shot (11)

vainilla vanilla (8)

valer *irreg.* to be worth (13); to cost; **¿cuánto vale?** how much is this worth? (13); **vale la pena** to be worth the trouble

validez *f.* validity

válido/a valid

valiente brave

valioso/a valuable (12)

valle *m.* valley (10)

valor value (12)

valorar to value (14)

vapor *m.* vapor; steam; **vapor tóxico** toxic vapor

vaqueros: pantalones (*m. pl.*) **vaqueros** jeans (13)

variación *f.* variation

variante variant

variar to vary

varicela chicken pox (12)

variedad *f.* variety

varios/as *pl.* several (3)

varón *m.* male infant, male child (14)

vasija container

vaso (drinking) glass (4)

vecindario neighborhood (6)

vecino/a neighbor

vegetación *f.* vegetation (10)

vegetal *m.* vegetable

vegetariano/a vegetarian (15)

vehemente vehement

vehículo vehicle (10)

veinticinco twenty-five (A)

veintidós twenty-two (A); **veintidós millones de pesos** twenty-two million pesos (13)

veintitrés twenty-three (A)

vela candle (4)

velación *f.* ceremonial covering of the bride and groom with a veil; the nuptial mass (14)

velero: andar (*irreg.*) **en velero** to go sailing (2)

velocidad *f.* speed; **disminuya** (*command*) **la velocidad** slow down (11); **exceso de velocidad** speeding (7)

velorio wake

vena vein (12)

vencedor(a) conqueror, victor

vencer (zc) to conquer

vencimiento falling due; expiration

vendaje *m.* bandage (12)

vendedor(a) salesman/saleswoman (13)

vender to sell (5)

venir *irreg.* to come (4); **venga(n)** (*command*) come (5); **vengo** I come (4); **viene** he/she comes, you (*pol. sing.*) come (4); **vine** I came (7); **vino** he/she/you (*pol. sing.*) came (7)

venta sale (6)

ventaja advantage (10)

ventajoso/a advantageous

ventana window

ventilador *m.* fan (6)

ver *irreg.* (*p.p.* **visto**) to see; to watch (1); **a ver** let's see (13); **nos vemos** see you (2); **tener** (*irreg.*) **que ver con** to have to do with; **vamos a ver** let's see; **vea(n)** (*command*) see (1); **ver la televisión** to watch television (1); **ver un partido de...** to watch a game of . . .

(1); **ver una telenovela** to watch a soap opera (1); **verse** to see oneself; to look, appear; **vi** I saw (7); **vio** he/she/you (*pol. sing.*) saw (7)

veracidad *f.* veracity, truthfulness

verano summer (1)

veras: ¿de veras? really? (3)

verbo verb

verdad *f.* truth; **¿de verdad?** really? (3); **decir** (*irreg.*) **la verdad** to tell the truth; **(no) es verdad** it is (not) true

verdaderamente truly

verdadero/a true, truthful, genuine

verde green (A)

vergüenza shame; **tener** (*irreg.*) **vergüenza** to be ashamed, embarrassed (12)

verificar (qu) to verify

versatilidad *f.* versatility

versión *f.* version

vestido dress

vestir (i, i) to dress; **vestirse** to get dressed (4); **me vestí** I got dressed (7); **me visto** I get dressed (4); **se viste** he/she gets dressed, you (*pol. sing.*) get dressed (4); **se vistió** he/she/you (*pol. sing.*) got dressed (7)

veterinario/a veterinarian (12)

vez *f.* (*pl.* **veces**) time; **a la vez** at the same time (5); **a veces** sometimes; **alguna vez** sometime; **cada vez** each time; **de vez en cuando** from time to time (3); **en vez de** instead of (7); **muchas veces** often (5); **otra vez** again (5); **raras veces** rarely (5); **tal vez** perhaps (15); **última vez** last time (7); **una vez** once

vía road; way; **doble vía** two-way (11); **en vías de desarrollo** developing (15); in the process of developing (15); **una sola vía** one-way (11); **vía digital** digital passage; **vía pública** public way

viajar to travel

viaje *m.* trip (10); **agencia de viajes** travel agency (11)

viajero/a traveler (11); **cheque** (*m.*) **de viajero** traveler's check

viciar to corrupt

vicio vice, bad habit

vicioso/a depraved, addicted to vice

víctima *f.* victim

vida life (3); **ganarse la vida** to earn one's living (15)

vidente seer; sighted

video video; **sacar (qu) un video** to rent a movie

videocámara video camera

videocasete *m.* video

videocasetera VCR

videocentro video store (3)

videojuego video game

vidrio glass (*material*) (10); **fibra de vidrio** fiberglass (13)

viejo/a *n.* old person; *adj.* old

viento wind; **hace (mucho) viento** it's (very) windy (2); **molino de viento** windmill

viernes *m. sing., pl.* Friday (1); **de lunes a viernes** Monday through Friday (4)

VIH *m.* (*abbrev. for* **virus** [*m.*] **de la inmunodeficiencia humana**) HIV (12)

villano/a villain

vinagre *m.* vinegar (8)

vino (blanco, rosado, tinto) (white, rosé, red) wine (8)

violación *f.* violation; rape

violar to violate; to rape

violencia violence (14)

violento/a violent (2)

violinista *m., f.* violinist

virgen *f.* virgin; **Virgen de Guadalupe** Virgin of Guadalupe; **Virgen María** Virgin Mary

virtud *f.* virtue

visa visa (11)

visado visa (11)

visión *f.* vision

visita visit; **estar** (*irreg.*) **de visita** to be staying (11)

visitar to visit (2)

vista view (6)

visto/a (*p.p. of* **ver**) seen

visualmente visually

vitamina vitamin (8)

vitorear to acclaim, applaud

vivienda housing (15)

vivir to live; **¿dónde vive usted?** where do you (*pol. sing.*) live?, **¿dónde vives tú?** where do you (*inf. sing.*) live? (1); **¡viva... !** long live . . . ! (9); **vivo en...** I live in/at . . . (1)

vivo/a alive; vibrant; **color** (*m.*) **vivo** bright color (13); **estar** (*irreg.*) **vivo/a** to be alive (9)

vocabulario vocabulary

volante *m.* steering wheel

volar (ue) to fly; **volar un papalote** to fly a kite (*Mex.*) (9); **volar una cometa** to fly a kite (2)

volcán *m.* volcano (10)

voleibol *m.* volleyball (3)

volumen *m.* volume

voluntad *f.* will

voluntariamente voluntarily

voluntario/a volunteer

volver (ue) (*p.p.* **vuelto**) to return, go back (4); **volverse loco/a** to go crazy (12); **vuelve** he/she returns, you (*pol. sing.*) return (4); **vuelvo** I return (4)

vos *sub. pron.* (*Arg., Guat., Uruguay*) you (*inf. sing.*)

vosotros/as *sub. pron.* (*Sp.*) you (*inf. pl.*); *obj. of prep.* (*Sp.*) you (*inf. pl.*)

votante *m., f.* voter

votar to vote

voto vote

voz *f.* (*pl.* **las voces**) **(alta/baja)** (loud/soft) voice (14)

vuelo flight (7); **asistente** (*m., f.*) **de vuelo** flight attendant (11)

vuelta turn; **boleto de ida y vuelta** round-trip ticket (11); **dar** (*irreg.*) **vueltas** to go around; **de(n) una vuelta** turn around (*command*)

vuelto/a (*p.p. of* **volver**) returned

vulnerable vulnerable (15)

Y

y and; **y cuarto** quarter past (*time*) (1); **y media** half past (*time*) (1); **y tú, ¿qué dices?** and you (*inf. sing.*)? what do you say? (1)

ya already; **ya es tarde** it's late already (1); **ya no** no longer (15); **ya que** since

yerno son-in-law (9)

yo *sub. pron.* I; **¡yo sí!** I do! (4)

yogui *m.* yogi

yogur *m.* yogurt (3)

Yucatán *m.* Yucatan (10)

Z

zanahoria carrot (8)

zapatería shoe store (3)

zapatillas slippers (13)

zapato shoe; **zapato de tacón alto** high-heeled shoe (13); **zapatos de tenis** tennis shoes (A)

zona zone (8)

zoológico zoo (7)

This index is divided into two parts. "Grammar" covers grammar, structure, and usage; "topics" lists cultural and vocabulary topics treated in the text. Topics appear as groups; they are not cross-referenced. In this index the abbreviation *f.n.* refers to a footnote. All other abbreviations are identical to those used in the end vocabulary.

GRAMMAR

TOPICS

CREDITS

ABOUT THE AUTHORS

Tracy D. Terrell (*late*) received his Ph.D. in Spanish linguistics from the University of Texas at Austin and published extensively in the areas of Spanish dialectology, specializing in the sociolinguistics of Caribbean Spanish. Professor Terrell's publications on second language acquisition and on the Natural Approach are widely known in the United States and abroad.

Magdalena Andrade received her first B.A. in Spanish/French and a second B.A. in English from San Diego University. After teaching in the Calexico Unified School District Bilingual Program for several years, she taught elementary and intermediate Spanish at both San Diego State and the University of California, Irvine, where she also taught Spanish for Heritage Speakers and Humanities Core Courses. Upon receiving her Ph.D. from the University of California, Irvine, she continued to teach there for several years and also at California State University, Long Beach. Currently an instructor at Irvine Valley College, Professor Andrade has co-authored *Mundos de fantasía: Fábulas, cuentos de hadas y leyendas* and *Cocina y comidas hispanas* (McGraw-Hill) and is developing two other language books.

Jeanne Egasse received her B.A. and M.A. in Spanish linguistics from the University of California, Irvine. She has taught foreign language methodology courses and supervised foreign language and ESL teachers in training for the Department of Education at the University of California, Irvine. Currently, she is an instructor of Spanish and coordinates the Spanish language Program at Irvine Valley College. In addition, Professor Egasse serves as a consultant for local schools and universities on implementing Natural Approach in the language classroom. Professor Egasse is co-author of *Cocina y comidas hispanas* and *Mundos de fantasía: Fábulas, cuentos de hadas y leyendas* (McGraw-Hill).

Elías Miguel Muñoz is a Cuban American poet and prose writer. He has a Ph.D. in Spanish from the University of California, Irvine, and he has taught language and literature at the university level. Dr. Muñoz is the author of *Viajes fantásticos, Ladrón de la mente,* and *Isla de luz,* titles in the Storyteller's Series by McGraw-Hill. He has published four other novels, two books of literary criticism, and two poetry collections. His creative work has been featured in numerous anthologies and sourcebooks, including Herencia: *The Anthology of Hispanic Literature of the United States, The Encyclopedia of American Literature,* and *The Scribner Writers Series: Latino and Latina Writers.* The author resides in California with his wife and two daughters.

MAR CARIBE

OCÉANO
ATLÁNTICO

Barranquilla
Maracaibo
PANAMÁ
Caracas
Medellín
GUYANA
VENEZUELA
Panamá
Georgetown
Paramaribo
Río Orinoco
Cayena
Bogotá
Cali
SURINAME
GUAYANA FRANCESA
COLOMBIA
Quito
Ecuador
ECUADOR
Río Amazonas
Guayaquil
Belém
Manaus
PERÚ
BRASIL
Recife
CORDILLERA DE LOS ANDES
Cuzco
Lima
Brasília
Arequipa
La Paz
BOLIVIA
Sucre
Antofagasta
PARAGUAY
Río de Janeiro
Trópico de Capricornio
CHILE
Asunción
San Miguel
de Tucumán
São Paulo
OCÉANO
PACÍFICO
La Serena
OCÉANO
ATLÁNTICO
Córdoba
Rosario
Valparaíso
URUGUAY
Santiago
ARGENTINA
Concepción
Buenos Aires
Montevideo
Río de la Plata
N
Bahía Blanca
Puerto Montt
Bariloche
Chiloé

AMÉRICA DEL SUR

Islas Malvinas
0   1500 kilómetros
Estrecho de Magallanes
Punta Arenas
0   1000 millas
Tierra del Fuego
Cabo de Hornos

See front of book for maps of Mexico, Central America, the Caribbean, and Spain.

El mundo hispano a su alcance

Argentina

ciudades	Buenos Aires,* Rosario, Mendoza, Córdoba
población	39.145.000
población urbana	85%
moneda	el peso
idiomas	el español, el italiano
alfabetización	97%
exportaciones principales	cereales, lana
agricultura	caña de azúcar, trigo, ganadería
ingresos anuales por persona (en dólares)	$3.650
esperanza de vida	74 años

Bolivia

ciudades	La Paz,* Sucre,* Cochabamba
población	9.725.000
población urbana	63%
moneda	el peso
idiomas	el español, el aymara, el quechua
alfabetización	88%
exportaciones principales	minerales y metales
agricultura	café, caña de azúcar, papa, coca
ingresos anuales por persona (en dólares)	$890
esperanza de vida	64 años

Chile

ciudades	Santiago,* Valparaíso, Viña del Mar
población	15.828.000
población urbana	86%
moneda	el peso
idiomas	el español, el mapuche
alfabetización	96%
exportaciones principales	metales, vino
agricultura	frutas, trigo, cebada
ingresos anuales por persona (en dólares)	$4.390
esperanza de vida	77 años

Colombia

ciudades	Bogotá,* Cali, Medellín, Barranquilla
población	43.700.000
población urbana	76%
moneda	el peso
idiomas	el español, el chibcha, el arahuaco
alfabetización	91%
exportaciones principales	carbón, petróleo, café
agricultura	café, plátano, flores, arroz
ingresos anuales por persona (en dólares)	$1.820
esperanza de vida	72 años

Costa Rica

ciudades	San José,* Alajuela, Cartago, Limón
población	3.957.000
población urbana	60%
moneda	el colón
idiomas	el español
alfabetización	96%
exportaciones principales	café, plátano, textiles
agricultura	café, plátano, maíz, arroz
ingresos anuales por persona (en dólares)	$4.280
esperanza de vida	78 años

Cuba

ciudades	La Habana,* Santiago, Camagüey
población	11.310.000
población urbana	76%
moneda	el peso, el peso convertible
idiomas	el español
alfabetización	97%
exportaciones principales	azúcar, frutas
agricultura	caña de azúcar, arroz, café
ingresos anuales por persona (en dólares)	$2.270
esperanza de vida	77 años

El Salvador

ciudades	San Salvador,* Santa Ana, La Libertad
población	6.588.000
población urbana	63%
moneda	el colón
idiomas	el español
alfabetización	74%
exportaciones principales	café, algodón, camarón
agricultura	café, caña de azúcar, algodón
ingresos anuales por persona (en dólares)	$2.220
esperanza de vida	70 años

Ecuador

ciudades	Quito,* Guayaquil, Cuenca
población	14.000.000
población urbana	64%
moneda	el dólar
idiomas	el español, el quechua
alfabetización	93%
exportaciones principales	petróleo, plátano
agricultura	plátano, café, algodón, caña de azúcar
ingresos anuales por persona (en dólares)	$1.790
esperanza de vida	71 años

España

ciudades	Madrid,* Barcelona, Sevilla, Bilbao
población	40.282.000
población urbana	78%
moneda	el euro
idiomas	el español, el catalán, el gallego, el euskera
alfabetización	97%
exportaciones principales	vino, textiles, metales
agricultura	trigo, cebada, remolacha azucarera
ingresos anuales por persona (en dólares)	$17.000
esperanza de vida	79 años

Guatemala

ciudades	Ciudad de Guatemala,* Quetzaltenango, Escuintla
población	14.281.000
población urbana	40%
moneda	el quetzal
idiomas	el español, varios idiomas mayas
alfabetización	71%
exportaciones principales	café, azúcar
agricultura	café, plátano, caña de azúcar, maíz
ingresos anuales por persona (en dólares)	$1.910
esperanza de vida	66 años

Guinea Ecuatorial

ciudades	Malabo,* Bata, Luba
población	523.100
población urbana	50%